Genesis

KARIN SLAUGHTER BIJ DE BEZIGE BIJ

KARIN SLAUGHTER

Genesis

Vertaling Ineke Lenting

2009
DE BEZIGE BIJ
AMSTERDAM

Cargo is een imprint van uitgeverij De Bezige Bij, Amsterdam

Copyright © 2009 Karin Slaughter
Copyright Nederlandse vertaling © 2009 Ineke Lenting
Eerste druk juli 2009
Tweede druk juli 2009
Oorspronkelijke titel *Genesis*
Oorspronkelijke uitgever Century, Londen
Omslagontwerp Marry van Baar
Omslagillustratie Ilona Wellmann/Trevillion Images
Foto auteur Alison Rosa
Vormgeving binnenwerk Peter Verwey, Heemstede
Druk Wöhrmann, Zutphen
ISBN 978 90 234 4190 8
NUR 305

www.uitgeverijcargo.nl

Dit boek draag ik op aan mijn lezers...
met dank voor jullie vertrouwen.

Proloog

Na op de kop af veertig jaar huwelijk had Judith nog steeds het gevoel dat ze haar man niet helemaal kende. Veertig jaar lang had ze voor Henry gekookt, veertig jaar lang had ze zijn overhemden gestreken, veertig jaar lang had ze het bed met hem gedeeld, en nog steeds was hij een raadsel. Misschien dat ze daardoor vrijwel zonder klacht alles voor hem deed. Er viel veel te zeggen voor een man die je na veertig jaar nog steeds wist te boeien.

Judith deed het autoraampje open om wat koele herfstlucht binnen te laten. Atlanta was maar een halfuur rijden verderop, maar hier in Conyers vond je nog stukken onontgonnen land en zelfs wat kleine boerderijen. Het was er rustig, en Atlanta was net ver genoeg weg, zodat je van de stilte kon genieten. Judith slaakte een zucht toen ze aan de horizon een glimp opving van de wolkenkrabbers van de stad. *Thuis*, dacht ze.

Het verbaasde haar dat ze Atlanta inmiddels als haar thuis beschouwde. Het was nog maar kortgeleden dat ze een kleinsteeds, zelfs landelijk leven had geleid. Ze verkoos de open ruimte boven de betonnen trottoirs van de stad, ook al moest ze toegeven dat het prettig was om zo centraal te wonen dat je zomaar naar de buurtwinkel of een restaurantje kon lopen als je er zin in had.

Er gingen dagen voorbij waarin ze niet eens in een auto hoefde te stappen – het soort leven waarvan ze tien jaar eerder niet had kunnen dromen. Ze wist dat Henry er net zo over dacht. Met zijn schouders tot aan zijn oren opgetrokken stuurde hij de Buick vastberaden over een smal landweggetje. Tientallen jaren lang had hij over alle hoofd- en snelwegen van het land gezworven, en inmiddels wist hij intuïtief elk achterafweggetje, iedere afslag en sluiproute te vinden. Judith twijfelde er niet aan of hij zou hen veilig thuisbrengen. Ze leunde achterover en gluurde tussen haar wimpers door uit het raampje, zodat de bomen langs de weg net een dicht bos leken. Minstens één keer per week maakte ze dit ritje naar Conyers, en het leek wel of ze telkens iets nieuws zag: een huisje dat haar nog niet eerder was opgevallen, een brug waar ze talloze malen overheen was gehobbeld zonder er aandacht aan te schenken. Het was als het leven zelf. Je besefte pas wat er aan je voorbijtrok als je vaart minderde om beter te kunnen kijken.

Ze waren op de terugreis na een feestje dat ter ere van hun huwelijksdag door hun zoon was georganiseerd. Of eigenlijk was het georganiseerd door Toms vrouw, die zijn leven regelde alsof ze directiesecretaresse, huishoudster, kinderoppas, kok en – vermoedelijk – concubine in één was. Tom was een blije verrassing geweest, en zijn geboorte een voorval dat de artsen voor onmogelijk hadden gehouden. Vanaf het allereerste begin had Judith hem aanbeden, hem als een geschenk beschouwd dat ze met elke vezel in haar lichaam zou koesteren. Ze had alles voor hem overgehad, en nu Tom inmiddels de dertig was gepasseerd scheen hij nog steeds vertroeteld te moeten worden. Misschien was Judith als echtgenote te traditioneel en als moeder te dienstbaar geweest, en was haar zoon daardoor tot het soort man uitgegroeid dat van een vrouw verlangde, en verwachtte, dat ze alles voor hem deed.

Niet dat Judith Henry's sloofje was geweest. Ze waren getrouwd in 1969, een tijd waarin vrouwen in meer dingen geïnteresseerd mochten zijn dan in de perfecte bereiding van braadstuk en de beste manier om vlekken uit het tapijt te verwijderen. Vanaf het begin was Judith vastbesloten geweest om haar leven zo interessant mogelijk in te richten. Ze was hulpmoeder op Toms school. Ze werkte als vrijwilligster in het plaatselijke opvanghuis voor daklozen, en zette samen met buurtbewoners een hergebruik-

8

groepje op. Toen Tom wat ouder was, nam Judith een boekhoudbaantje bij een plaatselijk bedrijf en sloot zich via de kerk aan bij een hardloopclub die trainde voor marathons. Dit actieve bestaan vormde een schril contrast met dat van Judiths moeder, die aan het eind van haar leven zo uitgewoond was na negen kinderen te hebben grootgebracht, zo uitgeput van het eindeloze, zware werk als boerenvrouw, dat ze op sommige dagen te verslagen was om er een woord uit te krijgen.

Wel moest Judith toegeven dat ze zelf ook een typische vrouw van haar tijd was geweest. Tot haar schande was ze eigenlijk gaan studeren om een man aan de haak te slaan. Ze was opgegroeid in de buurt van Scranton, in Pennsylvania, in een dorp dat zo klein was dat het niet eens voor een stip op de kaart in aanmerking kwam. De enige beschikbare mannen waren boeren, en die waren amper in Judith geïnteresseerd, wat ze hun niet kwalijk kon nemen. De spiegel loog niet. Ze was iets te dik, haar tanden stonden iets te ver naar voren en verder had ze van alles net iets te veel om het soort vrouw te zijn waarop de mannen van Scranton vielen. En dan was er haar vader nog, streng en met harde hand, niet iemand die je met een beetje gezond verstand als schoonvader uitkoos, tenminste niet in ruil voor een peervormig meisje met konijnentanden, dat geen enkele aanleg voor het boerenbedrijf aan de dag legde.

Eigenlijk was Judith altijd het buitenbeentje van de familie geweest, het kind dat niet echt in het gezin paste. Ze las te veel. Ze had een hekel aan het boerenwerk. Zelfs als klein meisje had ze niks met dieren en weigerde ze ze te verzorgen en te voeren. Geen van haar zussen en broers had een hogere opleiding genoten. Twee broers waren op hun veertiende van school gegaan, en een oudere zus was halsoverkop getrouwd om zeven maanden later haar eerste kind te baren. Niet dat iemand moeite deed om het uit te rekenen. Hun moeder, voor wie ontkenning een tweede natuur was geworden, had tot op haar sterfdag volgehouden dat haar eerste kleinkind zelfs als baby al zware botten had gehad. Wat zijn middelste dochter betrof had Ju-

9

diths vader gelukkig het teken aan de wand gezien. Voor haar geen verstandshuwelijk met een van de jongens uit de buurt, want die waren wel zo verstandig om haar links te laten liggen. De christelijke hogeschool, zo had hij bedacht, was Judiths laatste – en enige – kans. Op haar zesde had Judith een stukje opspattend puin in haar oog gekregen toen ze achter de tractor aan rende. Vanaf dat moment had ze altijd een bril gedragen. Door die bril vond iedereen haar geleerd, ook al was het tegenovergestelde waar. Ze hield inderdaad van lezen, maar haar belangstelling ging eerder uit naar flutromannetjes dan naar echte literatuur. Toch raakte ze het etiket 'studiebol' niet kwijt. Wat zeiden ze vroeger ook alweer? 'Een vrouw met een bril, geen man die haar wil.' Het kwam dan ook als een verrassing – of eigenlijk als een schok – toen ze die allereerste dag op de hogeschool tijdens het allereerste college een knipoog kreeg van de studieassistent.

Eerst dacht ze dat hij last van zijn oog had, maar Henry Coldfields bedoelingen lieten niets te raden over toen hij haar aan het eind van het college terzijde nam en vroeg of ze zin had om iets fris met hem te gaan drinken in de drugstore. Verder dan die knipoog reikten zijn sociale talenten blijkbaar niet. Als mens was Henry uitermate verlegen, wat vreemd was als je bedacht dat hij het later tot topverkoper bij een drankengroothandel zou schoppen, een baan die hij zelfs drie jaar na zijn pensionering nog steeds uit de grond van zijn hart verfoeide.

Judith vermoedde dat Henry's aanpassingsvermogen het gevolg was van zijn jeugd in een kolonelsgezin, toen hij overal in het land had gewoond en nooit langer dan een paar jaar op één basis was gebleven.

Het was geen hartstocht op het eerste gezicht geweest; de liefde kwam later. Wat Judith in het begin vooral in Henry aantrok, was dat hij zich tot haar aangetrokken voelde. Dat was iets nieuws voor het peertje uit Scranton, maar Judith had zich dan ook altijd aan het uiteinde van het Marx-spectrum bevonden: eerder Groucho dan Karl. Ze was maar al te bereid om zich bij elke club aan te sluiten die haar als lid wilde hebben.

Henry was een club op zich. Hij was niet knap, maar ook niet lelijk, evenmin brutaal als terughoudend. Met zijn keurige scheiding en neutrale manier van praten zou je hem het beste als 'doorsnee' kunnen beschrijven, en dat deed Judith dan ook in een brief die ze later aan haar oudere zus schreef. Rosa had geantwoord in de trant van: 'Tja, meer zit er waarschijnlijk niet voor je in.' Als verzachtende omstandigheid kon worden aangevoerd dat Rosa destijds zwanger was van haar derde kind terwijl het tweede nog in luiers liep, maar toch had Judith haar zus die neerbuigende opmerking nooit vergeven – niet om zichzelf, maar om Henry. Als Rosa niet doorhad hoe bijzonder Henry was, dan kwam dat doordat Judiths pen tekortschoot en Henry te verfijnd was voor simpele woorden op een vel papier. Misschien was het beter zo. Rosa's zure commentaar was voor Judith aanleiding geweest om met haar familie te breken en zich volledig aan deze knipogende, in zichzelf gekeerde, onvoorspelbare onbekende te geven.

Henry's sociale verlegenheid was slechts de eerste van vele tegenstellingen die Judith in de loop van de jaren bij haar echtgenoot had waargenomen. Hij leed aan hoogtevrees, maar had nog voor zijn twintigste zijn sportvliegbrevet gehaald. Hij verkocht alcohol, maar dronk zelf geen druppel. Hij was een echte huismus, maar praktisch zijn hele volwassen leven had hij het Noordwesten en later het Midwesten bereisd, en door zijn promoties hadden ze overal in het land gewoond, zoals Henry dat als kind van een militair van vroeger gewend was. Het leek alsof hij zichzelf altijd dwong om dingen te doen die hij eigenlijk niet wilde. Tegen Judith zei hij vaak dat haar gezelschap het enige was waarvan hij oprecht genoot.

Veertig jaar, en dan nog zoveel verrassingen.

Tot haar spijt betwijfelde Judith of haar zoon zijn vrouw ook maar enige verrassing te bieden had. Toen Tom opgroeide was Henry drie van de vier weken op pad geweest, en zijn taak als opvoeder manifesteerde zich in vlagen, waarbij zijn gevoelige kant niet echt aan bod kwam. Het gevolg was dat Tom alle eigenschappen overnam die zijn

11

vader hem tijdens zijn jeugd had getoond: strengheid, on-buigzaamheid, gedrevenheid.

Het had nog een andere kant. Judith wist niet of het kwam doordat Henry zijn vertegenwoordigersbaan eerder als een plicht aan zijn gezin dan als een passie beschouw-de, maar het was alsof er een zekere onderhuidse spanning aan elke interactie met zijn zoon ten grondslag lag: *Bega niet dezelfde vergissingen die ik heb gemaakt. Raak niet verstrikt in een baan die je veracht. Verloochen je over-tuigingen niet voor brood op de plank.* De enige positieve aanbeveling die hij de jongen had gedaan was dat hij een goede vrouw moest trouwen. Was hij maar wat specifieker geweest. Was hij maar minder hard geweest.

Waarom waren mannen zo veeleisend waar het hun zonen betrof? Judith vermoedde dat ze hun jongens wil-den zien slagen waar ze zelf hadden gefaald. Als Judith in het verleden naar een tweede kind verlangde en dan een dochter voor zich zag, werd ze helemaal warm vanbinnen, een gevoel dat onmiddellijk overging in bijtende kou. Een meisje net als Judith, dat de maatschappij in moest, dat haar moeder moest trotseren, dat de wereld moest trot-seren. Dan begreep ze Henry's wens dat Tom het beter moest doen dan hij, dat hij beter moest zijn, dat hij alles moest krijgen wat hij wilde, en meer.

In zijn werk was Tom zonder meer geslaagd, maar zijn muizige vrouw was een teleurstelling. Telkens als Ju-dith haar schoondochter zag, kostte het haar de grootste moeite om niet te zeggen dat ze rechtop moest staan, voor zichzelf moest opkomen en in godsnaam wat ruggengraat moest tonen. Een week eerder had een van de vrijwillig-sters van de kerk gezegd dat een man altijd met zijn moe-der trouwde. Judith was niet met de vrouw in discussie gegaan, hoewel ze betwijfelde of iemand ook maar een greintje overeenkomst zou kunnen vinden tussen haar en de vrouw van haar zoon. Judith was graag bij haar klein-kinderen, maar de aanblik van haar schoondochter deed altijd weer afbreuk aan haar vreugde.

Per slot van rekening waren ze louter om de kleinkinde-ren naar Atlanta verhuisd. Ze hadden hun rustige leventje in Arizona, waar ze zich na Henry's pensionering gevestigd hadden, eraan gegeven en waren drieduizend kilometer verderop getrokken, naar deze broeierige stad met zijn smogalarms en bendes die elkaar naar het leven stonden, alleen om dichter bij twee van de verwendste, ondankbaarste krengetjes te zijn die er aan deze kant van de Appalachen te vinden waren.

Judith wierp een blik op Henry, die onder het rijden met zijn vingers op het stuur trommelde en nogal vals zat te neuriën. Als ze het over hun kleinkinderen hadden, was het slechts in de gloedvolste bewoordingen, misschien omdat een vlaag van eerlijkheid aan het licht zou kunnen brengen dat ze ze eigenlijk niet zo aardig vonden – en wat moesten ze dan? Ze hadden hun hele leven op z'n kop gezet voor twee kleine kinderen die een glutenvrij dieet volgden, op onwrikbaar vaste tijden een dutje deden en een strak speelrooster hadden, waarbij ze alleen mochten spelen met 'gelijkgezinde kinderen die dezelfde doelen nastreefden'.

Voor zover Judith wist, streefden haar kleinkinderen maar één doel na, namelijk om in het middelpunt van de aandacht te staan. Je hoefde maar te niezen, vond ze, en je had al een gelijkgezind, egocentrisch kind te pakken, maar volgens haar schoondochter was het een bijna onmogelijk karwei. Daar ging het toch om als je kind was, om je egocentrisch op te stellen? En was het niet de taak van de ouders om dat eruit te drillen? Het was alle betrokkenen in elk geval duidelijk dat het niet tot de taak van de grootouders behoorde.

Toen de kleine Mark zijn niet-gepasteuriseerde sap op Henry's pantalon had gemorst en Lilly zoveel chocolaatjes uit haar oma's tas had gevist en opgegeten dat ze Judith deed denken aan een dakloze vrouw die ze een maand eerder in het opvanghuis had gezien en die zich flippend van de methamfetamine had ondergeplast, hadden Henry en Judith hooguit geglimlacht – gegniffeld zelfs – alsof het om wat schattige grilletjes ging die de kinderen spoedig zouden ontgroeien.

Maar spoedig kwam niet snel genoeg, en toen haar

kleinkinderen zeven en negen waren begon Judith er zo langzamerhand aan te wanhopen dat ze ooit in beleefde, liefhebbende jongvolwassenen zouden veranderen die niet voortdurend de drang voelden om grotemensengesprekken te verstoren en zo luid krijsend door het huis te rennen dat dieren twee districten verderop aan het brullen sloegen. Judiths enige troost was dat Tom hen elke zondag meenam naar de kerk. Uiteraard wilde ze dat haar kleinkinderen werden voorbereid op een leven met Christus, maar ze wilde vooral dat ze de zondagsschoollessen leerden. *Eert uw vader en uw moeder. Wat gij niet wilt dat u geschiedt, doe dat ook een ander niet. Je hoeft er niet op te rekenen dat je bij je opa en oma kunt intrekken als je je leven verknalt en voortijdig van school gaat.*

'Hé!' blafte Henry toen een tegemoetkomende auto zo dicht langs hen schoot dat de Buick schudde op zijn banden. 'Blagen,' bromde hij, en hij klemde het stuur stevig vast.

Hoe dichter hij de zeventig naderde, hoe meer Henry in zijn rol van norse oude man scheen te groeien. Soms was het ontwapenend. Maar er waren ook momenten dat Judith zich afvroeg hoe lang het nog zou duren voor hij vuistschuddend al het kwaad van de wereld op het conto van 'die blagen' schreef. De leeftijd van de blagen leek ergens tussen de vier en de veertig te schommelen, en zijn ergernis bereikte een hoogtepunt wanneer hij ze op iets betrapte wat hij vroeger zelf deed, maar waarvan hij niet langer de lol inzag. Judith vreesde de dag waarop zijn vliegbrevet hem ontnomen zou worden, iets wat niet lang meer zou duren nu tijdens zijn laatste bezoek aan de cardioloog wat afwijkingen aan het licht waren gekomen. Dat was een van de redenen geweest waarom ze hadden besloten zich in Arizona te vestigen, waar geen sneeuwhopen geruimd of gazons gemaaid hoefden te worden.

'Het kon weleens gaan regenen,' zei ze.

Henry strekte zijn hals en keek naar de wolken.

'Echt een avond om aan mijn boek te beginnen.'

Zijn lippen krulden zich tot een glimlach. Voor hun huwelijksdag had Henry haar een dikke historische roman gegeven. Van Judith had hij een nieuwe koelbox gekregen voor op de golfbaan.

Turend keek ze naar de weg vóór hen. Ze moest haar ogen weer eens laten controleren. Zelf was ze ook niet ver van de zeventig verwijderd, en haar gezichtsvermogen leek elk jaar minder te worden. Vooral in de schemering was het erg, wanneer voorwerpen in de verte leken te vervagen. Ze knipperde dan ook een paar keer met haar ogen voor ze zeker wist wat ze zag, en ze deed haar mond pas open om Henry te waarschuwen toen het dier pal voor hen opdook.

'Jude!' brulde Henry, en terwijl hij het stuur naar links rukte om het arme beest te ontwijken, schoot zijn andere arm voor Judiths borst langs. Merkwaardig genoeg was de eerste gedachte die bij Judith opkwam dat het in de film precies klopte: alles vertraagde, de tijd kroop, zodat elke seconde een eeuwigheid leek te duren. Ze voelde Henry's sterke arm als een grendel voor haar borsten, ze voelde de veiligheidsgordel in haar heupbeenderen snijden. De auto zwenkte en met een schok sloeg haar hoofd tegen het portier. De voorruit barstte toen het dier tegen het glas sprong, het dak van de auto raakte en vervolgens van de kofferbak stuiterde. Pas nadat de auto schuddend en met een draai van honderdtachtig graden tot stilstand was gekomen, haalden de geluiden Judith in: het gekraak en gebonkbonkbonk, en boven dat alles uit een snerpend hoge kreet die uit haar eigen mond bleek te komen. Ze verkeerde ongetwijfeld in shock, want Henry riep verschillende keren 'Judith! Judith!' voor ze stopte met schreeuwen.

Henry's hand klemde om haar arm en ze voelde de pijn tot in haar schouder. 'Het gaat wel, het gaat wel,' zei ze, terwijl ze over de rug van zijn hand wreef. Haar bril zat scheef en haar gezichtsvermogen was miserabel. Toen ze met haar vingers langs de zijkant van haar hoofd streek, voelde ze iets nats en kleverigs. Ze trok haar hand weg en zag bloed.

'Het was vast een hert of...' Henry sloeg zijn hand voor zijn mond om de woorden binnen te houden. Hij leek kalm, maar het gezwoeg van zijn borst terwijl hij naar

15

lucht hapte verried hem. De airbag was opengeklapt. Op zijn gezicht zat een fijn, wit poeder.

Judiths adem stokte toen ze voor zich uit keek. De hele voorruit zat onder het bloed, als van een plotselinge slagregen.

Henry duwde het portier open, maar stapte niet uit. Judith zette haar bril af om haar ogen schoon te vegen. Beide glazen waren kapot en rechts ontbrak de onderkant. Ze zag de glazen beven en besefte dat het getril van haar eigen handen afkomstig was. Nu stapte Henry uit. Ze dwong zichzelf om haar bril weer op te zetten en volgde zijn voorbeeld.

Het beest lag op de weg en zijn poten bewogen. Judiths hoofd deed pijn van de smak tegen het portier. Haar ogen zaten vol bloed. Dat was de enige verklaring die ze had voor het feit dat het dier – en het moest wel een hert zijn – welgevormde, blanke vrouwenbenen scheen te hebben.

'O god,' fluisterde Henry. 'Het is – Judith – het is...'

Achter zich hoorde Judith een auto. Banden gierden over het asfalt. Portieren vlogen open en sloegen weer dicht. Twee mannen voegden zich bij hen op de weg, en een van hen rende naar het dier.

'Bel 911!' riep hij, terwijl hij bij het lichaam neerknielde. Judith kwam wat dichterbij en nog wat dichterbij. Weer bewogen de benen – de volmaakte benen van een vrouw. Ze was spiernaakt. Bloeduitstortingen kleurden de binnenkant van haar dijen zwart. Donkere, oude bloeduitstortingen. Opgedroogd bloed zat vastgekoekt aan haar benen. Haar borsten waren toegetakeld. Er was geen andere beschrijving voor: ze zag eruit alsof ze door een beest was aangevallen. Een donkerrood waas leek haar romp te bedekken, en uit een scheur in haar zij stak wit bot. Judith keek even naar haar gezicht. De neus zat scheef. De ogen waren gezwollen, de lippen zaten vol kloofjes en barstjes. Het donkere haar van de vrouw klitte samen van het bloed, dat als een halo een plas rond haar hoofd had gevormd.

Onwillekeurig kwam Judith nog wat dichterbij, en plotseling voelde ze zich een voyeur nadat ze een leven lang beleefd haar blik had afgewend. Glas knerpte onder haar voeten en de ogen van de vrouw schoten in paniek open. Met doffe, dode blik staarde ze naar een punt ergens voorbij Judith. Even plotseling knipperden haar ogen weer dicht, en Judith kon de huivering die door haar lichaam trok niet onderdrukken. Het was alsof er iemand over haar graf had gelopen. 'Lieve god,' mompelde Henry, bijna in gebed. Toen Judith zich omdraaide, zag ze dat haar man met zijn hand naar zijn borst greep. Zijn knokkels waren wit. Hij hield zijn blik strak op de vrouw gericht en het leek alsof hij elk moment kon gaan overgeven. 'Hoe kon dit gebeuren?' vroeg hij, met een van afschuw verwrongen gezicht. 'Hoe kon dit in godsnaam gebeuren?'

DAG EEN

Een

'Ja, mama,' sprak Sara Linton zachtjes in haar mobiele telefoon, en ze liet zich achteroverzakken op haar stoel. Even vroeg ze zich af of er ooit een dag zou aanbreken waarop dit weer normaal was, waarop een telefoongesprek met haar moeder haar weer blij zou maken, zoals vroeger, in plaats van een stuk van haar hart uit haar borst te rijten.

'Schatje,' zei Cathy sussend, 'het komt allemaal in orde. Je zorgt goed voor jezelf, en dat is het enige wat papa en ik willen weten.'

Tranen schoten Sara in de ogen. Dit was bepaald niet de eerste keer dat ze in de artsenkamer van het Grady Hospital had zitten huilen, maar ze had genoeg van al dat gejank; eigenlijk had ze genoeg van al die gevoelens. Was dat niet de reden geweest waarom ze twee jaar eerder haar familie, haar leven in het landelijke deel van Georgia had achtergelaten en naar Atlanta was verhuisd: om niet langer voortdurend herinnerd te worden aan wat er gebeurd was?

'Beloof me dat je probeert om volgende week naar de kerk te gaan.'

Sara mompelde iets wat voor een belofte zou kunnen doorgaan. Haar moeder was niet gek, en ze wisten allebei dat de kans dat Sara op eerste paasdag in een kerkbank zou zitten buitengewoon miniem was, maar Cathy drong niet aan.

Sara keek naar de stapel patiëntendossiers die voor haar lag. Haar dienst zat er bijna op en ze moest haar rapport nog dicteren. 'Mama, het spijt me, maar ik moet ophangen.'

Nadat Cathy haar had laten beloven dat ze de volgende week weer zou bellen, verbrak ze de verbinding. Sara bleef nog een paar minuten met haar mobieltje in haar hand zitten en keek naar de afgesleten cijfers. Met haar duim zocht ze de 7 en de 5 en toetste het vertrouwde nummer in, zonder op BELLEN te drukken. Ze stopte het telefoontje in haar zak en voelde de brief langs de rug van haar hand strijken. De Brief. Een document dat in haar gedachten een eigen leven was gaan leiden.

Meestal nam Sara na het werk haar post door zodat ze die niet de hele dag met zich mee hoefde te slepen, maar op een ochtend had ze om duistere redenen bij het weggaan de brieven bekeken. Het klamme zweet was haar uitgebroken toen ze de naam van de afzender op de achterkant van de simpele witte envelop had zien staan. Toen ze naar haar werk vertrok had ze de ongeopende envelop in de zak van haar laboratoriumjas gestopt, met de bedoeling om de brief tijdens haar lunchpauze te lezen. De lunchpauze brak aan en ging weer voorbij zonder dat ze de envelop had geopend. Ze had hem mee naar huis genomen en de volgende dag nam ze hem weer mee naar haar werk. Maanden verstreken en de brief vergezelde Sara overal. Soms zat hij in haar jas en soms in haar tas als ze naar de supermarkt ging of een andere boodschap moest doen. Hij werd een soort talisman, en vaak stak ze haar hand in haar zak om hem aan te raken, om zich ervan te verzekeren dat hij er nog was.

In de loop van de tijd waren de hoeken van de dichtgeplakte envelop omgebogen en was het poststempel van Grant County vervaagd. Elke dag werd het moeilijker voor Sara om het ding te openen en te lezen wat de vrouw die verantwoordelijk was voor de dood van haar man haar te vertellen had.

'Dokter Linton?' Mary Schroder, een van de verpleegkundigen, klopte op de deur. 'Er is net een vrouw binnengebracht, bewusteloos voorafgaand aan opname, drieëndertig, zwakke pols,' zei ze in het afgemeten taaltje van de spoedafdeling.

Sara wierp eerst een blik op de dossiers en toen op haar horloge. Een drieëndertigjarige vrouw die in een dergelijke staat was binnengebracht vormde een puzzel die haar tijd ging kosten. Het was bijna zeven uur. Nog tien minuten en dan zat haar dienst erop. 'Kan Krakauer haar niet nemen?'

'Krakauer heeft haar al gezien,' was Mary's antwoord. 'Hij heeft een bloedtest laten doen en is toen koffie gaan drinken met dat nieuwe sletje.' Ze was zichtbaar ontstemd. 'De patiënte is politieagent,' voegde ze eraan toe.

Mary, die al bijna twintig jaar op de spoedafdeling van het Grady Hospital werkte, was met een politieman getrouwd en haar ergernis was begrijpelijk. Het was trouwens een ongeschreven wet in elk ziekenhuis ter wereld dat politiemensen de beste en snelste behandeling kregen. Kennelijk was dat niet tot Otto Krakauer doorgedrongen.

Sara liet zich vermurwen. 'Hoe lang is ze buiten bewustzijn geweest?' vroeg ze.

'Heel even maar, zegt ze zelf.' Mary schudde haar hoofd, want patiënten waren bepaald niet de betrouwbaarste getuigen als het om hun eigen gezondheid ging. 'Ze ziet er niet goed uit.'

Bij die laatste woorden stond Sara op van haar stoel. Het Grady was het enige toptraumacentrum in de wijde omtrek, en bovendien was het een van de weinige overgebleven openbare ziekenhuizen van Georgia. De verpleegkundigen van het Grady kregen bijna dagelijks te maken met auto-ongelukken, schiet- en steekpartijen, overdoses en talloze andere geweldsdelicten. Een ernstig probleem werd onmiddellijk door hen onderkend. En uiteraard lieten politiemensen zich pas opnemen als ze op sterven na dood waren.

Terwijl ze over de spoedafdeling liep, liet Sara haar blik over het dossier van de vrouw gaan. Het enige wat Otto Krakauer had gedaan was haar medische geschiedenis doornemen en bloed laten prikken, en Sara zag dat een duidelijke diagnose ontbrak. Voor het overige was Faith Mitchell een in alle opzichten gezonde vrouw van drieëndertig, zonder ziekteverleden of recent trauma. Hopelijk kregen ze een beter beeld aan de hand van het bloedonderzoek.

Sara mompelde een verontschuldiging toen ze op de gang tegen een brancard aan botste. Zoals gewoonlijk puilden de ziekenzalen uit en waren de patiënten weggestouwd op de gangen, sommige in bedden, andere in rolstoelen, maar ze zagen er stuk voor stuk nog ellendiger uit dan ze er bij opname aan toe waren geweest. De meesten waren waarschijnlijk meteen uit hun werk hiernaartoe gekomen, omdat ze geen dag loon konden missen. Toen ze Sara's witte jas zagen, riepen ze naar haar, maar ze las nog steeds in het dossier en negeerde alles om zich heen.

'Ik kom zo bij je,' zei Mary, die zich aan de kant liet trekken door een oudere vrouw op een brancard. 'Ze is in 3.'

Sara klopte op de openstaande deur van onderzoekkamer 3: privacy, ook een van de extraatjes die politiemensen ten deel vielen. Een kleine blonde vrouw zat op de rand van het bed, met al haar kleren aan en zichtbaar geïrriteerd. Mary beheerste haar vak als geen ander, maar een blind paard kon nog zien dat Faith Mitchell er slecht aan toe was. Ze was even wit als het laken op het bed, en zelfs op afstand leek haar huid klam.

Haar echtgenoot liep door de kamer te ijsberen en maakte het er niet beter op. Het was een aantrekkelijke man, ruim een meter tachtig, met kortgeknipt blond haar. Over de zijkant van zijn gezicht liep een grillig litteken, waarschijnlijk van een ongeluk toen hij klein was. Misschien was hij gevallen met zijn fiets en was hij met zijn kaak over het asfalt geschuurd, of hij was op de aangestampte aarde gesmakt toen hij naar het thuishonk scheurde. Hij was mager en pezig, waarschijnlijk een hardloper, en onder zijn driedelig pak tekenden zich de brede borst en schouders af van iemand die veel tijd op de sportschool doorbracht.

Nu bleef hij staan en keek Sara en zijn vrouw beurtelings aan. 'Waar is die andere dokter?'

'Die werd naar een spoedgeval geroepen.' Sara liep naar het fonteintje en waste haar handen. 'Ik ben dokter

Linton,' zei ze. 'Kunt u me even bijpraten? Wat is er gebeurd?'

'Ze ging van haar stokje,' zei de man, terwijl hij zenuwachtig aan zijn trouwring draaide. Hij scheen te beseffen dat hij nogal gestrest overkwam en probeerde een wat kalmere toon aan te slaan. 'Ze is nog nooit eerder flauwgevallen.'

Blijkbaar vond Faith Mitchell zijn bezorgdheid irritant. 'Met mij is niks aan de hand,' zei ze met klem. En tegen Sara: 'Ik heb het hele verhaal ook al aan de andere arts verteld. Ik geloof dat ik verkouden word, dat is alles.'

Sara legde haar vingers op Faiths pols om haar hartslag te controleren. 'Hoe voel je je nu?'

De vrouw keek even naar haar man. 'Nijdig.'

Glimlachend scheen Sara met haar zaklampje in Faiths ogen. Ze bekeek haar keel, verrichtte het gebruikelijke lichamelijke onderzoek en vond niets alarmerends. Ze was het eens met Krakauers voorlopige constatering: waarschijnlijk was Faith lichtelijk uitgedroogd. Haar hart klonk goed en niets wees op een attaque. 'Ben je met je hoofd ergens tegenaan geknald toen je viel?'

Faith wilde antwoorden, maar de man was haar voor. 'Het gebeurde in de parkeergarage. Ze sloeg met haar hoofd tegen het asfalt.'

'Verder nog klachten?' vroeg Sara.

'Gewoon wat hoofdpijn,' antwoordde Faith. Ze lichtte dit toe, ook al leek ze iets te verzwijgen. 'Ik heb eigenlijk nog niet gegeten vandaag. Ik was vanochtend een beetje misselijk. Gisterochtend ook al.'

Sara opende een la op zoek naar een reflexhamer, maar ze vond niets. 'Ben je de laatste tijd afgevallen of aangekomen?'

'Nee,' zei Faith.

'Ja,' zei haar man. 'Maar het staat je goed, hoor,' voegde hij er wat schuldbewust aan toe.

Faith haalde diep adem en blies langzaam uit. Sara bekeek de man nog eens goed, en concludeerde dat hij accountant of advocaat moest zijn. Hij had zijn hoofd naar zijn vrouw toe gekeerd, en nu zag Sara een tweede,

25

wat lichter litteken dat langs zijn bovenlip liep en duidelijk niet afkomstig was van een chirurgische ingreep. De huid was slordig dichtgenaaid, waardoor de verticale streep tussen zijn lip en zijn neus wat onregelmatig was. Waarschijnlijk had hij tijdens zijn studie aan boksen gedaan, of misschien had hij iets te vaak een klap tegen zijn hoofd gehad omdat hij kennelijk niet wist dat je door te graven nog dieper in de put kwam te zitten. 'Faith, je kunt die paar extra pondjes heel goed hebben. Je zou nog wel...'

Met één blik legde ze hem het zwijgen op.

'Goed.' Sara sloeg het dossier open en maakte een paar aantekeningen. 'Er moet een röntgenfoto van je schedel worden gemaakt en ik wil graag nog een paar testjes doen. Wees maar niet bang, daarvoor kunnen we de bloedmonsters van daarnet gebruiken, dus voorlopig komt er geen naald meer aan te pas.' Ze krabbelde iets neer, kruiste een aantal hokjes aan en keek Faith aan. 'Ik beloof je dat we er haast mee zullen maken, maar je ziet dat we vandaag volle bak hebben. De röntgenafdeling heeft al minstens een uur achterstand. Ik zal mijn best doen om het zo snel mogelijk voor elkaar te krijgen. Toch zou ik maar een boek of tijdschrift pakken terwijl je zit te wachten.'

Faith zei niets, maar in haar houding was iets veranderd. Ze wierp een blik op haar man en keek toen Sara weer aan. 'Moet ik dat ondertekenen?' Ze wees naar het dossier.

Er viel niets te ondertekenen, maar niettemin reikte Sara haar het document aan. Faith schreef iets op aan de onderkant van het papier en gaf het toen terug. *Ik ben zwanger*, las Sara.

Knikkend schrapte Sara de opdracht voor de röntgenfoto. Kennelijk had Faith het nog niet aan haar man verteld, maar nu moest Sara haar een paar andere vragen stellen en dat ging niet zonder het nieuwtje te verraden. 'Wanneer heb je voor het laatst een uitstrijkje laten maken?'

Faith scheen het te snappen. 'Vorig jaar.'

'Laten we dat meteen maar doen nu je hier toch bent. Blijf maar even op de gang wachten,' zei ze tegen de man.

'O.' Hij keek verbaasd, maar niettemin gaf hij een knikje. 'Oké. Als je me nodig hebt, ik zit in de wachtkamer,'
liet hij zijn vrouw weten.

'Komt goed.' Faith keek hem na en zichtbaar opgelucht
liet ze haar schouders zakken toen de deur zich achter
hem sloot. 'Mag ik erbij gaan liggen?' vroeg ze.

'Ja hoor.' Terwijl Sara Faith hielp om een gemakkelijke
houding op het bed aan te nemen, concludeerde ze dat ze
er jonger uitzag dan drieëndertig. Toch had ze de kenmer-
kende breedgeschouderde no-nonsensehouding van een
politievrouw die zich niet in de maling liet nemen. Dat
advocatentype van een man leek helemaal niet bij haar te
passen, maar Sara had vreemdere combinaties gezien.

'Hoever ben je?' vroeg ze.

'Een week of negen.'

Sara maakte er aantekening van. 'Is dat een ruwe schatting of ben je bij de dokter geweest?'

'Ik heb zo'n zwangerschapstest gekocht.' Ze bedacht
zich. 'Om precies te zijn heb ik drie zwangerschapstests
gekocht. Ik ben nooit over tijd.'

Sara voegde een zwangerschapstest toe aan haar instruc-
tielijstje. 'Hoeveel ben je aangekomen?'

'Vierenhalve kilo,' bekende Faith. 'Sinds ik het ontdekt
heb, ben ik als een gek gaan eten.'

Uit ervaring wist Sara dat vierenhalve kilo meestal acht
kilo betekende. 'Heb je nog meer kinderen?'

'Eentje – Jeremy – achttien.'

Ook dat schreef Sara op. 'Gefeliciteerd,' prevelde ze. 'Bijna twee, nog even en de koppigheidsfase breekt aan.'

'Op zijn negentiende? Mijn zoon is achttien jaar.'

Sara knipperde met haar ogen en bladerde terug door
Faiths medische geschiedenis.

'Ik wil het wel even voor je uitrekenen,' bood Faith aan.
'Ik werd zwanger op mijn veertiende en kreeg Jeremy op
mijn vijftiende.'

Sara stond niet zo gauw meer verbaasd, maar Faith Mitchell was erin geslaagd. 'Waren er complicaties tijdens je
eerste zwangerschap?'

'Behalve dat ik een hoofdrol had kunnen spelen in een

docusoap?' Ze schudde haar hoofd. 'Nee, er waren geen problemen.'

'Oké.' Sara legde het dossier neer en richtte nu haar onverdeelde aandacht op Faith. 'Vertel eens wat er vanavond gebeurd is.'

'Ik liep naar de auto en voelde me duizelig worden, en het volgende moment brengt Will me hiernaartoe.'

'Hoe bedoel je duizelig: begon alles te draaien of werd je licht in je hoofd?'

Faith dacht even na. 'Licht in mijn hoofd.'

'Zag je flitsen of kreeg je een rare smaak in je mond?'

'Nee.'

'Is Will je man?'

Nu begon ze zowaar te bulderen van het lachen. 'Jezus, nee.' Ze stikte er bijna in, zo ongelooflijk vond ze het. 'Will is mijn collega – Will Trent.'

'Is rechercheur Trent in de buurt, zodat ik hem kan spreken?'

'Hij is agent bij het Georgia Bureau of Investigation. Je hebt hem al gesproken. Hij is net vertrokken.'

Sara wist zeker dat ze iets over het hoofd had gezien. 'Bedoel je dat die man die hier net was bij de politie werkt?'

Faith lachte. 'Het komt door dat pak. Je bent niet de eerste die hem voor een begrafenisondernemer aanziet.'

'Ik dacht eerder aan een advocaat,' bekende Sara. In haar hele leven had ze nog nooit iemand ontmoet die minder op een politieman leek dan deze Will Trent.

'Ik zal hem vertellen dat je dacht dat hij advocaat was. Dat kan hij vast waarderen, dat je hem voor een ontwikkeld man hebt aangezien.'

Nu viel het Sara pas op dat de vrouw geen trouwring droeg. 'Dan is de vader dus...'

'Niet echt in beeld,' moest Faith bekennen. Ze scheen er niet mee te zitten, en Sara ging ervan uit dat je niet meer zo snel in verlegenheid werd gebracht als je op je vijftiende moeder was geworden. 'Ik heb liever dat Will het niet weet,' zei Faith. 'Hij is heel...' Ze brak haar zin halverwege af, sloot haar ogen en drukte haar lippen op elkaar. Haar voorhoofd glansde van het zweet.

28

Sara legde haar vingers weer op haar pols. 'Wat gebeurt er?'

Faith lag daar met opeengeklemde kaken en antwoordde niet.

Sara was zo vaak ondergekotst dat ze de tekenen moeiteloos herkende. Ze liep naar het fonteintje, trok een stuk papier van de keukenrol en maakte het nat. 'Diep inademen en dan weer langzaam uitademen,' zei ze. Faith deed wat haar was opgedragen. Haar lippen trilden.

'Ben je de laatste tijd prikkelbaar?'

Ondanks haar situatie sloeg Faith een luchtige toon aan. 'Meer dan anders?' Opeens werd ze ernstig en ze legde haar hand op haar buik. 'Ja. Nerveus. Geïrriteerd.' Ze slikte. 'Soms gonst het in mijn hoofd, alsof er bijen in mijn hersens zitten.'

Sara drukte het koude papier tegen het voorhoofd van de vrouw. 'Misselijk?'

'Vooral 's ochtends.' Het kwam er met moeite uit. 'Ik dacht eerst dat het ochtendziekte was, maar...'

'En die hoofdpijn?'

'Die is nogal heftig, vooral 's middags.'

'Heb je abnormaal veel dorst? Moet je vaak plassen?'

'Ja. Nee. Ik weet het niet.' Langzaam deed ze haar ogen open. 'Wat heb ik?' vroeg ze. 'Griep, een hersentumor of iets dergelijks?'

Sara ging op de rand van het bed zitten en pakte Faiths hand.

'O jezus, is het zo erg? Dokters en agenten gaan alleen zitten bij slecht nieuws,' zei ze voor Sara kon antwoorden.

Voor Sara was dat een openbaring en ze verbaasde zich erover dat ze het over het hoofd had kunnen zien. Na al die jaren waarin ze haar leven met Jeffrey Tolliver had gedeeld, had ze gedacht dat ze al zijn trekjes kende, maar dit was haar volledig ontgaan. 'Ik ben jarenlang met een politieman getrouwd geweest,' vertelde ze. 'Het is me nooit opgevallen, maar je hebt gelijk: hij ging altijd zitten als hij slecht nieuws moest vertellen.'

'Ik ben al vijftien jaar bij de politie,' antwoordde Faith.

'Heeft hij je bedrogen of is hij aan de drank geraakt?'

Sara kreeg een brok in haar keel. 'Hij is drieënhalf jaar geleden vermoord.'

'O, nee.' Faiths adem stokte en ze legde haar hand op haar borst. 'Wat vreselijk.'

'Rustig maar,' zei Sara, terwijl ze zich afvroeg waarom ze zoiets persoonlijks aan deze vrouw had verteld. De afgelopen paar jaar had ze haar best gedaan om niet over Jeffrey te praten, en nu zat ze met een volslagen onbekende over hem te kletsen. 'Je hebt gelijk,' voegde ze eraan toe om de spanning te verbreken. 'Hij heeft me ook bedrogen.' Althans, de eerste keer dat Sara met hem getrouwd was geweest.

'Wat vreselijk,' herhaalde Faith. 'Was het in diensttijd?'

Hierop wilde Sara niet antwoorden. Ze was misselijk, voelde zich verpletterd. Waarschijnlijk was het hetzelfde gevoel dat Faith had gehad toen ze was flauwgevallen in de parkeergarage.

Faith had het door. 'Je hoeft niet...'

'Bedankt.'

'Ik hoop dat die klootzak is gepakt.'

Sara stak haar hand in haar zak en klemde de rand van de brief tussen haar vingers. Dat was de vraag waarop iedereen het antwoord wilde horen: *Is hij gepakt? Hebben ze de vent te pakken gekregen die je man heeft vermoord?* Alsof dat ertoe deed. Alsof het lot van Jeffreys moordenaar op de een of andere manier de pijn van zijn dood kon verlichten.

Gelukkig kwam Mary op dat moment de kamer binnen. 'Sorry,' zei ze, 'maar die oude dame is gewoon door haar kinderen hier gedumpt. Ik moest maatschappelijke hulp bellen.' Ze gaf Sara een stuk papier. 'De bloeduitslag is er.'

Fronsend las Sara de getallen van het metabolisch profiel. 'Heb je je meter bij je?'

Mary haalde haar bloedsuikermeter uit haar zak en gaf die aan haar.

Sara streek wat alcohol op een van Faiths vingertoppen. De bloedtest was ongelooflijk zuiver, maar het Grady was een groot ziekenhuis en het was niet helemaal uitgesloten dat het laboratorium monsters had verwisseld. 'Wanneer heb je voor het laatst gegeten?' vroeg ze aan Faith. 'We zijn de hele dag op de rechtbank geweest,' zei Faith. 'Shit!' siste ze toen het mesje haar vingertopje doorboorde. 'Rond de middag heb ik een paar happen van een suikerbroodje genomen dat Will uit de automaat had gehaald.' 'Je laatste echte maaltijd,' drong Sara aan. 'Dat was gisteravond om een uur of acht.' Faith trok een schuldbewust gezicht, waaruit Sara concludeerde dat het eten waarschijnlijk uit de zak van een afhaalrestaurant was gekomen. 'Heb je vanochtend koffiegedronken?' 'Een half bekertje, hooguit. De geur stond me tegen.' 'Met melk en suiker?' 'Zwart, zonder suiker. Meestal ontbijt ik goed, met yoghurt en fruit. Meteen na mijn rondje hardlopen. Is er iets mis met mijn bloedsuiker?' vroeg ze. 'Daar gaan we naar kijken.' Sara perste wat bloed op het teststripje. Mary trok een wenkbrauw op, alsof ze een wedje met Sara wilde maken over de uitslag. Sara schudde haar hoofd: er werd niet gewed. Maar Mary gaf niet op en met haar vingers maakte ze een 1, een 5 en een 0. 'Ik dacht dat die test pas later kwam,' zei Faith weifelend. 'Wanneer je die zoete troep moet drinken.' 'Heb je ooit problemen gehad met je bloedsuikergehalte? Zit het in je familie?' 'Nee. Niet dat ik weet.' De meter piepte, en het getal honderdtweeënvijftig verscheen op het schermpje.

Mary floot zachtjes, diep onder de indruk van haar eigen inschattingsvermogen. Sara had haar ooit gevraagd waarom ze geen medicijnen had gestudeerd, en toen had ze te horen gekregen dat verpleegkundigen de enigen waren die de echte geneeskunst bedreven.

'Je hebt suikerziekte,' zei ze tegen Faith.

Faiths lippen bewogen, maar het enige wat eruit kwam was een zwak 'Wat?'.

'Ik vermoed dat je al een tijdje in de prediabetische fase

31

verkeert. Je cholesterol- en triglyceridewaarden zijn buitengewoon hoog. Je bloeddruk is ook iets aan de hoge kant. De zwangerschap en het feit dat je in korte tijd behoorlijk bent aangekomen – vierenhalve kilo is niet niks voor negen weken –, gecombineerd met je slechte eetgewoonten, hebben je net dat extra zetje gegeven.'

'Tijdens mijn eerste zwangerschap was alles in orde.'

'Je bent nu ouder.' Sara gaf haar een tissue, die ze tegen haar vinger drukte om het bloeden te stelpen. 'Het is belangrijk dat je je morgenochtend meteen bij je eigen arts meldt. We moeten er zeker van zijn dat er niet nog iets speelt. Ondertussen moet je je bloedsuikerspiegel onder controle houden. Als je dat niet doet, is flauwvallen in de parkeergarage de minste van je zorgen.'

'Misschien is het alleen maar... Ik heb de laatste tijd niet goed gegeten, en...'

Sara onderbrak haar tegenwerpingen. 'Alles boven de 140 is een positieve diagnose wat diabetes betreft. Het cijfer is zelfs iets gestegen sinds je eerste bloedtest.'

Het duurde even voor Faith het had verwerkt. 'Hou ik dit voor de rest van mijn leven?'

Die vraag zou een endocrinoloog moeten beantwoorden. 'Je moet met je arts gaan praten en hem nog wat testjes laten afnemen,' raadde Sara haar aan, maar als ze op haar ervaring afging, zou ze zeggen dat Faith zich in een precaire situatie bevond. De zwangerschap nog buiten beschouwing gelaten leed ze aan een ernstige vorm van diabetes.

Sara wierp een blik op haar horloge. 'Het liefst zou ik je vanavond nog ter observatie opnemen, maar tegen de tijd dat we je opname achter de rug hebben en een kamer voor je hebben geregeld, is de praktijk van je arts alweer open, en ik heb zo'n donkerbruin vermoeden dat je hier toch niet zou blijven.' Na al die jaren dat ze met politiemensen had opgetrokken, wist ze dat Faith ertussenuit zou knijpen zodra ze haar kans schoon zag.

'Je moet me beloven dat je morgen meteen je dokter belt,' vervolgde Sara, 'en dat meen ik. We halen er een instructieverpleegkundige bij om je te leren hoe je je bloed moet testen en hoe en wanneer je jezelf moet injecteren, maar verder moet je het met je arts regelen, en wel onmiddellijk.'

'Moet ik mezelf dan prikken?' Faiths stem steeg een octaaf van schrik.

'Orale medicijnen zijn niet geschikt voor zwangere vrouwen. Daarom moet je ook met je arts gaan praten. Op dit gebied gaat het nogal eens mis. Je gewicht en je hormoonspiegels veranderen naarmate de zwangerschap vordert. De komende acht maanden, en waarschijnlijk langer, is je arts je beste vriend.'

'Ik heb geen arts,' klonk het gegeneerd.

Sara pakte haar receptenblocnote en schreef de naam op van een vrouw met wie ze jaren eerder een coassistentschap had gedaan. 'Delia Wallace werkt vanuit het Emory. Ze is gespecialiseerd in gynaecologie en endocrinologie. Ik zal haar vanavond bellen, zodat ze je bij de praktijk kunnen inschrijven.'

Faith was nog steeds niet overtuigd. 'Hoe krijg ik dit zo opeens? Ik weet dat ik ben aangekomen, maar ik ben niet dik.'

'Je hoeft ook niet dik te zijn,' zei Sara. 'Inmiddels ben je ouder. De baby heeft invloed op je hormonen en op je vermogen om insuline te produceren. Je hebt de laatste tijd niet goed gegeten. Alle voorwaarden waren aanwezig en je ging voor de bijl.'

'Het komt door Will,' mompelde Faith. 'Die eet als een kind van twaalf. Donuts, pizza, hamburgers. Hij kan geen benzinestation binnen gaan zonder nacho's en een hotdog te kopen.'

Sara ging weer op de rand van het bed zitten. 'Faith, dit is niet het einde van de wereld. Je hebt een goede conditie. Aan je verzekering mankeert niks. Dit red je wel.'

'En als ik...' Ze trok wit weg en wendde haar blik af. 'En als ik nou eens niet zwanger was?'

'We hebben het niet over zwangerschapsdiabetes. Dit is serieus, type 2. Met abortus gaat het niet zomaar weg,' antwoordde Sara. 'Waarschijnlijk ben je dit al een tijdje aan het opbouwen. Door je zwangerschap is het in een

33

stroomversnelling geraakt. In het begin maakt het alles wat ingewikkelder, maar niet onmogelijk.'

'Ik wil alleen...' Ze leek niet in staat om haar zin af te maken.

Sara klopte op haar hand en ging staan. 'Dokter Wallace is een uitstekend diagnosticus. En ik weet dat ze patiënten aanneemt die via de gemeente zijn verzekerd.'

'Via de staat,' verbeterde Faith haar. 'Ik werk voor het GBI.'

Sara ging ervan uit dat de verzekering van het Georgia Bureau of Investigation niet verschilde van die van de gemeente, maar ze maakte er verder geen punt van. Het kostte Faith duidelijk moeite om het nieuws te verwerken, en Sara had haar bepaald niet gespaard. Gedane zaken namen echter geen keer. Sara pakte Faith bij haar arm. 'Mary geeft je een prikje en dan voel je je snel een stuk beter.' Ze wilde al weggaan. 'Je moet echt dokter Wallace bellen,' voegde ze er op strenge toon aan toe. 'Het eerste wat je morgen doet is haar praktijk bellen, en je moet niet alleen suikerbroodjes eten. Koolhydraatarme, vetarme, regelmatige, gezonde maaltijden en tussendoortjes – afgesproken?'

Faith knikte, nog steeds perplex, en Sara voelde zich een regelrecht rotwijf toen ze de kamer uit liep. Haar omgang met patiënten liet de laatste jaren toch al te wensen over, maar dit was een nieuw dieptepunt. Was het niet vooral vanwege de anonimiteit dat ze naar het Grady was gekomen? Op een handjevol daklozen en een paar prostituees na zag ze een patiënt zelden meer dan één keer. Vooral dat had haar aangetrokken in dit werk: het volslagen onpersoonlijke. Op dit punt in haar leven had ze geen behoefte aan echte contacten met anderen. Elk nieuw dossier was een kans om helemaal opnieuw te beginnen. Als Sara geluk had – en als Faith Mitchell uitkeek – zouden ze elkaar waarschijnlijk nooit meer zien.

In plaats van terug te keren naar de artsenkamer om de dossiers af te maken, liep Sara langs de verpleegsterspost en door de klapdeuren naar de overvolle wachtkamer, tot ze uiteindelijk buiten was. Bij de uitgang stond een stel ademhalingstherapeuten te paffen, en daarom liep Sara door naar de achterkant van het gebouw. Haar schuldgevoel ten aanzien van Faith Mitchell drukte nog steeds zwaar op haar. Ze zocht het nummer van Delia Wallace op in haar mobieletelefoonlijst, anders vergat ze misschien om er werk van te maken. Ze sprak haar bericht over Faith in op het antwoordapparaat en nadat ze de verbinding had verbroken voelde ze zich weer iets beter.

Een paar maanden eerder was ze Delia Wallace tegen het lijf gelopen toen die in het ziekenhuis was om een van haar rijke patiënten te bezoeken die na een ernstig auto-ongeluk per helikopter naar het Grady was vervoerd. Bij hun afstuderen aan de medische faculteit van Emory University hadden Delia en Sara als enige vrouwen tot de beste vijf procent van hun jaar behoord. Toentertijd was het een ongeschreven wet dat er voor vrouwelijke artsen twee mogelijkheden openstonden: gynaecologie of kindergeneeskunde. Delia had de eerste specialisatie gekozen, Sara de tweede. Nog een jaar, dan werden ze allebei veertig. Het leek alsof Delia alles bezat, terwijl Sara het gevoel had er niks van terecht te hebben gebracht.

De meeste artsen – ook Sara – waren tot op zekere hoogte arrogant, maar Delia had zichzelf altijd vol overgave op de voorgrond geplaatst. Terwijl ze koffie zaten te drinken in de artsenkamer had Delia in rap tempo de hoogtepunten van haar leven aangestipt: een bloeiende praktijk op twee locaties, een man die effectenmakelaar was en drie kinderen die bovengemiddeld presteerden. Ze had Sara foto's laten zien, foto's van haar volmaakte gezin, dat eruitzag alsof het zo uit een advertentie van Ralph Lauren was gestapt.

Sara had Delia maar niet over haar eigen leven na haar afstuderen verteld – dat ze was teruggegaan naar Grant County, haar geboortestreek, om plattelandskinderen te behandelen. Ze vertelde Delia niet over Jeffrey, waarom ze was teruggekeerd naar Atlanta of waarom ze in het Grady werkte terwijl ze ook een eigen praktijk had kunnen beginnen en een min of meer normaal leven had kunnen leiden. 'Ik ben hier gewoon weer verzeild geraakt,' had Sara schouderophalend gezegd, waarop Delia haar had aangekeken met een blik waarin teleurstelling en genoegdoening om voorrang streden, gevoelens die voortkwamen uit het feit dat Sara het op Emory altijd net iets beter had gedaan dan Delia.

Sara stopte haar handen in haar zakken en sloeg haar dunne jas dicht tegen de kou. Toen ze langs het laadplatform liep, voelde ze de brief langs de rug van haar hand strijken. Ze had aangeboden om die ochtend een extra dienst te draaien, wat betekende dat ze bijna zestien uur achtereen moest werken, maar dan had ze wel de hele volgende dag vrij. Nu het avond was, werd ze door uitputting overmand, en ze bleef met haar samengebalde vuisten in haar zakken staan om de betrekkelijk schone lucht in haar longen te zuigen. Behalve uitlaatgassen en een onbestemde stank uit de vuilcontainer rook ze dat er regen in aantocht was. Misschien zou ze vannacht kunnen slapen. Ze sliep altijd beter wanneer het regende.

Ze keek neer op de auto's die over de snelweg reden. De avondspits liep op zijn einde – mannen en vrouwen die naar huis gingen, naar hun gezin, naar hun leven. Sara stond bij de zogenoemde Grady Curve, een bocht in de snelweg die verkeersverslaggevers als oriëntatiepunt gebruikten als er problemen waren op de Downtown Connector. Deze avond blonken de achterlichten helderrood op, en een sleepwagen trok een gestrande suv uit de linkerberm. Politiewagens versperden de doorgang en hun blauwe zwaailampen wierpen een spookachtig licht in het donker. Het deed haar denken aan de avond dat Jeffrey was vermoord: overal politieagenten, het GBI dat de zaak overnam, de plaats van het misdrijf die door tientallen mannen in witte pakken en laarzen werd uitgekamd.

'Sara?'

Ze keerde zich om. Mary stond in de deuropening en wenkte haar naar binnen. 'Snel.'

Sara liep op een drafje naar de deur en terwijl ze dichterbij kwam, riep Mary haar de gegevens toe. 'Auto-ongeluk, één auto en voetganger. Krakauer behandelt de chauffeur en passagier, chauffeur heeft mogelijk hartaanval gehad. Jij krijgt de vrouw die door de auto geraakt is. Open breuk aan rechterarm en rechterbeen. Bewustzijnsverlies op de plek van het ongeluk. Mogelijk seksueel misbruikt en gemarteld. Voorbijganger bleek ambulancebroeder te zijn. Hij heeft zijn best gedaan, maar het ziet er niet goed uit.' Sara wist zeker dat ze het verkeerd had verstaan. 'Ze is verkracht en toen onder een auto gekomen?' Mary gaf geen verdere uitleg. Haar hand lag als een klem om Sara's arm toen ze samen de gang door draafden. De deur naar de triagekamer stond open. Sara zag een brancard en drie arts-assistenten die om de patiënte heen stonden. Er waren alleen mannen in de kamer, inclusief Will Trent, die zich over de vrouw heen boog en een poging deed om haar te ondervragen.

'Kunt u me vertellen hoe u heet?' vroeg hij.

Sara bleef aan de voet van de brancard staan, met Mary's hand nog steeds om haar arm. De vrouw lag in foetushouding op haar zij. Ze was met chirurgisch tape vastgesnoerd aan het frame van de brancard en om haar rechterarm en rechterbeen zaten pneumatische spalken. Ze was wakker, haar tanden klapperden en ze mompelde iets onverstaanbaars. Onder haar hoofd lag een opgevouwen jasje, en een brace hield haar nek op zijn plaats. De zijkant van haar gezicht zat vol aangekoekte modder en bloed, en aan haar wang hing een stuk van het duct-tape dat aan haar donkere haren kleefde. Haar mond stond open, de lippen waren kapot en bloedden. Het laken dat haar had bedekt was naar beneden getrokken. De zijkant van haar borst lag open en de wond was zo diep dat het heldergele vet zichtbaar was.

'Mevrouw?' vroeg Will. 'Beseft u wat er aan de hand is?'

'Aan de kant,' gebood Sara, en ze duwde hem iets hardhandiger weg dan de bedoeling was. Hij zwaaide met zijn armen en even dreigde hij zijn evenwicht te verliezen. Sara was niet onder de indruk. Ze had het digitale taperecordertje gezien dat hij in zijn hand hield, en dat stond haar niet aan.

Ze trok een paar handschoenen aan, knielde neer en zei

37

tegen de vrouw: 'Ik ben dokter Linton. Je bent in het Grady Hospital. We gaan voor je zorgen.'

'Help... help... help...' klonk het monotoon uit de mond van de vrouw. Haar lichaam beefde zo hevig dat de metalen brancard rammelde. Haar ogen staarden leeg en ongericht voor zich uit. Ze was akelig mager, haar huid was droog en zat vol schilfers. 'Help...'

Zo voorzichtig mogelijk streek Sara haar haar naar achteren. 'We zijn hier met heel veel mensen en we gaan je allemaal helpen. Volhouden, afgesproken? Je bent nu veilig.' Sara ging staan, maar ze liet haar hand zachtjes op de schouder van de vrouw rusten om haar te laten weten dat ze niet alleen was. In de kamer waren nog twee verplegers, die op instructies stonden te wachten.

'Kan iemand me vertellen wat er precies gebeurd is?'

Sara had haar vraag tot het geüniformeerde ambulancepersoneel gericht, maar de man tegenover haar begon te praten; hij somde in rap staccato de vitale functies van de vrouw op en vermeldde de triage die onderweg op haar was toegepast. Hij droeg met bloed besmeurde vrijetijdskleren, en was waarschijnlijk de voorbijganger die ter plekke hulp had verleend. 'Penetrerende wond tussen de elfde en de twaalfde rib. Open fracturen aan rechterarm en rechterbeen. Impressiefractuur aan het hoofd. Ze was buiten bewustzijn toen we haar aantroffen, maar ze kwam bij terwijl ik met haar bezig was. Het lukte ons niet om haar plat op haar rug te leggen,' vertelde hij met van paniek vervulde stem. 'Ze bleef maar schreeuwen. We moesten haar de ambulance in zien te krijgen en daarom hebben we haar vastgebonden. Ik weet niet wat er met haar... Ik weet niet wat...'

Hij onderdrukte een snik. Zijn gekweldheid sloeg over op de anderen. Het was alsof de lucht verzadigd was van adrenaline, wat heel begrijpelijk was gezien de toestand van het slachtoffer. Even werd Sara ook door paniek overmand en was ze niet in staat zich een oordeel te vormen over de schade die aan het lichaam was toegebracht, over de vele wonden en de duidelijke sporen van marteling. Menigeen in de kamer was tot tranen toe bewogen.

Sara probeerde zo kalm mogelijk te klinken om de hysterie tot aanvaardbare proporties terug te brengen. 'Dank u, heren,' zei ze tegen de ambulancebroeders en de voorbijganger voor ze hen wegstuurde. 'U hebt alles gedaan wat u kon door haar hiernaartoe te brengen. Als iedereen die hier niet hoeft te zijn de kamer verlaat, hebben we ruimte om haar te helpen. Breng een infuus in en zorg dat er een centrale katheter klaarligt, voor het geval dat,' zei ze tegen Mary. En tegen een verpleger: 'Laat een mobiel röntgenapparaat komen, bel iemand van de CAT-scan en roep de dienstdoende chirurg op.' Tegen de tweede verpleger zei ze: 'Bloedgas, toxscreen, bloedbeeld en een stollingstest.'

Voorzichtig drukte Sara de stethoscoop tegen de rug van de vrouw, waarbij ze de brandwonden en de wirwar van snijwonden probeerde te negeren. Ze beluisterde haar longen en voelde de scherpe contouren van ribben tegen haar vingertoppen. Haar ademhaling was regelmatig, maar minder krachtig dan Sara zou wensen, waarschijnlijk door de enorme hoeveelheid morfine die ze in de ambulance had gekregen. Paniek deed de grens tussen helpen en hinderen vaak vervagen.

Weer knielde Sara neer. De vrouw had haar ogen nog open en ook haar tanden klapperden nog steeds. 'Als je moeite hebt met ademhalen, laat het dan weten, dan help ik je meteen,' zei Sara. 'Afgesproken? Kun je dat?' Er kwam geen antwoord, maar Sara bleef tegen haar praten en bij elke handeling vertelde ze wat ze deed en waarom. 'Ik onderzoek nu je luchtpijp om te zorgen dat je ongehinderd kunt blijven ademen,' zei ze, terwijl ze behoedzaam tegen de kaak drukte. De tanden van de vrouw waren rozig rood, wat wees op bloed in haar mond, en Sara vermoedde dat ze op haar tong had gebeten. Op haar gezicht zaten diepe krassen, alsof iemand haar met zijn nagels had toegetakeld. Sara overwoog haar te intuberen en een spierverslappend middel toe te dienen, maar dit was misschien de laatste kans die de vrouw had om iets te zeggen.

Daarom weigerde Will Trent ook te vertrekken. Hij had het slachtoffer gevraagd of ze zich van haar toestand bewust was, als aanknopingspunt voor het afnemen van een sterfbedverklaring. Het slachtoffer zou moeten weten dat ze stervende was, anders werden haar laatste woorden door de rechtbank als onbewezen beschouwd. Will stond nog steeds met zijn rug tegen de muur en luisterde naar elk woord dat in de kamer gesproken werd voor het geval hij zou moeten getuigen.

'Hoor je me?' vroeg Sara. 'Wat is je voornaam?' Ze zweeg toen de lippen van de vrouw bewogen, zonder dat er overigens een woord uit haar mond kwam. 'Alleen maar je voornaam, oké? We beginnen met iets makkelijks.'

'Ah... ah...' stamelde de vrouw.

'Anne?'

'Nah... nah...'

'Anna?'

De vrouw sloot haar ogen en knikte bijna onmerkbaar. Door de inspanning werd haar ademhaling oppervlakkiger.

'En je achternaam?' drong Sara aan.

Ze antwoordde niet.

'Oké, Anna. Prima. Probeer wakker te blijven.' Sara wierp een blik op Will. Hij gaf een erkentelijk knikje. Ze richtte haar aandacht weer op de patiënte, controleerde haar pupillen en drukte met haar vingers tegen haar schedel op zoek naar breuken. 'Er zit bloed in je oren, Anna. Je hebt een harde klap tegen je hoofd gehad.' Sara pakte een vochtig wattenstaafje en veegde ermee over het gezicht van de vrouw om het opgedroogde bloed enigszins te verwijderen. 'Ik weet dat je nog wakker bent, Anna. Volhouden, doe het voor mij.'

Uiterst voorzichtig streek Sara met haar vingers langs hals en schouder, waarbij ze het sleutelbeen voelde bewegen. Ze ging verder naar beneden, onderzocht voor- en achterkant van de schouders en vervolgens de wervels. De vrouw was ernstig ondervoed, haar botten tekenden zich scherp af en haar hele skelet was zichtbaar. Haar huid was uiteengereten, alsof er weerhaken in haar vlees waren geslagen en vervolgens waren uitgetrokken. Haar lichaam was doorsneden met oppervlakkige wondjes, en de langwerpige incisie langs haar borst begon te stinken. Ze verkeerde al dagen in deze toestand. 'Infuus met fysiologisch zout is aangebracht en staat wijd open,' zei Mary. 'Zie je die lijst met artsen naast de telefoon?' vroeg Sara aan Will Trent. Hij knikte. 'Bel Phil Sanderson. Zeg dat we hem hier met spoed nodig hebben.' Will aarzelde. 'Ik ga hem wel zoeken.' 'Bellen is sneller,' opperde Mary. 'Toestel 3-9-2.' Met tape bevestigde ze een lus van het infuus aan de rug van de hand van de vrouw. 'Moeten we meer morfine toedienen?' vroeg ze aan Sara. 'Laten we eerst eens kijken wat haar allemaal mankeert.' Sara probeerde de romp van de vrouw te onderzoeken zonder haar lichaam te verplaatsen, want eerst wilde ze precies weten wat er aan de hand was. In haar linkerzij, tussen de elfde en twaalfde rib, zat een gapend gat, wat ongetwijfeld verklaarde waarom de vrouw het had uitgegild toen de hulpverleners haar recht wilden leggen. Het oprekken en schuren van gescheurde spieren en kapot kraakbeen moest ondraaglijk zijn geweest.

Het ambulancepersoneel had drukkompressen aangebracht op haar rechterarm en rechterbeen, en twee pneumatische spalken om de benen te stabiliseren. Toen Sara het steriele verband op het been iets optilde, zag ze helderwit bot. Het bekken voelde onstabiel toen ze het betastte. Dit waren recente wonden. De auto moest Anna van rechts hebben geraakt, waarna ze was dubbelgeklapt.

Sara nam een schaar uit haar zak en knipte het tape door waarmee de vrouw aan de brancard zat vastgesnoerd. 'Anna,' legde ze uit, 'ik ga je op je rug rollen.' Ze hield nek en schouders stevig vast terwijl Mary het bekken en de benen voor haar rekening nam. 'We houden je benen gebogen, maar we moeten wel...'

'Nee-nee-nee!' riep de vrouw smekend. 'Niet doen, alsjeblieft! Niet doen, alsjeblieft!' Sara en Mary zetten echter door en nu sperde ze haar mond wijd open. Er trok een huivering door Sara heen toen Anna begon te gillen. Nog nooit had ze zoiets afgrijselijks gehoord. 'Nee!' krijste de

vrouw met overslaande stem. 'Nee! Alsjeblieft! Neeee!'
Ze begon hevig te schokken en haar kreten gingen over
in gekreun dat diep uit haar keel kwam. Sara boog zich
over de brancard en drukte Anna's lichaam neer om te
voorkomen dat ze op de vloer viel. Bij elke schok hoorde
ze de vrouw steunen, want iedere beweging zond een snij-
dende pijn door haar zij. 'Vijf milligram Ativan,' gebood
ze, in de hoop daarmee de hevigheid van de aanvallen te
beperken. 'Wakker blijven, Anna,' zei ze tegen de vrouw.
'Zolang je maar wakker blijft.'
Sara's woorden hadden geen effect. Door de aanvallen of
door de pijn had de vrouw het bewustzijn verloren. Lang
nadat het medicijn in werking had moeten treden joegen
er nog steeds spierkrampen door haar lichaam, haar benen
schokten en haar hoofd schudde.
'Röntgen is er,' liet Mary weten, en ze wenkte de labo-
rant naar binnen. 'Ik ga even kijken hoe het met Sanderson en de operatiekamer staat,' zei ze tegen Sara.
De röntgenlaborant legde zijn hand op zijn borst. 'Macon.'
'Sara,' was haar antwoord. 'Ik help je wel.'
Hij reikte haar het extra loden schort aan en bracht het
apparaat in gereedheid. Sara hield haar hand op Anna's
voorhoofd en streek het zwarte haar voorzichtig naar achteren. Anna's spieren vertrokken krampachtig toen Sara
en Macon haar op haar rug rolden, met haar benen gebogen om haar zo weinig mogelijk pijn te bezorgen. Sara
merkte dat Will Trent nog steeds aanwezig was. 'De kamer uit, je mag hier niet bij zijn.'
Sara hielp Macon met het maken van de röntgenfoto's,
waarbij ze zo snel mogelijk te werk gingen. Met heel haar
hart hoopte ze dat de patiënte niet wakker zou worden en
het weer uit zou schreeuwen. Nog altijd hoorde ze Anna's
kreten, als van een dier dat verstrikt zat in een val. Alleen
al dat geluid onderbouwde het vermoeden dat de vrouw
wist dat ze stervende was. Zo gilde je alleen als je alle
hoop op leven had opgegeven.
Samen met Macon draaide Sara de vrouw weer op haar
zij, waarna de man vertrok om de film te ontwikkelen.

Sara trok haar handschoenen uit en knielde naast de brancard neer. Met haar hand raakte ze Anna's gezicht aan en streelde haar wang. 'Sorry dat ik je een duw heb gegeven,' zei ze – niet tegen Anna, maar tegen Will Trent. Toen ze zich omdraaide stond hij aan het voeteneinde van de brancard, met zijn blik gericht op de benen van de vrouw, op de zolen van haar voeten. Hij hield zijn kaken op elkaar geklemd, en Sara wist niet of het van woede, afschuw of beide was.

'We moeten allebei ons werk doen,' zei hij.

'Maar toch.'

Zachtjes streelde hij de zool van Anna's rechtervoet, waarschijnlijk omdat hij dacht dat dat de enige plek was waar hij haar geen pijn deed. Het gebaar verraste Sara. Het was bijna teder.

'Sara?' Phil Sanderson stond in de deuropening, gekleed in een schoon en gestreken operatiepak.

Ze stond op. 'We hebben twee open fracturen en een verbrijzeld bekken,' zei ze, met haar hand losjes op Anna's schouder. 'Langs de rechterborst loopt een diepe snee en aan de linkerkant zit een penetrerende wond. Het neurologische verhaal is me nog niet helemaal duidelijk. Haar pupillen reageren niet, maar ze heeft wel iets gezegd, en het sloeg ook ergens op.'

Phil liep naar de brancard en begon met zijn onderzoek. Hij zei niets over de toestand waarin het slachtoffer zich bevond, of over het maar al te zichtbare misbruik. Al zijn aandacht ging naar de zaken die hij kon genezen: de open breuken, het verbrijzelde bekken. 'Heb je haar niet geïntubeerd?'

'Haar luchtwegen zijn schoon.'

Phil was het blijkbaar niet eens met haar besluit, maar over het algemeen was een orthopedisch chirurg er dan ook niet in geïnteresseerd of zijn patiënt kon praten. 'En het hart?'

'Krachtig. Bloeddruk is goed. Ze is stabiel.' Phils chirurgisch team kwam binnen om de patiënte gereed te maken voor transport. Mary keerde terug met de röntgenfoto's, die ze aan Sara overhandigde.

43

'Alleen al de anesthesie kan haar fataal worden,' benadrukte Phil.

Sara schoof de opnamen in de lichtbak. 'Volgens mij zou ze hier niet zijn als ze geen vechter was.'

'De borst is septisch. Zo te zien is die...'

'Weet ik,' onderbrak Sara hem. Ze zette haar bril op om de opnamen te kunnen bestuderen. 'Deze wond in haar zij ziet er aardig schoon uit.' Phil riep zijn team even een halt toe en boog zich voorover om de lange scheur in de huid te bekijken. 'Heeft de auto haar een eind meegesleept?' vroeg hij. 'Is ze opengereten door een metalen voorwerp?'

'Voor zover ik weet, is ze meteen geraakt,' zei Will Trent. 'Ze stond midden op de weg.'

'Is er iets gevonden dat deze wond kan hebben veroorzaakt? Hij lijkt nogal schoon.'

Will aarzelde, en waarschijnlijk vroeg hij zich af of de man wel besefte wat de vrouw had doorstaan voor ze door de auto werd geraakt. 'Het was een bosrijk gebied, grotendeels landelijk. Ik heb de getuigen nog niet gesproken. De chauffeur klaagde vlak na het ongeluk over pijn op de borst.'

Sara richtte haar aandacht op het filmpje van de romp. Er was iets mis, of ze was vermoeider dan ze besefte. Ze vertrouwde haar ogen niet helemaal en telde de ribben.

Will scheen haar verwarring op te merken. 'Wat is er?'

'Haar elfde rib,' zei Sara. 'Die is verwijderd.'

'Hoezo verwijderd?' vroeg Will.

'In elk geval niet chirurgisch.'

'Doe niet zo belachelijk,' blafte Phil. Hij kwam dichterbij en boog zich over de film. 'Waarschijnlijk is het...' Hij bekeek de tweede serie thoraxfoto's: postero-anterieur en lateraal. Hij bracht zijn hoofd er nog wat dichter naartoe en kneep zijn ogen tot spleetjes, alsof dat hielp. 'Dat stomme ding kan niet zomaar uit het lichaam vallen. Waar is het?'

'Moet je kijken.' Sara streek met haar vinger over de grillige schaduw, waar kraakbeen ooit bot had vastgehouden. 'Hij is niet zomaar weg,' zei ze. 'Hij is eruit gehaald.'

Twee

Will reed met de Mini van Faith Mitchell naar de plaats van het ongeluk. Hij liet zijn schouders hangen en de bovenkant van zijn hoofd zat klem tegen het dak. Het verstellen van de stoel had hij als tijdverspilling afgedaan – eerst toen hij Faith naar het ziekenhuis had gebracht en helemaal nu hij naar het oord reed waar een van de gruwelijkste misdaden uit zijn carrière had plaatsgevonden. De auto hield zich goed toen hij met een noodvaart over Route 316 scheurde, die zo langzamerhand in een achterafweg was veranderd. De brede wielbasis van de Mini kleefde bij elke bocht aan het wegdek, maar toen Will de stad een eind achter zich had gelaten, nam hij wat gas terug. Het bos werd dichter, de weg steeds smaller en opeens zat hij midden in een gebied waar je niet vreemd moest opkijken als een hert of opossum je pad kruiste.

Hij dacht aan de vrouw – aan haar opengereten huid, aan het bloed en de afgrijselijke wonden. Vanaf het moment dat Will haar had gezien, toen de ambulancebroeders haar de ziekenhuisgang door reden, wist hij dat ze in de klauwen van een zeer zieke geest was gevallen. De vrouw was gefolterd. Iemand had tijd aan haar besteed – iemand die zeer bedreven was in de kunst van het pijnigen.

De vrouw was niet zomaar uit de lucht komen vallen. De onderkant van haar voeten vertoonde verse sneden, die nog bloedden van haar tocht door het bos. In het vlezige deel van de voetboog stak een dennennaald, en haar voetzolen waren zwart van de aarde. Ze was ergens vastgehouden en op de een of andere manier was ze erin geslaagd te

45

vluchten, haar redding tegemoet. Ze moest ergens in de buurt van de weg gevangen hebben gezeten, en Will was vastbesloten om die plek te vinden, ook al moest hij er de rest van zijn leven naar zoeken.

Hij besefte dat hij het in gedachten over 'ze' had, terwijl het slachtoffer toch een naam had. Anna – dat leek wel wat op Angie, de naam van zijn vrouw. Evenals Angie had de vrouw donker haar en donkere ogen. Ook haar huid was donker en ze had een moedervlek op haar kuit, vlak onder de knie, net als Angie. Will vroeg zich af of dat typisch iets voor vrouwen met een donkere tint was, zo'n moedervlek aan de achterkant van het been. Misschien hoorde het bij het genetische plaatje, net als donker haar en bruine ogen. De dokter zou daar ongetwijfeld een antwoord op hebben.

Hij dacht weer aan Sara Lintons woorden toen ze de opengereten huid onderzocht en de krassen die nagels rond het gapende gat in de zij van het slachtoffer hadden achtergelaten: 'Ze moet bij bewustzijn zijn geweest toen de rib werd verwijderd.'

Will huiverde bij de gedachte. Tijdens zijn loopbaan bij het GBI had hij het werk van menige sadist gezien, maar dit was ongekend ziek.

Zijn mobiel ging over, en het kostte Will moeite om het ding uit zijn zak te peuteren zonder tegen het stuur te stoten en de Mini de greppel in te jagen. Voorzichtig klapte hij het telefoontje open. De kunststof klep was maanden eerder afgebroken, maar het was hem gelukt de stukken weer aan elkaar te bevestigen met superlijm, duct-tape en vijf draadjes die als scharnier dienstdeden. Toch moest hij oppassen dat het ding niet in zijn hand uit elkaar viel.

'Met Will Trent.'

'Je spreekt met Lola, schat.'

Onwillekeurig fronste Will zijn voorhoofd. Haar stem had het slijmerige en schraperige van iemand die twee pakjes per uur rookt. 'Met wie?'

'Jij bent toch Angies broer?'

'Haar man,' verbeterde hij haar. 'Met wie spreek ik?'

'Met Lola. Ik ben een van haar meiden.'

Tegenwoordig werkte Angie als freelancer voor verschillende particuliere detectivebureaus, maar ze had meer dan tien jaar bij de zedenpolitie gezeten. Soms kreeg Will nog telefoontjes van tippelaarsters met wie ze de straten had afgeschuimd. Ze wilden allemaal hulp en ze belandden allemaal weer in de bak, waar ze hem dan vanuit de telefooncel belden. 'Wat wil je?'

'Wat minder bot kan ook wel, schat.'

'Hoor eens, ik heb Angie al acht maanden niet gesproken.' Toevallig lag hun relatie al ongeveer even lang aan diggelen als zijn mobieltje. 'Ik kan je niet helpen.'

'Ik ben onschuldig.' Lola moest zelf om het grapje lachen, vervolgens hoestte ze en toen hoestte ze nog eens. 'Ik ben opgepakt met een onbekende witte substantie op zak die ik voor een vriend moest bewaren.'

Dat soort meiden kende de wet beter dan de meeste agenten, en vooral in de telefooncel van de gevangenis wogen ze hun woorden.

'Neem maar een advocaat,' raadde Will haar aan, en hij gaf gas om een auto te passeren. Een bliksemflits verscheurde de hemel en verlichtte de weg. 'Ik kan je niet helpen.'

'Ik heb anders interessante informatie.'

'Geef die dan maar aan je advocaat door.' Zijn telefoontje piepte en Will herkende het nummer van zijn chef. 'Ik moet ophangen.' Voor de vrouw nog iets kon zeggen had hij al doorgeklikt. 'Will Trent.'

Amanda Wagner haalde diep adem en Will bereidde zich voor op een verbaal spervuur. 'Leg mij godverdomme eens uit waarom je je collega in het ziekenhuis achterlaat en met je stomme kop achter een zaak aan holt die buiten onze bevoegdheid valt en waarvoor we niet zijn uitgenodigd, en dat nog wel in een district waarmee we niet bepaald op vriendschappelijke voet staan.'

'Wacht maar, ze schakelen ons heus wel in,' stelde hij haar gerust.

'Ik ben vanavond niet echt onder de indruk van je vrouwelijke intuïtie, Will.'

'Hoe langer we de plaatselijke politie laten aanrotzooien, hoe kouder het spoor wordt. Dit is niet de eerste keer voor onze ontvoerder, Amanda. Dit was geen oefenwedstrijdje.'

'De zaak wordt door Rockdale afgehandeld,' zei ze, doelend op het politiedistrict waarin het auto-ongeluk had plaatsgevonden. 'Die weten heus wel wat ze doen.'

'Houden ze auto's aan en zoeken ze naar gestolen voertuigen?'

'Ze zijn niet op hun achterhoofd gevallen.'

'Dat zijn ze wel,' benadrukte Will. 'Ze is niet simpelweg gedumpt. Ze heeft in dat gebied gevangengezeten en is erin geslaagd om te ontsnappen.'

Amanda zweeg even, waarschijnlijk om de rook weg te wapperen die uit haar oren opsteeg. Boven Wills hoofd doorsneed een bliksemflits de hemel, en door de donder die erop volgde kon hij moeilijk verstaan wat Amanda uiteindelijk zei.

'Wat zeg je?' vroeg hij.

'Hoe is het slachtoffer eraan toe?' herhaalde ze kortaf.

Will dacht niet aan Anna, maar zag de blik in Sara Lintons ogen weer voor zich toen de vrouw naar de operatiekamer werd gereden. 'Het ziet er niet goed voor haar uit.'

Weer slaakte Amanda een zucht, deze keer nog dieper. 'Vat het even voor me samen.'

Will vertelde haar in grote lijnen wat er gebeurd was, hoe de vrouw eruitzag, dat ze gemarteld was. 'Ze moet het bos uit zijn gelopen. Er moet daar ergens een huis zijn, een hut of iets dergelijks. Zo te zien is ze niet lang buiten geweest. Iemand heeft haar een tijdlang vastgehouden, uitgehongerd, verkracht, misbruikt.'

'Denk je dat een of andere boerenlul haar gepakt heeft?'

'Volgens mij is ze ontvoerd,' antwoordde hij. 'Ze had een verzorgd kapsel en haar tanden waren gebleekt. Geen spuitlittekens. Niets wat op verwaarlozing duidde. Op haar rug zaten twee kleine littekens van een plastische ingreep, waarschijnlijk liposuctie.'

'Dus geen dakloze of prostituee.'

'Haar polsen en enkels bloedden omdat ze vastgebonden was geweest. Sommige wonden op haar lichaam waren al-

48

weer aan het genezen, andere waren nieuw. Ze was mager – broodmager. Dit is niet iets van een paar dagen – eerder van een week tot veertien dagen.'

Amanda vloekte binnensmonds. De bureaucratische rompslomp was straks niet te overzien. Het Georgia Bureau of Investigation was voor de staat wat het Federal Bureau of Investigation voor het land was. Het GBI werkte samen met de plaatselijke politie als een misdaad meer dan één district betrof, zodat de aandacht op de zaak bleef gericht in plaats van op territoriaal gehakketak. De staat beschikte over acht forensische laboratoria en had honderden technisch rechercheurs en speciaal agenten paraat als hun hulp werd ingeroepen. Er school een addertje onder het gras, namelijk dat er een officieel verzoek om bijstand moest worden ingediend. Er waren wel manieren om dat voor elkaar te krijgen, maar vriendjespolitiek viel daarbij niet te vermijden, en om redenen die niet in beschaafd gezelschap besproken konden worden had Amanda het enkele maanden daarvoor in Rockdale verbruid tijdens een zaak rond een labiele vader die zijn eigen kinderen had ontvoerd en vermoord.

Will deed een nieuwe poging. 'Amanda...'

'Ik zal eerst eens wat mensen bellen.'

'Wil je dan beginnen met Barry Fielding?' vroeg hij. Fielding was het hoofd van de hondenbrigade bij het GBI. 'Ik betwijfel of de plaatselijke politie enig idee heeft waarmee ze te maken hebben. Ze hebben het slachtoffer niet gezien en ook niet met de getuigen gesproken. Hun rechercheur had zich nog niet eens in het ziekenhuis gemeld toen ik daar wegging.' Amanda antwoordde niet, en daarom voerde Will de druk wat op. 'Barry woont in Rockdale County.'

De zucht die hij nu hoorde was nog dieper dan de eerste twee. 'Oké,' zei ze ten slotte. 'Probeer alleen niemand op de kast te jagen. Laat het me weten als je iets hebt gevonden waarmee we aan de slag kunnen.' Waarop ze de verbinding verbrak.

Will klapte zijn mobieltje dicht en net toen hij het in de zak van zijn jasje stopte, vulde een donderslag het hele

49

luchtruim. Opnieuw zette bliksem de hemel in lichter-
laaie. Will nam gas terug, waarbij zijn knieën tegen het
kunststof dashboard van de Mini drukten. Hij was van
plan geweest Route 316 te nemen tot hij de plek van het
ongeluk had bereikt, om zich vervolgens het onderzoeks-
terrein binnen te slijmen. Dom genoeg had hij geen rekening gehouden met een wegversperring. Twee patrouillewagens van Rockdale County stonden neus aan neus
geparkeerd en sloten beide rijstroken af, en ervoor hadden
zich twee stevige agenten in uniform opgesteld. Een meter of vijftien verderop scheen het licht van een stel gigantische bouwlampen op een Buick met een ingedeukte
voorkant. De plek wemelde van de forensische recherche,
die nauwgezet elk kluitje, steentje en scherfje verzamelde
om in het lab te laten analyseren.

Een van de agenten liep naar de Mini toe. Will zocht
naar de knop om het raampje mee te openen en vergat
even dat die midden op het dashboard zat. Tegen de tijd
dat hij het raampje open had, had de andere agent zich bij
zijn collega gevoegd. Ze hadden allebei een grijns op hun
gezicht. Will was zich ervan bewust dat hij er komisch
uitzag in het kleine autootje, maar daar viel op dat moment weinig aan te doen. Toen Faith in de parkeergarage
in elkaar was gezakt, was zijn enige gedachte geweest dat
haar auto dichterbij stond dan de zijne en dat ze met de
Mini sneller in het ziekenhuis zouden zijn.

'Het circus is die kant op,' zei de tweede agent, en hij
wees met zijn duim naar achteren, in de richting van Atlanta.

Will was zo verstandig om zijn portefeuille in zijn achterzak te laten zolang hij nog in de auto zat. Hij duwde het
portier open en stapte moeizaam uit. Een donderklap deed
de lucht trillen en ze keken allemaal omhoog.

'Will Trent van het GBI,' zei hij tegen de agenten en hij
toonde hun zijn politiepasje.

De mannen keken hem argwanend aan. Een van hen liep
weg, al pratend in zijn schoudermicrofoon, waarschijnlijk
om met zijn chef te overleggen. Soms werd het GBI door
de plaatselijke politie met open armen ontvangen. Soms

schoten ze ze nog het liefst een kogel door het hoofd.

'Waarom draag je zo'n stads apenpakkie?' vroeg de agent die hij Will was gebleven. 'Kom je soms van een begrafenis?'

Will negeerde de steek. 'Ik was in het ziekenhuis toen het slachtoffer werd binnengebracht.'

'We hebben verschillende slachtoffers,' antwoordde de man, die kennelijk vastbesloten was om geen duimbreed te wijken.

'Ik bedoel die ene vrouw,' verduidelijkte Will. 'De vrouw die de weg op liep en geraakt werd door de Buick waar dat oudere echtpaar in zat. Ze schijnt Anna te heten.'

De tweede agent kwam terug. 'Ik moet je verzoeken om weer in je auto plaats te nemen. Volgens mijn chef heb je hier niets te zoeken.'

'Kan ik je chef even spreken?'

'Hij dacht al dat je dat zou vragen,' zei de man met een vuile grijns. 'Je mag hem morgenochtend bellen, om een uurtje of tien, halfelf.'

Will keek langs de patrouillewagens naar de plek van het ongeluk. 'Mag ik weten hoe hij heet?'

Alsof hij alle tijd van de wereld had, haalde de agent met veel vertoon zijn notitieboekje tevoorschijn, zocht naar zijn pen, bracht de pen naar het papier en schreef iets in blokletters op. Uiterst zorgvuldig scheurde hij het blaadje af en gaf het aan Will.

Will staarde naar de krabbel boven de getallen. 'Moet dit Engels voorstellen?'

'Er staat Fierro, sukkel. Dat is Italiaans.' De man wierp een blik op het papier. 'Ik heb het anders duidelijk genoeg opgeschreven,' zei hij op verdedigende toon.

Will vouwde het blaadje dubbel en stopte het in zijn vestzakje. 'Bedankt.'

Hij was niet zo onnozel om te denken dat de agenten de beleefdheid zouden opbrengen om naar hun post terug te keren terwijl hij weer in de Mini stapte. Nu had hij echter geen haast meer en hij bukte zich om naar de hendel te zoeken waarmee hij de bestuurdersstoel kon laten zakken, die hij vervolgens zo ver mogelijk naar achteren schoof.

Hij wurmde zich de auto in en na de agenten gegroet te hebben, keerde hij op de weg en vertrok.

Route 316 was niet altijd een achterafweg geweest. Voor de I-20 werd aangelegd, vormde de 316 de hoofdverbinding tussen Rockdale County en Atlanta. Tegenwoordig gaven de meeste automobilisten de voorkeur aan de snelweg, maar er waren nog steeds mensen die de 316 als sluiproute gebruikten of als geschikte plek voor allerlei activiteiten die het daglicht niet konden verdragen. Aan het eind van de jaren negentig was Will betrokken geweest bij een geheime operatie om prostituees ervan te weerhouden hun klanten hiernaartoe te brengen. Ook toen werd de weg al weinig gebruikt. Dat twee auto's en de vrouw die avond tegelijkertijd op dezelfde plaats waren geweest, tartte het toeval. En dat ze net op dat moment de weg op was gewandeld was nog ongelooflijker.

Tenzij Anna ze had opgewacht. Misschien was ze opzettelijk voor de Buick gestapt. Heel lang geleden had Will al geleerd dat ontsnappen soms gemakkelijker was dan overleven.

Zoekend naar een zijweg liet hij de Mini met een sukkelvaartje voortkruipen. Na ongeveer een halve kilometer sloeg hij af. Het wegdek was oneffen en in de lage wagen voelde hij elke hobbel. Af en toe werd het bos vóór hem door een bliksemflits verlicht. Vanaf de weg zag Will geen huizen, geen vervallen hutjes of oude schuren. Geen afdakjes boven antieke stokerijen. Hij reed door, waarbij het felle licht op de plaats van het ongeluk hem de weg wees, en toen hij stopte bevond hij zich ongeveer ter hoogte van alle bedrijvigheid. Will zette de auto in de parkeerstand en glimlachte tevreden. Het ongeluk had zo'n tweehonderd meter verderop plaatsgevonden en door al het licht en de drukte leek het net een footballveld midden in het bos.

Will nam de noodzaklamp uit het dashboardkastje en stapte uit. De hemel betrok snel en de temperatuur daalde. De weerman had die ochtend een halfbewolkte dag voorspeld, maar Will vermoedde dat er een stortbui in aantocht was.

Te voet baande hij zich een weg door het dichte bos, en onder het lopen liet hij zijn blik speurend over de grond gaan op zoek naar dingen die er niet thuishoorden. Misschien was Anna hierlangs gekomen, maar voor hetzelfde geld was ze de weg van de andere kant genaderd. Het onderzoek mocht zich in geen geval beperken tot de weg. De politie zou nu in het bos moeten zijn en het binnen een straal van minstens anderhalve kilometer uitkammen. Het zou geen makkelijk karwei zijn. De bomen stonden dicht op elkaar, lage takken en struikgewas belemmerden de doorgang en omgevallen bomen en gaten in de grond maakten het gebied bij avond nog gevaarlijker. Will probeerde zich te oriënteren en vroeg zich af in welke richting de I-20 lag, waar de bewoonde wereld begon, maar toen het kompas in zijn hoofd naar alle kanten begon te draaien gaf hij het op.

Het terrein liep nu naar beneden af, en hoewel het nog een heel eind was, hoorde Will de vertrouwde geluiden die bij een plaats delict hoorden: het geronk van de elektrische generator, het gezoem van de stadionlampen, het geplof van flitslicht en het gebrom van de agenten en de technische recherche, af en toe onderbroken door verbaasd gelach.

Boven zijn hoofd gingen de wolken uiteen en een reepje maanlicht hulde de grond in schaduw. Vanuit zijn ooghoek ontdekte Will een hoop bladeren die eruitzag alsof hij recent was omgewoeld. Het zwakke licht van zijn lamp hielp niet echt en daarom ging hij op zijn hurken zitten. De bladeren waren hier donkerder, hoewel hij niet kon zien of het van bloed of van neerslag was. Wel zag Will dat er iets had gelegen. Maar was dat iets een dier geweest of een vrouw?

Weer probeerde hij zich te oriënteren. Hij was nu ergens halverwege Faiths auto en de gedeukte Buick op de weg. De wolken verplaatsten zich en het werd aardedonker om hem heen. De lamp in zijn hand koos uitgerekend dat moment uit om de geest te geven, en het licht veranderde van geelbruin in zwart. Will sloeg met de kunststof koker tegen zijn handpalm in een poging de batterijen nog even aan de praat te houden.

Plotseling werd alles binnen een straal van anderhalve meter verlicht door het felle schijnsel van een Maglite. 'En dan ben jij agent Trent,' zei een man. Will hield zijn hand voor zijn ogen om te voorkomen dat zijn netvlies verschroeide. Het duurde even voor de man zijn lantaarn iets liet zakken en op Wills borst richtte. In de gloed van de lampen die verderop de weg belichtten leek hij het vleesgeworden hoogtepunt van een ballonnenoptocht: bol van boven en naar onderen taps toelopend, zodat hij bijna in een punt eindigde. Het piepkleine hoofdje van de man zweefde boven zijn schouders, en de vetrollen van zijn dikke hals puilden over het boordje van zijn overhemd.

Zijn omvang in aanmerking genomen was de man verbazend lichtvoetig. Will had hem niet horen naderen in het bos. 'Rechercheur Fierro?' raadde hij.

Nu scheen de man met zijn lamp in zijn eigen gezicht, zodat Will hem kon zien. 'Je mag me ook Klootzak noemen, want dat doe je toch wel als je dat hele eenzame klerestuk terug moet rijden naar Atlanta.'

Will zat nog steeds op zijn hurken. Hij keek in de richting van de weg. 'Waarom laat je me niet even kijken?'

Het licht scheen weer in Wills ogen. 'Je geeft niet gauw op, hè eikel?' zei Fierro.

'Jij denkt dat ze hier is gedumpt, maar dat is niet zo.'

'Kun je soms gedachtelezen?'

'Je hebt een politiebericht doen uitgaan voor alle verdachte auto's in het gebied en je laat de technische jongens met een zeefje door die Buick gaan.'

'Dat politiebericht is code 10-38, die je zou moeten kennen als je een echte agent was, en het dichtstbijzijnde huis is van een oude vent in een rolstoel, ruim drie kilometer verderop.' Hij sprak met een laatdunkendheid die Will maar al te bekend voorkwam. 'Ik ga hierover niet met je in discussie, maat. Hier ben ik de baas, opzouten.'

Zo gemakkelijk gaf Will zich niet gewonnen. 'Ik heb gezien wat er met haar gebeurd is. Ze is echt niet in een auto gezet en ergens gedumpt. Ze bloedde aan alle kanten. Degene die dit gedaan heeft, is slim. Die zet haar heus niet in een auto. Al die sporen, dat riskeert hij toch niet?

En hij zou haar al helemaal niet in leven laten.'

'Twee opties.' Fierro stak zijn mollige vingers op en telde. 'Je vertrekt op je eigen twee voeten, of je vertrekt op je rug.'

Will kwam overeind, rechtte zijn schouders en richtte zich op tot zijn volle een meter zevenentachtig. Met scherpe blik keek hij op Fierro neer. 'Laten we duidelijk proberen te zijn. Ik ben hier om te helpen.'

'Ik heb je hulp niet nodig, Gomez. Ik stel voor dat je je omdraait, weer in dat meidenwagentje kruipt en zachtjes in de nacht verdwijnt. Wil je weten wat hier gebeurt? Koop maar een krant.'

'Volgens mij bedoel je Lurch,' verbeterde Will hem. 'Gomez was de vader.'

Fierro fronste zijn voorhoofd.

'Hoor eens, het slachtoffer, Anna, heeft waarschijnlijk hier gelegen.' Will wees naar de uitholling in de bladerhoop. 'Ze hoorde auto's langsrijden en liep de weg op om hulp te zoeken.' Fierro onderbrak hem niet en daarom ging hij verder. 'Er is een eenheid van de hondenbrigade onderweg. Het spoor is nog vers, maar als het gaat regenen is het verdwenen.' Alsof het zo was afgesproken, sloeg op dat moment de bliksem ergens in, meteen gevolgd door een daverende donderklap.

Fierro kwam wat dichterbij. 'Je luistert niet naar me, Gomez.' Hij stootte met het uiteinde van zijn zaklantaarn tegen Wills borst en met al zijn kracht duwde hij hem naar achteren. Ondertussen bleef hij praten, waarbij hij zijn woorden telkens met een harde stomp onderstreepte. 'En nu zorg je dat je met je fucking GBI-reet in dat fucking doodgraverspak zo snel mogelijk in je rode speelgoedautotje stapt en dan oprot uit mijn...'

Wills hiel raakte iets hards. Beide mannen hoorden het en beiden mannen bleven doodstil staan.

Fierro deed zijn mond open, maar Will maande hem tot stilte en knielde langzaam neer. Met zijn handen veegde hij wat bladeren weg tot hij op de contouren van een groot stuk triplex stuitte. Bij een hoek lagen twee zware stenen om de plek te markeren.

Er klonk een vaag geluid, een soort geknisper leek het. Will liet zich nog verder op zijn knieën zakken en nu veranderde het geluid in gemompel. Fierro hoorde het ook. Hij trok zijn pistool en hield de zaklamp langs de loop zodat hij kon zien waarop hij schoot. Opeens leek de rechercheur geen bezwaar meer te hebben tegen Wills aanwezigheid. Hij leek het zelfs prima te vinden dat Will het stuk triplex wegtrok en zijn gezicht in de vuurlinie bracht. Toen Will naar hem opkeek, haalde Fierro zijn schouders op. 'Je mag meedoen,' scheen hij te willen zeggen. Will had de hele dag in de rechtbank gezeten. Zijn wapen lag thuis in een la bij zijn bed. Fierro had een groot gezwel bij zijn enkel of anders droeg hij een reservewapen. De man bood hem de revolver niet aan en Will vroeg er ook niet naar. Hij had beide handen nodig als hij het stuk triplex moest wegtrekken en op tijd aan de kant wilde springen. Met ingehouden adem haalde Will de stenen weg en toen groef hij met zijn vingers in de zachte aarde om voldoende grip te krijgen op de rand van de plaat. Die was van het standaardformaat, zo'n anderhalf bij drie meter, en ruim een centimeter dik. Het hout voelde vochtig aan, wat betekende dat het extra zwaar was.

Will keek achterom naar Fierro om te zien of hij klaarstond en wrikte toen met één snelle beweging het stuk triplex naar achteren. Aarde en puin vlogen alle kanten op en Will sprong weg.

'Wat zit daar?' fluisterde Fierro hees. 'Kun je iets zien?'

Will strekte zijn hals om te kijken wat hij had blootgelegd. Het was een diep, ruw uitgegraven gat van zeventig bij zeventig centimeter, dat loodrecht in de aarde verdween. Nog steeds ineengedoken kroop Will naar het gat. In het besef dat hij nogmaals zijn hoofd als schietschijf aanbood, wierp hij een vluchtige blik naar binnen om te kijken waarmee ze te maken hadden. Hij kon de bodem niet zien. Wel zag hij een ladder die een halve meter lager tegen de wand leunde, een zelfgemaakt geval waarvan de sporten scheef aan een stel dunne balken waren vastgespijkerd.

Bliksem verscheurde de hemel en toonde het tafereel in

volle glorie. In zekere zin was het net een cartoon: de ladder naar de hel.

'Geef me die lamp eens,' fluisterde Will tegen Fierro. De rechercheur was opeens buitengewoon bereidwillig, en hij klapte de Maglite in Wills uitgestoken hand. Die keek de man nog eens aan. Hij stond met zijn benen wijd en zijn pistool nog steeds op de opening in de grond gericht. Zijn ogen waren groot en rond van angst.

Will scheen met de lamp naar beneden. Het hol leek L-vormig te zijn. Het gat ging ongeveer anderhalve meter de diepte in en beschreef een bocht naar wat waarschijnlijk de hoofdruimte was. Stukken hout staken uit waar het dak werd geschraagd. Onder aan de ladder stonden voorraden. Etensblikken. Touw. Kettingen. Haken. Wills hart begaf het bijna toen hij beneden iets hoorde bewegen, ritselen, en het kostte hem moeite om niet terug te deinzen.

'Is het...' zei Fierro.

Will legde zijn vinger op zijn lippen, hoewel hij vrijwel zeker wist dat ze het verrassingselement niet aan hun kant hadden. Als er iemand beneden was, dan had hij de lichtbundel van de lantaarn gezien. Bij wijze van bevestiging steeg er een schor geluid op, een soort gekreun. Was er nog een slachtoffer? Hij dacht aan de vrouw in het ziekenhuis. Anna. Will wist hoe brandwonden eruitzagen. Ze kleurden de huid als met een donker poeder dat nooit meer wegging. Ze bleven een leven lang bij je... dat wil zeggen, als je nog een leven voor je had.

Will trok zijn jasje uit en wierp het achter zich. Hij stak zijn hand uit naar Fierro's enkel en griste de revolver uit de holster. Voor hij zich kon bedenken zwaaide hij zijn benen over de rand van het gat.

'Jezus christus,' fluisterde Fierro. Hij keek achterom naar de tientallen agenten op zo'n dertig meter afstand, en besefte waarschijnlijk dat er betere manieren waren om dit aan te pakken.

Weer hoorde Will dat geluid van beneden – misschien van een dier, misschien van een mens. Hij knipte de lamp uit en stak hem achter in zijn broek. Eigenlijk zou hij nu iets moeten zeggen – 'Zeg tegen mijn vrouw dat ik van haar hou' of iets dergelijks –, maar hij wilde Angie niet belasten, en het genoegen gunde hij haar zeker niet.

'Wacht even,' zei Fierro zachtjes. Hij wilde hulptroepen halen.

Will negeerde hem en stopte de revolver in zijn voorzak. Voorzichtig plaatste hij zijn gewicht op de wankele ladder en zette de hakken van zijn schoenen op de sporten, zodat zijn gezicht bij het afdalen naar het binnenste van het hol was gericht. De ruimte was krap en zijn schouders waren te breed. Hij moest één arm recht boven zijn hoofd houden omdat hij anders niet door het gat paste. Aarde viel in kluiten om hem heen naar beneden en wortels schraapten over zijn gezicht en hals. De wand van de schacht was maar een paar centimeter van zijn neus verwijderd en een ongekend claustrofobisch gevoel bekroop hem. Telkens als hij inademde proefde hij aarde in zijn keelholte. Hij kon niet naar beneden kijken omdat daar niks te zien was, en hij durfde niet op te kijken omdat hij bang was dat hij dan snel weer naar boven zou klimmen.

Met elke stap werd de stank erger: ontlasting, urine, zweet, angst. Misschien was de angst van Will zelf afkomstig. Anna had weten te ontsnappen. Misschien had ze daarbij haar belager verwond. Misschien zat de man beneden te wachten met een pistool, een scheermes of een dolk.

Wills hart bonkte in zijn keel en hij kreeg bijna geen adem meer. Het zweet brak hem uit en zijn knieën knikten toen hij stapje voor stapje afdaalde in een diepte waar geen eind aan kwam. Ten slotte raakte zijn voet zachte aarde. Met de neus van zijn schoen tastte hij in het rond en stuitte op het touw dat onder aan de ladder lag. De ketting rinkelde. Zijn bovenlichaam zat nog in de schacht bij de ingang, en hij zou ineen moeten duiken om naar binnen te kunnen, waardoor hij zich volledige blootstelde aan degene die hem eventueel opwachtte.

Will hoorde gehijg, en toen weer gemompel. Fierro's revolver lag in zijn hand, hoewel hij niet wist hoe die daar gekomen was. De ruimte was zo krap dat hij niet met zijn hand bij zijn zaklantaarn kon, die trouwens langs de achterkant van zijn broek naar beneden gleed. Will probeerde door zijn knieën te zakken, maar zijn lichaam werkte niet mee. Het gehijg werd luider en hij besefte dat het uit zijn eigen mond kwam. Toen hij opkeek, zag hij slechts duisternis. Zweet trok een waas voor zijn ogen. Hij hield zijn adem in en hurkte neer. Er klonk geen schot. Zijn keel werd niet doorgesneden. Er werden geen haken in zijn ogen geslagen. Uit de schacht kwam een briesje, of was het iets wat zich vlak bij hem bevond? Stond er iemand voor hem? Had iemand zojuist met zijn hand langs zijn gezicht gestreken? Weer hoorde hij iets bewegen, tanden klapperen.

'Beweeg je niet,' zei Will. Hij hield de revolver voor zich uit en bewoog hem als een pendule heen en weer om er zeker van te zijn dat hij niemand voor zich had. Met bevende hand tastte hij naar achteren om de zaklamp op te rapen. Opnieuw klonk er gehijg, een gênant geluid dat door het hol werd weerkaatst.

'Nooit...' mompelde een mannenstem.

Met een hand die glad was van het zweet klemde Will het ribbelige handvat van de lantaarn vast. Hij zette zijn duim op de knop en knipte het licht aan.

Ratten stoven weg – drie grote, zwarte ratten met vette buiken en scherpe klauwen. Twee vlogen er op Will af. Intuïtief week hij terug, zijn voeten raakten verstrikt in het touw en hij knalde tegen de ladder aan. Hij sloeg zijn armen voor zijn gezicht en voelde de messcherpe nageltjes in zijn huid toen de ratten de ladder op raceten. In zijn paniek had Will de lantaarn laten vallen. Vlug raapte hij het ding weer op en doorzocht het hol om te zien wat er verder nog huisde.

Niets.

'Krijg nou wat...' Will ademde uit en liet zich op de grond zakken. Hij had het gevoel dat zijn blaas het elk moment kon begeven. Het zweet stroomde zijn ogen in. Zijn armen klopten waar de ratten zijn vel hadden opengehaald. Met grote moeite bedwong hij de neiging om achter ze aan het hol uit te vluchten.

Met behulp van de lamp nam hij zijn omgeving in zich op. Kakkerlakken en andere insecten vluchtten weg. Hij kon niet zien waar de derde rat zich ophield en hij ging er niet naar zoeken ook. Het hoofdgedeelte van het hol was verzonken en lag een kleine meter dieper dan de plek waar Will zat. Degene die het bouwsel had ontworpen, had geweten wat hij deed. Dankzij het lagergelegen stuk had hij het voordeel aan zijn kant.

Langzaam daalde Will in de ruimte af, waarbij hij de lamp voor zich uit hield om nieuwe verrassingen te voorkomen. Het hol was groter dan hij had verwacht. Het graafwerk moest weken hebben gekost, weken waarin de grond emmer na emmer naar boven was gehesen en stukken hout om de zaak voor instorten te behoeden naar beneden waren gesjouwd.

Will raamde het grootste gedeelte op minstens drie meter diep en bijna twee meter breed. De ruimte tot aan het plafond was ongeveer een meter tachtig, zodat Will kon staan als hij zich iets bukte, maar hij was bang dat zijn knieën hem nog niet konden dragen. De lamp slaagde er niet in alles in één keer te verlichten, en daardoor voelde de ruimte krapper aan. Door de spookachtige sfeer en de walgelijke geur van de klei van Georgia gemengd met bloed en uitwerpselen werd alles nog kleiner en donkerder.

Tegen een van de wanden stond een laag bed, dat zo te zien van oud hout in elkaar was geflanst. Erboven was een plank met voorraden: waterkannen, soepblikjes, martelinstrumenten die Will alleen uit boeken kende. De matras was dun, en uit de gescheurde zwarte hoes stak bloedbevlekt schuimrubber. Bovenop lagen hompjes vlees, sommige al in staat van ontbinding. Een zee van maden kolkte eromheen. Op de vloer naast het bed lagen stukken touw bijeen, genoeg om iemand van top tot teen als een mummie mee te omwikkelen. In het hout aan weerszijden van het bed zaten diepe krassen. Will zag naalden, vishaken, lucifers. Bloed lekte onder het bed uit, als uit een druppende kraan, en vormde een plas op de aarden vloer.

'Gezegd...' zei een stem, die vervolgens in storing verloren ging. Op een witte plastic stoel achter in het hol stond een gecombineerd radio- en tv-toestel. Nog steeds ineengedoken liep Will naar de stoel. Hij keek naar de knoppen en drukte er een paar in voor hij erin slaagde het apparaat uit te schakelen. Te laat bedacht hij dat hij zijn handschoenen had moeten aantrekken.

Met zijn blik volgde hij het snoer van het toestel, dat aan een grote scheepsaccu bevestigd bleek te zijn. De stekker ontbrak en het snoer zat met opengewerkte rode en zwarte draden aan de contactpunten vast. Er waren ook andere draden, waarvan de uiteinden tot op het koper waren gestript. Ze waren zwart uitgeslagen en Will ving de vertrouwde geur van verschroeid vlees op.

'Hé, Gomez!' riep Fierro. Zijn stem was rauw van de zenuwen.

'Er is niemand,' zei Will.

Fierro maakte een aarzelend geluid.

'Echt waar,' zei Will. Hij liep terug naar de opening en strekte zijn hals om de man te kunnen zien. 'Er is echt niemand.'

'Jezus.' Fierro's hoofd verdween uit het zicht, maar Will zag nog net dat hij een kruisje sloeg.

Hij zou zelf bijna gaan bidden als hij hier nog langer moest blijven. Hij richtte de lamp op de ladder en zag dat hij met zijn schoenen de bloederige voetafdrukken op de sporten had uitgesmeerd. Will keek naar zijn versleten schoenen en de aarden vloer en zag nog meer uitgesmeerde bloederige voetafdrukken. Hij wrong zijn schouders weer in de schacht en zette zijn voet op de onderste sport, waarbij hij zijn best deed om verder niets meer te verstoren. De technische jongens zouden hier niet blij mee zijn, maar hij kon hooguit zijn verontschuldigingen aanbieden.

Opeens bleef Will staan. Anna had sneetjes in haar voeten gehad, maar dat waren eerder van die akelige schaafwondjes die je kreeg als je op iets scherps stapte: dennennaalden, klissen, doornige ranken. Daarom was hij ervan uitgegaan dat ze door het bos had gelopen. De wondjes waren niet diep genoeg geweest om de bloederige voetafdrukken te verklaren die zo scherp in de aarde stonden afgetekend dat hij de ribbels van de zolen kon onderscheiden. Met zijn hand boven zijn hoofd en één voet op de ladder bleef Will in tweestrijd staan.

Met een dodelijk vermoeide zucht ging hij weer op zijn hurken zitten en scheen met de lamp in alle hoeken van de grot. Het touw zat hem dwars, de manier waarop het om het bed gewikkeld had gezeten. In gedachten zag hij Anna voor zich, vastgebonden met een touw dat in een serie lussen over en onder het bed was geslagen, zodat ze stevig aan het beddenframe vastzat. Hij trok een van de losse stukken onder het bed uit. Het uiteinde was netjes doorgesneden, en dat gold ook voor de andere stukken. Hij wierp een blik om zich heen en vroeg zich af waar dat mes nu was.

Waarschijnlijk had die kloterat het te pakken.

Will trok de matras weg. De stank deed hem kokhalzen en hij probeerde niet te denken aan wat hij met zijn blote handen aanraakte. Met de achterkant van zijn pols tegen zijn neus gedrukt rukte hij de latjes los waarop de matras steunde, van harte hopend dat de rat niet opsprong en zijn ogen uitkrabde. Will maakte zo veel mogelijk lawaai en liet de latjes op een hoop op de vloer vallen. Achter zich hoorde hij gepiep en toen hij zich omdraaide zag hij de rat ineengedoken in een hoek zitten. Zijn kraaloogjes weerkaatsten het licht. Will hield een stuk hout in zijn hand en even overwoog hij het naar het beest toe te smijten, maar hij was bang dat hij hem in de krappe ruimte zou missen. Ook was hij bang dat hij de rat dan pas echt op stang zou jagen.

Hij legde de lat op de hoop en al die tijd hield hij de rat scherp in de gaten. Opeens viel zijn blik op iets anders. Aan de onderkant van de beddenplanken zaten krassen – diepe, bebloede groeven die niet van een dier afkomstig leken te zijn. Will scheen met de lamp door de opening onder het bed. Over de hele lengte en breedte van het bed was de aarde tot een diepte van ongeveer vijftien centimeter afgegraven. Will stak zijn hand uit en pakte een kort stuk touw. Evenals de andere stukken was ook dit doorgesneden. Het verschil met de andere stukken was dat de knoop nog intact was.

Will trok de resterende latten weg. Onder het bed zaten vier metalen bouten, bij elke hoek één. Aan een van de bouten was een stuk touw vastgeknoopt. Het was roze van het bloed. Will betastte het touw, dat nat bleek te zijn. Iets scherps schampte zijn duim. Hij boog zich nog iets verder voorover om te zien waaraan hij zich geschaafd had. Met zijn nagels peuterde hij aan het touw om het ding eruit te wurmen en het in het licht van de lamp beter te bekijken. Hij kreeg een bittere smaak in zijn mond toen hij zag wat hij in zijn hand hield.

'Hé!' brulde Fierro. 'Gomez? Kom je nog boven of hoe zit dat?'

'Haal een speurteam!' riep Will, en zijn keel voelde rauw.

'Waar heb je het...'

Will keek naar het afgebroken stuk tand in zijn hand. 'Er is nog een slachtoffer!'

Drie

Faith zat in het ziekenhuisrestaurant en voelde zich weer net als destijds op het schoolbal: ongewenst, dik en zwanger. Ze keek naar de pezige rechercheur uit Rockdale County, die tegenover haar aan tafel zat. Met zijn lange neus en vettig, over zijn oren vallend haar had hij de knorrige en tegelijkertijd beduusde uitstraling van een Weimaraner. Bovendien kon hij slecht tegen zijn verlies. In elke zin verwees hij naar het GBI, dat zijn zaak van hem had afgepakt. Het begon al met zijn openingssalvo toen Faith hem vroeg of ze bij de ondervraging van de twee getuigen aanwezig mocht zijn. 'Ik wil wedden dat die bitch voor wie je werkt nu al d'r haar zit op te leuken voor de tv-camera's.'

Faith had haar mond gehouden, hoewel ze zich niet kon voorstellen dat Amanda Wagner ook maar iets opleukte. Ze scherpte haar klauwen, dat zou kunnen, maar aan dat haar van haar was niet veel eer te behalen.

'Goed,' zei Galloway tegen de twee mannen. 'Jullie reden dus wat rond en zagen niks, en opeens is daar die Buick en dat meisje op de weg.'

Bijna had Faith haar blik vertwijfeld ten hemel geslagen. Voor ze Will Trents collega werd, had ze acht jaar op de afdeling Moordzaken van de politie van Atlanta gewerkt. Ze wist hoe het was om de rechercheur aan de andere kant van die tafel te zijn en dan een of andere arrogante zak van het GBI te zien binnenwalsen die je even vertelde dat jouw zaak bij hem in veel betere handen was. Ze begreep de woede en frustratie die je voelde als je behandeld werd als een onnozele boerenlul die zijn eigen gat niet kon vinden, maar nu ze zelf voor het GBI werkte verheugde ze zich onwillekeurig op het genoegen waarmee ze deze zaak onder de ogen van die buitengewoon irritante en onnozele boerenlul kon weggrissen.

En wat zijn gat betrof, daar had Max Galloway waarschijnlijk zijn kop in gestoken. Hij zat Rick Sigler en Jake Berman, de twee mannen die getuige waren geweest van het auto-ongeluk op Route 316, nu al minstens een halfuur te ondervragen en had nog steeds niet door dat ze allebei zo gay als een kerstboom waren.

Galloway richtte zich tot Rick, de ambulancebroeder, die de vrouw ter plekke had bijgestaan. 'Zei je niet dat je vrouw verpleegster is?'

Rick staarde naar zijn handen. Om zijn vinger droeg hij een trouwring van roze goud en hij bezat de mooiste, fijnste handjes die Faith ooit bij een man had gezien. 'Ze werkt 's avonds in het Crawford Long.'

Faith vroeg zich af hoe de vrouw het zou vinden als ze wist dat haar man zijn knuppel liet poetsen terwijl zij late diensten draaide.

'Naar welke film zijn jullie geweest?' vroeg Galloway.

Hij had die vraag al minstens drie keer gesteld, en telkens had hij hetzelfde antwoord gekregen. Faith had er geen enkel bezwaar tegen om een verdachte in de val te laten lopen, maar voor dat soort trucjes moest je iets intelligenter dan een aardappel zijn, en helaas was Max Galloway van enig inzicht verstoken. Zoals Faith het zag hadden de twee getuigen de pech gehad om op het verkeerde moment op de verkeerde plaats te zijn. Het enige positieve van het hele verhaal was dat de broeder zich over het slachtoffer had kunnen ontfermen tot de ambulance arriveerde.

'Denkt u dat ze het redt?' vroeg Rick aan Faith.

Faith vermoedde dat de vrouw nog steeds in de operatiezaal was. 'Ik weet het niet,' moest ze bekennen. 'Je hebt gedaan wat je kon om haar te helpen. Dat moet je goed onthouden.'

'Ik ben bij ik-weet-niet-hoeveel auto-ongelukken geweest.' Rick keek weer naar zijn handen. 'Maar zoiets als dit heb ik nog nooit gezien. Het was... Het was echt afschuwelijk.'

In het gewone leven was Faith bepaald geen knuffelig type, maar als politievrouw wist ze wanneer een zachtere benadering gewenst was. Ze voelde de neiging om zich over de tafel te buigen en haar handen op die van Rick te leggen, om hem te troosten en hem aan de praat te krijgen, maar ze wist niet hoe Galloway zou reageren, en ze wilde hem niet nog meer tegen zich in het harnas jagen.

'Hadden jullie bij de bioscoop afgesproken of kwamen jullie samen in één auto?' vroeg Galloway.

De andere man, Jake, schoof onrustig heen en weer op zijn stoel. Vanaf het begin had hij zich op de achtergrond gehouden en alleen zijn mond opengedaan als hem rechtstreeks iets gevraagd werd. Hij keek voortdurend op zijn horloge. 'Ik moet ervandoor,' zei hij ten slotte. 'Over nog geen vijf uur moet ik alweer mijn bed uit voor mijn werk.'

Faith wierp een blik op de klok aan de muur. Ze besefte nu pas dat het al bijna één uur 's nachts was, waarschijnlijk doordat die insuline-injectie haar merkwaardig genoeg een nieuwe stoot energie had gegeven. Twee uur daarvoor was Will vertrokken nadat hij haar snel de hoofdlijnen van het gebeurde had verteld. Nog voor ze kon aanbieden om met hem mee te gaan, was hij al naar de plek van het ongeluk afgereisd. Hij was een volhouder, en Faith vertrouwde erop dat hij een manier zou vinden om de zaak over te nemen. Wist ze maar waarom hij zo lang wegbleef.

Galloway schoof een blocnote naar de mannen toe. 'Ik wil graag jullie telefoonnummers.'

Rick trok wit weg. 'Zou u me op mijn mobiel willen bellen, alstublieft? Liever niet op het werk.' Hij wierp Faith een nerveuze blik toe en keek toen weer naar Galloway. 'Ze vinden het niet prettig als ik privételefoontjes krijg. Ik zit morgen de hele dag op de ambulance. Is dat oké?'

'Ja hoor.' Met zijn armen over elkaar leunde Max achterover op zijn stoel en keek Faith aan. 'Heb je dat gehoord, aasgier?'

Faith schonk de man een afgemeten lachje. Onversneden haat kon ze wel hebben, maar dat passief-agressieve gedoe begon gruwelijk op haar zenuwen te werken. Ze haalde twee visitekaartjes tevoorschijn en gaf elk van de mannen één. 'Bel me als je iets te binnen schiet. Ook al lijkt het nog zo onbelangrijk.' Rick knikte en stopte het kaartje in zijn achterzak. Jake hield zijn kaartje in zijn hand en het zou Faith niks verbazen als hij het in de eerste de beste afvalbak dumpte die hij tegenkwam. Ze had de indruk dat de mannen elkaar niet goed kenden. Ze hadden erg vaag gedaan over hun vriendschap, maar op verzoek hadden ze allebei een controlestrookje van de bioscoop laten zien. Waarschijnlijk hadden ze elkaar daar ontmoet en toen besloten om een wat stillere plek op te zoeken.

Een mobieltje liet 'The Battle Hymn of the Republic' horen, hoewel Faith aanvankelijk dacht dat het het strijdlied van de University of Georgia was. Galloway klapte zijn telefoontje open. 'Ja?'

Jake kwam overeind en Galloway knikte naar hem, alsof hij hem toestemming gaf om te vertrekken.

'Bedankt,' zei Faith tegen de mannen. 'En vergeet niet om te bellen als je nog iets te binnen schiet.'

Jake was al halverwege de deur, maar Rick bleef nog even achter. 'Sorry dat ik niet echt geholpen heb. Er gebeurde zoveel en...' Tranen welden op in zijn ogen. Kennelijk verkeerde hij nog steeds in de greep van het voorval.

Faith legde haar hand op zijn arm. 'Het kan me echt niet schelen wat jullie tweeën daar uitspookten,' zei ze op gedempte toon. Rick bloosde. 'Dat gaat me niks aan. Het enige wat ik belangrijk vind is dat we erachter komen wie die vrouw zo heeft toegetakeld.'

Hij wendde zijn blik af. Op hetzelfde moment wist Faith dat ze hem een duwtje in precies de verkeerde richting had gegeven.

Rick knikte kort, maar meed nog steeds haar blik. 'Sorry dat ik verder niet kan helpen.'

Faith keek hem na en ze kon zichzelf wel iets doen. Achter zich hoorde ze Galloway binnensmonds vloeken.

Toen ze zich omdraaide schoof hij zijn stoel zo hard naar achteren dat het ding op de vloer kletterde. 'Die collega van jou is zo gestoord als de neten. Volkomen gestoord.' Faith was het met hem eens – Will was niet iemand die halve maatregelen nam –, maar ze zou nooit iets negatiefs over hem zeggen tenzij hij er zelf bij was. 'Is dat gewoon een losse opmerking, of probeer je me iets duidelijk te maken?'

Galloway scheurde het blaadje met de telefoonnummers af en legde het met een klap op tafel. 'Jullie hebben je zaak.'

'Wat een verrassende ontwikkeling.' Faith schonk hem een glimlach en overhandigde hem haar kaartje. 'Zou je alle getuigenverklaringen en voorlopige rapporten naar mij op mijn werk willen faxen? Het nummer staat onderaan.'

Hij griste het kaartje uit haar hand, en terwijl hij wegliep, botste hij tegen een tafel op. 'Lach jij maar, bitch.'

Faith bukte zich en zette de stoel overeind. Ze voelde zich wat licht in het hoofd toen ze haar rug rechtte. De instructieverpleegkundige had van instructie niet veel kaas gegeten en Faith wist nog steeds niet goed wat ze moest met alle diabetesapparaatjes en -voorraadjes die ze had gekregen. De volgende ochtend moest ze allerlei briefjes, formulieren, een logboek en alle mogelijke soorten testuitslagen en documenten aan haar arts overhandigen. Ze snapte er niks van. Of misschien was ze te verward om het te verwerken. Ze was altijd goed in wiskunde geweest, maar bij de gedachte dat ze haar eten moest afmeten en haar insuline berekenen kreeg ze een waas voor haar ogen.

De laatste klap was de uitslag van de zwangerschapstest geweest. Iemand was zo vriendelijk geweest om die aan de papieren van de overige bloedtesten te bevestigen. Faith had al die tijd rekening gehouden met de mogelijkheid dat de vrij verkrijgbare testen onnauwkeurig waren geweest – alle drie. Hoe zuiver kon de technologie zijn van iets waar je op moest plassen? Elke dag werd ze heen en weer geslingerd tussen de wetenschap dat ze zwanger was en de kans dat ze een maagtumor had, zonder goed te weten welke van de twee het gunstigst was. Toen de verpleegkundige haar op blijmoedige toon had verteld dat ze een baby kreeg, was Faith weer bijna flauwgevallen. Er viel op dat moment weinig aan te doen. Ze ging aan tafel zitten en bestudeerde de telefoonnummers van Rick Sigler en Jake Butler. Als ouwe rot in het vak durfde ze er wat om te verwedden dat Jake een vals nummer had opgegeven. Tot ergernis van Max Galloway had ze de mannen gevraagd of ze hun rijbewijs mocht inzien, en ze had de relevante gegevens in haar boekje genoteerd. Toch was die Galloway misschien niet zo dom als hij eruitzag. Ze had gezien dat hij zelf ook de telefoonnummers overschreef terwijl hij in zijn mobiel zat te praten. Misschien zou hij bij Faith moeten aankloppen voor de persoonsgegevens van Jake Butler, en bij die gedachte betrapte ze zichzelf op een glimlach.

Ze keek weer op de klok, en vroeg zich af waar de Coldfields bleven. Galloway had gezegd dat ze zich voor ondervraging in het restaurant zouden melden zodra de afdeling Spoed hen liet gaan, maar het echtpaar scheen geen haast te hebben. Ook was Faith benieuwd wat Max Galloway ertoe had bewogen om Will voor gestoord uit te maken. Zij zou als eerste toegeven dat haar collega op niet bepaald conventionele wijze te werk ging. Hij hield er zijn eigen methoden op na, maar hij was wel de beste rechercheur met wie Faith ooit had samengewerkt – ook al bezat hij de sociale vaardigheden van een onhandige peuter. Zo had Faith liever van haar eigen partner gehoord dat ze deze zaak toegewezen hadden gekregen in plaats van uit de mond van een inteelt-Weimaraner uit Rockdale County.

Misschien was het maar beter dat het nog even duurde voor ze Will onder ogen kwam. Faith had geen idee hoe ze zonder hem de waarheid te vertellen moest uitleggen waarom ze in de parkeergarage bij de rechtbank van haar stokje was gegaan.

Ze rommelde in de plastic tas met diabetesspullen en haalde er de folder uit die de verpleegkundige haar had gegeven, in de hoop dat ze zich er nu beter op zou kunnen concentreren. Faith kwam niet veel verder dan 'U hebt diabetes' voor ze zichzelf voor de zoveelste keer wijsmaakte dat er van een vergissing sprake moest zijn. Ze had zich inderdaad beter gevoeld na die insulineprik, maar misschien kwam dat doordat ze een paar minuten had gelegen. Kwam de ziekte eigenlijk wel voor in haar familie? Faith zou haar moeder kunnen bellen, maar ze had Evelyn nog niet eens verteld dat ze zwanger was. Bovendien zat die in Mexico, haar eerste vakantie in jaren. Faith wilde er zeker van zijn dat er een goede dokter in de buurt was als ze haar moeder het nieuws vertelde.

Eigenlijk zou Faith nu haar broer moeten bellen. Kapitein Zeke Mitchell was chirurg bij de luchtmacht en gestationeerd in het Duitse Landstuhl. Als arts zou hij haar alles over haar situatie kunnen vertellen, en waarschijnlijk was dat de reden waarom ze er zo tegen opzag om contact met hem op te nemen. Toen Faith op veertienjarige leeftijd aankondigde dat ze zwanger was, zat Zeke in de eindexamenklas van de middelbare school. Vierentwintig uur per dag en zeven dagen per week ging hij gebukt onder schaamte en vernedering. Thuis moest hij toekijken terwijl zijn slet van een zusje opzwol tot formaat zeppelin, terwijl hij op school naar de vuige grappen moest luisteren die zijn vrienden over haar maakten. Geen wonder dat hij na zijn eindexamen meteen in dienst was gegaan.

En dan was er Jeremy nog. Faith wist bij god niet hoe ze haar zoon moest vertellen dat ze zwanger was. Hij was achttien, even oud als Zeke toen ze zijn leven had verpest. Als een jongen al niet wilde weten dat zijn zusje seks had, dan wilde hij dat helemaal niet over zijn moeder horen.

Faith was volwassen geworden met Jeremy aan haar zij, en nu hij studeerde, kwam hun relatie eindelijk in rustiger vaarwater en konden ze als volwassenen met elkaar praten. Natuurlijk zag Faith soms in gedachten weer het kind voor zich dat hij was geweest – het dekentje dat hij overal met zich meesleepte, zijn eindeloze gevraag naar wanneer hij te zwaar zou zijn om nog door haar gedragen te kunnen worden – maar ten slotte had ze zich ermee verzoend dat haar kleine jongen tot man was uitgegroeid. Hoe kon ze hem in vredesnaam weer onderuithalen nu hij eindelijk zijn plek in de wereld had gevonden? En het ging er niet alleen meer om dat ze zwanger was. Ze leed ook aan een ziekte. Ze had misschien iets erfelijks. Misschien had Jeremy het zelf ook. Hij had inmiddels een vaste vriendin. Faith wist dat ze met elkaar naar bed gingen. Jeremy's eventuele kinderen zouden ook diabetes kunnen krijgen, en dat allemaal door Faith.

'Jezus,' verzuchtte ze, niet vanwege de diabetes, maar bij de gedachte dat ze nog voor haar vierendertigste oma zou kunnen worden.

'Hoe voel je je?'

Toen Faith opkeek, zag ze Sara Linton tegenover zich staan, met een dienblad in haar handen.

'Oud.'

'En dat allemaal door die folder?'

Faith was helemaal vergeten dat ze het ding nog steeds vasthield. Met een knikje bood ze Sara een stoel aan. 'Eerlijk gezegd zat ik je medische bekwaamheid in twijfel te trekken.'

'Dan zou je de eerste niet zijn.' Het klonk wat spijtig, en weer vroeg Faith zich af wat het geheim was dat Sara met zich meedroeg. 'Ik had je het nieuws met wat meer beleid kunnen brengen.'

Daar was Faith het mee eens. Op de spoedafdeling had ze bijna op het eerste gezicht de pest aan Sara Linton gekregen, gewoon omdat ze het soort vrouw was waaraan je nou eenmaal op het eerste gezicht de pest kreeg: met haar ranke gestalte en lange, kastanjebruine haar bezat ze een bijzondere schoonheid waarvoor elke man voor de bijl ging zodra ze een kamer binnen kwam. Dat ze zichtbaar slim en succesvol was, maakte het er ook niet beter op, en Faith had dezelfde intuïtieve afkeer van haar gevoeld die ze nog kende van de middelbare school, als de cheerleaders langs dansten. Het liefst had ze het aan haar nieuwe krachtige persoonlijkheid of aan een geestelijke groeispurt toegeschreven dat ze haar benepen reactie had weten te onderdrukken, maar in werkelijkheid vond Faith het gewoon moeilijk om een hekel te hebben aan iemand die weduwe was, en al helemaal aan de weduwe van een politieman.

'Heb je sinds ons gesprek nog iets gegeten?' vroeg Sara.

Faith schudde haar hoofd en keek naar het samenraapseltje op Sara's dienblad: een armzalig stukje gebraden kip op een verlept blaadje sla en iets wat met een beetje goede wil voor groente zou kunnen doorgaan. Met haar plastic mes en vork sneed Sara in het stuk kip. Althans, dat probeerde ze. Uiteindelijk moest ze het uit elkaar trekken. Ze legde haar broodje op het bord en schoof het hele zaakje naar Faith toe.

'Bedankt,' zei Faith zonder veel overtuiging, en ze bedacht dat de karamelbrownies die ze bij binnenkomst had gezien waarschijnlijk een stuk smakelijker waren.

'Zitten jullie nu officieel op deze zaak?' wilde Sara weten.

De vraag verbaasde Faith, maar aan de andere kant had Sara het slachtoffer behandeld en het was logisch dat ze nieuwsgierig was. 'Dat heeft Will voor elkaar gekregen.' Ze wierp een blik op haar mobiel, en weer vroeg ze zich af waarom hij nog niet gebeld had.

'De lokale politie zal wel met veel genoegen een stapje terug hebben gedaan.'

Faith moest lachen en concludeerde dat Sara waarschijnlijk met een uitstekend politieman getrouwd was geweest. Faith was zelf ook niet mis; ze wist dat het één uur 's nachts was en ze had Sara twee uur eerder horen zeggen dat haar dienst erop zat. Ze bekeek de arts nog eens. Sara straalde iets uit, de onmiskenbare gloed van een adrenalinejunk. Ze wilde het fijne van de zaak weten.

'Ik heb Henry Coldfield, de bestuurder van de auto, onderzocht,' deelde Sara mee. Ze had nog niets gegeten, maar ze was dan ook naar het restaurant gekomen om Faith op te zoeken, niet om een stuk kip weg te werken dat uit het ei was gekropen ten tijde van Nixons aftreden. 'Hij heeft een gekneusde borst door de airbag, en zijn vrouw heeft een paar hechtingen op haar hoofd, maar verder maken ze het goed.'

'Ik zit trouwens op ze te wachten.' Voor de zoveelste keer wierp Faith een blik op de klok. 'Ik zou ze hier ontmoeten.'

Daar keek Sara van op. 'Ruim een halfuur geleden zijn ze samen met hun zoon vertrokken.'

'Wat?'

'Ze stonden met z'n drieën met die rechercheur te praten, die met dat vettige haar.'

'Wat een klootzak,' mompelde Faith. Geen wonder dat Max Galloway zo zelfingenomen had gekeken toen hij het restaurant uit liep. 'Sorry,' zei ze tegen Sara. 'Die vent is slimmer dan ik dacht. Hij heeft me er mooi in geluisd.'

'Coldfield is niet zo'n gebruikelijke naam,' zei Sara. 'Ze staan vast in het telefoonboek.'

Dat hoopte Faith van harte, want ze had geen zin om op haar knieën naar Max Galloway te kruipen om het hem te vragen. Die lol gunde ze hem niet.

'Ik wil het adres en het telefoonnummer wel van het opnameformulier overschrijven,' bood Sara aan.

Faith keek verbaasd, want meestal was daar een rechterlijk bevel voor nodig. 'Dat zou mooi zijn.'

'Geen enkel probleem.'

'Het is wel, eh...' Faith hield zich net op tijd in, want ze had Sara bijna verteld dat ze in dat geval in overtreding zou zijn. Snel veranderde ze van onderwerp. 'Will zei dat je het slachtoffer hebt behandeld toen ze werd binnengebracht.'

'Anna,' zei Sara. 'Tenminste, dat meende ik te verstaan.'

Will was niet in detail getreden, en nu deed Faith een voorzichtige poging. 'Wat was je eerste indruk?'

Met haar armen over elkaar leunde Sara naar achteren. 'Ze vertoonde ernstige ondervoedings- en uitdrogingsverschijnselen. Haar tandvlees was bleek en ze had gecollabeerde venen. Te oordelen naar de aard van de genezing en de stolling van het bloed vermoed ik dat de wonden gedurende een bepaalde periode zijn toegebracht. Op haar polsen en enkels zaten striemen van het touw waarmee ze vastgebonden heeft gezeten. Ze was vaginaal en anaal gepenetreerd, en er waren aanwijzingen dat daarbij een stomp voorwerp is gebruikt. Vóór de operatie heb ik geen inwendig sporenonderzoek kunnen doen, maar ik heb haar zo goed mogelijk bekeken. Ik heb een paar houtsplinters onder haar vingernagels vandaan gehaald zodat het GBI-lab ze kan analyseren – onbehandeld hout, zo te zien, maar dat zal het laboratorium moeten bevestigen.'

Ze klonk alsof ze voor de rechter getuigenis aflegde. Elke opmerking werd met bewijs gestaafd en ieder op deskundigheid gestoeld vermoeden werd als ruwe schatting ingekleed. 'Hoe lang denk je dat ze gevangen is gehouden?' vroeg Faith.

'Minstens vier dagen, maar te oordelen naar de staat van ondervoeding kan het ook wel een week tot tien dagen zijn geweest.'

De gedachte dat de vrouw tien dagen lang was gemarteld, vond Faith onverdraaglijk. 'Hoe weet je dat zo zeker, van die vier dagen?'

'Door de snee op haar borst, hier ongeveer.' Sara wees naar de zijkant van haar eigen borst. 'Die was diep en septisch, en er waren al insecten actief geweest. Je zou bij een entomoloog te rade moeten gaan om het precieze stadium van verpopping vast te stellen – oftewel de ontwikkelingsfase van het insect –, maar in aanmerking genomen dat ze nog leefde, dat haar lichaam betrekkelijk warm was en dat er als voeding vers bloed voorhanden was, zit ik er met vier dagen vast niet ver naast. Ik denk niet dat het weefsel nog te redden is,' voegde ze eraan toe.

Faith klemde haar lippen op elkaar en ze bedwong de neiging om haar hand op haar eigen borst te leggen. Hoeveel stukken van je lichaam kon je missen voor je de geest gaf?

Zonder dat Faith hoefde aan te dringen vervolgde Sara haar verhaal. 'Dat van de elfde rib, hier,' – ze raakte haar buik aan – 'dat is nog heel recent, waarschijnlijk van eerder op de dag of gisteravond laat, en het is met precisie gedaan.'

'Met chirurgische precisie?'

'Nee.' Ze schudde haar hoofd. 'Eerder trefzeker. Er was niets wat op aarzeling wees, ik heb geen oefensneetjes

kunnen ontdekken. De dader was zeker van wat hij deed.'
Faith vond de arts zelf ook nogal overtuigd klinken.
'Hoe is het volgens jou gebeurd?'
Sara pakte haar receptenblocnote en begon een serie gebogen lijnen te tekenen die pas betekenis kregen toen ze er uitleg bij gaf. 'De ribben worden per paar geteld, van boven naar beneden, en er zitten er twaalf aan elke kant, links en rechts.' Ze tikte met haar pen op de lijnen. 'De eerste zit vlak onder het sleutelbeen en de twaalfde is deze hier, onderaan.' Ze keek op om te zien of Faith het nog volgde. 'De elfde en twaalfde rib, de onderste dus, worden zwevende ribben genoemd, omdat ze aan de voorkant niet vastzitten. Ze zitten alleen aan de achterkant vast.' Ze tekende een rechte lijn, die de wervelkolom moest voorstellen. 'De bovenste zeven ribben zitten aan de achterkant aan de wervelkolom vast en aan de voorkant aan het borstbeen, in een grote boog. De volgende drie ribben zitten min of meer vast aan de ribben erboven. Die worden valse ribben genoemd. Dat alles is heel elastisch, zodat je kunt ademen, en daarom is het ook moeilijk om met een rechtstreekse klap een rib te breken, ze zijn namelijk zeer buigzaam.'
Voorovergebogen hing Faith aan haar lippen. 'Dus dit is het werk van iemand met een medische achtergrond?'
'Dat hoeft niet. Je kunt met je vingers je eigen ribben voelen. Je weet waar ze zitten in je lichaam.'
'Maar toch...'
'Kijk.' Ze ging rechtop zitten, tilde haar rechterarm op en drukte met de vingers van haar linkerhand tegen haar zij. 'Je strijkt met je hand naar beneden, langs de oksellijn aan de achterkant, tot je het puntje van de rib voelt – de elfde, met de twaalfde een stukje verder terug.' Ze pakte het plastic mes. 'Dan zet je het mes in de huid en snijd langs de rib; om het jezelf gemakkelijker te maken kun je de punt van het lemmet langs het bot laten glijden. Je duwt het vet en spierweefsel opzij, trekt de rib los van de wervelkolom, breekt hem voor mijn part, pakt hem stevig beet en rukt hem eruit.'
Alleen al bij de gedachte werd Faith onpasselijk.

Sara legde het mes neer. 'Een jager zou het binnen een minuut voor elkaar hebben, maar iedereen kan erachter komen hoe het zit. Het is geen chirurgie op de vierkante millimeter. Ik weet zeker dat je op Google een betere tekening kunt vinden dan die ik heb gemaakt.'

'Zou het kunnen dat die rib er nooit gezeten heeft, dat ze zonder die rib geboren is?'

'Bij een klein deel van de bevolking ontbreekt een ribbenpaar, maar de meesten van ons hebben er vierentwintig.'

'Laat ik nou altijd gedacht hebben dat mannen een rib minder hebben.'

'Je bedoelt zoals in het verhaal van Adam en Eva?' Een glimlach krulde om Sara's lippen, en Faith had de stellige indruk dat ze haar best deed om haar niet uit te lachen. 'Je moet niet alles geloven wat ze je op de zondagsschool proberen wijs te maken, Faith. We hebben allemaal evenveel ribben.'

'Stom van me, hè?' Ze verwachtte geen antwoord. 'Maar weet je zeker dat die rib eruit is gehaald?'

'Hij is eruit gerukt. Het kraakbeen en het spierweefsel zijn gescheurd. Hij is met geweld losgewrongen.'

'Zo te horen heb je er goed over nagedacht.'

Sara haalde haar schouders op, alsof dit simpelweg voortkwam uit aangeboren nieuwsgierigheid. Ze nam het mes en de vork weer op en probeerde opnieuw een stuk kip af te snijden. Faith zag haar een paar tellen lang worstelen met het uitgedroogde vlees voor ze het bestek neerlegde. Ze schonk Faith een merkwaardig, bijna verlegen glimlachje. 'In mijn vorige leven ben ik lijkschouwer geweest.'

Faiths mond viel open van verbazing. Het klonk alsof ze haar een verborgen acrobatisch talent toevertrouwde, of een jeugdige onbezonnenheid. 'Waar dan?'

'In Grant County. Dat is ongeveer vier uur rijden hiervandaan.'

'Nooit van gehoord.'

'Het ligt een heel eind onder de muggengrens,' moest Sara toegeven. Ze steunde met haar armen op tafel en haar stem klonk bijna weemoedig. 'Ik had dat baantje aangenomen om mijn partner in de kinderartsenpraktijk te kunnen uitkopen. Tenminste, dat maakte ik mezelf wijs. Maar eigenlijk verveelde ik me. Na de zoveelste vaccinatie en de zoveelste pleister op een geschaafde knie raken je hersencellen verweekt.'

'Dat kan ik me voorstellen,' mompelde Faith, hoewel ze zich afvroeg wat erger was: dat de arts die diabetes bij haar had geconstateerd kinderarts was of lijkschouwer.

'Ik ben blij dat jullie op deze zaak zitten,' zei Sara. 'Die collega van je is nogal...'

'Vreemd?'

Sara schonk haar een merkwaardige blik. 'Ik wilde "heftig" zeggen.'

'Hij is behoorlijk gedreven,' beaamde Faith. In al die tijd dat ze Will Trent kende, had ze nog niet eerder meegemaakt dat iemands eerste indruk van hem zo vleiend was. Net als bij staar of gordelroos duurde het meestal even voor je aan hem gewend was.

'Hij maakte een zeer meelevende indruk.' Sara stak haar hand al op om elk protest in de kiem te smoren. 'Niet dat politiemensen niet meelevend zijn, maar meestal laten ze dat niet merken.'

Faith kon slechts knikken. Will toonde zelden zijn emoties, maar ze wist dat hij diep geraakt werd als hij met een slachtoffer van marteling te maken had. 'Hij is een eersteklas rechercheur.'

Sara keek naar haar dienblad. 'Eet jij dit maar op als je zin hebt. Ik heb niet echt trek.'

'Ik had ook niet het idee dat je hier kwam om te eten.'

Sara voelde zich betrapt en bloosde.

'Geeft niet, hoor,' stelde Faith haar gerust. 'Maar als je nog steeds bereid bent om de gegevens van de Coldfields voor me op te diepen...'

'Natuurlijk.'

Faith haalde een visitekaartje tevoorschijn. 'Het nummer van mijn mobiel staat op de achterkant.'

'Oké.' Met een vastberaden trek om haar mond bekeek Sara het nummer, en Faith zag dat ze niet alleen besefte dat ze de wet overtrad, maar dat het haar kennelijk ook niets kon schelen. 'Nog iets...' Sara leek in tweestrijd te verkeren, maar uiteindelijk vertelde ze het toch. 'Haar ogen. Het oogwit vertoonde petechieën, maar er waren geen zichtbare sporen van wurging. Haar pupillen weigerden zich te richten. Dat zou het gevolg van het trauma kunnen zijn of van iets neurologisch, maar ik weet niet of ze kon zien.'

'Dat zou weleens kunnen verklaren waarom ze zomaar de weg op liep.'

'Als je bedenkt wat ze heeft doorstaan...' Sara maakte haar zin niet af, maar Faith wist precies wat ze bedoelde. Je hoefde geen arts te zijn om te snappen dat een vrouw die door een dergelijke hel was gegaan misschien wel opzettelijk voor een auto liep die op volle snelheid kwam aanrijden.

Sara stopte Faiths kaartje in haar jaszak. 'Ik bel je over een paar minuten.'

Faith keek haar na en vroeg zich af waarom Sara Linton in vredesnaam in het Grady Hospital verzeild was geraakt. Ze was hooguit veertig, maar de afdeling Spoed was iets voor jonkies, een plek waar je nog voor je dertigste gillend van wegliep.

Weer keek ze op haar telefoontje. Alle zes streepjes waren verlicht, wat betekende dat het signaal scherp en krachtig was. Ze gunde Will het voordeel van de twijfel en ging er maar van uit dat zijn mobiel weer eens uit elkaar was gevallen. Aan de andere kant had elke agent op de plaats van het ongeluk een mobiel bij zich, dus misschien was hij inderdaad een lul.

Toen Faith van tafel opstond en naar het parkeerterrein liep, schoot het even door haar heen dat ze zelf het initiatief kon nemen en Will bellen, maar het was niet zonder reden dat ze voor de tweede keer in minder dan twintig jaar zwanger en zonder man was. De communicatie met de mannen in haar leven was namelijk niet haar sterkste punt.

Vier

Will stond bij de ingang van het hol en liet een stel lampen aan een touw naar beneden zakken, zodat Charlie Reed zijn bewijsmateriaal niet bij het licht van een zaklamp hoefde te verzamelen. Will was doorweekt, ook al was het al een halfuur droog. Tegen de ochtend was het killer geworden, maar hij stond nog liever op het dek van de Titanic dan dat hij dat gat weer in ging.

De lampen raakten de bodem en werden door een paar handen het hol in getrokken. Will krabde over zijn armen. Op zijn witte overhemd zaten bloedvlekjes van de schrammen die de ratten hadden veroorzaakt toen ze zich over hem heen naar buiten hadden geklauwd, en hij vroeg zich af of het gejeuk op hondsdolheid duidde. Met dat soort vragen kon hij meestal bij Faith terecht, maar hij wilde haar nu niet lastigvallen. Bij zijn vertrek uit het ziekenhuis had ze er belabberd uitgezien, en ze kon hier niet veel meer uitrichten dan samen met hem in de regen staan wachten. Hij liet haar lekker slapen en in de loop van de ochtend zou hij haar van de laatste ontwikkelingen op de hoogte brengen. Deze zaak werd niet even in een uurtje opgelost, en het was belangrijk dat minstens een van hen goed uitgerust aan het onderzoek begon.

Een helikopter vloog ronkend over en het geluid van de wieken trilde in zijn oren. Met het oog op het tweede slachtoffer werd het hele gebied met een infraroodcamera bestreken. De speurteams waren al uren op pad en kamden het terrein binnen een straal van drie kilometer uit. Barry Fielding was met zijn speurhonden gearriveerd.

Het eerste halfuur waren ze als gekken tekeergegaan, maar al snel raakten ze het spoor bijster. Geüniformeerde agenten uit Rockdale County trokken vak voor vak door het gebied op zoek naar nog meer ondergrondse holen en sporen waaruit moest blijken dat de andere vrouw was ontsnapt.

Misschien was ze helemaal niet ontsnapt. Misschien had haar belager haar gevonden voor ze hulp had weten te vinden. Misschien was ze al dagen of zelfs weken dood. Of misschien had ze nooit bestaan. Naarmate het zoeken voortduurde, kreeg Will steeds meer het gevoel dat de agenten zich tegen hem keerden. Sommigen geloofden helemaal niet dat er een tweede slachtoffer was. Anderen dachten dat Will hen in de ijskoude regen liet rondsjouwen alleen omdat hij te dom was om zijn ongelijk in te zien.

Eén persoon kon opheldering verschaffen, maar die bevond zich in een operatiezaal in het Grady Hospital en vocht voor haar leven. Het eerste wat er gewoonlijk gedaan werd bij moord of ontvoering was het leven van het slachtoffer onder de microscoop leggen. Vermoedelijk heette de vrouw Anna, maar dat was alles wat ze over haar wisten. De volgende ochtend zou Will een lijst opvragen met alle vermiste personen in het gebied, maar die liep stellig in de honderden, en dan rekende hij de stad Atlanta nog niet eens mee, waar dagelijks gemiddeld twee mensen verdwenen. Als de vrouw uit een andere staat afkomstig was, zou het papierwerk nog drastisch toenemen. Ieder jaar werden er ruim een kwart miljoen vermisten door het FBI geregistreerd. Wat het probleem nog vergrootte was dat dergelijke zaken zelden bijgewerkt werden nadat de vermisten gevonden waren.

Als Anna de volgende ochtend nog niet bij bewustzijn was, zou Will haar vingerafdrukken laten afnemen. Dat was een schot in het duister en het was de vraag of ze zo achter haar identiteit zouden komen. Tenzij ze ooit voor een misdaad was gearresteerd zaten haar vingerafdrukken niet in het archief. Toch was er meer dan eens een zaak opgelost doordat de juiste procedure was gevolgd. Lang geleden had Will geleerd dat een kleine kans ook een kans was.

De ladder bij de ingang van het hol schudde, en Will hield hem vast terwijl Charlie Reed naar boven klom. Met de regen waren ook de wolken weggetrokken, zodat er nu wat maanlicht was. De stortbui was overgedreven, ook al viel er af en toe nog een druppel, die klonk als het gesmak van een kat. Over het hele bos lag een vreemd, wat blauwachtig waas, en er was zoveel licht dat Will Charlie ook zonder zaklamp kon zien. De technisch rechercheur stak zijn hand omhoog en met een klap legde hij een bewijszak voor Wills voeten neer, waarna hij uit het gat krabbelde.

'Shit,' klonk het. Charlies witte pak zat onder de modder en zodra hij boven stond, trok hij de rits naar beneden. Will zag dat hij zo hevig zweette dat zijn T-shirt aan zijn borst plakte.

'Gaat het?' vroeg hij.

'Shit,' herhaalde Charlie, en met zijn arm veegde hij zijn voorhoofd af. 'Niet te geloven... Jezus, Will.' Hij leunde voorover en steunde met zijn handen op zijn knieën. Hij hijgde zwaar, ook al had hij een goede conditie en stelde het klimpartijtje niet veel voor. 'Ik weet niet waar ik moet beginnen.'

Will wist wat hij voelde.

'Er zijn daar martelwerktuigen...' Charlie veegde met de rug van zijn hand zijn mond af. 'Dat soort dingen heb ik alleen op tv gezien.'

'Er was volgens mij nog een tweede slachtoffer,' zei Will. Hij liet zijn woorden in een vraag eindigen, zodat Charlie ze zou opvatten als een constatering die bevestiging verlangde.

'Het gaat mijn verstand te boven wat daar beneden allemaal ligt.' Charlie ging op zijn hurken zitten en nam zijn hoofd in zijn handen. 'Ik heb nog nooit zoiets gezien.'

Will knielde naast hem neer en raapte de bewijszak op. 'Wat is dit?'

Charlie schudde zijn hoofd. 'Die zaten opgerold in een blikje naast de stoel.'

Will streek de zak glad op zijn knie en met behulp van

het zaklampje uit Charlies koffer bestudeerde hij de inhoud. Hij telde minstens vijftig velletjes blocnotepapier. Elk vel was aan weerszijden in schuinschrift beschreven. Will tuurde naar de woorden in een poging er wijs uit te worden. Hij had nooit goed kunnen lezen. De letters hadden de neiging door elkaar heen te lopen en zich ondersteboven te keren. Soms waren ze zo vaag dat hij er zeeziek van werd als hij ze probeerde te ontcijferen.

Charlie was niet bekend met Wills probleem. 'Wat vind jij van die krabbels?' vroeg Will in een poging hem informatie te ontfutselen.

'Knettergek, niet?' Charlie streek met zijn duim en wijsvinger over zijn snor, een zenuwtic waarvan hij alleen onder barre omstandigheden last had. 'Ik breng het geloof ik niet op om weer naar beneden te gaan.' Hij zweeg even en slikte. 'Het voelt gewoon slecht. Zo slecht als de hel.'

Will hoorde bladeren ritselen, takken knappen. Toen hij zich omdraaide zag hij Amanda Wagner, die zich een weg door het bos baande. Ze was al op leeftijd, waarschijnlijk ergens in de zestig. Haar voorkeur ging uit naar zakelijke, effen pakjes, met rokken tot net onder de knie en panty's waarin zich een stel kuiten aftekende dat bepaald niet tegenviel voor een vrouw in wie Will vaak de baarlijke duivel herkende. Met haar hoge hakken had het een hele toer moeten zijn om op de been te blijven, maar net als met de meeste obstakels die Amanda op haar pad trof, wist ze met stalen vastberadenheid het terrein te veroveren.

Beide mannen kwamen overeind toen ze naderde.

Zoals gewoonlijk sloeg ze de plichtplegingen over. 'Wat is dat?' Ze stak haar hand naar de bewijszak uit. Faith en zij waren de enigen op het werk die op de hoogte waren van Wills leesprobleem. Amanda had het geaccepteerd, maar dat maakte haar niet minder kritisch. Will richtte het lampje op de blaadjes. '*Ik ontken mezelf niet. Ik ontken mezelf niet,*' las ze hardop voor. Ze schudde aan de zak en bekeek de overige blaadjes. 'Voor en achter, overal staat hetzelfde zinnetje. In schuinschrift, waarschijnlijk het handschrift van een vrouw.' Met scherpe, afkeurende blik gaf ze de briefjes terug aan Will. 'Dus onze dader is

een boze schoolmeester of een zelfhulpgoeroe.'
'Wat heb je verder nog gevonden?' vroeg ze aan Charlie.
'Porno. Kettingen. Handboeien. Seksspeeltjes.'
'Dat is allemaal bewijs. Ik wil aanwijzingen.'
Will nam het van Charlie over. 'Volgens mij heeft het
tweede slachtoffer aan bouten vastgezeten aan de onderkant van het bed. Dit heb ik in het touw gevonden.' Hij
haalde een bewijszakje uit zijn jasje. Er zat stuk voortand
in, met een deel van de wortel er nog aan. 'Dat is een snij-
tand,' zei hij. 'Het slachtoffer in het ziekenhuis had al
haar tanden nog.'
Amanda wierp een vluchtige blik op de tand en keek
Will toen weer onderzoekend aan. 'Weet je dat zeker?'
'Ik zat pal voor haar toen ik informatie uit haar probeerde los te krijgen,' zei hij. 'Ze lag met haar tanden te klapperen. Dat maakte een klikkend geluid.'
Daar scheen ze niets tegen in te kunnen brengen. 'Waarom denk je dat die tand kortgeleden is afgebroken? En ik
wil niks over onderbuikgevoel horen, Will, want ik heb
hier de voltallige politiemacht van Rockdale County in de
kou en de nattigheid staan, en die maken gehakt van je
als ze horen dat ze midden in de nacht achter een hersen-
schim aan jagen.'
'Dat touw is vanaf de onderkant van het bed doorgesneden,' zei Will. 'Het eerste slachtoffer, Anna, lag vastgebonden boven op het bed. Het tweede slachtoffer lag eronder.
Anna kan dat touw niet zelf hebben doorgesneden.'
'Ben je het daarmee eens?' vroeg Amanda aan Charlie.
Hij was nog steeds aangeslagen en het duurde even voor
hij antwoord gaf. 'De helft van de doorgesneden stukken
lag nog steeds onder het bed. Het kan wel kloppen dat ze
daar terecht zijn gekomen als ze vanaf de onderkant zijn
doorgesneden. Als het aan de bovenkant was gebeurd,
zouden de stukken op de vloer of nog op het bed liggen,
niet eronder.'
Amanda was nog steeds niet overtuigd. 'Ga door,' zei ze
tegen Will.
'Er zaten ook stukken touw aan de bouten onder het
bed. Iemand heeft zichzelf losgesneden. Die zou dan nog

steeds touw om haar enkels en minstens één stuk om een pols moeten hebben. Bij Anna ontbrak elk touw.'

'Misschien hebben de ambulancebroeders het weggesneden,' opperde Amanda. 'Nog DNA, vocht?' vroeg ze aan Charlie.

'Het zit er helemaal mee onder. Over twee dagen krijgen we de uitslagen binnen. Tenzij die vent in de databank staat...' Hij wierp een blik op Will. Ze wisten allemaal dat DNA niet meer dan een slag in de lucht was. Tenzij hun ontvoerder in het verleden een misdaad had gepleegd en er DNA bij hem was afgenomen en in de computer verwerkt, zou er geen treffer met zijn naam bovenkomen.

'Hoe zit het met het afval?' wilde Amanda weten.

Het duurde even voor Charlie de vraag snapte. 'Er staan geen lege potten of blikjes. Die zullen wel meegenomen zijn. In de hoek staat een afgedekte emmer die als toilet heeft dienstgedaan, maar voor zover ik kan zien was het slachtoffer – of waren de slachtoffers – het grootste deel van de tijd vastgebonden en moesten ze hun behoefte ter plekke doen. Ik kan niet zeggen of dit alles op één of twee ontvoerden duidt. Het is afhankelijk van wanneer ze gepakt zijn, hoe uitgedroogd ze waren en dat soort zaken.'

'Heb je nog iets vers onder het bed gevonden?' vroeg ze.

'Ja,' antwoordde Charlie, en hij keek verbaasd. 'Op één plek was de urinetest inderdaad positief. Iemand die op haar rug lag, zou daar haar plas hebben laten lopen.'

Amanda ging er nog even op door. 'Doet vloeistof er onder de grond langer over om te verdampen?'

'Dat hoeft niet,' zei Charlie, en hij klonk weer wat evenwichtiger. 'Door de hoge zuurgraad vindt er een chemische reactie plaats met de pH in de grond. Afhankelijk van de mineralen in de vloeistof en de...'

Amanda onderbrak hem. 'Geen lesje, Charlie, gewoon feiten waar ik wat mee kan.'

Charlie wierp Will een verontschuldigende blik toe. 'Ik weet niet of er twee gegijzelden tegelijk zijn geweest. Het staat vast dat er iemand onder het bed gevangen werd gehouden, maar ik sluit niet uit dat de ontvoerder hetzelfde slachtoffer van de ene plek naar de andere heeft gesleept.

Het lichaamsvocht kan ook van boven naar beneden zijn gesijpeld. Jij bent beneden geweest,' zei hij tegen Will. 'Je hebt gezien waartoe deze man in staat is.' Alle kleur trok uit zijn gezicht. 'Het is vreselijk,' mompelde hij. 'Gewoonweg vreselijk.'

Amanda was weer een en al meelevendheid. 'Stel je niet aan, Charlie. Je gaat naar beneden en zoekt bewijs waarmee ik die klootzak kan pakken.' Het klopje op de rug dat ze hem gaf had meer weg van een duw om hem in beweging te krijgen. 'Kom jij eens mee,' zei ze tegen Will. 'We gaan dat mietje van een rechercheur opzoeken die je op zijn teentjes hebt getrapt. Als we niet aardig tegen hem doen, gaat hij nog uithuilen bij Lyle Peterson.' Peterson was commissaris van politie in Rockdale County, en bepaald geen vriend van Amanda. Volgens de wet kon alleen een commissaris, een burgemeester of een officier van justitie aan het GBI vragen om een zaak over te nemen. Will was benieuwd wie Amanda voor haar karretje had gespannen en hoe kwaad Peterson daarover was.

'Eén ding.' Met haar handen gespreid om haar evenwicht te bewaren stapte ze over een grote gevallen tak. 'Je hebt wat krediet omdat je vrijwillig in dat gat bent gekropen, maar als je ooit weer zoiets stoms doet, mag je voor de rest van je leven dienstjes draaien op het herentoilet van het vliegveld. Begrepen?'

'Ja, chef.' Will knikte.

'Het is niet best met dat slachtoffer van je,' zei ze, terwijl ze langs een groepje agenten liepen die een rookpauze hielden en Will dreigend nakeken. 'Er zijn complicaties opgetreden. Ik heb met Sanderson, de chirurg, gepraat. Hij klinkt niet al te hoopvol. Hij heeft die opmerking van jou over de tanden trouwens bevestigd,' voegde ze eraan toe. 'Haar gebit was intact.'

Dat was weer typisch Amanda, die hem voor alles liet werken. Will vatte het niet beledigend op, maar als teken dat ze wellicht aan zijn kant stond. 'Ze had verse snijwondjes in haar voetzolen,' zei hij. 'Haar voeten bloedden nog niet toen ze in het hol was.'

'Vertel eens hoe je te werk bent gegaan.'

Will had haar de belangrijkste informatie al over de telefoon meegedeeld, maar nu vertelde hij opnieuw over de triplexplaat die hij had gevonden en dat hij het gat in was gekropen. Deze keer beschreef hij het hol veel uitgebreider en probeerde hij iets van de sfeer op haar over te brengen zonder te laten merken dat hij nog benauwder was geweest dan Charlie Reed. 'Er zaten diepe krassen aan de onderkant van de beddenplanken,' zei hij. 'En wat het tweede slachtoffer betreft... haar handen moeten los zijn geweest, anders had ze niet zulke krassen kunnen maken. Hij heeft haar vast niet met ongebonden handen achtergelaten, want dan had ze zich kunnen bevrijden om ervandoor te gaan.'

'Denk je echt dat hij de een op het bed gevangenhield en de ander eronder?'

'Ja, zo is hij volgens mij te werk gegaan.'

'Als ze allebei vastgebonden waren en een van hen slaagde erin om een mes te pakken, dan ligt het voor de hand dat de onderste vrouw het verborgen hield tot de ontvoerder was vertrokken.'

Will antwoordde niet. Amanda kon sarcastisch zijn, kleingeestig en ronduit vals, maar op haar manier was ze ook eerlijk, en hoe ze ook afgaf op zijn onderbuikgevoel, hij wist dat ze in de loop van de jaren had geleerd om op hem te vertrouwen. Maar hij wist ook dat hij in de verste verte niet op lof hoefde te rekenen.

Inmiddels waren ze bij het stuk weg aangekomen waar Will uren eerder de Mini had geparkeerd. Nog even en het was dag, en de blauwe tint die over alles heen had gelegen neigde nu naar sepia. Tientallen patrouillewagens uit Rockdale County hadden het gebied afgezet. Het wemelde er van de mensen, maar het gevoel van urgentie was verdwenen. Ook de pers leek aanwezig te zijn, en Will zag een paar nieuwshelikopters in de lucht hangen. Het was nog te donker om te filmen, maar dat weerhield hen er waarschijnlijk niet van om verslag te doen van elke beweging die ze op de grond bespeurden, of meenden te bespeuren. Nauwkeurigheid kwam niet op de eerste plaats als je vierentwintig uur per dag voor nieuws moest zorgen.

Will reikte Amanda de helpende hand toen ze vanuit

de berm naar de weg afdaalden om naar het bos aan de overkant te lopen. Honderden mensen, van wie sommigen uit andere districten, doorzochten in groepjes het gebied. GEMA, de rampenbestrijdingsdienst van Georgia, had de civiele hondenbrigade ingeschakeld, met honden die getraind waren om lijken op te sporen. Alweer uren geleden hadden de dieren hun geblaf gestaakt. De meeste vrijwilligers waren naar huis teruggekeerd. De overgeblevenen waren voor het merendeel agenten, die geen andere keus hadden. Hier liep rechercheur Fierro ergens rond, Will luid vervloekend.

'Hoe is het met Faith?' vroeg Amanda.

Haar vraag overviel hem, maar aan de andere kant kenden Amanda en Faith elkaar al jaren. 'Goed, hoor.' Onbewust hield hij zijn collega uit de wind.

'Ik heb gehoord dat ze is flauwgevallen.'

'O?' zei hij met gespeelde verbazing.

Amanda trok haar wenkbrauwen op. 'Ze ziet er de laatste tijd niet al te gezond uit.'

Will ging ervan uit dat ze op de extra kilo's doelde, die misschien iets te veel waren voor de tengere Faith, maar hij was er die dag achter gekomen dat het gewicht van een vrouw niet bespreekbaar was, vooral niet met een andere vrouw. 'Ik heb niks aan haar kunnen zien.'

'Ze maakt anders een prikkelbare, afwezige indruk.'

Will hield zijn mond, want hij wist niet of Amanda echt bezorgd was of zin had in een roddelpraatje. Faith was de laatste tijd inderdaad prikkelbaar en afwezig. Hij had lang genoeg met haar gewerkt om haar buien te kennen. Meestal was ze redelijk evenwichtig. Eens per maand, altijd rond dezelfde tijd, sleepte ze een paar dagen lang haar handtas met zich mee. Dan klonk ze bits en luisterde ze het liefst naar radiozenders waarop zangeressen te horen waren die zichzelf begeleidden op de akoestische gitaar. Will was dan zo verstandig om voor zo ongeveer alles wat hij zei zijn verontschuldigingen aan te bieden, tot ze haar tas weer thuisliet. Niet dat hij het aan Amanda zou vertellen, maar het was een feit dat elke dag met Faith de laatste tijd een tasjesdag leek.

Amanda stak haar hand uit en hij hielp haar over een gevallen boomstronk heen. 'Je weet dat ik de schurft heb aan zaken die we niet kunnen oplossen.'

'Ik weet ook dat je het liefst zaken oplost die anderen boven de pet gaan.'

Ze gniffelde meewarig. 'Word je er nou nooit eens moe van dat ik altijd met de eer ga strijken, Will?'

'Ik ben onvermoeibaar.'

'Zo te horen werpt die kalender vrucht af.'

'Het is het attentste geschenk dat ik ooit van je heb gekregen.' Alleen Amanda was in staat om een functioneel analfabeet als kerstcadeau een kalender met het woord van de dag te geven.

Toen Will opkeek zag hij Fierro naderen. Aan deze kant van de weg was het bos dichter, en overal lagen takken en slingerden ranken. Will hoorde Fierro vloeken toen zijn broekspijp achter een doornstruik bleef haken. Hij gaf een pets tegen zijn nek, waarschijnlijk om een insect dood te slaan. 'Aardig van je om even bij deze stomme tijdverspilling te komen kijken, Gomez.'

Will stelde het tweetal aan elkaar voor. 'Rechercheur Fierro, dit is Amanda Wagner.'

Bij wijze van groet hief Fierro zijn kin. 'Ik ken u van tv.'

'Leuk,' zei Amanda, alsof hij het als compliment had bedoeld. 'Deze zaak heeft behoorlijk wat obscene kantjes, rechercheur Fierro. Ik hoop dat uw team weet te zwijgen.'

'Waar ziet u ons voor aan, voor een stelletje amateurs?'

Dat leek inderdaad het geval te zijn. 'Hoe staat het met het onderzoek?'

'We vinden precies wat we al hadden verwacht, namelijk niets. Nada. Noppes.' Hij keek Will woedend aan. 'Dus zo doen jullie dat bij de staat? Je komt hier binnenvallen en spendeert godverdomme ons hele budget aan een nutteloze zoektocht in het holst van de nacht?'

Will was moe en geïrriteerd, en dat bleek uit zijn toon. 'Meestal plunderen we eerst jullie voorraden en verkrachten we jullie vrouwen.'

'Ha-ha-ha, beregrappig,' bromde Fierro, en weer gaf hij een klap tegen zijn nek. Toen hij zijn hand terugtrok zat

er een bloederige veeg van een geplet insect aan de binnenkant 'Wacht maar tot ik de zaak terugpak, dan kun je je lol pas echt op.'
'Rechercheur Fierro,' zei Amanda, 'commissaris Peterson heeft onze hulp ingeroepen. U bent niet bevoegd om de zaak terug te nemen.'
'Peterson, hè?' Hij trok zijn lip op. 'U hebt zeker zijn kont weer staan likken?'
Will zoog zoveel lucht naar binnen dat er een fluitgeluid aan zijn lippen ontsnapte. Amanda leek onaangedaan, hoewel ze haar ogen samenkneep. Ze gaf Fierro een knikje, alsof ze hem te verstaan wilde geven dat hij nog wel aan de beurt zou komen. Het zou Will niets verbazen als Fierro op een dag een afgesneden paardenhoofd in zijn bed aantrof.
'Hé!' werd er geroepen. 'Deze kant op!'
Verstard bleven ze daar alle drie staan, in uiteenlopende stadia van schrik, woede en onversneden razernij.
'Ik heb iets gevonden!'
Bij die woorden kwam Will in actie. Op een drafje liep hij op het betreffende lid van het speurteam af. Het was een vrouw, die verwoed met haar handen stond te zwaaien. Ze hoorde bij de geüniformeerde politie van Rockdale, en haar wollen muts stak boven het hoge vingergras uit.
'Wat heb je gevonden?' vroeg Will.
Ze wees naar een dicht bosje bomen met lage takken. Hij zag dat de bladeren eronder waren omgewoeld en dat op sommige plekken de kale aarde zichtbaar was. 'Het licht van mijn lamp werd weerkaatst,' zei ze. Ze knipte haar Maglite aan en scheen in het beschaduwde gebied onder de bomen. Will zag niets. Tegen de tijd dat Amanda zich bij hen had gevoegd, vroeg hij zich af of vermoeidheid de agente parten had gespeeld en of ze wat al te graag iets had willen vinden.
'Wat heb je?' vroeg Amanda, en op dat moment werd het licht ergens in het donker teruggekaatst. Het was een korte flits van hooguit een seconde. Will knipperde met zijn ogen in de veronderstelling dat zijn eigen vermoeide brein nu ook met hem op de loop ging, maar de agente liet

89

er opnieuw haar lichtbundel op vallen: een vluchtige flits als van ontploffend kruit, op ongeveer zes meter afstand. Will had een paar rubberen handschoenen in zijn jasje en die trok hij nu aan. Hij pakte de lamp en terwijl hij behoedzaam takken opzijduwde, baande hij zich een weg door het bosje. De stekelige struiken en takken belemmerden zijn voortgang, en uiteindelijk moest hij zich diep bukken om verder te kunnen. Speurend naar het voorwerp scheen hij met de lichtbundel over de grond. Misschien was het een stuk spiegel of een kauwgumwikkel. Ondertussen liet hij alle mogelijkheden de revue passeren: een sieraad, een glasscherf, mineralen in een stuk steen.

Een rijbewijs uit de staat Florida.

Will dook erop. Het rijbewijs lag ongeveer een halve meter van de stam van de boom. Ernaast lag een zakmesje, waarvan het dunne lemmet zo bebloed was dat het bijna niet te onderscheiden was van de omringende donkere bladeren. Dichter bij de stam zaten minder takken en was de grond beter te zien. Hij knielde neer en verwijderde de bladeren een voor een van het document. Het dikke plastic was dubbelgevouwen geweest. Aan de kleuren en het duidelijke silhouet van de staat Florida kon hij zien waar het was uitgegeven. Op de achtergrond stond een hologram, dat vervalsing moest tegengaan. Dat had waarschijnlijk het licht weerkaatst.

Hij bukte zich en strekte zijn hals om het beter te kunnen zien zonder de plek te verstoren. Midden op het rijbewijs stond een van de duidelijkste vingerafdrukken die Will ooit onder ogen had gehad. Afgedrukt in het bloed sprongen de lijnen praktisch van het gladde plastic. Op de foto was een vrouw te zien, met donker haar en donkere ogen.

'Er liggen hier een zakmes en een rijbewijs,' zei hij tegen Amanda. Hij sprak wat luider om zich verstaanbaar te maken. 'Op het rijbewijs zit een bebloede vingerafdruk.'

Ze zette haar handen in haar zij. 'Kun je de naam lezen?' vroeg ze met een ondertoon van woede.

Wills adem werd afgeknepen. Hij concentreerde zich op de kleine lettertjes en kon nog net een J – maar misschien

90

was het ook wel een I – onderscheiden voor alles voor zijn ogen begon te dansen.

Nu was ze pas echt kwaad. 'Hier met dat ding.'

Inmiddels had zich een groep agenten om haar heen verzameld, die elkaar beduusd aankeken. Zelfs op zes meter afstand hoorde Will hen over procedures mompelen. De ongereptheid van de plaats delict was heilig. De verdediging zou zich op alles storten wat afweek van de juiste gang van zaken. Er moesten foto's worden gemaakt, maten worden genomen, de situatie moest in kaart worden gebracht. De hele keten van veiligstelling mocht niet verbroken worden, want dan werd het bewijs verworpen.

'Will?'

Er viel een regendruppel op zijn nek. Die voelde warm, bijna gloeiend aan. Er verschenen nu meer agenten die wilden zien wat er gevonden was. Ongetwijfeld vroegen ze zich af waarom Will de naam op het rijbewijs niet hardop voorlas, waarom hij niet meteen iemand op pad stuurde om die op de computer na te trekken. Was dit dan het einde? Zou Will zich straks een weg moeten banen uit het dichte struikgewas om tegenover een groep onbekenden te verklaren dat hij in het gunstigste geval de leesvaardigheid van een zevenjarige bezat? Dan kon hij net zo goed meteen naar huis gaan en zijn kop in de oven steken, want als het nieuwtje bekend werd zou er in de hele stad geen agent te vinden zijn die nog met hem wilde samenwerken.

Amanda kwam nu naar hem toe. De verwensingen rolden over haar lippen toen haar rok achter een doornige twijg bleef haken.

Weer voelde Will een regendruppel op zijn nek, en hij veegde hem af met zijn hand. Hij keek naar de handschoen en zag een dunne veeg bloed op zijn vingers. Zijn eerste gedachte was dat hij zijn nek had opengehaald aan een van de takken, maar toen voelde hij opnieuw een regendruppel. Warm, nat, kleverig. Hij legde zijn hand erop. Weer bloed.

Hij hief zijn hoofd en keek in de donkere ogen van een vrouw met donkerbruin haar. Ze hing met haar gezicht naar beneden een meter of vier boven zijn hoofd. Haar enkel was verdraaid en zat klem in een wirwar van takken, waardoor ze niet op de grond was gesmakt. Ze was ondersteboven in een schuine hoek naar beneden getuimeld, en haar nek was gebroken. Haar schouders waren verwrongen en haar open ogen staarden naar de grond. Eén arm hing recht naar beneden en strekte zich naar Will uit. Om haar ene pols zat een vurige rode cirkel op de plek waar haar huid was weggeschaafd. Om de andere pols was een strak stuk touw geknoopt. Haar mond stond open. Een van haar voortanden was tot op een derde afgebroken.

Weer viel er een bloeddruppel van haar vingertoppen, en deze keer kwam hij op Wills wang terecht, vlak onder zijn oog. Hij trok zijn handschoen uit en raakte het bloed aan. Het was nog warm.

Ze was nog geen uur dood.

DAG TWEE

Vijf

Pauline McGhee reed haar Lexus LX de parkeerplaats voor gehandicapten op, pal voor de City Foods Supermarket. Het was vijf uur 's ochtends. Waarschijnlijk sliepen alle gehandicapten nog, en bovendien voelde ze er op dat vroege tijdstip niks voor om ook maar een stap meer te zetten dan nodig was.

'Kom, slaapmutsje,' zei ze tegen haar zoon, en ze gaf hem een zacht duwtje tegen zijn schouder. Felix bewoog, maar weigerde wakker te worden. Ze streelde zijn wang en voor de zoveelste keer bedacht ze dat het een wonder was dat zoiets volmaakts uit haar onvolmaakte lichaam was gekomen. 'Kom dan, snoepje.' Ze kietelde hem in zijn zij tot hij zich als een wormpje oprolde.

Pauline stapte als eerste uit de SUV en hielp daarna Felix naar buiten. Nog voor zijn voeten de grond hadden geraakt, nam ze de regels al met hem door. 'Zie je waar we geparkeerd staan?' Hij knikte. 'Wat doen we als we elkaar kwijtraken?'

'Dan spreken we af bij de auto,' zei hij, een geeuw onderdrukkend.

'Goed zo.' Ze sloeg haar arm om hem heen en zo liepen ze naar de winkel. Toen ze zelf klein was, had Pauline altijd te horen gekregen dat ze naar een volwassene moest gaan als ze verdwaald was, maar tegenwoordig wist je niet meer of je volwassenen nog kon vertrouwen. Een veiligheidsbeambte kon zomaar een pedofiel zijn. Een oud dametje was misschien een gestoorde heks, die in haar vrije tijd scheermesjes in appels verstopte. Het was droevig ge-

95

steld met de wereld als een zesjarig jongetje dat verdwaald was nog het beste zijn toevlucht kon zoeken bij een onbezield voorwerp.

Zo vroeg op de ochtend deed het kunstlicht van de winkel pijn aan Paulines ogen, maar dan had ze maar eerder cakejes voor Felix' klas moeten kopen. Ze had het briefje al een week in huis, maar ze had niet voorzien dat het in de tussenliggende tijd zo'n gekkenhuis zou worden op kantoor. Ze werkte op een bureau voor binnenhuisarchitectuur, en een van de grootste klanten had voor zestigduizend dollar een op maat gemaakte bank van bruin Italiaans leer besteld. Het stomme ding paste echter niet in zijn lift, en de enige manier om het in zijn penthouse te krijgen was met behulp van een kraan die tienduizend dollar per uur kostte.

De klant verweet het bureau dat ze de fout niet op tijd hadden ontdekt, het bureau verweet Pauline dat ze de bank te groot had ontworpen, en Pauline gaf de schuld aan die sukkel van een stoffeerder, die ze nota bene naar het gebouw aan Peachtree Street had gestuurd om de lift op te meten voor hij die stomme bank maakte. Hij kon kiezen tussen een kraanrekening van tienduizend dollar per uur en het maken van een nieuwe bank van zestigduizend dollar, en de man was uiteraard zo slim geweest om het hele gesprek te vergeten, maar zo makkelijk kwam hij er niet van af, als het aan Pauline lag.

Om klokslag zeven uur was er een vergadering voor alle betrokkenen, en ze was vastbesloten om als eerste haar verhaal te doen. Stront loopt naar beneden, zei haar vader altijd, en denk maar niet dat Pauline McGhee aan het eind van de dag naar het riool zou stinken. Zij had het bewijs aan haar kant: de kopieën van een e-mailuitwisseling met haar directe chef, waarin ze hem vroeg om nog eens tegen de stoffeerder te zeggen dat hij de lift moest opmeten. Het draaide allemaal om Morgans antwoord: *Dat komt voor elkaar.* Haar chef deed nu net alsof hij geen mailtjes had ontvangen, maar daar trapte Pauline niet in. Die dag gingen er koppen rollen, en niet die van haar.

'Nee, schat,' zei ze, en ze trok Felix' hand weg bij een

zakje gombeertjes dat aan het schap bungelde. Ze zou durven zweren dat die dingen expres op kinderhoogte werden opgehangen zodat ouders net zo lang door hun kroost aan het hoofd werden gezeurd tot ze ze kochten. Meer dan eens had ze een moeder zien zwichten, alleen om een krijsend kind het zwijgen op te leggen. Pauline voelde niets voor dergelijke spelletjes, en dat wist Felix. Als hij ook maar iets probeerde, zou ze hem oppakken en de winkel uit lopen, ook al moest ze een halfgevuld winkelwagentje laten staan.

Ze sloeg af naar de brood- en banketafdeling en botste bijna tegen een winkelwagentje op. De man achter het karretje lachte vriendelijk en met moeite wrong Pauline er een glimlach uit.

'Fijne dag!' zei hij.

'Hetzelfde,' was haar antwoord.

Dat was de laatste keer dat ze die ochtend aardig tegen iemand deed, nam ze zich voor. Ze had de hele nacht liggen woelen en was om drie uur opgestaan. Ze had eerst een tijdje op de loopband gelopen, toen had ze haar makeup opgebracht, ontbijt voor Felix gemaakt en hem aangekleed voor school. Voorbij was haar leventje als single, toen ze nog hele nachten kon doorhalen, met iedereen meeging die er een beetje leuk uitzag, en dan de volgende ochtend uit bed stapte met nog twintig minuten te gaan voor ze naar haar werk moest.

Pauline woelde door Felix' haar en bedacht dat ze er geen moment heimwee naar had. Hoewel, een lekker nummertje op z'n tijd zou een godsgeschenk zijn geweest.

'Cakejes,' zei ze opgelucht, want die lagen in rijen opgestapeld in de banketvitrine. Haar opluchting vervloog echter snel toen ze zag dat ze stuk voor stuk met paashazen in pasteltinten waren versierd en dat er eieren in alle kleuren van de regenboog bovenop lagen. In de brief die ze van de school had ontvangen, had gestaan dat het cakejes zonder godsdienstige associaties moesten zijn, maar Pauline wist niet goed wat dat betekende, behalve dan dat Felix' buitengewone dure particuliere school overliep van de politiek correcte onzin. Het werd niet eens paasfeest genoemd, maar lentefeest, dat heel toevallig vlak voor Pasen plaatsvond. Was er ook maar één geloof dat niet aan Pasen deed? Ze wist dat joden niks met Kerstmis hadden, maar Pasen hoorde onverbrekelijk bij hen, god nog aan toe. Zelfs de heidenen wisten wie de paashaas was.

'Oké,' zei Pauline, en ze gaf haar handtas aan Felix. Hij zwaaide hem over zijn schouder met hetzelfde gebaar waarmee Pauline dat altijd deed, en er ging een steek van bezorgdheid door haar heen. Ze werkte als binnenhuisarchitecte. Praktisch elke man in haar leven was een onversneden nicht. Voor haar eigen bestwil en dat van haar zoontje moest ze eens wat heteromannen proberen te ontmoeten.

In elk doosje zaten zes cakejes, en in de veronderstelling dat de leerkrachten ook wel iets lustten, pakte Pauline vijf doosjes. Ze kon de meesten van die lui niet uitstaan, maar ze waren dol op Felix, en aangezien Pauline dol op haar zoon was gaf ze graag vier dollar vijfenzeventig extra uit aan de dikke troela's die voor haar kind zorgden.

Ze liep met de doosjes naar voren. Van de geur kreeg ze trek, maar tegelijkertijd werd ze er misselijk van, alsof ze ze achter elkaar zou kunnen opeten tot ze zo ziek was dat ze een uur boven de wc moest hangen. Het was te vroeg om je neus aan suikerglazuur bloot te stellen, dat stond vast. Ze keek of Felix er nog was, maar die sjokte achter haar aan. Hij was doodmoe, en dat was haar schuld. Ze overwoog om het zakje gombeertjes voor hem te kopen waar hij zo verlekkerd naar had gekeken, maar net toen ze de cakedoosjes op de lopende band bij de kassa zette, ging haar mobiel. Al het andere was op slag vergeten zodra ze het nummer zag.

'Hallo?' zei ze, terwijl ze toekeek hoe de doosjes langzaam over de band naar de caissière met de afhangende schouders gleden. De vrouw was zo dik dat ze haar handen amper in het midden bij elkaar kreeg, net een tyrannosaurus rex of een babyzeehondje.

'Paulie.' Zo te horen was Morgan, haar chef, behoorlijk over zijn toeren. 'Dat is toch niet te geloven, die vergadering?'

Hij deed alsof hij aan haar kant stond, maar ze wist dat ze een mes in haar rug kon verwachten zodra ze even niet oplette. Ze zou met alle genoegen toekijken als hij straks zijn kantoor leegruimde nadat ze op de vergadering die e-mail had laten zien. 'Ik weet het,' zei ze meelevend. 'Het is vreselijk.'

'Ben je in de supermarkt?'

Hij had zeker de piepjes van de scanner gehoord. De tyrannosaurus rex sloeg elk doosje apart aan, ook al waren ze allemaal gelijk. Als Pauline niet aan het bellen was geweest, zou ze over de band zijn gesprongen en ze zelf hebben gescand. Ze liep naar het eind van de kassa en pakte een stel plastic tassen om de zaak wat te versnellen. 'Wat denk je dat er gaat gebeuren?' vroeg ze, met de telefoon tussen haar oor en haar schouder geklemd.

'Nou, het is duidelijk niet jouw schuld,' zei hij, maar ze zou er haar hoofd onder durven verwedden dat die lul hetzelfde verhaal aan zijn chef had verteld.

'Jouw schuld is het ook niet,' verklaarde ze, hoewel Morgan degene was geweest die de stoffeerder had aanbevolen, waarschijnlijk omdat hij eruitzag als een knaap van der tien met zijn perfect gladgewaxte sportschoolbenen. Ze wist dat die kleine hoer het met Morgan aanlegde, maar hij had het bij het verkeerde eind als hij dacht dat Pauline zich buitenspel liet zetten. Ze had er zestien jaar over gedaan om zich van secretaresse op te werken tot assistente en ten slotte tot ontwerpster. Avond aan avond had ze op de kunstacademie voor haar diploma gestudeerd. Elke ochtend had ze zich naar haar werk gesleept om de huur te kunnen betalen, en uiteindelijk had ze een positie bereikt waarin ze wat lucht kreeg en kon ze het zich veroorloven om een kind op de wereld te zetten dat het aan niets zou ontbreken. Felix droeg precies de goede kleren, had precies het goede speelgoed, en hij bezocht een van de duurste scholen van de stad. Niet dat Pauline alleen maar aan haar zoontje dacht. Ze had haar tanden laten rechtzetten en haar ogen laten laseren. Elke week liet ze zich masseren, om de twee weken ging ze naar de schoonheidsspecialiste, en er was geen haarwortel op haar hoofd te bekennen die niet dat vlotte bruine kleurtje had waarvoor ze om de zes weken een kapstertje in Peachtree Hills bezocht. Ze piekerde er niet over om ook maar iets van dat alles op te geven. Nooit van haar leven.

Morgan zou er goed aan doen om te bedenken waar Pauline begonnen was. Ze was secretaresse geweest in een tijd toen er nog niet aan telefonisch overboeken of onlinebankieren werd gedaan, toen alle cheques nog in een kluis in de muur werden bewaard tot ze aan het eind van de dag op de bank werden gestort. Na de laatste reorganisatie van het kantoor had Pauline een kleinere kamer genomen, omdat ze dan bij de safe zou zitten. Voor alle zekerheid had ze na werktijd een slotenmaker laten komen om de cijfercombinatie te wijzigen, zodat zij die als enige kende. Morgan kon het niet uitstaan dat hij de combinatie niet wist. Dat was maar goed ook, want de kopie van de e-mail waarmee ze haar hachje wilde redden zat veilig opgeborgen achter de stalen deur. Dagenlang had ze scenario's zitten bedenken waarin ze de safe met een zwierig gebaar zou openen en Morgan de e-mail onder zijn neus zou duwen, zodat hij in aanwezigheid van hun chef en de klant te schande werd gemaakt.

'Wat een puinhoop,' verzuchtte Morgan, die het drama extra dik aanzette. 'Ik kan gewoon niet geloven...'

Pauline nam haar tas van Felix over en zocht naar haar portefeuille. Hij keek verlekkerd naar de repen toen ze haar pasje door de reader schoof en de transactie afhandelde. 'Mm-mm,' zei ze, terwijl Morgan in haar oor tetterde dat de klant een klootzak was, en dat hij het niet zou laten passeren als Paulines goede naam door het slijk werd gehaald. Als er publiek bij was geweest, zou ze een kotsgebaar hebben gemaakt.

'Kom, schat.' Zachtjes duwde ze Felix in de richting van de uitgang. Met haar telefoontje tegen haar oor gedrukt pakte ze de tassen bij de handvatten, om zich onmiddellijk af te vragen waarom ze de doosjes eigenlijk in tasjes had gedaan. Plastic dozen, plastic tassen – de juffen op Felix' school zouden ontzet zijn vanwege het milieu. Pauline stapelde de cakedoosjes weer op elkaar en drukte haar kin op de bovenkant. De lege tasjes dumpte ze in de vuilnisbak en terwijl ze met haar vrije hand in haar tas rommelde op zoek naar haar autosleutels, liep ze de schuifdeuren door.

'Dit is absoluut het ergste wat me in mijn hele carrière is overkomen,' kreunde Morgan. Ondanks de kramp in haar nek was Pauline helemaal vergeten dat ze hem nog steeds aan de lijn had.

Ze drukte op de afstandsbediening om de kofferbak van de suv open te maken. Met een zucht schoof de achterklep omhoog en weer bedacht ze hoe heerlijk ze dat geluid vond, wat een rijkdom het was om zoveel geld te verdienen dat je niet eens je eigen kofferbak hoefde te openen. Ze was niet van plan om dat alles op te geven omdat een of andere kontwaxer met een mooi smoeltje de moeite niet nam om een stomme lift op te meten.

'Dat is zo,' sprak ze in het mobieltje, hoewel ze niet echt had geluisterd naar wat Morgan allemaal over de zuivere waarheid te vertellen had. Ze zette de doosjes achter in de auto en drukte toen op de knop waarmee de achterklep dichtging. Ze zat al achter het stuur toen ze besefte dat Felix niet bij haar was.

'Kut,' fluisterde ze, en ze klapte het telefoontje dicht. In een oogwenk stond ze weer buiten. Ze liet haar blik over het parkeerterrein gaan, waar het sinds haar bezoek aan de winkel een stuk drukker was geworden.

'Felix?' Ze liep om de auto heen in de veronderstelling dat hij zich aan de andere kant had verstopt. Daar was hij niet.

'Felix?' riep ze, en ze rende terug naar de winkel. Ze knalde bijna tegen de schuifdeuren op toen die niet snel genoeg opengingen. 'Hebt u mijn zoontje gezien?' vroeg ze aan de caissière. De vrouw keek haar niet-begrijpend aan. 'Mijn zoontje,' herhaalde Pauline kortaf. 'Hij was zonet nog bij me. Hij heeft donker haar en is ongeveer zo groot. Een jongetje van zes. Jezus,' mompelde ze. Ze gaf het op, rende terug naar de broodafdeling en stormde vervolgens de tussenpaden op en neer.

'Felix?' riep ze, terwijl haar hart zo bonkte dat ze zichzelf niet kon horen. Ze nam alle tussenpaden; als een krankzinnige ging ze eerst op een drafje en toen keihard rennend de hele winkel door. Uiteindelijk was ze terug op de broodafdeling, gek van angst. Wat had ze hem die ochtend aangetrokken? Zijn rode gympen. Hij wilde altijd zijn rode gympen aan omdat Elmo op de zolen stond. Droeg hij zijn witte of zijn rode T-shirt? En zijn broek? Had ze die ochtend zijn cargobroek gestreken of hem zijn spijkerbroek aangetrokken? Waarom wist ze dat niet meer?

'Ik heb buiten een kind gezien,' zei iemand, en Pauline vloog de deuren weer door.

Ze zag Felix om de SUV heen naar de passagierskant lopen. Hij droeg zijn witte T-shirt, zijn cargobroek en zijn rode Elmo-gympen. Die ochtend had ze zijn kuif gladgekamd, en van achteren was zijn haar nog nat.

Pauline ging wat langzamer lopen en klopte met haar hand op haar borst, als om haar hart tot bedaren te brengen. Ze zou niet boos op hem worden, want dat snapte hij toch niet, dan schrok hij alleen maar. Ze zou hem optillen en elke vierkante centimeter van zijn lijfje onder kussen bedelven, tot hij zich loswurmde, en dan zou ze tegen hem zeggen dat ze, als hij ooit weer bij haar wegliep, zijn allerliefste nekje zou omdraaien.

Ze veegde haar tranen af terwijl ze om de achterkant van de auto heen liep. Felix zat in de Lexus. Het portier stond open en zijn benen bungelden omlaag. Hij was niet alleen.

'O, dank u!' barstte ze uit tegenover de onbekende, en het werd haar bijna te veel. Ze wilde Felix pakken. 'Hij is in de winkel verdwaald en...'

Pauline voelde iets ontploffen in haar hoofd. Als een lappenpop zakte ze op het wegdek in elkaar. Het laatste wat ze zag toen ze opkeek was Elmo, die haar toelachte vanaf de zool van Felix' schoen.

Zes

Sara schrok wakker. Even wist ze niet waar ze was, maar toen besefte ze dat ze op een stoel naast Anna's bed zat, op de intensive care. Het vertrek had geen ramen. Het plastic gordijn dat als deur dienstdeed, hield al het licht uit de gang tegen. Sara boog zich naar voren en in de gloed van de monitoren keek ze op haar horloge. Het was acht uur 's ochtends. De vorige dag had ze een dubbele dienst gedraaid om deze hele dag vrij te kunnen nemen en de draad van haar privéleven weer eens op te pakken: de koelkast was leeg, er moesten rekeningen betaald worden en er lag zo'n grote hoop vuile was op de vloer van haar kleerkast dat ze de deur niet meer dicht kreeg.

Toch was ze hier.

Sara rechtte haar rug en haar gezicht vertrok even van de pijn toen haar wervelkolom zich uit zijn halvemaanvorm losmaakte. Ze legde haar vingers op Anna's pols, ook al werd haar ritmische hartslag net als elke ademtocht door de apparaten weergegeven. Sara had geen idee of Anna haar vingers kon voelen of ook maar besefte dat ze naast haar zat, maar het contact gaf haar een beter gevoel.

Misschien was het goed dat Anna niet wakker was. Haar lichaam vocht tegen een razende infectie die haar leukocytengehalte naar een schrikbarend hoog niveau had opgedreven. Haar arm zat in een open spalk en haar rechterborst was verwijderd. Haar been lag in tractie en metalen pinnen hielden alles bij elkaar wat door de auto uiteen was gereten. Haar heupen zaten in het gips om ze te fixeren, zodat de botten tijdens het genezingsproces op hun plaats bleven zitten. Het moest ongelooflijk pijnlijk zijn, maar vergeleken met de foltering die de arme vrouw had doorstaan was dat misschien niet belangrijk meer.

Sara vond het verbazend dat Anna zelfs in haar huidige toestand nog een aantrekkelijke vrouw was – waarschijnlijk was daardoor het oog van haar ontvoerder op haar gevallen. Niet dat ze de schoonheid van een filmster bezat, maar haar gezicht had iets aparts waarmee ze ongetwijfeld veel aandacht trok. Sara zag misschien te veel sensationele zaken op het nieuws, maar het klopte gewoonweg niet dat een opvallende verschijning als Anna zomaar kon verdwijnen zonder dat iemand het opmerkte. Of het nou om Laci Peterson of Natalee Holloway ging, de wereld scheen alerter te zijn als een mooie vrouw werd vermist.

Sara wist niet waarom ze aan dat soort dingen zat te denken. Achterhalen wat er gebeurd was behoorde tot Faith Mitchells taak. Sara was niet bij de zaak betrokken, en eigenlijk was er geen enkele reden geweest om de vorige avond in het ziekenhuis te blijven. Anna was in goede handen. De artsen en de verpleging zaten om de hoek. Bij de deur hielden twee agenten de wacht. Sara had naar huis moeten gaan en onder de dekens moeten kruipen, ze had naar de zachte regen moeten luisteren tot ze in slaap viel. Het probleem was dat haar slaap zelden vredig was. Soms sliep ze zelfs te diep en dan raakte ze verstrikt in een droom waarin ze terugkeerde naar de tijd toen Jeffrey er nog was en ze alles had wat ze van het leven verlangde.

Er waren drieënhalf jaar verstreken sinds de moord op haar man, en Sara kon zich geen minuut herinneren waarin hij niet ergens in haar geest aanwezig was geweest. In de dagen vlak na zijn dood was Sara bang geweest dat ze een of ander belangrijk aspect van hem zou vergeten. Ze had eindeloze lijstjes opgesteld van alles waarvan ze had gehouden. Zijn geur als hij zich gedoucht had. Dat hij graag achter haar zat om haar haar te borstelen. Zijn smaak als ze hem kuste. Hij had altijd een zakdoek in zijn achterzak. Hij hield zijn handen zacht met lotion die naar havermeel rook. Hij kon goed dansen. Hij was een goede politieman. Hij zorgde voor zijn moeder. Hij hield van Sara.

Hij had van Sara gehouden.

De lijsten werden steeds langer en veranderden soms in eindeloze opsommingen: liedjes waarnaar ze niet meer kon luisteren, films die ze niet meer kon zien, plaatsen die ze niet meer kon bezoeken. Pagina's waren gewijd aan boeken die ze hadden gelezen, aan vakanties die ze hadden gehouden, aan lange weekenden in bed en aan vijftien jaar van een leven dat ze nooit terug zou krijgen.

Sara had geen idee wat er met de lijstjes was gebeurd. Misschien had haar moeder ze in een doos gestopt en naar haar vaders magazijn gebracht, of misschien had ze ze nooit echt opgeschreven. Misschien had Sara in de dagen na Jeffreys dood, toen ze van radeloosheid kalmerende middelen had geslikt, alleen maar van die lijstjes gedroomd, had ze uren in haar donkere keuken zitten dromen en alles wat zo geweldig was aan haar geliefde voor eeuwig vastgelegd.

Xanax, valium, Ambien, Zoloft. Ze had zichzelf bijna vergiftigd om elke nieuwe dag door te kunnen komen. Soms lag ze halfwakker in bed en stelde ze zich voor dat ze Jeffreys handen en mond op haar lichaam voelde. Dan droomde ze van de laatste keer dat ze samen waren en zag ze weer hoe hij in haar ogen keek, heel zeker van zichzelf terwijl hij haar langzaam naar een hoogtepunt dreef. Als ze dan wakker werd, sidderde haar lichaam en vocht ze tegen de drang om op te staan, in de hoop nog iets langer in die andere tijd te kunnen vertoeven.

Ze kon urenlang over de seks mijmeren die ze met hem had gehad, en dan kon ze zich elke vierkante centimeter van zijn lichaam weer tot in verbluffend detail voor de geest halen. Wekenlang kon ze aan niets anders denken dan aan de eerste keer dat ze de liefde hadden bedreven – niet de eerste keer dat ze seks hadden gehad, want dat was zo'n waanzinnige, losbandige, door hartstocht gedreven daad geweest dat Sara de volgende ochtend beschaamd haar eigen huis uit was geslopen. Nee, ze dacht terug aan de eerste keer dat ze elkaar echt hadden vastgehouden, dat ze elkaars lichaam hadden gestreeld, aangeraakt en gekoesterd zoals minnaars dat doen.

Hij was zacht. Hij was teder. Hij luisterde altijd naar haar. Hij hield de deur voor haar open. Hij vertrouwde op haar inzicht. Hij bouwde zijn leven om haar heen. Hij was er altijd als ze hem nodig had.

Hij was er altijd geweest.

Na een paar maanden herinnerde ze zich ook stomme dingen: de ruzie die ze hadden gehad over hoe de toiletrol in de houder moest. Onenigheid over het tijdstip waarop ze in een restaurant hadden afgesproken. De dag dat ze twee jaar getrouwd waren en hij had gemeend dat een ritje naar Auburn om een footballwedstrijd te zien een romantisch weekend was. Die keer op het strand toen ze jaloers was geworden omdat een vrouw aan de bar aandacht aan hem had geschonken.

Hij kon de radio in de badkamer repareren. Hij vond het heerlijk om haar voor te lezen tijdens lange autoritten. Hij accepteerde haar kat, die de eerste de beste nacht dat hij officieel bij haar was ingetrokken in zijn schoen had gepiest. Hij kreeg lachrimpeltjes bij zijn ogen, die ze altijd kuste, en dan bedacht ze hoe heerlijk het was om samen met deze man oud te worden.

Als ze tegenwoordig in de spiegel keek en een nieuw groefje, een nieuwe rimpel op haar gezicht ontdekte, was haar enige gedachte dat ze zonder hem oud zou worden.

Sara wist nog steeds niet hoe lang ze had gerouwd, of ze eigenlijk ooit gestopt was met rouwen. Haar moeder was altijd een sterke vrouw geweest, vooral als haar dochters haar nodig hadden. Tessa, Sara's zus, had dagenlang bij haar gezeten. Soms had ze Sara vastgehouden, haar heen en weer gewiegd alsof ze een kind was dat getroost moest worden. Haar vader deed klusjes in haar huis. Hij bracht de vuilnis naar buiten, liet de honden uit en ging naar het postkantoor om haar post af te halen. Op een keer trof ze hem snikkend in de keuken aan. 'Mijn kind... Mijn eigen kind...' fluisterde hij, en hij huilde niet om Sara, maar om Jeffrey, die de zoon was geweest die hij nooit had gehad.

'Ze is volkomen ontredderd,' had haar moeder tegen

haar tante Bella gefluisterd toen die belde. Sara vond de uitdrukking zo passend dat ze zich er helemaal aan overgaf en zich verbeeldde dat haar ledematen, haar hele lichaam in wanorde verkeerden. Wat maakte het ook uit? Waar had ze armen, benen en handen voor nodig als ze niet naar hem toe kon rennen, als ze hem niet langer kon aanraken en omarmen? Sara had zichzelf nooit als het soort vrouw beschouwd dat een man nodig had om haar leven compleet te maken, maar op de een of andere manier was Jeffrey haar gaan bepalen, en zonder hem voelde ze zich losgeslagen. Wie was ze eigenlijk zonder hem? Wie was die vrouw die zonder haar man niet wilde leven, die de strijd gewoon opgaf? Misschien was dat het waarom ze rouwde: niet alleen om het verlies van Jeffrey, maar ook om het verlies van zichzelf.

Elke dag nam Sara zich voor om de pillen te laten staan, om niet langer elke pijnlijke minuut weg te slapen, minuten die zo lang duurden dat ze dacht dat er weken waren verstreken terwijl het in werkelijkheid slechts uren waren. Toen ze uiteindelijk van de pillen kon afblijven, at ze niet meer. Dat was niet uit vrije keus. Eten smaakte walgelijk. Ze proefde gal, ongeacht wat haar moeder haar bracht. Sara kwam het huis niet meer uit, begon zichzelf te verwaarlozen. Ze wilde niet langer leven, maar wist niet hoe ze eruit moest stappen zonder alles op losse schroeven te zetten waarin ze ooit had geloofd.

Ten slotte was haar moeder naar haar toe gekomen. 'Neem eens een beslissing,' had ze gesmeekt. 'Je kiest voor het leven of voor de dood, maar dwing ons niet om lijdzaam toe te zien terwijl je wegkwijnt.'

Met kille blik had Sara alle mogelijkheden de revue laten passeren. Pillen. Touw. Een pistool. Een mes. Wat ze ook koos, ze kreeg er Jeffrey niet mee terug, en het zou ook niets aan het gebeurde veranderen.

Er verstreek nog meer tijd en de klok tikte maar door, terwijl zij zielsgraag wilde dat hij teruggedraaid werd. Bijna een jaar na de moord besefte Sara dat al haar herinneringen aan Jeffrey met haar het graf in zouden gaan. Ze hadden geen kinderen samen. Hun huwelijk kende geen blijvend monument. Alleen Sara was er nog, met de herinneringen die ze in haar gedachten had verankerd.

En zo had ze geen andere keus gehad dan zichzelf tot de orde te roepen en het proces te keren om niet kapot te gaan. Langzamerhand pakte een schim van de oude Sara de draad weer op. Ze stond 's ochtends op, ging hardlopen, begon parttime te werken en probeerde haar vroegere leven weer te leiden, maar nu zonder Jeffrey. Ze had een heldhaftige poging gedaan om zich door dit aftreksel van haar vroegere leven heen te slepen, maar ze bracht het simpelweg niet op. Ze kon niet langer in het huis zijn waar ze elkaar hadden liefgehad, in het stadje waar ze samen hadden gewoond. Ze was niet eens in staat om op zondag bij haar ouders te gaan eten, want dan had ze altijd die lege stoel naast zich, dat gat dat nooit meer gevuld zou worden.

De vacature in het Grady Hospital was haar gemaild door een medestudent van Emory die geen idee had wat er met Sara was gebeurd. Hij had het als grap bedoeld, alsof hij wilde zeggen: 'Wie gaat er nou terug naar zo'n hel?' Maar de volgende dag had Sara de administratief directeur van het ziekenhuis gebeld. Ze was coassistente geweest op de afdeling Spoed van het Grady. Ze kende het grote, krakende monster van de publieke gezondheidszorg. Ze wist dat het werk bij Spoed beslag legde op je hele leven, op je ziel. Ze had haar huis verhuurd, haar praktijk als kinderarts verkocht, het overgrote deel van haar meubels weggegeven, en een maand later was ze naar Atlanta vertrokken.

En nu zat Sara hier. Er waren twee jaar verstreken, en haar leven stagneerde nog steeds. Buiten haar werk had ze weinig vrienden, maar ze was nooit een sociaal dier geweest. Haar leven had altijd rond haar familie gedraaid. Haar zus Tessa was altijd haar beste vriendin geweest, en haar moeder haar grootste vertrouwelinge. Jeffrey was commissaris van politie in Grant County geweest, en Sara de plaatselijke lijkschouwer. Ze hadden vaak samengewerkt, en ze vroeg zich nu af of hun relatie even hecht zou zijn geweest als ze iedere dag hun eigen weg waren gedaan en elkaar alleen onder het eten even hadden getroffen. Net als water koos liefde altijd de weg van de minste weerstand.

Sara was in een klein stadje opgegroeid. De laatste keer dat ze iets serieus met een jongen had gehad, mocht een meisje een jongen niet eens bellen, en een jongen moest eerst toestemming vragen aan de vader van het meisje met wie hij uit wilde. Dat soort praktijken werd nu als eigenaardig, bijna lachwekkend beschouwd, maar Sara kon er soms naar terugverlangen. Ze snapte de fijne kneepjes van het volwassen daten niet, hoewel ze een poging had gedaan om te zien of dat deel van haar met Jeffrey was gestorven.

Sinds haar verhuizing naar Atlanta had ze twee keer een afspraakje met een man gehad; beide keren was de ontmoeting door verpleegsters in het ziekenhuis geregeld, en beide keren was de hele zaak ook verbijsterend oninteressant geweest. De eerste man was knap, slim en succesvol, maar achter zijn volmaakte glimlach en goede manieren ging verder niets schuil, en hij had niet meer gebeld sinds Sara bij hun eerste kus in tranen was uitgebarsten. De tweede afspraak dateerde van drie maanden eerder. Het was een iets positievere ervaring, of misschien hield ze zichzelf voor de gek. Ze was één keer met de man naar bed geweest, weliswaar na vier glazen wijn. Sara had de hele tijd haar kiezen op elkaar geklemd, alsof de daad een examen was waarvoor ze met alle geweld wilde slagen. De volgende dag had hij het contact verbroken, wat Sara pas ontdekte toen ze na een week haar voicemail beluisterde.

Als er één ding was dat haar speet van haar leven met Jeffrey, dan was het dat ze hem niet vaker gekust had. Zoals de meeste gehuwde stellen hadden ze een intieme geheimtaal ontwikkeld. Een lange kus betekende meestal zin in seks, niet gewoon affectie. Soms wisselden ze een vluchtig kusje op de wang uit of gaven ze elkaar snel een smakkerd voor ze naar hun werk vertrokken, maar het haalde het niet bij het begin van hun relatie, toen elke hartstochtelijke kus een prikkelend, exotisch geschenk was, dat er lang niet altijd mee eindigde dat ze elkaar de kleren van het lijf rukten.

Sara wilde terug naar dat begin, weer genieten van die eindeloze uren op de bank met Jeffreys hand op haar schoot, ze wilde hem weer vol overgave kussen en met haar vingers door zijn zachte haar strijken. Ze wilde de gestolen momenten in geparkeerde auto's, op gangen en in bioscopen weer terug, wanneer ze dacht dat ze niet meer zou kunnen ademen als ze zijn mond niet op de hare voelde. Ze wilde die schok van verrassing weer voelen als ze hem aan het werk zag, het gebonk van haar hart als ze hem op straat zag lopen. Ze wilde dat opwindende gevoel in haar buik terug als de telefoon ging en ze aan de andere kant van de lijn zijn stem hoorde. Ze wilde haar bloed weer naar haar kern voelen stromen als ze in haar eentje in haar auto reed of langs de schappen van de drugstore liep en zijn geur rook op haar huid.

Ze wilde haar minnaar.

Het plastic gordijn piepte toen het langs de rail naar achteren werd geschoven. Jill Marino, een van de ic-verpleegkundigen, legde met een glimlach Anna's dossier op het bed.

'Heb je goed geslapen?' vroeg ze. Ze liep bedrijvig heen en weer, controleerde de slangetjes en keek of het infuus nog goed liep. 'De uitslag van het bloedgas is binnen.'

Sara sloeg het dossier open en bestudeerde de getallen. De vorige avond had de oxymeter aan haar vinger steeds een laag zuurstofgehalte in het bloed gemeten. Het leek alsof het deze ochtend vanzelf was bijgetrokken. Het zelfgenezend vermogen van het lichaam stemde Sara permanent deemoedig. 'Zo ga je je wel overbodig voelen, vind je niet?'

'Artsen misschien,' zei Jill plagerig. 'Maar verpleegkundigen?'

'Daar zeg je zoiets.' Sara stak haar hand in de zak van haar witte jas en betastte de brief. Nadat ze de vorige avond met Anna bezig was geweest, had ze schone werkkleren aangetrokken, en zonder nadenken had ze de brief van de ene zak naar de andere verplaatst. Misschien moest ze hem maar eens openmaken. Misschien moest ze er maar eens voor gaan zitten en hem openscheuren, dan had ze dat weer achter de rug.

'Is er iets?' vroeg Jill.

Sara schudde haar hoofd. 'Nee. Bedankt dat je me gister-avond mijn gang hebt laten gaan.'

'Voor mij was het alleen maar makkelijk,' bekende de verpleegkundige. Zoals gewoonlijk had de intensive care tot aan de nok toe vol gelegen. 'Ik bel je wel als er verande-ringen zijn.' Jill legde haar hand op Anna's wang en keek glimlachend op haar neer. 'Misschien wordt ons meisje vandaag wakker.'

'Daar ben ik van overtuigd.' Sara dacht niet dat Anna haar kon horen, maar het gaf een goed gevoel om de woor-den hardop uit te spreken.

De twee agenten die op de gang de wacht hielden, tikten tegen hun pet toen Sara de kamer uit kwam. Ze voelde hun blikken terwijl ze de gang door liep – niet omdat ze haar aantrekkelijk vonden, maar omdat ze wisten dat ze de weduwe van een politieman was. Sara had het nooit met iemand in het Grady over Jeffrey gehad, maar de hele dag liepen agenten de spoedafdeling in en uit, en zo had het nieuws zich verspreid. Het werd al snel een van die publieke geheimen waarover iedereen het had, alleen niet waar Sara bij was. Het was niet haar bedoeling geweest om de tragische figuur uit te hangen, maar het weerhield mensen er wel van om vragen te stellen, en ze klaagde dan ook niet.

Wat ze een groot raadsel vond, was dat ze zo moeiteloos met Faith Mitchell over Jeffrey had gesproken. Sara had het graag op het feit geschoven dat Faith een uitstekende rechercheur was in plaats van te erkennen dat ze eenzaam was, wat waarschijnlijk dichter bij de waarheid lag. Haar zus woonde aan de andere kant van de aardbol, tussen haar en haar ouders lag een rit van vier uur en een heel leven, en Sara vulde haar dagen met niet veel meer dan werken en wat er toevallig op tv was als ze thuiskwam.

Erger was dat ze een knagend vermoeden had dat ze niet zozeer door Faith als wel door de zaak werd aangetrokken. Als Jeffrey met een onderzoek bezig was, had hij Sara altijd als klankbord gebruikt, en ze miste het dat dat deel van haar hersens niet langer geprikkeld werd.

Voor het eerst in een eeuwigheid had ze die nacht vlak voor ze in slaap viel aan iemand anders gedacht dan aan Jeffrey, namelijk aan Anna. Wie had haar ontvoerd? Waarom had hij haar uitgekozen? Wat voor aanwijzingen had dat monster op haar lichaam achtergelaten die zijn motieven zouden kunnen verklaren? Toen ze de vorige avond in het restaurant met Faith zat te praten, had Sara eindelijk weer eens het gevoel gehad dat haar brein nog iets meer deed dan haar alleen in leven houden. Waarschijnlijk zou het heel lang duren voor ze dat gevoel terugkreeg.

Sara probeerde de slaap uit haar ogen te wrijven. Ze had beseft dat het leven zonder Jeffrey pijnlijk zou zijn. Waar ze niet op was voorbereid was dat het zo verdomd zinloos was.

Ze was bijna bij de lift toen haar telefoontje ging. Terwijl ze het apparaat openklapte, maakte ze rechtsomkeert en liep terug naar Anna's kamer. 'Ik ben al onderweg.'

'Sonny kan hier over een minuut of tien zijn,' zei Mary Schroder.

Sara bleef staan, en het werd haar zwaar te moede toen ze de woorden van de verpleegkundige tot zich liet doordringen. Sonny was Mary's echtgenoot. Hij werkte bij de politie en draaide altijd vroege diensten. 'Is er iets met hem?'

'Met Sonny?' vroeg Mary. 'Nee, natuurlijk niet. Waar ben je?'

'Boven, op de intensive care.' Sara veranderde van koers en liep terug naar de lift. 'Wat is er aan de hand?'

'Sonny kreeg een oproep dat er een jongetje was achtergelaten bij de City Foods aan Ponce de Leon. Een ventje van zes. Het arme knulletje had al minstens drie uur achter in de auto gezeten.'

Sara drukte op de liftknop. 'Waar is zijn moeder?'

'Die wordt vermist. Haar tas ligt voorin op de stoel, de sleutel zit in het contact en naast de auto ligt bloed op de grond.'

Sara's hart schoot in een hogere versnelling. 'Heeft de jongen iets gezien?'

'Hij is veel te overstuur om te kunnen praten, en aan Sonny heb je niks. Die weet niet hoe hij met kinderen van die leeftijd moet omgaan. Ben je op weg naar beneden?'

'Ik sta bij de lift te wachten. Weet Sonny dat zeker, van die drie uur?' vroeg ze nog eens voor alle zekerheid.

'De bedrijfsleider van de winkel heeft de auto gezien toen hij op zijn werk kwam. Hij zei dat de moeder daarvoor nog in de winkel was geweest, helemaal over haar toeren omdat ze haar zoontje kwijt was.'

Sara drukte de knop weer met kracht in, ook al wist ze dat het zinloos was. 'Waarom heeft het drie uur geduurd voor hij het meldde?'

'Omdat mensen sukkels zijn,' antwoordde Mary. 'Mensen zijn gewoon stomme sukkels.'

Zeven

Toen Faith de volgende ochtend wakker werd, stond haar rode Mini op de oprit. Waarschijnlijk was Amanda achter Will aan hiernaartoe gereden en had ze hem daarna thuisgebracht. Hij zou wel gedacht hebben dat hij Faith daarmee een plezier deed, maar het liefst had ze hem de huid vol gescholden. 'Mooi,' had ze gesnauwd toen hij haar die ochtend had gebeld met de mededeling dat hij haar zoals gebruikelijk om halfnegen zou oppikken, maar het leek volledig aan hem voorbij te gaan.

Haar woede was wat afgezakt toen Will haar had verteld wat er de vorige avond was gebeurd: zijn idiote afdaling in het hol, de ontdekking van het tweede slachtoffer, hoe hij zich met Amanda had verstaan. Vooral dat laatste moest een hele klus zijn geweest: Amanda was niet iemand die het je gemakkelijk maakte. Will had een uitgeputte indruk gemaakt, en Faith voelde met hem mee toen hij de vrouw beschreef die in de boom had gehangen, maar zodra ze de verbinding had verbroken, was ze weer even kwaad als voorheen.

Hoe haalde hij het in zijn hoofd om in zijn eentje dat hol in te gaan met alleen die sul van een Fierro in de buurt? Jezus, waarom had hij Faith niet gebeld, zodat ze hem had kunnen helpen zoeken naar het tweede slachtoffer? Waarom dacht hij in godsnaam dat hij haar een plezier deed door haar bij haar werk weg te houden? Vond hij haar soms niet capabel, niet goed genoeg? Faith was niet een of andere nutteloze mascotte. Haar moeder had bij de politie gewerkt. Sneller dan wie ook in het team had

Faith zich opgewerkt van straatagent tot rechercheur bij de afdeling Moordzaken. Ze had bepaald niet zitten duimendraaien toen Will haar tegen het lijf liep. Als hij de Sherlock Holmes wilde uithangen, moest hij niet denken dat zij voor Watson ging spelen.

Faith had eens diep ingeademd. Ze was nog net voldoende bij zinnen om in te zien dat haar woede misschien niet in verhouding stond tot wat er gebeurd was. Pas toen ze aan de keukentafel ging zitten om haar bloedsuikergehalte te meten, besefte ze wat de oorzaak was. Weer zweefde ze ergens rond de honderdvijftig, en volgens *Uw leven met diabetes* kon je daar nerveus en prikkelbaar van worden. Niet dat ze minder nerveus en prikkelbaar werd toen ze zichzelf met de insulinepen probeerde te injecteren.

Met vaste hand draaide ze aan het schijfje om naar ze hoopte de juiste eenheid in te stellen, maar haar been begon te trillen toen ze zichzelf wilde prikken, zodat ze net een hond leek die zich vol overgave zat te krabben. Ergens vanuit het onderbewuste deel van haar hersenen ging er vast een signaal naar haar hand, die verstard boven haar bevende bovenbeen bleef zweven omdat ze niet in staat was zichzelf met opzet pijn te doen. Waarschijnlijk zat dat gedeelte vlak bij het beschadigde gebied dat het haar onmogelijk maakte om een langdurige relatie met een man aan te gaan.

'Krijg de klere,' had ze gezegd, en toen had ze de pen met kracht naar beneden geduwd en de knop ingedrukt. De naald brandde als de hel, ook al beweerde de bijsluiter dat de procedure praktisch pijnloos was. Misschien werd het na tig keer per week betrekkelijk pijnloos om een naald in je been of onderbuik te rammen, maar Faith had dat punt nog niet bereikt en ze kon zich ook niet voorstellen dat ze ooit zover zou komen. Tegen de tijd dat ze de naald er weer uit trok, zweette ze zo hevig dat haar onderarmen ervan plakten.

Het volgende uur verdeelde ze haar tijd tussen de telefoon en internet. Ze nam contact op met allerlei overheidsinstanties om vaart te zetten achter het onderzoek, en ondertussen joeg ze zichzelf de stuipen op het lijf door met haar laptop op type 2-diabetes te googelen. De eerste tien minuten hing ze in de wachtstand bij de politie van Atlanta terwijl ze naar een alternatieve diagnose zocht voor het geval Sara Linton zich had vergist. Dat bleek een illusie te zijn, en tegen de tijd dat Faith in de wachtstand hing bij het GBI-lab in Atlanta had ze haar eerste blog voor diabetici te pakken. Ze vond er nog een en nog een – duizenden mensen die hun hart uitstortten over de beproevingen van een leven met een chronische ziekte.

Faith las over pompjes, monitoren, diabetische retinopathie, slechte bloedsomloop, libidoverlies en al die andere prachtige dingen waarmee diabetes je leven kon verrijken. Ze stuitte op wonderbaarlijke genezingen en kritische beschouwingen over apparaten, en er was zelfs een gek die beweerde dat diabetes een truc van de overheid was om het argeloze publiek miljarden dollars af te troggelen om de olieoorlog mee te bekostigen.

Terwijl Faith door pagina's vol complottheorieën scrolde, was ze bereid om alles te geloven waarmee ze kon voorkomen dat ze voortaan al metend door het leven moest gaan. Ook al had ze zolang ze zich kon herinneren elk modedieet gevolgd waarmee de *Cosmo* op de proppen kwam en kon ze als geen ander koolhydraten en calorieën tellen, toch vond ze het idee onverdraaglijk dat ze in een menselijk speldenkussen zou veranderen. Volslagen ontmoedigd – en in de wachtstand bij Equifax – had ze snel teruggeklikt naar de pagina's met farmaceutische informatie. Die stonden vol beelden van glimlachende, gezonde diabetici op de fiets of in yogahouding, spelend met puppy's, jonge katjes, kleine kinderen of vliegers, en soms met alle vier tegelijk. De vrouw die dat snoezige peutertje rondzwaaide had vast geen last van een droge vagina.

Nu Faith toch de hele tijd aan de telefoon hing, kon ze net zo goed de artsenpraktijk bellen voor een afspraak aan het eind van de middag. Het nummer dat Sara had neergekrabbeld, lag naast haar. Uiteraard had ze Delia Wallace al nagetrokken om te zien of ze ooit was aangeklaagd wegens een medische fout of regelmatig dronken achter het stuur was aangetroffen. Faith wist tot in detail welk onderwijs de dokter had genoten en wat haar status als automobilist was, maar ze kon zich er nog steeds niet toe zetten om dat telefoontje te plegen.

Faith wist dat ze door haar zwangerschap kans liep achter een bureau te worden gezet. Amanda had iets gehad met Faiths oom, maar de relatie was doodgebloed zo rond de tijd dat Faith naar de brugklas ging. Amanda als chef was iets heel anders dan Amanda als tante. Reken maar dat ze Faith het leven zuur ging maken, zoals alleen vrouwen dat elkaar aandeden voor iets wat de meeste seksegenoten overkwam. Op dat soort hel op aarde was Faith voorbereid, maar zou ze haar oude baan weer mogen opvatten als ze diabetes had?

Zou ze het veld weer in worden gestuurd, een wapen mogen dragen en boeven mogen vangen als haar bloedsuikergehalte alle kanten op schoot? Lichamelijke inspanning kon een plotselinge daling veroorzaken. Stel dat ze een verdachte achternazat en opeens flauwviel? Aangrijpende momenten konden het bloedsuiker ook onder druk zetten. Stel dat ze een getuige ondervroeg en pas besefte dat ze zich idioot gedroeg als Interne Zaken erbij werd geroepen? En Will? Kon ze ervan op aan dat hij haar zou steunen? Ook al had Faith nog zoveel op haar collega aan te merken, ze was hem ook bijzonder toegewijd. Soms was ze zijn navigator, fungeerde ze als buffer tussen hem en de wereld, tussen hem en zijn grote zus. Hoe moest ze Will beschermen als ze zichzelf niet kon beschermen?

Misschien had ze niet eens een keus.

Faith staarde naar het computerscherm en overwoog een nieuwe zoekopdracht om te zien wat het politiebeleid ten aanzien van diabetici was. Werden ze achter een bureau gestopt tot ze waren weggekwijnd of uit zichzelf opstapten? Kregen ze ontslag? Haar handen gingen naar haar laptop en ze legde haar vingers op het toetsenbord. Net als met de insulinepen werden ook nu haar spieren verlamd door haar hersenen en was ze niet in staat de toetsen in te drukken. Als in een soort zenuwtrek tikten haar vinger zachtjes op de H, en opnieuw brak het angstzweet haar uit. Toen de telefoon ging, stond haar hart bijna stil.

'Goedemorgen,' zei Will. 'Ik sta buiten, als je zover bent.'

Faith sloot haar laptop af. Ze graaide de aantekeningen die ze tijdens het telefoneren had gemaakt bij elkaar, stopte haar diabetesspullen in haar tas en zonder één keer om te kijken liep ze de voordeur uit.

Will zat in een burgerauto, een zwarte Dodge Charger, ook wel een G-ride genoemd omdat het een overheidswagen was. Bij deze schoonheid had iemand met een sleutel een kras over het achterscherm getrokken, en verder was de wagen uitgerust met een grote antenne op een veer, waarmee de scanner alle signalen binnen een straal van honderdzestig kilometer kon oppikken. Een blinde driejarige zou er nog een politieauto in herkennen.

'Ik heb het adres in Atlanta waar Jacquelyn Zabel verbleef,' zei hij toen Faith het portier opende.

Hij doelde op het tweede slachtoffer, de vrouw die ondersteboven in de boom had gehangen.

Faith stapte in en klikte haar gordel vast. 'Hoe ben je daaraan gekomen?'

'De sheriff van Walton Beach heeft me vanochtend teruggebeld. Ze hebben navraag gedaan bij haar buren. Kennelijk is haar moeder pas naar een bejaardentehuis gegaan en Jacquelyn was haar huis aan het uitruimen om het te verkopen.'

'Waar staat dat huis?'

'In Inman Park. Ik heb daar met Charlie afgesproken. Ook heb ik de politie van Atlanta om wat agenten gevraagd. Ze hebben er twee die ze wel een paar uur kunnen missen.' Hij reed de auto in z'n achteruit de oprit af.

'Je ziet er beter uit,' zei hij na een vluchtige blik op Faith. 'Heb je nog wat geslapen?'

Faith gaf geen antwoord. Ze haalde haar notitieboekje tevoorschijn en nam het lijstje door van dingen die ze die ochtend per telefoon had geregeld. 'Ik heb de splinters die onder Anna's vingernagels vandaan zijn gehaald naar ons lab laten brengen. Ik heb meteen maar een technisch rechercheur naar het ziekenhuis gestuurd om haar vingerafdrukken af te nemen. Verder heb ik voor de hele staat een oproep doen uitgaan om het te melden als er een vrouw wordt vermist die ongeveer van Anna's leeftijd is en aan haar signalement beantwoordt. Er wordt waarschijnlijk een tekenaar naar haar toe gestuurd. Haar gezicht is behoorlijk gehavend. Ik denk niet dat iemand haar van een foto zou herkennen.' Ze sloeg het blad om en liet haar blik over haar aantekeningen gaan. 'Ik heb contact opgenomen met de databank en het onderzoeksbureau van het FBI om te kijken of ze vergelijkbare zaken in hun bestand hebben staan. Op dit moment zit het FBI niet op iets vergelijkbaars, maar ik heb onze gegevens toch maar in de databank laten opnemen, voor het geval er opeens een treffer is.' Ze ging naar het volgende blaadje. 'De creditcards van Jacquelyn Zabel worden in de gaten gehouden voor het geval iemand ze probeert te gebruiken. Ik heb het mortuarium gebeld: de autopsie staat gepland voor een uur of elf. Verder heb ik telefonisch met de Coldfields overlegd, de man en vrouw die in de Buick zaten die Anna geschept heeft. Als we ze willen spreken, moeten we langs het opvanghuis waar Judith vrijwilligerswerk doet, ook al hebben ze die aardige rechercheur Galloway alles al verteld wat ze weten – en nu we het toch over die lul hebben, ik heb Jeremy vanochtend op de universiteit uit zijn bed gebeld en gevraagd of hij een boodschap op Galloways voicemail wil achterlaten. Hij moet zeggen dat hij van de belastingdienst is en dat hij hem wil spreken over een paar onregelmatigheden.'

Bij dat laatste moest Will grinniken.

'Rockdale County zou de rapporten van de plaats delict en eventuele getuigenverklaringen naar ons faxen. Dat is alles wat ik heb.' Faith sloeg haar notitieboekje dicht. 'En wat heb jij vanochtend uitgespookt?'

Hij gaf een knikje in de richting van de bekerhouder. 'Ik heb warme chocolademelk voor je meegebracht.'

Faith wierp een verlangende blik op de afhaalbeker en had er een moord voor gedaan om het schuimige plasje room op te likken dat door het gaatje in het deksel naar buiten was gespoten. Ze had tegen Sara Linton gelogen over haar eetgewoonten. De laatste keer dat Faith had hardgelopen, was toen ze van haar auto naar de ingang van de ijssalon was gespurt in de hoop dat ze nog een milkshake kon krijgen voor de zaak dichtging. Haar ontbijt bestond meestal uit een zoete cracker en een cola light, maar die ochtend had ze een gekookt ei en een stuk droge toast gegeten, het soort voer dat je in het huis van bewaring kreeg. De suiker in de warme chocolademelk zou waarschijnlijk haar dood betekenen. 'Nee, dank je,' zei ze snel, voor ze van gedachten kon veranderen.

'Weet je,' begon Will, 'als je probeert af te vallen kan ik...'

'Will,' onderbrak ze hem, 'ik ben al achttien jaar aan het lijnen. Als ik mezelf te buiten wil gaan, dan doe ik dat.'

'Ik zei niet...'

'Trouwens, ik ben nog geen tweeënhalve kilo aangekomen,' loog ze. 'Het is nou ook weer niet zo dat ik een wandelende autobandenreclame ben.'

Met een strak gezicht keek Will naar de handtas op haar schoot. 'Sorry,' zei hij ten slotte.

'Bedankt.'

'Als je geen...' Hij maakte zijn zin niet af, maar pakte de beker uit de houder. Faith zette de radio aan om niet naar zijn geslurp te hoeven luisteren. Het geluid stond heel zacht en ze hoorde het eentonige gemompel van het nieuws uit de speakers komen. Ze drukte net zo lang op de knopjes tot ze iets rustigs en onbenulligs had gevonden dat haar niet op de zenuwen werkte.

De gordel spande om haar buik toen Will vaart minderde voor een voetganger die de weg over schoot. Faith had geen enkele reden om hem zo af te snauwen, en hij was niet achterlijk – hij snapte blijkbaar dat er iets aan de hand was, maar zoals gewoonlijk drong hij niet aan. Even werd ze overvallen door schuldgevoel, maar aan de andere kant stond Will ook niet bekend om zijn mededeelzaamheid. Puur toevallig had ze zijn dyslexie ontdekt. Tenminste, ze vermoedde dat het dyslexie was. In elk geval had hij moeite met lezen, maar god mocht weten waardoor het kwam. Door hem te observeren had Faith ontdekt dat hij sommige woorden op eigen kracht kon ontcijferen, maar daar deed hij een eeuwigheid over en meestal zat hij ernaast wat de inhoud betrof. Toen ze hem had gevraagd wat er precies met hem aan de hand was, had hij haar zo bot de mond gesnoerd dat Faith had gebloosd van gêne omdat ze het had durven aanroeren.

Toch moest ze bekennen dat hij er goed aan deed om zijn probleem te verbergen. Faith had lang genoeg bij de politie gewerkt om te weten dat de meeste agenten nog maar net uit de oersoep waren gekropen. Doorgaans waren ze aan de behoudende kant en stonden ze niet echt open voor het afwijkende. Misschien kwam het doordat ze te maken kregen met de bizarste elementen uit de samenleving dat ze iedere schijn van abnormaliteit in hun eigen gelederen afwezen. Hoe dan ook, Faith wist dat als het nieuws over Wills dyslexie bekend werd er geen agent was die het zou pikken. Het kostte hem nu al moeite om zich te handhaven. Door zoiets zou hij voor eeuwig een buitenstaander blijven.

Will sloeg rechts af Moreland Avenue in. Ze verbaasde zich erover dat hij überhaupt ergens de weg kon vinden. Hij had altijd moeite met de richting, en links en rechts vormden een onoverkomelijk probleem. Toch wist hij zijn handicap ongelooflijk slim te verbergen. Voor het geval zijn verbijsterend goede geheugen hem in de steek liet, had hij een digitale recorder op zak in plaats van een notitieboekje, zoals de meeste agenten. Soms ging het mis en maakte hij een fout, maar meestal stond Faith verbluft van wat hij voor elkaar kreeg. Hij was naar school geweest en had gestudeerd zonder dat iemand zijn probleem had opgemerkt. Zijn jeugd in het weeshuis was bepaald geen goede start geweest. Hij had veel om trots op te zijn, en daarom was het feit dat hij zijn handicap moest verbergen des te hartverscheurender.

Ze zaten al midden in Little Five Points, een kleurrijk deel van de stad, waar vervallen bars tegen modieus dure boetieks aan schurkten, toen Will eindelijk zijn mond weer opendeed. 'Gaat het?'

'Ik zat net te denken,' zei Faith, hoewel ze hem geen

deelgenoot maakte van wat ze eigenlijk dacht. 'Wat weten we over de slachtoffers?'

'Ze hebben allebei donker haar. Beiden zijn gezond en aantrekkelijk. We denken dat de vrouw in het ziekenhuis Anna heet. Volgens haar rijbewijs heet de vrouw die we in de boom hebben gevonden Jacquelyn Zabel.'

'En de vingerafdrukken?'

'Er zat een latente afdruk op het zakmes van Zabel. De vingerafdruk op haar rijbewijs gaf geen treffers – hij is niet van Zabel en komt ook niet in de computer voor.'

'Die moeten we vergelijken met Anna's vingerafdrukken om te zien of hij van haar afkomstig is. Als Anna het rijbewijs heeft aangeraakt, betekent dat dat Anna en Jacquelyn Zabel samen in dat hol hebben gezeten.'

'Goed idee.'

Faith had het gevoel dat ze de woorden uit Wills mond moest trekken, maar ze kon het hem niet kwalijk nemen dat hij nogal schichtig was nu ze de laatste tijd van die stemmingswisselingen had. 'Ben je verder nog iets over Zabel aan de weet gekomen?'

Hij haalde zijn schouders op, alsof het niet veel voorstelde. 'Jacquelyn Zabel is achtendertig, ongehuwd, geen kinderen,' somde hij op. 'We krijgen assistentie van de plaatselijke politie in Florida. Ze gaan haar huis doorzoeken, trekken haar telefoongegevens na en proberen haar naaste familie op te sporen, nog afgezien van de moeder die in Atlanta woonde. Volgens de sheriff is er niemand in het stadje die Zabel goed kent. Ze is min of meer bevriend met de buurvrouw, die haar planten water geeft maar verder niets over haar weet. Er is een soort vete gaande met een paar andere buren over vuilnisbakken die op straat blijven staan. De sheriff zei dat Zabel het afgelopen halfjaar een paar keer over overlast heeft geklaagd. Zwembadfeestjes waarbij te veel lawaai werd gemaakt, en auto's die voor haar huis geparkeerd stonden.'

Faith bedwong de neiging om hem te vragen waarom hij haar dat alles niet meteen had verteld. 'Heeft die sheriff Zabel ooit ontmoet?'

'Hij zei dat hij er zelf een paar keer op af is gegaan toen

ze een klacht had ingediend. Hij vond haar niet bijzonder aardig.'

'Dan zal hij wel gezegd hebben dat hij haar een bitch vond,' merkte Faith op. Voor een politieman beschikte Will over een verbazend nette woordenschat. 'Wat deed ze voor de kost?'

'Ze zat in de makelaardij. De markt is ingestort, maar ze schijnt het aardig voor elkaar te hebben: een huis bij het strand, een BMW, een boot in de jachthaven.'

'Je hebt toch een scheepsaccu in dat hol gevonden?'

'Ik heb de sheriff gevraagd om haar boot te doorzoeken. De accu zit er nog in.'

'Het had gekund,' mompelde Faith, die concludeerde dat ze nog steeds in het duister tastten.

'Volgens Charlie is de accu die we in het hol hebben gevonden minstens tien jaar oud. Alle cijfers zijn eraf gesleten. Hij probeert wat meer informatie over het ding te achterhalen, maar de kans is niet groot dat het iets oplevert. Op elke rommelmarkt kun je die apparaten krijgen. Het enige wat we eruit kunnen afleiden,' voegde hij er schouderophalend aan toe, 'is dat die vent wist wat hij ermee doen kon.'

'Hoezo?'

'De accu van een auto is zo ontworpen dat hij een korte, hevige stroomstoot geeft als je je auto moet opstarten. Zodra de auto gestart is, neemt de wisselstroomdynamo het over, en dan heb je de accu pas weer nodig als je de motor opnieuw moet opstarten. Een scheepsaccu zoals die uit het hol wordt ook wel een diepontlader genoemd, en dat betekent dat hij gedurende een langere periode gestaag stroom levert. Een autoaccu zou snel naar z'n mallemoer zijn als je hem gebruikt zoals die vent dat heeft gedaan. De scheepsaccu kan het urenlang volhouden.'

Faith liet zijn woorden bezinken, en met haar verstand probeerde ze het te bevatten. Dit ging echter alle begrip te boven; wat die vrouwen was aangedaan, kon geen gezonde geest bedenken.

'Waar staat die BMW van Jacquelyn Zabel?'

'Niet op haar oprit in Florida en ook niet bij het huis van haar moeder.'

'Heb je een opsporingsbericht voor de auto doen uitgaan?'

'Zowel in Florida als in Georgia.' Hij stak zijn hand naar de achterbank uit en pakte een stapel mappen, die op kleur gecodeerd waren. Hij haalde de oranje map ertussenuit en overhandigde die aan Faith. Toen ze hem opensloeg zag ze een uitdraai van het Bureau voor Motorvoertuigen in Florida. Vanaf haar rijbewijs keek Jacquelyn Alexandra Zabel haar aan. Op de foto was ze een zeer aantrekkelijke vrouw met lang donker haar en bruine ogen. 'Ze is knap,' zei Faith.

'Dat geldt ook voor Anna,' vulde Will aan. 'Bruin haar, bruine ogen.'

'Onze man valt op een bepaald type.' Faith bladerde naar de volgende pagina en las hardop voor uit het lijstje met processen-verbaal die op naam van de vrouw stonden. '2008, rode BMW 540i. Bekeuring voor snelheidsovertreding een halfjaar geleden. Ze reed honderddertig waar ze maar negentig mocht rijden. Vorige maand heeft ze een stopteken genegeerd in de buurt van een school. Twee weken geleden weigerde ze te stoppen bij een wegversperring en wilde ze geen blaastest laten doen. De zaak moet nog voorkomen.' Ze bladerde verder. 'Tot voor kort had ze amper een overtreding op haar naam staan.'

Will krabde wat afwezig over zijn onderarm terwijl hij wachtte tot het licht op groen sprong. 'Misschien is er iets gebeurd.'

'Hoe zit het ook alweer met die briefjes die Charlie in het hol heeft gevonden?'

'*Ik ontken mezelf niet,*' wist hij zich te herinneren, en hij haalde de blauwe map tevoorschijn. 'De blaadjes worden op vingerafdrukken onderzocht. Ze komen uit een standaardspiraalbloc en zijn met potlood beschreven, waarschijnlijk door een vrouw.'

Faith keek naar de kopie, waarop dezelfde zin telkens weer herhaald werd, zoals ze dat zelf vroeger vaak als straf had moeten doen toen ze in de brugklas zat. 'En de rib?'

Hij krabde nog steeds over zijn arm. 'In het hol en in de

onmiddellijke omgeving is geen spoor van een rib gevonden.'

'Zou het een souvenir kunnen zijn?'

'Misschien,' zei hij. 'Jacquelyn had geen snijwonden op haar lichaam.' Hij corrigeerde zichzelf. 'Ik bedoel diepe snijwonden zoals bij Anna op de plek waar de rib was verwijderd. Verder leek het alsof ze allebei dezelfde behandeling hebben ondergaan.'

'Marteling.' Faith probeerde zich in de geest van de dader te verplaatsen. 'Hij bindt de ene vrouw op het bed vast, en de andere eronder. Misschien verwisselt hij ze – misschien doet hij eerst iets gruwelijks met Anna en dan ruilt hij haar om voor Jacquelyn en doet datzelfde gruwelijks met haar.'

'En dan ruilt hij ze weer om,' zei Will. 'Misschien heeft Jacquelyn gehoord wat er met Anna's rib gebeurde en wist ze wat haar te wachten stond, waarna ze het touw om haar pols heeft doorgeknaagd.'

'Ze heeft vast ergens dat mesje gevonden, of anders had ze het al bij zich onder het bed.'

'Charlie heeft de latten onder het bed onderzocht. Hij heeft ze in dezelfde volgorde weer naast elkaar gelegd. Iemand heeft de punt van een vlijmscherp mes over het midden van elke lat getrokken om het touw onder het bed door te snijden, van het hoofdeind tot aan het voeteneind.'

'Jacquelyn lag onder het bed terwijl Anna verminkt werd,' concludeerde Faith, een huivering onderdrukkend.

'En ze was waarschijnlijk nog in leven toen wij het bos doorzochten.'

Faith deed haar mond al open. 'Dat is niet jouw schuld,' wilde ze zeggen, maar ze wist dat haar woorden niets uithaalden. Zelf voelde ze zich ook schuldig omdat ze niet bij de zoektocht aanwezig was geweest. Ze kon zich niet voorstellen hoe Will zich moest voelen, die per slot van rekening in het bos had rondgedwaald terwijl de vrouw stierf.

'Wat is er met je arm?' vroeg ze.

'Hoezo?'

'Je zit er voortdurend aan te krabben.'

Hij zette de auto stil en tuurde naar de straatnaambordjes.

'Hamilton,' las Faith.

Will keek op zijn horloge, een truc waarmee hij links en rechts van elkaar kon onderscheiden. 'Beide slachtoffers waren waarschijnlijk bemiddeld,' zei hij, terwijl hij rechts afsloeg naar Hamilton. 'Anna was ondervoed, maar haar haar zag er goed uit – de kleur, bedoel ik – en ze was onlangs nog bij de pedicure geweest. Haar nagellak bladderde af, maar leek professioneel opgebracht.'

Faith vroeg hem maar niet hoe hij het werk van een beroeps van dat van een amateur kon onderscheiden. 'Deze vrouwen waren geen hoeren. Ze hadden een huis en waarschijnlijk een baan. Meestal kiest een moordenaar geen slachtoffers uit die gemist zullen worden.'

'Motief, middelen en gelegenheid,' zei Will, waarmee hij de basis voor elk onderzoek bedoelde. 'Het motief is seks en marteling en misschien het verwijderen van de rib.'

'En dan de middelen,' zei Faith, die probeerde te bedenken hoe de moordenaar zijn slachtoffers had kunnen ontvoeren. 'Misschien knoeide hij met hun auto's zodat ze pech kregen. Hij zou weleens monteur kunnen zijn.'

'BMW's zijn voorzien van een *driver assistance system*. Je hoeft maar op een knop te drukken en je hebt de garage aan de telefoon, die dan een sleepwagen stuurt.'

'Mooi,' zei Faith. De Mini was de BMW van de arme man, wat betekende dat je je eigen telefoon moest pakken als je gestrand was. 'Jacquelyn was het huis van haar moeder aan het uitruimen. Dan heeft ze waarschijnlijk een contract afgesloten met een verhuisbedrijf of een liquidatiebureau.'

'Ze moest een termietenrapport kunnen overleggen als ze het huis wilde verkopen,' voegde Will eraan toe. In het grootste deel van het Zuiden kreeg je geen hypotheek als je niet kon aantonen dat de fundering van het huis niet door termieten werd opgepeuzeld. 'Dus onze dader kan ongedierteverdelger zijn, aannemer, verhuizer...'

Faith pakte een pen en achter op de oranje map begon

ze een lijstje op te stellen. 'Haar makelaarsvergunning is hier niet geldig, dus ze moest het huis via een makelaar in Atlanta verkopen.'

'Tenzij ze het zelf verkocht, en in dat geval heeft ze open huis gehouden, en heeft ze waarschijnlijk voortdurend vreemden over de vloer gehad.'

'Waarom heeft niemand gemerkt dat ze weg was?' vroeg Faith zich af. 'Sara zei dat Anna al minstens vier dagen geleden ontvoerd is.'

'Wie is Sara?'

'Sara Linton,' zei Faith. Hij haalde zijn schouders op en ze keek hem aandachtig aan. Will vergat nooit namen. Hij vergat helemaal nooit iets. 'Je weet wel, die dokter van gisteren.'

'Heet ze zo?'

Kom op zeg, had Faith bijna gezegd.

'Hoe weet zij nou hoe lang Anna is vastgehouden?' vroeg hij.

'Ze is ooit lijkschouwer geweest in een of ander district ergens in het zuiden.'

Wills wenkbrauwen schoten omhoog. Hij minderde weer vaart om een volgend bord te bestuderen. 'Lijkschouwer? Wat raar.'

Dat moest hij nodig zeggen. 'Ze is lijkschouwer en kinderarts geweest.'

Mompelend probeerde Will het bord te ontcijferen. 'Ik zou haar eerder voor een danseres houden.'

'Woodland,' las Faith. 'Danseres? Ze is wel zes meter lang.'

'Danseressen kunnen heel lang zijn.'

Faith klemde haar kiezen op elkaar om niet in lachen uit te barsten.

'Hoe dan ook.' Daar liet hij het bij, en zijn woorden waren duidelijk bedoeld om het einde van dat deel van het gesprek te markeren.

Terwijl hij een draai aan het stuur gaf, met zijn blik strak op de weg gericht, bestudeerde Faith zijn profiel. Will was aantrekkelijk, om niet te zeggen knap, maar hij had het zelfbewustzijn van een slak. Zijn vrouw, Angie Polaski, scheen door zijn eigenaardigheden heen te kunnen kijken, zoals zijn pijnlijk onvermogen om over koetjes en kalfjes te kletsen en de anachronistische driedelige pakken die hij altijd en eeuwig droeg. In ruil daarvoor scheen Will door de vingers te zien dat Angie met zo ongeveer het halve politiekorps van Atlanta naar bed was geweest, inclusief een stel vrouwen – als je de graffiti in het damestoilet op de tweede verdieping moest geloven. Ze hadden elkaar ontmoet in het kindertehuis van Atlanta, en Faith ging ervan uit dat dat de verklaring vormde voor de hechte band tussen het tweetal. Ze waren allebei wees en allebei verlaten door hun vermoedelijk waardeloze ouders. Net als met alles wat zijn privéleven betrof, liet Will er niets over los. Faith had niet eens geweten dat Angie en hij officieel getrouwd waren tot Will op een ochtend met een trouwring om zijn vinger op het werk was verschenen.

En tot op dat moment had ze Will nooit kunnen betrappen op ook maar een vluchtige blik op een andere vrouw.

'Hier is het,' zei hij, en hij sloeg rechts af, een smalle, met bomen omzoomde straat in. Voor een klein huisje zag ze het witte busje van de technische recherche staan. Charlie Reed was al met twee assistenten bezig de vuilnis te doorzoeken die aan de kant van de weg was opgesteld. Degene die het afval buiten had gezet, was de netste persoon op aarde. Langs de stoeprand stonden dozen opgestapeld, drie rijen van twee hoog, elk voorzien van een etiket met daarop de inhoud. Ernaast stond als een rij schildwachten een verzameling grote zwarte vuilniszakken. Aan de andere kant van de brievenbus lagen een matras en een boxspring, precies op één lijn met het trottoir, en verder waren er een paar meubelstukken die de plaatselijke straatschuimers nog niet hadden ontdekt. Achter Charlies busje stonden twee lege patrouillewagens van de politie van Atlanta, en Faith concludeerde dat de agenten om wie Will had gevraagd de huizen al langsgingen.

'Ze is met een politieman getrouwd geweest,' zei Faith. 'Hij schijnt tijdens het uitoefenen van zijn functie vermoord te zijn. Ik hoop dat die klootzak de stoel heeft gekregen.'

'Wie is met een politieman getrouwd geweest?'

Hij wist verdomd goed over wie ze het had. 'Sara Linton. De dansende dokter.'

Will zette de auto in de parkeerstand en schakelde de motor uit. 'Ik heb Charlie gevraagd nog even te wachten met het onderzoek van het huis.' Hij haalde twee paar rubberen handschoenen uit de zak van zijn jasje en gaf er een aan Faith. 'Ik heb het vermoeden dat alles is ingepakt voor de verhuizing, maar je weet het nooit.'

Faith stapte uit. Zodra Charlie bewijsmateriaal ging verzamelen, zou hij het huis als plaats delict moeten verzegelen. Hij liet Will en Faith eerst een kijkje nemen, zodat ze niet hoefden te wachten tot alles verwerkt was voor ze eventuele aanwijzingen konden natrekken.

'Hé daar!' riep Charlie met een bijna opgewekt zwaaitje.

'We waren net op tijd.' Hij wees naar de zakken. 'Goodwill wilde het zaakje al weghalen toen we eraan kwamen.'

'Wat hebben jullie gevonden?'

Hij wees naar de labels op de zakken, waarop keurig de inhoud stond genoteerd. 'Vooral kleren. Ook keukenapparatuur, oude blenders, dat soort spul.' Hij lachte even. 'Alles liever dan dat gat in de grond.'

'Wanneer denk je dat we de uitslagen van het hol kunnen verwachten?' vroeg Will.

'Amanda heeft er haast achter gezet. Wat daar niet aan shit lag, letterlijk en figuurlijk... We hebben prioriteit gegeven aan de dingen waarvan we dachten dat ze het belangrijkst waren. Zoals je weet duurt het achtenveertig uur voor het DNA van het lichaamsvocht bekend is. Vingerafdrukken gaan de computer in zodra ze ontwikkeld zijn. Als er daarbeneden iets overdonderends wordt gevonden, dan horen we dat op het laatst morgenochtend.' Hij deed alsof hij een telefoon tegen zijn oor drukte. 'Jij bent de eerste die we bellen.'

Will wees naar de vuilniszakken. 'Heb je hier nog iets bruikbaars gevonden?'

Charlie reikte hem een stapeltje post aan. Will trok het elastiek eraf en bekeek elke envelop voor hij hem aan Faith gaf. 'Het poststempel is van recente datum,' merkte hij op. In tegenstelling tot letters had hij geen moeite met cijfers, en dat was een van de talloze nuttige trucjes waarachter hij zijn probleem verborg. Ook was hij goed in het herkennen van bedrijfslogo's. 'Gasrekening, elektriciteit, kabel...'

Faith las de naam van de geadresseerde hardop voor. 'Gwendolyn Zabel. Wat een prachtige oude naam.'

'Net als Faith,' zei Charlie. Ze keek ervan op dat hij zoiets persoonlijks zei. Vlug praatte hij eroverheen. 'En ze woonde in een prachtig oud huis.'

Faith zag niet wat er zo prachtig was aan de kleine bungalow, maar bijzonder was het huis wel met zijn grijze shingles en rode lijsten. Het was nog nooit gemoderniseerd, en ook het onderhoud hield niet over. De goten bogen door onder een vracht bladeren van jaren her, en de daklijn leek net de rug van een kameel. Het gras was goed bijgehouden, maar de bloembedden en keurig gesnoeide struiken die zo kenmerkend waren voor de huizen in Atlanta ontbraken. Op één uitzondering na was er bij alle overige huizen in de straat een verdieping bijgebouwd. Ook was er veel afgebroken om plaats te maken voor villa's. Gwendolyn Zabel was waarschijnlijk een van de laatsten in de hele wijk geweest die genoegen hadden genomen met twee slaapkamers en één badkamer. Faith vroeg zich af of de buren opgelucht waren dat de oude vrouw was vertrokken. Haar dochter zou wel blij zijn als ze de cheque van de verkoop kon incasseren. Een dergelijk huis had toen het gebouwd werd zo'n dertigduizend dollar gekost. Nu was alleen de grond al ongeveer een half miljoen waard.

'Lukte het om de deur van het slot te krijgen?' vroeg Will aan Charlie.

'Die was al van het slot toen ik hier arriveerde,' antwoordde hij. 'De jongens en ik hebben al even een kijkje genomen. Niets wat er meteen uit sprong, maar jullie mogen eerst.' Hij wees naar de hoop rommel voor zijn voeten. 'Dit is nog maar het topje van de ijsberg. Binnen is het een gigantische zooi.'

Will en Faith wisselden een blik toen ze naar het huis

liepen. Inman Park was geen ingeslapen dorp waar nooit iets gebeurde. Je liet je deur niet van het slot, tenzij je een claim wilde indienen bij de verzekering.

Faith duwde de voordeur open, en zodra ze de drempel over was, bevond ze zich in de jaren zeventig. Het pluizige groene tapijt had zo'n hoge pool dat haar tennisschoenen erin wegzonken, en het spiegelbehang was zo vriendelijk om haar eraan te herinneren dat ze die maand zes kilo was aangekomen.

'Hallo!' zei Will toen hij de voorkamer zag. Die stond vol met een onvoorstelbare hoeveelheid rotzooi: stapels kranten, paperbacks en tijdschriften.

'Hier kun je toch niet veilig wonen?'

'Probeer je eens voor te stellen hoe het eruit heeft gezien toen al die troep op straat nog binnen stond.' Faith pakte een verroeste handblender van een stapel Life-magazines. 'Soms beginnen oude mensen dingen te verzamelen, en dan kunnen ze niet meer stoppen.'

'Dit is krankzinnig,' zei Will, terwijl hij met zijn hand over een stapel oude 45-toerenplaten streek. Stof dwarrelde op in de muffe lucht.

'Het huis van mijn oma was nog erger,' zei Faith. 'Het heeft ons alleen al een hele week gekost om zonder problemen door de keuken te kunnen lopen.'

'Waarom doet iemand zoiets?'

'Ik weet het niet,' moest ze bekennen. Faiths grootvader was gestorven toen ze nog klein was, en haar oma Mitchell had het grootste deel van haar leven alleen gewoond. Na haar vijftigste was ze spullen gaan verzamelen, en tegen de tijd dat ze naar een verzorgingshuis moest, stond haar woning tot de nok toe vol met waardeloze prullen. Nu Faith rondkeek in het huis van een andere eenzame oude vrouw en al net zo'n opeenhoping zag, vroeg ze zich af of Jeremy op een dag hetzelfde zou zeggen over de toestand in haar huis.

Hij zou in elk geval een broertje of zusje hebben om hem te helpen. Faith legde haar hand op haar buik, en voor het eerst was ze nieuwsgierig naar het kind dat binnen in haar groeide. Was het een meisje of een jongen? Zou het haar blonde haar erven of het donkere latino-uiterlijk van de vader? Godzijdank leek Jeremy in de verste verte niet op zijn vader. Faiths eerste liefde was een slungelige pummel geweest die qua bouw deed denken aan Spike van de strip Peanuts. Als baby was Jeremy bijna breekbaar geweest, net een stukje porselein. Hij had de snoezigste voetjes van de hele wereld. Die eerste dagen had Faith urenlang naar zijn piepkleine teentjes zitten kijken en had ze eindeloos de onderkant van zijn hieltjes gekust. Ze had hem het wonderbaarlijkste schepsel op aarde gevonden en hem als haar popje behandeld.

'Faith?'

Verbaasd over zichzelf liet ze haar hand zakken. Ze had die ochtend voldoende insuline ingespoten. Misschien onderging ze gewoon de typische hormonale schommelingen die bij een zwangerschap hoorden en die haar op haar veertiende tot zo'n genot voor zichzelf en haar omgeving hadden gemaakt. Hoe moest ze dit in vredesnaam nog eens doorstaan? En dat in haar eentje.

'Faith?'

'Je hoeft mijn naam niet te herhalen, Will.' Ze wees naar het achterste deel van het huis. 'Ga jij de keuken maar eens bekijken, dan neem ik de slaapkamers.'

Hij keek haar onderzoekend aan en vertrok toen naar de keuken.

Faith liep de gang door naar de achterste kamers, waarbij ze zich langs kapotte blenders, broodroosters en telefoontoestellen moest wurmen. Ze zou weleens willen weten of de oude vrouw die spullen bij elkaar had gescharreld of dat ze ze in de loop van haar leven had bewaard. De ingelijste foto's aan de muren leken heel oud; sommige waren in sepiakleuren, andere in zwart-wit. Faith bekeek ze vluchtig toen ze naar achteren liep. Ze vroeg zich af wanneer mensen waren gaan glimlachen voor een foto, en waarom. Zelf had ze een aantal zeer dierbare oude foto's van haar moeders grootouders. Tijdens de crisis van de jaren dertig hadden ze op een boerderij gewoond, en een rondtrekkend fotograaf had een opname gemaakt van het gezinnetje met hun muildier, Big Pete. Alleen het muildier had geglimlacht.

Aan Gwendolyn Zabels muur hing geen Big Pete, maar op sommige kleurenfoto's stonden twee verschillende jonge meisjes, allebei met donkerbruin haar dat langs hun potlooddunne taille naar beneden viel. Het ene meisje was een paar jaar ouder dan het andere, maar het waren zonder enige twijfel zusjes. Op geen van de oudere foto's stonden ze samen. Jacquelyns zus stuurde haar moeder het liefst foto's met de woestijn als achtergrond, terwijl Jacquelyn de voorkeur gaf aan het strand, waar ze poseerde met haar jongensachtig smalle heupen in een miniem bikinibroekje gestoken. Als zij er op haar achtendertigste zo goed uitzag, dacht Faith, zou ze zichzelf ook in bikini laten fotograferen. Er waren maar weinig recente foto's van de zus, die in de loop van de jaren dikker was geworden. Faith hoopte dat ze nog contact met haar moeder had. Dan konden ze haar via het telefoongeheugen traceren.

De eerste slaapkamer had geen deur. Overal lag rommel opgestapeld, en weer waren het hoofdzakelijk kranten en tijdschriften. Behalve met dozen was het kamertje zo volgestouwd met rotzooi dat het onmogelijk was om meer dan een paar stappen naar binnen te doen. Er hing een muffe lucht. Faith herinnerde zich iets wat ze ooit op het nieuws had gezien: een vrouw had zich aan een bladzijde van een oud tijdschrift gesneden en was uiteindelijk aan een vreemde ziekte bezweken. Ze week terug en wierp een blik in de badkamer. Nog meer troep, maar iemand had wel een pad naar het toilet vrijgemaakt en de pot schoongeboend. Een tandenborstel en wat toiletartikelen stonden keurig gerangschikt op de wastafel. Stapels vuilniszakken lagen in de badkuip. Het douchegordijn was zwart uitgeslagen van de schimmel.

Faith moest zich zijwaarts langs de deur de hoofdslaapkamer in wurmen. Eenmaal binnen zag ze wat de oorzaak was. Vlak bij de deur stond een oude schommelstoel die zo afgeladen was met kleren dat hij was omgekiept als de deur hem niet had tegengehouden. Verspreid door de hele kamer lagen nog meer kleren, van het soort dat tegenwoordig vintage werd genoemd en dat iets verderop, in de swingende kledingwinkels van Little Five Points, voor honderden dollars over de toonbank ging.

Het was warm binnen en Faith kreeg haar zweterige handen maar moeilijk in de rubberen handschoenen. Ze negeerde het speldenprikje opgedroogd bloed op haar vingertopje, want ze wilde niet langer aan dingen denken waarvan ze gegarandeerd zou gaan janken.

Ze begon met de ladekast. Alle laden stonden open en ze hoefde alleen maar kleren opzij te schuiven om te zien of er brieven of adresboekjes in verborgen waren met namen van eventuele familieleden. Het bed was netjes opgemaakt, ongeveer het enige in huis wat met 'netjes' omschreven kon worden. Het was moeilijk te zeggen of Jacquelyn Zabel in haar moeders bed had geslapen of gekozen had voor een hotel in de stad.

Hoewel, op de vloer zag Faith een open plunjezak naast een laptopkoffertje. Eigenlijk had ze de voorwerpen meteen moeten zien, want ze vielen duidelijk uit de toon met hun designerlogo en zachtleren buitenkant. Faith maakte het koffertje open en zag een MacBook Air waarvoor haar zoon een moord zou doen. Ze startte het apparaat, maar het openingsscherm vroeg om een gebruikersnaam en een wachtwoord. Charlie zou het langs de geëigende kanalen moeten sturen om het te kraken, maar voor zover Faith wist was het onmogelijk om het wachtwoord van een Mac te decoderen; dat lukte zelfs de fabrikant niet.

Vervolgens onderzocht Faith de plunjezak. De kleren die erin zaten waren allemaal van designermerken: Donna Karan, Jones of New York. Vooral de Jimmy Choos maakten veel indruk op Faith, die zelf een rok droeg met de afmetingen van een tent, want ze had geen enkele broek meer in de kast waarvan de knopen nog dichtgingen. Blijkbaar verkeerde Jacquelyn Zabel nooit in een dergelijk dilemma wat haar kleding betrof, en Faith was verbaasd dat iemand die zich iets heel anders kon veroorloven ervoor koos om in dit afschuwelijke huis te bivakkeren.

Kennelijk had Jacquelyn inderdaad in de kamer geslapen. Het keurig opgemaakte bed, het glas water en de leesbril op het tafeltje ernaast – het duidde allemaal op een recent verblijf. Ook stond er een gigantische pot met aspirine, van het formaat dat je in ziekenhuizen aantrof. Toen Faith de pot opendraaide, bleek hij halfleeg te zijn. Zelf zou ze waarschijnlijk ook aan de aspirine moeten als ze ooit haar moeders huis ging uitruimen. Faith had gezien hoeveel verdriet het haar vader had gedaan toen hij zijn moeder in een verzorgingshuis moest onderbrengen. De man was al jaren dood, maar Faith wist dat hij het nooit had verwerkt dat hij zijn moeder in een dergelijk oord had moeten achterlaten. Onverwacht vulden Faiths ogen zich met tranen. Kreunend veegde ze ze af met de rug van haar hand. Sinds ze dat plusje op de zwangerschapstest had gezien, was er geen dag voorbijgegaan dat haar brein haar niet een of ander verhaal had voorgeschoteld waarvan ze moest janken.

Ze richtte haar aandacht weer op de plunjezak. Ze tastte erin rond op zoek naar documenten – een notitieboekje, een dagboek, een vliegticket – toen ze geschreeuw hoorde aan de andere kant van het huis. Faith trof Will in de keuken aan. Een zeer forse, zeer boze vrouw stond in zijn gezicht te tetteren. 'Jullie hebben het recht niet om hier te zijn, vuile smerissen!'

Faith vond haar een typische hippie op leeftijd, zo iemand die het woord 'smeris' te pas en te onpas in de mond nam. Haar haar hing in een vlecht op haar rug en in plaats van een blouse had ze een paardendeken als een sjaal om haar bovenlichaam gewikkeld. Faith vermoedde dat de vrouw als laatste van haar soort in de buurt standhield en dat ze binnenkort het meest vervallen huis van de straat zou bezitten. Ze leek in niets op de yogamoeders die vermoedelijk in de opgeknapte villa's woonden.

Will bleef opmerkelijk rustig en stond met zijn hand in zijn zak tegen de koelkast geleund. 'Mevrouw, kan het iets rustiger?'

'Krijg de klere!' beet ze hem toe. 'En jij ook!' zei ze tegen Faith toen ze haar in de deuropening bespeurde. Van dichtbij schatte Faith de vrouw op eind veertig. Het was overigens moeilijk te zeggen, want haar gezicht was één grote woedende rode knoop. Het was het soort gezicht dat gemaakt leek om razernij uit te drukken.

'Hebt u Gwendolyn Zabel gekend?' vroeg Will.

'U hebt het recht niet om me zonder advocaat te verhoren.'

Faith sloeg theatraal haar ogen ten hemel, een kinderlijke reactie waar ze veel genoegen uit putte.

Will benaderde de zaak op wat volwassener wijze. 'Kunt u me vertellen hoe u heet?'

Onmiddellijk klapte ze dicht. 'Hoezo?'

'Ik wil graag weten hoe ik u moet noemen.'

Ze scheen al haar opties de revue te laten passeren. 'Candy.'

'Oké, Candy. Ik ben agent Trent van het Georgia Bureau of Investigation, en dat is agent Mitchell. Tot mijn spijt moet ik je vertellen dat de dochter van mevrouw Zabel bij een ongeval betrokken is geweest.'

Candy trok de deken wat strakker om zich heen. 'Had ze gedronken?'

'Kende je Jacquelyn?' vroeg Will.

'Jackie.' Candy haalde haar schouders op. 'Ze is hier een paar weken geweest om de verkoop van haar moeders huis te regelen. We spraken elkaar weleens.'

'Maakte ze gebruik van een makelaar of verkocht ze het huis zelf?'

'Ze had een plaatselijke makelaar in de arm genomen.' De vrouw schoof iets op, zodat ze Faith niet meer hoefde te zien. 'Er is toch niks gebeurd met Jackie?'

'Ik vrees van wel. Ze is bij het ongeval om het leven gekomen.'

Candy sloeg haar hand voor haar mond.

'Heb je iemand in de buurt van het huis zien rondhangen? Een verdacht persoon?'

'Natuurlijk niet. Dan had ik de politie wel gebeld.'

Het kostte Faith moeite om niet luid te snuiven. Degenen die het hardst over smerissen liepen te schreeuwen waren er altijd als de kippen bij om bij het geringste teken van onraad de politie te bellen.

'Heeft Jackie verder nog familie met wie we contact kunnen opnemen?' vroeg Will.

'Zijn jullie blind of zo?' wilde Candy weten. Met een

ruk van haar hoofd gebaarde ze naar de koelkast. Faith zag een lijst met namen en telefoonnummers op de deur waar Will tegenaan leunde. BIJ NOOD BELLEN stond er in vette letters boven, op nog geen vijftien centimeter van zijn gezicht. 'Jezus, leren ze jullie tegenwoordig niet eens meer lezen?'

Will had nog nooit zo vernederd gekeken, en als de vrouw dichterbij had gestaan, had Faith haar een klap in haar gezicht gegeven. 'Candy,' zei ze, 'ik wil graag dat je naar het bureau in de stad gaat om een officiële verklaring af te leggen.'

Will ving haar blik en schudde zijn hoofd, maar Faith was zo woedend dat ze met moeite het beven van haar stem bedwong. 'We bellen wel een patrouillewagen om je naar City Hall East te brengen. Het duurt hooguit een paar uur.'

'Waarom?' wilde de vrouw weten. 'Waarom moet ik van jullie...'

Faith pakte haar mobiel en toetste het nummer in van haar vroegere partner bij de politie van Atlanta. Leo was haar nog een gunst verschuldigd – meer dan één zelfs – en die ging ze nu inzetten om deze vrouw het leven zo zuur mogelijk te maken.

'Ik praat hier wel met jullie,' zei Candy. 'Jullie hoeven me niet naar de stad te brengen.'

'Je vriendin Jackie is dood,' zei Faith, met een stem die snerpte van woede. 'Het is kiezen of delen: je helpt met het onderzoek of je belemmert het.'

'Oké, oké,' zei ze, en berustend hief ze haar handen. 'Wat willen jullie weten?'

Faith keek even naar Will, maar die staarde naar zijn schoenen. Ze drukte met haar duim op de exitknop om de verbinding met Leo te verbreken. 'Wanneer heb je Jackie voor het laatst gezien?' vroeg ze aan Candy.

'Afgelopen weekend. Ze kwam langs, want ze had behoefte aan wat gezelligheid.'

'Waar bestond die gezelligheid uit?'

Toen Candy geen rechtstreeks antwoord gaf, begon Faith het nummer van Leo weer in te toetsen.

'Goed dan,' bromde de vrouw. 'Jezus, we hebben wat wiet gerookt. Ze was helemaal over d'r toeren van deze hele toestand. Ze was al een tijdje niet bij haar moeder geweest. Niemand van ons had door hoe erg de situatie was.'

'Wie bedoel je met "ons"?'

'Een stel buren en ik. We hielden een oogje op Gwen. Het is een oude vrouw. Haar dochters wonen allebei in een andere staat.'

Ze hadden haar niet al te goed in de gaten gehouden, anders hadden ze wel gemerkt hoe brandgevaarlijk het huis van de vrouw was. 'Ken je de andere dochter ook?'

'Joelyn,' zei ze, en ze knikte naar het lijstje op de koelkast. 'Die komt nooit. Tenminste, in de tien jaar dat ik hier nu woon is ze niet één keer geweest.'

Faith wierp weer een blik op Will. Hij staarde naar iets achter Candy's schouder. 'Je hebt Jackie dus een week geleden voor het laatst gezien?' vroeg ze.

'Dat klopt.'

'Waar had ze haar auto?'

'Die heeft tot voor een paar dagen op de oprit gestaan.'

'Met paar bedoel je twee?'

'Eerder vier of vijf, denk ik. Ik heb ook nog een eigen leven. Het is niet zo dat ik voortdurend in de gaten hou wat er in de buurt gebeurt.'

Faith sloeg geen acht op het sarcasme. 'Heb je verdachte personen in de buurt rond zien hangen?'

'Nee, zei ik toch.'

'Wie was die makelaar?'

Ze noemde de naam van een van de topfiguren uit de onroerendgoedsector, een man die zichzelf aanprees op elk beschikbaar bushokje in de stad. 'Jackie heeft hem niet eens ontmoet. Ze hebben alles telefonisch afgehandeld. Het huis was al verkocht nog voor hij zijn bord in de tuin had gezet. Er is een projectontwikkelaar die een permanent bod heeft uitstaan op alle percelen hier in de straat, en hij komt altijd binnen tien dagen met cash over de brug.'

Faith wist dat dit niet ongebruikelijk was. Op haar eigen

armzalige huis was in de loop van de jaren talloze malen een dergelijk bod uitgebracht – geen van alle de moeite waard, want met dat geld kon ze zich geen nieuw huis in haar eigen buurt veroorloven. 'En een verhuisbedrijf?'

'Kijk eens naar al die troep.' Candy sloeg met haar hand op een slordige stapel papier. 'Het laatste wat Jackie me verteld heeft was dat ze een bouwcontainer zou laten komen.'

Will kuchte. Hij staarde inmiddels niet meer naar de muur, maar hij keek de getuige ook niet aan. 'Waarom laat ze alles niet gewoon liggen?' vroeg hij. 'Het meeste is rommel. Die aannemer gaat er toch met een bulldozer overheen.'

Candy keek geschokt. 'Dit was het huis van haar moeder. Ze is hier opgegroeid. Haar jeugd ligt onder al deze troep begraven. Dat kun je niet zomaar allemaal weggooien.'

Will haalde zijn telefoontje tevoorschijn en deed alsof het was overgegaan. Faith wist dat de trilfunctie het niet deed. Amanda had hem de vorige week bijna gekeeld toen het ding tijdens een vergadering was overgegaan. 'Sorry,' zei Will, met een blik op het schermpje. Hij verliet het huis via de achterdeur, waarbij hij met zijn voet een stapel tijdschriften aan de kant schoof.

'Wat is er met hem?' vroeg Candy.

'Hij is allergisch voor bitches,' gaf Faith haar lik op stuk. Als dat waar was, zou Will trouwens na deze ochtend van top tot teen onder de uitslag hebben gezeten. 'Hoe vaak kwam Jackie bij haar moeder op bezoek?'

'Ik hou haar agenda niet bij.'

'Misschien neem ik je toch maar mee naar de stad, wie weet gaat je geheugen dan opeens wel werken.'

'Jezus,' mompelde de vrouw. 'Oké. Een paar keer per jaar – hooguit.'

'En je hebt nooit gezien dat haar zus, Joelyn, op bezoek kwam?'

'Nooit.'

'Ging je veel met Jackie om?'

'Dat niet, nee. We waren niet echt vriendinnen.'

'En toen jullie vorige week wiet rookten? Zei ze toen iets over haar leven?'

'Ze vertelde dat het verzorgingshuis waar ze haar moeder naartoe had gebracht vijftigduizend dollar per jaar kostte.'

Faith had bijna gefloten. 'Daar gaat de winst uit het huis.'

Candy scheen er anders over te denken. 'Gwen gaat de laatste tijd hard achteruit. Die haalt het eind van het jaar niet. Jackie zei dat ze haar wel iets moois gunde nu ze toch de pijp uit ging.'

'Waar staat dat tehuis?'

'In Sarasota.'

Jackie Zabel woonde in het westen van Florida, op zo'n uur of vijf rijden van Sarasota. Niet te dichtbij en niet te ver weg. 'De deuren zaten niet op slot toen we hier kwamen,' zei Faith.

Candy schudde haar hoofd. 'Jackie woonde in zo'n beveiligd complex. Ze deed de deuren nooit op slot. Op een avond had ze haar autosleutel in het contact laten zitten. Ik kon mijn ogen niet geloven toen ik het zag. Stom geluk dat die auto niet gestolen is. Maar Jackie heeft altijd veel geluk gehad,' voegde ze er wat spijtig aan toe.

'Had ze een relatie?'

Candy besloot er weer het zwijgen toe te doen.

Faith keek haar afwachtend aan.

'Ze was niet echt aardig,' zei de vrouw ten slotte. 'Ik bedoel, je kon lekker stoned met haar worden, maar verder was ze behoorlijk bitchy, en mannen wilden haar wel neuken, maar na afloop niet met haar praten. Snap je wat ik bedoel?'

Faith verkeerde niet in een positie om daarover te kunnen oordelen. 'In welk opzicht was ze een bitch?'

'Zij wist altijd wat de beste route naar Florida was. Wat de beste benzine was voor je auto. Hoe je je troep het beste aan de straat kon zetten.' Ze wees naar de zooi in de keuken. 'Daarom deed ze dit ook allemaal in haar eentje. Jackie barst van het geld. Ze zou zo een schoonmaakploeg kunnen laten komen om dit huis in twee dagen uit te rui-

men. Maar niemand deed het volgens haar goed. Alleen daarom sliep ze hier. Ze is een echte controlfreak.'
Faith dacht aan de keurig samengebonden bundels op het trottoir. 'Je zei dat ze geen relatie had. Waren er wel mannen in haar leven – een ex-man, bijvoorbeeld, of een ex-vriendje?'
'Weet ik veel. Ze vertelde me bijna niks, en de afgelopen tien jaar weet Gwen niet eens meer wat voor dag het is. Ik denk eerlijk gezegd dat Jackie gewoon een paar blowtjes nodig had om te ontspannen, en ze wist dat ik het spul in huis had.'
'Waarom liet je haar roken?'
'Omdat ze een stuk aardiger was als ze zich liet gaan.'
'Je vroeg zonet of ze dronken was ten tijde van het ongeluk.'
'Ik weet dat ze in Florida een keer aangehouden is. Daar was ze echt pissig over. Die aanhoudingen zijn allemaal doorgestoken kaart,' voegde ze er voor de goede orde aan toe. 'Eén miezerig glaasje wijn en ze nemen je te grazen alsof je een misdadiger bent. Ze willen gewoon hun quotum halen.'
Faith had veel van dat soort aanhoudingen verricht. Ze wist dat ze daarmee levens had gered, zoals ze er tevens van overtuigd was dat Candy zelf ook met de politie overhoop had gelegen. 'Je vond Jackie dus niet aardig, maar je ging wel met haar om. Je kende haar niet zo goed, maar je wist wel dat ze een veroordeling wegens rijden onder invloed aanvocht. Wat moet ik me daarbij voorstellen?'
'Go with the flow, zeg ik altijd maar. Ik hou niet van problemen.'
Ze zag er anders geen been in problemen voor anderen te veroorzaken. Faith pakte haar notitieboekje. 'Wat is je achternaam?'
'Smith.'
Faith keek haar scherp aan.
'Echt waar. Candace Courtney Smith. Ik woon in het enige andere krot aan deze straat.' Candy wierp een blik uit het raam naar Will. Faith zag dat hij met een van de geüniformeerde agenten stond te praten. De man schudde

zijn hoofd en Faith maakte daaruit op dat er niets bruikbaars was gevonden.

'Sorry dat ik zo bits deed,' zei Candy. 'Ik vind het gewoon niet prettig, politie om me heen.'

'Waarom niet?'

Weer haalde ze haar schouders op. 'Een tijd terug heb ik wat problemen gehad.'

Zoiets vermoedde Faith al. Candy had dat agressieve van iemand die meer dan eens op de achterbank van een patrouillewagen had gezeten. 'Wat voor problemen?'

Weer haalde ze haar schouders op. 'Ik zeg dit alleen omdat jullie er toch wel achter komen, en dan sta je meteen weer bij me op de stoep alsof ik een geflipte moordenaar ben.'

'Vertel.'

'Toen ik ergens in de twintig was, ben ik opgepakt omdat ik tippelde.'

Het verbaasde Faith niets. 'Je leerde een man kennen die je aan de drugs hielp,' raadde ze.

'Romeo en Julia,' beaamde Candy. 'Ik moest het spul voor hem bewaren. Die zak zei dat ik er niet voor de bak in zou draaien.'

Er moest ergens een wiskundige formule bestaan waarmee je tot op de seconde nauwkeurig kon berekenen hoe lang het duurde voor een vrouw die door haar vriendje aan de drugs raakte erover deed om de straat op te gaan om voor beiden de verslaving te onderhouden. Faith stelde zich zo voor dat er bij dat sommetje heel veel nullen achter de komma kwamen.

'Hoe lang heb je gezeten?' vroeg ze.

'Shit,' zei Candy lachend. 'Ik heb die lul en zijn dealer erbij gelapt. Ik heb niet één dag gezeten.'

Faith was nog steeds niet verbaasd.

'Al heel lang geleden ben ik met harddrugs gestopt. Van de wiet word ik gewoon wat relaxter.' Weer keek ze naar Will. Kennelijk had hij iets waar ze nerveus van werd.

Faith vroeg ernaar. 'Waar maak je je zo druk om?'

'Hij ziet er helemaal niet uit als een smeris.'

'Hoe ziet hij er dan uit?'

Ze schudde haar hoofd. 'Hij doet me denken aan mijn eerste vriendje, heel rustig en aardig, maar ondertussen.' Ze sloeg met haar ene hand in de andere. 'Hij heeft me verrot geslagen. Hij heeft mijn neus gebroken en één keer mijn been toen ik niet voor hem de straat op wilde.' Ze wreef over haar knie. 'Het doet nog steeds pijn als het koud is.'

Faith voelde al waar het heen ging. Het was niet Candy's schuld dat ze de hoer had uitgehangen om high te worden en dat ze hoogstwaarschijnlijk bij behoorlijk wat blaastests positief had gescoord. De schuld lag bij het slechte vriendje, of bij de stomme agent die zijn quotum moest halen, en nu was het Wills beurt om de rol van slechterik te vervullen.

Candy kon veel te goed manipuleren om niet te merken dat ze haar publiek kwijtraakte. 'Ik sta heus niet te liegen.'

'De trieste details van je tragische verleden interesseren me niet zo,' verklaarde Faith. 'Vertel maar eens wat je echt dwarszit.'

Een paar tellen lang stond ze in tweestrijd. 'Ik zorg te genwoordig voor mijn dochter. Ik ben clean.'

'Aha,' zei Faith. Het mens was dus bang dat haar kind haar afgenomen zou worden.

Candy gaf een knikje in de richting van Will. 'Hij doet me denken aan die hufters van de overheid.'

Will als maatschappelijk werker kwam inderdaad dichter in de buurt dan Will als gewelddadig vriendje. 'Hoe oud is je dochter?'

'Bijna vier. Ik dacht niet dat ik het kon – na alle ellende die ik heb meegemaakt.' Candy glimlachte en haar gezicht veranderde van een boze vuist in iets wat bij benadering een niet al te onaantrekkelijke pruim genoemd zou kunnen worden. 'Hannah is een schatje. Ze was dol op Jackie. Zo wilde ze ook worden, met een mooie auto en prachtige kleren.'

Faith had niet de indruk dat Jackie het soort vrouw was dat het fijn vond als een driejarige met haar handjes aan haar Jimmy Choos zat, en al helemaal niet omdat kinde-

143

ren op die leeftijd nogal plakkerig waren. 'Vond Jacky haar ook aardig?'

'Wie vindt kinderen nou niet aardig?' zei Candy schouderophalend. Eindelijk stelde ze de vraag die een minder egocentrisch persoon al tien minuten eerder gesteld zou hebben. 'Wat is er eigenlijk gebeurd? Had ze gedronken?'

'Ze is vermoord.'

Candy's mond viel open en klapte toen weer dicht. 'Echt waar – vermoord?'

Faith knikte.

'Wie doet zoiets? Wie zou haar nou kwaad willen doen?'

Faith had dit al zo vaak bij de hand gehad dat ze precies wist welke kant het op ging. Daarom had ze de ware doodsoorzaak van Jacquelyn Zabel ook verzwegen. Niemand sprak graag kwaad van de doden, zelfs niet een wannabe hippie met een agressieprobleem, die bovendien strak stond van de wiet.

'Ze was de kwaadste niet,' benadrukte Candy. 'Ik bedoel, diep vanbinnen was ze een goed mens.'

'Ongetwijfeld,' beaamde Faith, hoewel het tegenovergestelde waarschijnlijk het geval was.

Candy's lip beefde. 'Hoe moet ik in godsnaam aan Hannah uitleggen dat ze dood is?'

Faiths telefoontje ging, en dat kwam goed uit, want ze had geen idee hoe ze die vraag moest beantwoorden. Erger nog, het kon haar niet schelen ook nu ze alle informatie die ze nodig had uit de vrouw had gewrongen. Candy Smith stond niet boven aan de lijst van vreselijke ouders, maar zo volmaakt was ze nou ook weer niet, en waarschijnlijk was een driejarig meisje het kind van de rekening.

Faith nam op. 'Mitchell.'

'Heb je me net gebeld?' klonk de stem van rechercheur Leo Donnelly.

'Ik heb op de verkeerde knop gedrukt,' loog ze.

'Ik wilde je toch al bellen. Jij hebt een alarm doen uitgaan, hè?'

Hij doelde op het bericht dat Faith die ochtend naar alle

afdelingen had gestuurd. Met een gebaar verzocht ze Candy om een momentje geduld, waarop ze naar de huiskamer liep. 'Wat heb je?'

'Niet echt een vermist persoon,' zei hij. 'Een politieagent trof vanochtend een slapend kind aan in een SUV. De moeder was nergens te bekennen.'

'En?' vroeg Faith, die wist dat er meer achter stak. Leo was rechercheur bij Moordzaken. Hij werd niet ergens bij geroepen om de sociale hulpdiensten te coördineren.

'Dat alarm van jou,' zei hij. 'Dat lijkt wel wat op het signalement van die moeder. Bruin haar, bruine ogen.'

'Wat heeft het kind te melden?'

'Geen ene moer,' moest hij bekennen. 'Ik ben nu bij hem in het ziekenhuis. Jij hebt een zoon. Zou jij eens willen kijken of je iets uit hem kunt krijgen?'

Acht

Journalisten stonden in groepjes bij de ingang van het Grady Hospital en hadden tijdelijk de duiven van hun plaats verdrongen, maar niet de daklozen, die vastbesloten leken om in elke achtergrondopname te figureren. Will reed een van de gereserveerde parkeerplaatsen voor het gebouw op. Hij hoopte dat ze ongemerkt naar binnen konden glippen, maar dat kon hij wel vergeten. Nieuwsbusjes hadden hun schotelantennes naar de hemel gericht en journalisten in keurig geperst pak stonden met de microfoon in de hand hijgend verslag te doen van het tragische voorval bij de City Foods, waar die ochtend een kind was achtergelaten.

'Amanda dacht dat het kind de aandacht even van onze zaak zou afleiden,' zei Will terwijl hij uitstapte. 'Ze gaat finaal over de rooie als ze ontdekt dat de twee zaken misschien met elkaar te maken hebben.'

'Ik wil het haar wel vertellen als je dat liever hebt,' bood Faith aan.

Met zijn handen in zijn zakken stapte hij naast haar voort. 'Als ik ook nog iets in te brengen heb, dan heb ik liever dat je me afbekt dan dat je medelijden met me hebt.'

'Ik kan het ook allebei tegelijk.'

Hij grinnikte, hoewel het feit dat hij het telefoonlijstje op de koelkast niet had gezien ongeveer even grappig was als zijn onvermogen om Jackie Zabels naam op haar rijbewijs te ontcijferen terwijl de vrouw levenloos boven zijn hoofd bungelde. 'Candy heeft gelijk, Faith. Ze sloeg de spijker op de kop.'

Faith nam het voor hem op. 'Je zou dat lijstje toch wel aan mij hebben laten zien. De zus van Jackie Zabel was niet eens thuis. Zo gigantisch veel maakt het nou ook weer niet uit dat je vijf minuten later een bericht op haar antwoordapparaat hebt ingesproken.'

Will zweeg. Ze wisten allebei dat ze het nu iets te positief voorstelde. In sommige gevallen maakten vijf minuten al het verschil.

Faith ging nog even door. 'En als je gisteravond niet onder die boom met het rijbewijs was blijven staan, was het lichaam misschien pas bij daglicht gevonden. Als het al was gevonden.'

Will zag dat de verslaggevers iedereen nauwgezet opnamen die naar de hoofdingang van het ziekenhuis liep, in een poging te ontdekken wie er iets met hun verhaal te maken had.

'Er komt een dag dat je niet langer excuses voor me kunt verzinnen,' zei hij tegen Faith.

'Er komt een dag dat jij niet langer je kop in het zand kunt steken.'

Will liep door. Op één punt had Faith gelijk: hem afbekken en medelijden met hem hebben gingen bij haar inderdaad in één moeite door. Niet dat hij daar troost uit putte. Faith had blauw bloed in haar aderen – en dan bedoelde hij niet dat ze van adel was, maar dat ze uit een politiefamilie stamde – en ze vertoonde dezelfde automatische reactie die in Angie was gestampt, elke dag die ze op de politieacademie had doorgebracht en elke seconde op straat. Als je collega of je team werd aangevallen, dan ging je in de verdediging, ongeacht de aanleiding. Wij tegen de rest van de wereld, en de pot op met waarheid en rechtvaardigheid.

'Will...' Faith brak haar zin af, want nu zwermden de verslaggevers om haar heen. Toen ze over het parkeerterrein liep, hadden ze in haar meteen de politievrouw herkend, terwijl Will zoals gewoonlijk ongehinderd kon doorlopen.

Will hield zijn hand voor een camera terwijl hij met zijn elleboog een fotograaf met het logo van de *Atlanta Journal* op zijn jasje aan de kant duwde.

'Faith? Faith?' riep een mannenstem.

Ze draaide zich om. Toen ze de journalist zag, schudde ze haar hoofd en liep door.

'Toe nou, schatje,' riep de man. Met zijn voddige baard en gekreukelde kleren vond Will hem typisch zo'n figuur die een vrouw 'schatje' kon noemen en ermee wegkwam ook.

Nog steeds hoofdschuddend liep Faith naar de ingang. 'Waar ken je die vent van?' vroeg Will toen ze langs de metaaldetectors naar binnen waren gelopen.

'Dat is Sam. Hij werkt voor de *Atlanta Beacon*. Hij reed weleens met me mee toen ik nog straatdienst had.'

Will stond zelden stil bij het leven dat Faith had geleid voor ze aan hem werd gekoppeld, aan het feit dat ze een uniform had gedragen en in een patrouillewagen had rondgereden voor ze rechercheur werd.

Faith lachte wat mysterieus. 'Het is een paar jaar lang dik aan geweest tussen ons.'

'Waardoor is het uitgeraakt?'

'Hij vond het niet prettig dat ik een kind had en ik vond het niet prettig dat hij aan de drank was.'

'Tja...' Will wist niet zo goed wat hij moest zeggen. 'Hij lijkt me een aardige vent.'

'Dat lijkt hij inderdaad,' was haar antwoord.

Will keek naar de fotografen, die met hun camera's tegen het glas gedrukt wanhopige pogingen deden om een plaatje te schieten. Het Grady Hospital was openbaar terrein, maar de pers had toestemming nodig om in het gebouw opnamen te maken, en ze waren allemaal weleens in aanraking geweest met de bewakers, die er geen been in zagen om iemand met harde hand de deur uit te werken als hij de patiënten of – erger nog – het personeel lastigviel.

'Will,' zei Faith, en aan haar stem hoorde hij dat ze het weer over dat lijstje op de koelkast wilde hebben, over zijn analfabetisme dat er zo duimendik bovenop lag.

'Waarom heeft dokter Linton je al die dingen verteld?' vroeg hij snel om haar af te leiden.

'Wat voor dingen?'

'Over haar man en dat ze lijkschouwer is geweest in het zuiden.'

'Ik krijg altijd van alles te horen.'

Dat was waar. Als politievrouw die het zout in de pap waard was, wist Faith te zwijgen. Anderen begonnen dan vanzelf te praten om de stilte te vullen. 'Wat heeft ze nog meer verteld?'

'Hoezo?' vroeg Faith met een raadselachtig lachje. 'Moet ik soms een briefje van jou in haar kluisje stoppen?'

Nu voelde Will zich pas echt dom.

'Hoe is het met Angie?' vroeg Faith.

Hij gaf haar lik op stuk. 'Hoe is het met Victor?'

Waarop ze zwijgend hun weg door de hal vervolgden.

'Hé, hé!' Met zijn armen gespreid liep Leo op Faith af. 'Kijk eens aan: onze grote meid van het GBI!' Hij nam haar in een stevige omhelzing, die Faith tot Wills verbazing toeliet. 'Je ziet er goed uit, Faith. Heel goed zelfs.'

Ze wuifde dit weg met een ongelovig lachje dat bijna meisjesachtig aandeed, maar Will wist wel beter.

'Blij je te zien, man!' bulderde Leo, en zijn hand schoot naar voren.

Will probeerde niet zijn neus op te trekken voor de sigarettenlucht die om de rechercheur heen walmde. Leo Donnelly was van gemiddelde lengte en gemiddelde bouw, maar helaas was hij als politieman ver onder het gemiddelde blijven steken. Hij kon heel goed bevelen opvolgen, maar aan zelfstandig denken had hij de pest. Dat was nauwelijks verbazend voor een rechercheur Moordzaken die in de jaren tachtig aan zijn carrière was begonnen, maar bovendien vertegenwoordigde Leo alles wat Will haatte in een agent: hij was slordig, arrogant, en zijn handjes zaten nogal los als een verdachte wat spraakzamer gemaakt moest worden.

In een poging de sfeer niet te bederven schudde Will hem de hand. 'Hoe gaat-ie, Leo?'

'Ik mag niet klagen,' was het antwoord, en terwijl ze koers zetten naar de afdeling Spoed, stak hij meteen maar van wal. 'Nog twee jaar en dan heb ik recht op volledig pensioen, en nu willen ze me er opeens uit werken. Ik denk dat het door mijn kwaal komt – je weet wel, die toestand met mijn prostaat.' Ze reageerden geen van beiden, maar dat weerhield Leo er niet van om verder te gaan. 'Die kloteverzekering van de gemeente wil bepaalde medicijnen niet vergoeden. Echt, je moet niet ziek worden, want dan word je verneukt van hier tot Jeruzalem.'

'Wat zijn dat dan voor medicijnen?' wilde Faith weten.

Will vroeg zich af waarom ze hem nog aanmoedigde ook.

'Die stomme viagra. Zes dollar per pil. Voor het eerst van mijn leven dat ik voor seks moet betalen.'

'Dat geloof ik niet,' was Faiths commentaar. 'Vertel eens over dat jongetje. Is er al iets meer over de moeder bekend?'

'Nul komma nop. De auto staat op naam van een zekere Pauline McGhee. Op de parkeerplaats is bloed aangetroffen – niet veel, maar wel genoeg, als je begrijpt wat ik bedoel. Bepaald niet van een bloedneus.'

'Lag er nog iets in de auto?'

'Alleen haar tas en haar portefeuille. Ook op haar rijbewijs staat McGhee. De sleutel zat in het contact. Dat joch – Felix heet-ie – lag te slapen op de achterbank.'

'Wie heeft hem gevonden?'

'Een klant. Ze zag dat hij in de auto lag te slapen, en toen heeft ze de bedrijfsleider gewaarschuwd.'

'Waarschijnlijk was hij doodop van angst,' zei Faith zachtjes. 'En hoe zit het met de videobewaking?'

'De enige camera die het doet bestrijkt alleen de voorkant van het gebouw.'

'Wat is er met de overige camera's gebeurd?'

'Kapotgeschoten door tuig,' zei Leo schouderophalend, alsof het de gewoonste zaak van de wereld was. 'De suv stond net buiten beeld, dus we hebben geen opnamen van de auto. Wel zien we McGhee met haar zoontje naar binnen lopen, in haar eentje naar buiten komen, weer naar binnen rennen en vervolgens weer naar buiten. Ik vermoed dat ze pas merkte dat de jongen weg was toen ze bij haar auto aankwam. Misschien heeft er iemand buiten gestaan die hem vasthield om hem als lokaas te gebruiken. Zodra ze vlakbij was, sloeg hij toe.'

'Zie je nog iemand anders de winkel verlaten?'
'De camera gaat van links naar rechts. Het jongetje is in de winkel geweest, dat staat vast. Ik denk dat degene die hem gepakt heeft de camera in de gaten heeft gehouden. Zodra die de andere kant op ging, is hij erlangs geglipt.'
'Weet je op welke school Felix zit?' vroeg Faith.
'Op een of andere dure particuliere school in Decatur. Ik heb ze al gebeld.' Hij pakte zijn notitieboekje en hield het Faith voor zodat ze de informatie kon kopiëren. 'Ze zeiden dat de moeder geen contactadres heeft opgegeven in geval van nood. De vader heeft boven een bekertje staan rukken, einde verhaal. Grootouders zijn nooit in beeld geweest. Voor wat het waard is, op haar werk zijn ze niet al te enthousiast over die griet. Kennelijk vonden ze haar een echte bitch.' Hij haalde een opgevouwen blaadje uit zijn zak en stak het Faith toe. 'Een kopie van haar rijbewijs. Lekker wijf, zo te zien.'

Will keek over Faiths schouder naar de foto. Die was zwart-wit, maar toch waagde hij een gok. 'Bruin haar, bruine ogen.'

'Net als de anderen,' beaamde Faith.

'We hebben al jongens naar McGhees huis gestuurd,' zei Leo. 'Geen van de buren schijnt haar te kennen, en dat ze vermist wordt zal ze worst wezen. Ze was erg op zichzelf, zeggen ze; ze zwaaide nooit, ging nooit naar buurtfeestjes of wat ze verder allemaal organiseerden. We gaan eens een kijkje nemen op haar werk. Een of ander chic designbureau aan Peachtree.'

'Heb je haar kredietgegevens nagetrokken?'

'Ze is goed bij kas,' antwoordde Leo. 'Hypotheek ziet er prima uit. Auto is betaald. Ze heeft geld op de bank, ze heeft belegd en ze heeft een persoonlijk pensioenplan. Het is duidelijk dat ze niet van een politieloontje hoeft rond te komen.'

'Heeft ze de laatste tijd nog iets met haar creditcard betaald?'

'Alles zat nog in haar tasje: haar portefeuille, haar pasjes en zestig dollar aan cash. De laatste keer dat ze haar betaalpasje heeft gebruikt, was vanochtend bij de City

Foods. Al haar pasjes worden in de gaten gehouden voor het geval iemand de nummers heeft opgeschreven. Ik laat het je weten zodra we een treffer hebben.' Leo wierp een blik om zich heen. Ze stonden voor de ingang van de afdeling Spoed. Hij dempte zijn stem. 'Heeft dit iets te maken met die Kidney Killer van jullie?'

'Kidney Killer?' vroegen Will en Faith tegelijkertijd.

'Wat doen jullie weer onnozel,' zei Leo.

'Wat bedoel je met Kidney Killer?' Faith klonk al even verbaasd als Will zich voelde.

'Rockdale County is nog lekker dan mijn prostaat,' vertrouwde Leo hun toe, en met zichtbaar genoegen gaf hij het nieuwtje door. 'Ze zeggen dat er bij jullie eerste slachtoffer een nier uit is gehaald. Het zal wel iets met organenroof te maken hebben. Is het misschien een sekte? Ik heb weleens gehoord dat je grof geld kunt verdienen aan een nier, iets rond de honderdduizend dollar.'

'Jezus christus,' beet Faith hem toe. 'Zoiets stoms heb ik nog nooit gehoord.'

'Is haar nier er dan niet uit gehaald?' Leo klonk teleurgesteld.

Faith antwoordde niet, en Will had geen zin om Leo Donnelly van informatie te voorzien die hij rechtstreeks mee zou nemen naar de recherchekamer. 'Heeft Felix nog iets gezegd?' vroeg hij.

Leo schudde zijn hoofd. Hij liet zijn pasje zien en de deur naar Spoed zoemde open. 'Dat kind weigert zijn mond open te doen. Ik heb maatschappelijk werk er al bij gehaald, maar die hebben er ook niks uit gekregen. Je weet hoe ze zijn op die leeftijd. Waarschijnlijk is dat knulletje nog achterlijk ook.'

Faiths haren gingen overeind staan. 'Waarschijnlijk is hij overstuur omdat hij gezien heeft dat zijn moeder werd ontvoerd. Wat had je anders verwacht?'

'Jezus, hoe moet ik dat nou weten? Jij hebt ook een zoon. Jij kunt vast beter met hem praten dan ik, had ik zo gedacht.'

'Heb je zelf geen kinderen?' luidde de onvermijdelijke vraag.

Leo haalde zijn schouders op. 'Zie ik eruit als iemand die de band met zijn kinderen goed onderhoudt?'

Het antwoord was duidelijk. 'Is de jongen nog iets aangedaan?'

'Volgens de dokter is er niks met hem aan de hand.' Leo gaf Will een por in zijn ribben. 'Nu we het toch over die dokter hebben, je weet niet wat je ziet, man. Mozes, wat een stuk. Rood haar, benen van hier tot gunder.'

Faith glimlachte, en als Leo's elleboog niet in Wills lever zat geramd, zou hij haar weer naar Victor Martinez hebben gevraagd.

Uit een van de kamers klonk luid gepiep. Verpleegkundigen en artsen renden langs, met rammelende crashcarts en vliegende stethoscopen. Alleen al bij het zien en horen van dit soort vertrouwde taferelen kreeg Will buikpijn. Hij was altijd als de dood voor artsen geweest – vooral voor die uit het Grady, die de kinderen van het tehuis waar hij was opgegroeid behandelden. Telkens als hij bij een pleeggezin was weggehaald, had de politie hem eerst hiernaartoe gebracht. Elke schram, elk sneetje, elke brandwond en blauwe plek moest gefotografeerd, geregistreerd en nauwkeurig beschreven worden. De verpleegkundigen hadden dat soort werk al zo lang gedaan dat ze uit zelfbehoud een zekere afstand bewaarden. De artsen waren minder ervaren. Ze gingen tekeer tegen maatschappelijk werk, en dan geloofde je dat er eindelijk iets zou veranderen, maar een jaar later zat je weer in hetzelfde ziekenhuis en stond een nieuwe dokter over dezelfde misstanden te tieren.

Nu Will voor de politie werkte begreep hij dat ze aan handen en voeten gebonden waren, maar evengoed schoot hij telkens weer in een kramp als hij de afdeling Spoed van het Grady binnen ging.

Alsof Leo voelde dat hij er nog een schepje bovenop kon doen, gaf hij hem een klopje op zijn arm en zei: 'Wat erg dat Angie bij je weg is. Hoewel, waarschijnlijk is het maar beter zo.'

Faith zweeg, en Will was blij dat haar ogen geen vlammenwerpers waren.

'Ik ga eens kijken waar de dokter uithangt,' zei Leo. 'Ze

zijn met dat joch in de artsenkamer gaan zitten om hem wat te kalmeren.'

Hij vertrok. Faith bleef Will zwijgend aankijken, en haar blik sprak boekdelen. Met zijn handen in zijn zakken leunde hij tegen de muur. Het was niet zo druk op de afdeling als de vorige avond, maar er liepen nog steeds veel mensen rond en het was moeilijk om een persoonlijk gesprek te voeren.

Faith leek daar echter geen moeite mee te hebben. 'Hoe lang is Angie al bij je weg?'

'Een klein jaartje.'

Ze hield haar adem in. 'Maar jullie zijn nog maar negen maanden getrouwd.'

'Tja.' Hij liet zijn blik door het vertrek gaan, want hij had helemaal geen zin in dit gesprek, of het nou hier of elders werd gevoerd. 'Ze is alleen maar met me getrouwd om te bewijzen dat ze inderdaad met me ging trouwen.' Onwillekeurig moest hij glimlachen. 'Het ging haar meer om het winnen van de discussie dan om het trouwen zelf.'

Faith schudde haar hoofd, alsof ze er geen touw aan vast kon knopen. Will betwijfelde of hij het kon uitleggen. Zelf had hij zijn relatie met Angie Polaski ook nooit begrepen. Hij kende haar vanaf zijn achtste, maar in al die jaren was ze een raadsel voor hem gebleven. Het enige wat hij wist was dat ze wegliep zodra ze te close met elkaar werden. Dat ze altijd terugkwam was een patroon dat Will was gaan waarderen, al was het alleen maar vanwege de eenvoud.

'Ze gaat wel vaker weg, Faith. Het kwam niet echt als een verrassing.'

Faith zei niets, en hij wist niet of ze boos was of alleen maar te geschokt om er een woord uit te kunnen brengen.

'Ik ga straks even boven bij Anna kijken, voor we hier vertrekken,' zei Will.

Ze knikte.

Hij deed een nieuwe poging. 'Amanda vroeg gisteravond hoe het met je ging.'

Opeens was Faith een en al aandacht. 'Wat heb je tegen haar gezegd?'

'Dat het goed met je ging.'

'Mooi, want dat is ook zo.'

Hij schonk haar een veelbetekenende blik. Will was niet de enige die informatie verzweeg. 'Het gaat écht goed met me,' zei ze met klem. 'Of anders gaat het weer de goede kant op, oké? Maak je over mij maar geen zorgen.'

Will leunde met zijn schouders tegen de muur. Faith zweeg, en de gedempte geluiden van de spoedafdeling klonken als statisch geknetter in zijn oren. Het duurde niet lang of hij vocht tegen de neiging om zijn ogen even te sluiten. Will was die ochtend om een uur of zes zijn bed in getuimeld, in de hoop dat hij nog minstens twee uur kon slapen voor hij Faith moest oppikken. Hij had zijn ochtendrituelen een voor een geschrapt, te beginnen met zijn rondje met de hond, vervolgens zijn ontbijt en ten slotte zijn gebruikelijke ochtendkoffie. De klok had elk uur met martelende traagheid weggetikt en om de twintig minuten waren zijn ogen opengevlogen en dan dacht hij met bonkend hart dat hij nog steeds vastzat in dat hol.

Wills arm begon weer te jeuken, maar hij durfde niet te krabben, want hij wilde Faiths aandacht er niet op vestigen. Telkens als hij aan het hol dacht, aan die ratten die zijn armen als ladder hadden gebruikt, kreeg hij kippenvel. Het aantal littekens op zijn lichaam in aanmerking genomen was het dwaas dat Will zich druk maakte om een paar schrammetjes die uiteindelijk zouden genezen zonder een spoor achter te laten, maar het bleef hem bezighouden, en hoe meer het hem bezighield, hoe erger de jeuk werd.

'Denk je dat dat verhaal over die Kidney Killer het nieuws al heeft gehaald?' vroeg hij aan Faith.

'Ik hoop het, want als de waarheid dan naar buiten komt, weet iedereen wat een domme lullen die sukkels uit Rockdale County zijn.'

'Heb ik je verteld wat Fierro tegen Amanda heeft gezegd?'

Ze schudde haar hoofd, en hij herhaalde Fierro's slecht getimede beschuldiging over Amanda en de kont van

Rockdale County's commissaris van politie.

'Wat heeft ze met hem gedaan?' fluisterde Faith geschrokken.

'Hij is gewoon verdwenen,' zei Will, terwijl hij zijn mobieltje pakte. 'Ik weet niet waar hij naartoe is gegaan, maar ik heb hem nooit meer gezien.' Hij keek op het schermpje om te zien hoe laat het was. 'Over een uur is de autopsie. Als dat gesprek met het jongetje niks oplevert, kunnen we wel naar het mortuarium gaan en Pete vragen of hij wat vroeger wil beginnen.'

'We hebben om twee uur met de Coldfields afgesproken. Ik wil ze wel bellen om te vragen of het rond een uur of twaalf al kan.'

Will wist dat Faith het vreselijk vond om bij een autopsie aanwezig te zijn. 'Zullen we de taken verdelen?'

Blijkbaar kon ze zijn aanbod niet waarderen. 'Laten we eerst maar eens kijken of zij wat vroeger kunnen. Ik denk dat wij niet zo lang bij die sectie hoeven te blijven.'

Will hoopte het van harte. Hij vond het geen prettig vooruitzicht om zich te moeten verdiepen in de gruwelijke details van de marteling die Jacquelyn Zabel had ondergaan voor ze erin slaagde te ontsnappen, om daarna die smak te maken en haar nek te breken terwijl ze op hulp wachtte. 'Misschien hebben we tegen die tijd iets meer. Een bepaalde connectie of zo.'

'Je bedoelt behalve dat beide vrouwen alleenstaand, aantrekkelijk en succesvol waren, en dat zo ongeveer iedereen die met hen in aanraking kwam een hekel aan ze had?'

'Succesvolle vrouwen zijn meestal niet geliefd,' zei Will, en de woorden waren zijn mond nog niet uit of hij besefte hoe seksistisch hij klonk. 'Ik bedoel, heel veel mannen voelen zich bedreigd door...'

'Ik snap het al, Will. Mensen houden gewoon niet van succesvolle vrouwen. Soms zijn andere vrouwen nog erger dan mannen,' voegde ze er wat spijtig aan toe.

Hij wist dat ze waarschijnlijk op Amanda doelde. 'Misschien is dat het motief van onze moordenaar. Hij is boos omdat deze vrouwen succes hebben en geen behoefte hebben aan een man in hun leven.'

Faith sloeg haar armen over elkaar en bekeek de zaak eens van alle kanten. 'Ik snap zijn methode: hij heeft twee vrouwen uitgekozen die niet snel gemist zullen worden, Anna en Jackie Zabel. Eigenlijk drie vrouwen, als je Pauline McGhee ook meetelt.' 'Die heeft lang donker haar en bruine ogen, net als de twee andere slachtoffers. Meestal volgt dat soort man een patroon, valt hij op een bepaald type.' 'Jackie Zabel is maatschappelijk geslaagd. Je zei dat Anna er goed uitzag. McGhee rijdt in een Lexus en ze heeft in haar eentje een kind op de wereld gezet, wat niet gemakkelijk is, neem dat maar van mij aan.' Even zweeg ze, en Will vroeg zich af of ze aan Jeremy dacht. Hij kreeg de tijd niet om ernaar te vragen. 'Het is één ding om prostituees te vermoorden – je moet er minstens vier of vijf hebben gehad voor iemand het doorheeft. Hij heeft het op vrouwen gemunt die echt macht hebben in de wereld. Dus we mogen ervan uitgaan dat hij ze eerst een tijd in de gaten houdt.'

Daar had Will nog niet over nagedacht, maar waarschijnlijk had ze gelijk.

'Misschien ziet hij dat als onderdeel van de jacht,' vervolgde Faith. 'Hij gaat hun gangen na, probeert meer over hun leven te weten te komen. Hij stalkt ze en dan pakt hij ze.'

'Dus waar hebben we het hier over? Een man met een vrouwelijke chef op wie hij niet bepaald dol is? Een eenling die zich door zijn moeder in de steek gelaten voelt? Een bedrogen echtgenoot?' Will staakte zijn poging om hun verdachte te profileren weer snel, want de kenmerken die hij noemde, kwamen hem iets te dicht op de huid.

'Het kan iedereen zijn,' zei Faith. 'Dat is het probleem, dat het iedereen kan zijn.'

In haar stem hoorde Will dezelfde frustratie waarmee hij zelf kampte. Ze wisten allebei dat de zaak een kritiek punt naderde. Van alle misdaden was de ontvoering van een onbekende het moeilijkst op te lossen. Meestal werd het slachtoffer willekeurig gekozen en was de ontvoerder een geoefend jager, die wist hoe hij zijn sporen moest verbergen. Het was puur geluk geweest dat ze de vorige avond op dat hol waren gestuit, maar Will kon niet anders dan hopen dat de ontvoerder slordig werd. Twee van zijn slachtoffers waren per slot van rekening ontsnapt. Misschien was hij wanhopig, niet in vorm. Ze moesten het geluk wel aan hun kant hebben als ze hem wilden pakken.

Will stopte zijn telefoontje weer in zijn zak. Er waren nog geen twaalf uur verstreken, en nu liepen ze al bijna met hun hoofd tegen de muur. Tenzij Anna wakker werd, tenzij Felix hun een concrete aanwijzing gaf, tenzij er op een van de plaatsen delict een spoor werd aangetroffen dat ze konden volgen, waren ze nog steeds niet verder gekomen, en konden ze alleen maar wachten tot het volgende lijk opdook.

Faith dacht blijkbaar over dezelfde problemen na. 'Een nieuw slachtoffer zou hij op een andere plek moeten vasthouden.'

'Ik betwijfel of het weer een hol is,' zei Will. 'Dat graaf je niet zo gemakkelijk. Het is bijna mijn dood geworden toen ik vorig jaar die vijver in mijn achtertuin uitgroef.'

'Heb je een vijver in je achtertuin?'

'Met kois,' deelde hij mee. 'Ik heb er twee volle weekenden over gedaan.'

Ze zweeg weer even, alsof ze nu over zijn vijver nadacht. 'Misschien heeft onze verdachte hulp gehad bij het graven.'

'Seriemoordenaars zijn meestal in hun eentje.'

'En die twee gasten uit Californië dan?'

'Charles Ng en Leonard Lake.' Will wist van de zaak af, een van de langste en kostbaarste uit de geschiedenis van Californië. Lake en Ng hadden in de heuvels een bunker van betonblokken gebouwd en de ruimte uitgerust met allerlei folterinstrumenten en andere hulpmiddelen waarmee ze hun zieke fantasieën uitleefden. Beide mannen hadden opnamen gemaakt terwijl ze met hun slachtoffers bezig waren – mannen, vrouwen en kinderen, van wie sommigen nooit geïdentificeerd waren.

'De Hillside Stranglers werkten ook samen,' vervolgde Faith.

De twee neven hadden hun slachtoffers aan de zelfkant van de samenleving gezocht: prostituees en weggelopen vrouwen. 'Ze droegen een namaakpolitiepenning,' zei Will. 'Zo wonnen ze het vertrouwen van die vrouwen.'

'Dat zoiets mogelijk is, dat wil je toch niet weten?'

Will dacht er net zo over, maar het was wel iets om in het achterhoofd te houden. De BMW van Jackie Zabel was spoorloos. De vrouw bij de City Foods was die ochtend pal naast haar auto ontvoerd. Iemand die zich als politieagent voordeed kon moeiteloos een aanleiding hebben verzonnen om in de buurt van zo'n wagen te moeten zijn.

'Charlie heeft in het hol niets gevonden wat duidt op twee verschillende belagers,' zei Will. 'Aan de andere kant voelde hij er niet veel voor om langer dan noodzakelijk beneden te blijven,' moest hij toegeven.

'Wat was jouw indruk toen je daar beneden was?'

'Dat ik zo snel mogelijk weer weg moest voor ik een hartaanval kreeg,' bekende Will, en de rattenkrabben op zijn armen begonnen weer te jeuken. 'Het is geen plek waar je voor je lol nog even blijft hangen.'

'We zullen de foto's eens bekijken. Misschien hebben Charlie en jij in alle opwinding iets over het hoofd gezien.'

Dat was heel goed mogelijk, besefte Will. Tegen de tijd dat ze weer op het bureau waren lagen de foto's van het hol waarschijnlijk al op zijn kamer. Zonder de beklemming van de plek aan den lijve te ervaren, konden ze alles op hun gemak bekijken.

'We hebben twee slachtoffers, Anna en Jackie. Misschien zijn er ook twee ontvoerders?' Faith koppelde er meteen een conclusie aan vast. 'Als ze op deze manier te werk gaan, en als Pauline McGhee ook in hun handen is gevallen, dan hebben ze een vierde slachtoffer nodig.'

'Hallo!' Het was Leo, die hen wenkte. Hij stond bij een deur met een groot bord erop. 'ARTSENKAMER,' las Faith hardop. Het was een gewoonte geworden die Will afwisselend verafschuwde en waardeerde.

'Succes,' zei Leo, met een schouderklopje voor Will.

'Ga je ervandoor?' vroeg Faith.

'Die dokter heeft me zonet goed door de zeik gehaald.' Leo maakte niet bepaald een aangeslagen indruk. 'Jullie mogen met dat joch praten, maar tenzij het met jullie zaak te maken blijkt te hebben, moeten jullie verder van hem afblijven.'

Will was lichtelijk verbaasd. Leo liet altijd met het grootste genoegen anderen zijn werk opknappen.

'Echt, ik zou dit het liefst aan jullie overdragen,' zei de rechercheur, 'maar mijn bazen zitten me in mijn nek te hijgen. Bij de geringste aanleiding word ik eruit geschopt. Ik heb keiharde feiten nodig voor ik dit kan doorverwijzen zodat jullie op de zaak worden gezet, snap je?'

'We zorgen wel dat je gedekt bent,' beloofde Faith. 'Wil je toch voor ons naar vermiste personen blijven uitkijken? Blank, midden dertig, donkerbruin haar, geslaagd, maar zonder vrienden die hen zullen missen.'

'Bruin en bitchy.' Hij schonk haar een knipoog. 'Er zit niks anders op dan dat ik een beetje als een stille in jullie zaak rondsluip?' Hij scheen er geen moeite mee te hebben. 'Ik ben bij de City Foods, mocht je me nodig hebben. Je hebt mijn nummer.'

Will keek hem na. 'Waarom willen ze Leo kwijt? Anders dan om de voor de hand liggende redenen?'

Faith was een paar jaar lang Leo's naaste collega geweest, en Will zag haar vechten tegen de drang om hem te verdedigen. 'Hij staat boven aan de salarisschaal,' zei ze ten slotte. 'Ze hebben liever zo'n fris knulletje van de straatdienst dat voor de helft van het loon zijn werk doet. En als Leo er vervroegd uit gaat, laat hij ook nog eens twintig procent van zijn pensioen liggen. Voeg daar zijn kwaal bij, en het wordt nog duurder om hem in dienst te houden. Dat zijn de dingen waar de leiding naar kijkt als ze hun budget opstellen.'

Faith wilde de deur al openen, maar bleef staan toen haar mobiel ging. 'Jackies zus,' zei ze na een blik op het schermpje. Met een knikje naar Will ten teken dat hij alvast naar binnen moest gaan, nam ze op.

Wills hand was klam van het zweet toen hij die plat op

de houten deur legde. Zijn hart deed iets merkwaardigs –
alsof het opeens dubbel zo snel ging. Hij schreef het toe
aan slaapgebrek en de enorme sluut warme chocolademelk
van die ochtend. Toen zag hij Sara Linton, en weer gaf zijn
hart een roffel.

Ze zat op een stoel bij het raam, met Felix McGhee op
schoot. De jongen was al bijna te groot, maar dat scheen
voor Sara geen probleem te zijn. Ze had haar ene arm om
zijn middel geslagen en de andere om zijn schouders. Terwijl ze troostend in zijn oor fluisterde, streelde ze zijn
haar.

Sara had even opgekeken toen Will de kamer binnen
kwam, maar ze liet zich niet door hem afleiden. Felix
staarde met lege blik uit het raam. Zijn mond stond iets
open. Sara knikte naar een stoel tegenover haar, en uit het
feit dat die nog geen vijftien centimeter van haar knie verwijderd was, concludeerde Will dat Leo die net verlaten
had. Hij trok de stoel een halve meter naar achteren en
ging zitten.

'Felix.' Sara klonk kalm en beheerst, en ze sprak op dezelfde toon die ze de vorige avond tegenover Anna had gebruikt. 'Dit is agent Trent. Hij is van de politie en hij gaat
je helpen.'

Felix bleef uit het raam staren. Het was fris in de kamer,
maar Will zag dat het haar van de jongen vochtig was van
het zweet. Er rolde een druppeltje over zijn wang, en Will
pakte zijn zakdoek om het af te vegen. Toen hij weer naar
Sara keek, zat ze naar hem te staren alsof hij een konijn
uit zijn zak had getoverd.

'Oude gewoonte,' mompelde Will gegeneerd terwijl hij
de zakdoek dubbelvouwde. In de loop van de tijd was het
hem herhaaldelijk duidelijk gemaakt dat alleen oude man-
netjes en dandy's een zakdoek bij zich droegen, maar de
jongens van het kindertehuis moesten er altijd een op zak
hebben, en als hij hem weleens vergat, voelde Will zich
naakt.

Sara schudde haar hoofd, als om aan te geven dat het
niet erg was. Ze drukte haar lippen op Felix' bolletje. Het
kind verroerde zich niet, maar Will had hem even zijn

kant op zien kijken om te zien wat hij deed.

'Wat is dat?' vroeg Will toen hij de boekentas zag die naast Sara's stoel stond. Naar de stripfiguurtjes en felle kleuren te oordelen was hij van Felix. Will trok de tas naar zich toe en ritste hem open. Nadat hij wat gekleurde confetti opzij had geveegd, onderzocht hij de inhoud.

Leo had ongetwijfeld de hele tas al doorgenomen, maar Will haalde elk voorwerp er weer uit alsof hij het nauwgezet op sporen onderzocht. 'Mooie potloden.' Hij hield een doosje kleurpotloden omhoog. Het was zwart, niet een kleur die je bij kinderspullen verwachtte. 'Deze zijn voor grote mensen. Je kunt vast heel goed tekenen.'

Will verwachtte geen antwoord, en dat gaf Felix ook niet, maar hij lette nu wel heel goed op, alsof hij bang was dat Will iets uit zijn tas zou meenemen.

Vervolgens sloeg Will een map open. Op de voorkant stond een overdadig versierd wapen, hoogstwaarschijnlijk van de particuliere school die Felix bezocht. In een van de vakken zaten officieel uitziende brieven van de school. In een ander vak zat iets wat op huiswerk leek. Will kon de brieven niet lezen, maar aan de dubbele lijntjes op het huiswerk zag hij dat Felix leerde om in een rechte lijn te schrijven.

Hij liet het aan Sara zien. 'Hij kan mooi schrijven.'

'Inderdaad,' beaamde Sara. Ze hield Will al even scherp in de gaten als Felix dat deed, en Will moest haar snel uit zijn gedachten zetten omdat hij anders zijn werk niet kon doen. Ze was veel te mooi en veel te slim en ze bezat veel te veel eigenschappen waaraan het Will ontbrak.

Hij stopte de map weer in de tas en haalde er drie dunne boekjes uit. Zelfs Will kon de eerste drie letters van het alfabet onderscheiden die het omslag van het eerste boek sierden. De overige twee waren een raadsel voor hem en hij stak ze omhoog. 'Waar gaan deze boeken over?' vroeg hij aan Felix. Toen de jongen geen antwoord gaf, keek Will weer naar de omslagen en tuurde naar de afbeeldingen. 'Ik denk dat dit biggetje in een restaurant werkt, want hij serveert pannenkoeken.' Will keek naar het volgende boek. 'En dit muisje zit op een broodtrommeltje. Ik denk dat ie-

mand hem straks als middagmaaltje gaat oppeuzelen.'
'Nee.' Felix sprak zo zacht dat Will niet zeker wist of hij
wel echt iets gezegd had.
'Nee?' Will keek weer naar het muisje. Het mooie van
kinderen was dat je doodeerlijk kon zijn en dan dachten
ze nog dat je ze plaagde. 'Ik kan niet goed lezen. Wat staat
hier?'
Felix ging verzitten, en Sara draaide hem naar Will toe.
Het jongetje stak zijn handen naar de boeken uit, maar
in plaats van Wills vraag te beantwoorden drukte hij ze
stevig tegen zijn borst. Zijn onderlip begon te trillen. 'Je
moeder leest je altijd voor, hè?' gokte Will.
Hij knikte, en dikke, vette tranen biggelden over zijn
wangen.
Met zijn ellebogen op zijn knieën leunde Will naar voren. 'Ik ga uitzoeken waar je moeder is.'
Felix slikte, alsof hij zijn verdriet probeerde te onderdrukken. 'Die grote man heeft haar meegenomen.'
Will wist dat alle volwassenen in de ogen van een kind
groot waren. Hij ging rechtop zitten. 'Was hij even groot
als ik?' vroeg hij.
Voor het eerst sinds Will de kamer was binnen gelopen
keek Felix hem recht in de ogen. Hij leek over de vraag na
te denken en schudde toen zijn hoofd.
'En die rechercheur die hier net was – die een beetje
stonk? Was de man net zo groot als hij?'
Felix knikte.
Will probeerde de zaak niet te haasten en zijn vragen zo
terloops mogelijk te stellen, zodat Felix kon antwoorden
zonder het gevoel te hebben dat hij verhoord werd. 'Had
hij net zulk haar als ik, of was het donkerder?'
'Donkerder.'
Will knikte en krabde over zijn kin, alsof hij alle mogelijkheden overwoog. Het was bekend dat kinderen onbe-
trouwbare getuigen waren. Ze wilden de volwassenen die
hen ondervroegen een plezier doen, of ze stonden zo open
voor suggestie dat je zo ongeveer elk idee in hun hoofd
kon planten en dan zouden ze nog zweren dat het echt
gebeurd was.

'Wat weet je van zijn gezicht?' vroeg Will. 'Had hij een behaard gezicht? Of was het glad, net als het mijne?'
'Hij had een snor.'
'Heeft hij iets tegen je gezegd?'
'Hij zei dat mama had gezegd dat ik in de auto moest blijven.'
Nu ging Will uiterst voorzichtig te werk. 'Droeg hij een uniform, zoals een huismeester of een brandweerman of een politieagent?'
Felix schudde zijn hoofd. 'Hij had gewone kleren aan.'
Will voelde het bloed naar zijn wangen stijgen. Hij wist dat Sara hem aankeek. Haar man was bij de politie geweest en ze stelde de insinuatie vast niet op prijs.
'Wat voor kleur hadden zijn kleren?'
Felix haalde zijn schouders op, en Will vroeg zich af of hij genoeg had van al het gevraag of het zich echt niet meer kon herinneren.
De jongen peuterde aan de rand van zijn boek. 'Hij droeg net zo'n pak als Morgan.'
'Is Morgan een vriend van je moeder?'
Hij knikte. 'Hij is van haar werk, maar ze is boos op hem omdat hij liegt en het haar moeilijk probeert te maken, maar ze geeft hem niet zijn zin, vanwege de kluis.'
Will vroeg zich af of Felix telefoontjes had afgeluisterd of dat Pauline McGhee het type vrouw was dat haar hart luchtte tegenover een zesjarig jongetje. 'Kun je je verder nog iets herinneren van de man die je moeder heeft meegenomen?'
'Hij zei dat hij me pijn zou doen als ik iemand over hem vertelde.'
Will vertrok geen spier, evenmin als Felix zelf. 'Je bent niet bang voor die man,' zei hij. Het was geen vraag, maar een constatering.
'Mijn mama zegt dat zij ervoor zal zorgen dat niemand me pijn doet.'
Hij leek zo zeker van zichzelf dat Will slechts respect voelde voor Pauline McGhees ouderlijke kwaliteiten. In de loop van zijn carrière had hij talloze kinderen ondervraagd, en hoewel de meesten dol waren op hun ouders,

waren er niet veel die van zo'n blind vertrouwen blijk hadden gegeven.

'Dat is zo,' zei Will. 'Niemand zal jou pijn doen.'

'Mijn mama beschermt me,' benadrukte Felix, maar Will vroeg zich af of hij er wel zo zeker van was. Meestal stelde je een kind pas gerust als er sprake was van echte angst die je probeerde te bezweren.

'Was je moeder bang dat iemand je pijn zou doen?' vroeg Will.

Felix peuterde weer aan de omslag van het boek. Hij gaf een bijna onmerkbaar knikje.

Om niet te veel druk uit te oefenen wachtte Will even met zijn volgende vraag. 'Voor wie was ze bang, Felix?'

Hij sprak heel zachtjes, bijna fluisterend. 'Voor haar broer.'

Een broer. Dan was het misschien toch een familiekwestie. 'Heeft ze je verteld hoe hij heet?'

De jongen schudde zijn hoofd. 'Ik heb hem nooit gezien, maar hij was slecht.'

Terwijl Will de jongen aankeek, probeerde hij te bedenken hoe hij zijn volgende vraag moest inkleden. 'Hoezo slecht?'

'Gemeen,' zei Felix. 'Ze zei dat hij gemeen was, en dat ze me tegen hem zou beschermen omdat ze van mij het meeste houdt van de hele wereld.' Hij klonk beslist, alsof dat alles was wat hij over de zaak kwijt wilde. 'Mag ik nu naar huis?'

Will had liever een mes in zijn borst gehad dan dat hij deze vraag moest beantwoorden. Hulpzoekend keek hij Sara aan, en nu nam zij het over. 'Weet je nog van die mevrouw van zonet? Nancy?'

Felix knikte.

'Zij is iemand aan het zoeken die voor je gaat zorgen tot je moeder je weer komt halen.'

De tranen sprongen de jongen in de ogen. Will begreep het maar al te goed. Die Nancy was waarschijnlijk maatschappelijk werkster en zo ongeveer het tegenovergestelde van de vrouwen op Felix' particuliere school of de bemiddelde vriendinnen van zijn moeder.

'Ik wil naar huis,' zei hij.

'Dat weet ik, lieverd,' zei Sara troostend. 'Maar als je naar huis gaat, ben je helemaal alleen. We moeten zeker weten dat je veilig bent tot je moeder je komt halen.'

Hij leek niet overtuigd.

Will liet zich op een knie zakken om de jongen in zijn gezicht te kunnen kijken. Toen hij zijn arm om Felix' schouders sloeg, streken zijn vingers per ongeluk langs Sara's arm. Will kreeg een brok in zijn keel en hij slikte voor hij iets kon zeggen. 'Kijk me eens aan, Felix.' Hij wachtte tot de jongen aan zijn verzoek voldeed. 'Ik zal ervoor zorgen dat je moeder terugkomt, maar dan moet jij beloven dat je flink bent terwijl ik mijn best ga doen.'

Felix' gezichtje was zo open en vol vertrouwen dat het pijnlijk was om naar te kijken. 'Hoe lang duurt dat dan?' Zijn stem haperde even.

'Misschien een week, hooguit,' zei Will, die moeite moest doen om zijn blik niet af te wenden. Als Pauline McGhee na een week nog vermist werd, was ze dood, en dan was Felix wees. 'Geef je me een week?'

De jongen bleef Will aankijken, alsof hij nog niet helemaal geloofde dat hij de waarheid sprak. Ten slotte knikte hij.

'Afgesproken,' zei Will, maar het was alsof er een aambeeld op zijn borst was gezet. Hij zag dat Faith op een stoel naast de deur zat, en hij vroeg zich af wanneer ze was binnengekomen. Ze ging staan en met een knikje gaf ze aan dat ze hem wilde spreken. Will klopte Felix op zijn been, waarna hij achter Faith aan de gang op liep.

'Ik zal Leo over die broer vertellen,' zei ze. 'Zo te horen is het een familieruzie.'

'Waarschijnlijk.' Will wierp een blik op de gesloten deur. Hij wilde weer naar binnen, maar niet vanwege Felix. 'Wat had Jackies zus te melden?'

'Ze heet Joelyn,' deelde Faith mee. 'Ze is er niet bepaald kapot van dat haar zuster is vermoord.'

'Wat bedoel je?'

'Bitcherigheid is waarschijnlijk erfelijk.'

Wills wenkbrauwen schoten omhoog.

'Ik heb gewoon mijn dag niet,' zei Faith, hoewel dat amper een verklaring was. 'Joelyn woont in North Carolina. Ze zei dat ze er een uur of vijf over zou doen om hiernaartoe te rijden. O, en ze gaat de politie aanklagen en zorgen dat wij ontslagen worden als we de vent niet pakken die haar zus heeft vermoord,' voegde ze eraan toe, alsof ze het bijna zou vergeten.

'Zo eentje dus,' zei Will. Hij wist niet wat erger was: familieleden die zo door verdriet overmand waren dat het was alsof ze je hart samenknepen, of verwanten die zo boos waren dat je het gevoel kreeg dat je iets lagergelegen delen werden fijngeknepen.

'Misschien moet jij het nog eens proberen met Felix,' zei hij.

'Zo te zien is hij helemaal op,' antwoordde Faith. 'Ik denk niet dat ik meer uit hem krijg dan jij.'

'Maar met een vrouw praat hij misschien...'

'Je bent anders heel goed met kinderen,' onderbrak Faith hem, en in haar stem klonk verbazing door. 'Je hebt in elk geval meer geduld dan ik op dit moment.'

Will maakte een achteloos gebaar. In het kindertehuis had hij soms met de kleintjes geholpen, vooral om te voorkomen dat de nieuwe kinderen de hele nacht lagen te huilen en iedereen uit de slaap hielden. 'Heb je het nummer van Paulines werk nog van Leo gekregen?' vroeg hij. Faith knikte. 'We moeten ze eens bellen en vragen of er een zekere Morgan werkt. Volgens Felix ging de ontvoerder net zo gekleed als hij – misschien heeft die Morgan een pak dat hij veel draagt. Bovendien is onze man ongeveer een meter vijfenzestig en heeft hij donker haar en een snor.'

'Die snor kan nep zijn.'

Dat moest Will toegeven. 'Felix is slim voor zijn leeftijd, maar ik betwijfel of hij het verschil tussen echt en nep ziet. Misschien dat Sara nog iets uit hem krijgt,' opperde hij.

'Geef die twee nog een paar minuten,' stelde Faith voor. 'Je klinkt alsof je denkt dat Pauline een van onze slachtoffers is.'

'Wat denk jij?'

'Ik vroeg het het eerst.'

Will zuchtte. 'Mijn gevoel zegt dat het zo is. Pauline is welgesteld, heeft een goede baan. Ze heeft bruin haar en bruine ogen.' Hij haalde zijn schouders op en nu sprak hij zichzelf tegen. 'Niet veel om op af te gaan.'

'Meer dan we hadden toen we vanochtend uit bed stapten,' wierp ze tegen, maar hij wist niet of ze zich naar zijn intuïtie voegde of naar strohalmen greep. 'We moeten heel voorzichtig te werk gaan. Ik wil niet dat Leo in de problemen komt omdat wij in zijn zaak lopen te grasduinen, om hem vervolgens aan zijn lot over te laten als het niks oplevert.'

'Dat spreekt voor zich.'

'Ik bel wel naar het werk van Pauline McGhee en vraag naar Morgans pakken. Misschien dat ik informatie uit ze krijg zonder dat ik Leo op zijn tenen hoef te trappen.'

Faith pakte haar mobiel en keek op het schermpje. 'Mijn batterij is leeg.'

'Alsjeblieft.' Will reikte haar zijn telefoon aan. Ze pakte het voorzichtig met twee handen aan en toetste een nummer uit haar notitieboekje in. Will vroeg zich af of hij er net zo dom uitzag als Faith als hij de twee stukken van zijn mobiel tegen zijn gezicht hield gedrukt. Waarschijnlijk nog dommer, bedacht hij. Faith was niet echt zijn type, maar ze was een aantrekkelijke vrouw, en aantrekkelijke vrouwen kwamen met heel veel weg. Sara Linton, bijvoorbeeld, zou waarschijnlijk nog met moord wegkomen.

'Sorry,' sprak Faith in het telefoontje, en ze verhief haar stem. 'Ik kan u niet zo goed verstaan.' Na Will een beschuldigende blik te hebben toegeworpen liep ze naar het uiteinde van de gang, waar de ontvangst beter was.

Will leunde tegen de deurpost. Het vervangen van de telefoon vormde een bijna onoverkomelijk probleem, van het soort dat Angie meestal voor hem opknapte. Hij had een poging gedaan het apparaat te vervangen door het telefoonbedrijf te bellen, maar toen had hij te horen gekregen dat hij naar de winkel moest om allerlei documenten in te vullen. Stel dat een dergelijk wonder zich voltrok, dan moest Will altijd nog uitdokteren hoe de nieuwe functies op zijn telefoontje werkten: hoe hij een niet al te irritante ringtone moest kiezen, hoe hij de nummers moest invoeren die hij voor zijn werk nodig had. Hij zou het Faith kunnen vragen, maar zijn trots bleef hem parten spelen. Hij wist dat ze hem graag wilde helpen, maar dan zou ze ook het naadje van de kous willen weten.

Voor het eerst in zijn volwassen leven hoopte Will dat Angie bij hem terug zou komen.

Hij voelde een hand op zijn arm en vervolgens hoorde hij iemand 'Sorry' zeggen. Een slanke brunette opende de deur naar de artsenkamer. Hij vermoedde dat het Nancy van maatschappelijk werk was, die Felix kwam halen. Zo vroeg op de dag zou de jongen niet meteen naar een tehuis worden gebracht. Misschien was er een pleeggezin gevonden dat hem tijdelijk onderdak kon bieden. Hopelijk had Nancy dit werk al zo lang gedaan dat ze een paar goede gezinnen kende die haar nog iets verschuldigd waren. Het was moeilijk om kinderen te plaatsen van wie de situatie ongewis was. Wills eigen situatie was zo lang ongewis geweest dat hij uiteindelijk te oud was om nog geadopteerd te kunnen worden.

Faith was terug. Met een afkeurende frons gaf ze het telefoontje weer aan Will. 'Je zou beter eens een nieuw kopen.'

'Waarom?' vroeg hij, terwijl hij het apparaat opborg. 'Het doet het nog goed.'

Ze negeerde zijn flagrante leugen. 'Morgan draagt uitsluitend Armani, en hij is ervan overtuigd dat hij de enige man in heel Atlanta is die voldoende stijl heeft om dat ongestraft te kunnen.'

'We hebben het dus over een pak van tussen de tweeënhalf- en vijfduizend dollar.'

'Naar zijn hooghartige toon te oordelen wil ik wedden dat het tot de duurdere categorie behoort. Hij heeft me ook verteld dat Pauline McGhee al minstens twintig jaar van haar familie vervreemd is,' voegde ze eraan toe. 'Volgens hem is ze op haar zeventiende weggelopen en nooit meer terug geweest. Hij heeft haar nog nooit iets over een broer horen vertellen.'

'Hoe oud is Pauline inmiddels?'

'Zevenendertig.'

'Wist Morgan hoe we haar familie kunnen bereiken?'

'Hij weet niet eens uit welke staat ze komt. Ze heeft nooit veel over haar verleden losgelaten. Ik heb een bericht op Leo's mobiel ingesproken. Wedden dat hij die broer nog voor het eind van de dag gevonden heeft? Waarschijnlijk trekt hij op dit moment alle vingerafdrukken na die op haar auto zaten.'

'Zou ze een andere naam hebben aangenomen? Je loopt niet zomaar op je zeventiende van huis weg. Financieel heeft Pauline het goed voor elkaar. Misschien moest ze daarvoor eerst haar naam veranderen.'

'Wat Jackie betreft, die had nog contact met haar familie en heeft haar naam niet veranderd. Haar zus heette ook Zabel.' Faith moest lachen. 'Al hun namen rijmen op elkaar: Gwendolyn, Jacquelyn, Joelyn. Raar, vind je niet?'

Will haalde zijn schouders op. Hij had nooit rijm in woorden kunnen ontdekken, een tekortkoming die mogelijk met zijn leesproblemen samenhing. Gelukkig was het niet iets waar hij vaak mee te maken kreeg.

'Ik weet niet wat het is,' vervolgde Faith, 'maar als je een baby krijgt, vind je de stomste namen vaak mooi.' Haar stem kreeg iets weemoedigs. 'Ik had Jeremy bijna Fernando Romantico genoemd, naar een van de jongens van Menudo. Godzijdank stak mijn moeder daar een stokje voor.'

De deur ging open. Sara Linton voegde zich bij hen op de gang. Ze trok het soort gezicht dat je verwachtte bij iemand die net een verlaten kind aan maatschappelijk werk had overgedragen. Will gaf niet graag af op het systeem, maar de maatschappelijk werkers konden nog zo aardig zijn en nog zo hun best doen, ze waren met veel te weinig en ze ontvingen bij lange na niet de steun die ze nodig hadden. Voeg daarbij dat pleegouders het zout der aarde waren of anders op geld beluste, sadistische kinderhaters, en het was al snel duidelijk hoe hopeloos de hele onderneming kon zijn. Helaas zou Felix McGhee de rekening gepresenteerd krijgen.

'Dat heb je goed gedaan, daarnet,' zei Sara tegen Will.

Hij bedwong de neiging om te glimlachen als een kind dat zojuist een schouderklopje heeft ontvangen.

'Heeft Felix verder nog iets gezegd?' vroeg Faith.

Sara schudde haar hoofd. 'Hoe voel je je nu?'

'Een stuk beter,' antwoordde Faith, met iets afwerends in haar toon.

'Ik heb over dat tweede slachtoffer gehoord, die vrouw die jullie gisteravond hebben gevonden,' zei Sara.

'Will heeft haar gevonden.' Faith zweeg even, alsof ze nog meer informatie verwachtte. 'Dit mag niet uitlekken, maar ze heeft haar nek gebroken toen ze half uit een boom tuimelde.'

Sara keek bedenkelijk. 'Wat deed ze in die boom?'

Will nam het van Faith over. 'Daar zat ze te wachten tot wij haar zouden vinden. Kennelijk waren we er niet snel genoeg bij.'

'Je weet toch niet hoe lang ze in die boom heeft gezeten?' zei Sara. 'Het tijdstip van overlijden vaststellen behoort niet tot de exacte wetenschappen.'

'Haar bloed was nog warm,' was zijn antwoord. Weer voelde hij die duistere wolk over zich komen toen hij aan het warme vocht dacht dat in zijn nek was gedruppeld.

'Het bloed kan om andere redenen nog warm zijn geweest. Als ze in een boom zat, fungeerden de bladeren wellicht als isolatie tegen de kou. Misschien heeft haar ontvoerder haar medicijnen toegediend. Er zijn verschillende geneesmiddelen die de lichaamstemperatuur doen stijgen, en dat blijft nog een tijdje zo, ook na het overlijden.'

'Het bloed had nog geen tijd gehad om te stollen,' bracht Will hiertegen in.

'Iets simpels als een paar aspirientjes kunnen het stollingsproces al vertragen.'

'Jackie had een grote pot aspirine bij haar bed staan,' merkte Faith op. 'Die was halfleeg.'

Will was niet overtuigd, maar Sara was alweer op een ander onderwerp overgegaan. 'Is Pete Hanson nog steeds lijkschouwer in dit district?' vroeg ze aan Faith.

'Ken je Pete dan?'

'Hij is een uitstekende patholoog-anatoom. Na mijn verkiezing heb ik een paar cursussen bij hem gevolgd.'

Will was vergeten dat de functie van lijkschouwer in kleine stadjes iets was waarvoor je gekozen moest worden. Hij kon zich Sara's gezicht niet op een verkiezingsplakkaat voorstellen.

'Toevallig wilden we net naar hem toe voor de sectie op het tweede slachtoffer,' zei Faith.

Sara leek te aarzelen. 'Ik heb vandaag een vrije dag.'

'Tja,' zei Faith, en ze wachtte even voor ze verderging. 'Prettige dag dan maar.' Ze zei het bij wijze van afscheid, maar ze maakte geen aanstalten om te vertrekken.

In de stilte van de gang hoorde Will het geklik van hoge hakken op de tegels achter hem. Amanda Wagner kwam met kordate pas op hen af lopen. Ze maakte een uitgeruste indruk, ook al was ze even lang als Will in het bos gebleven. Haar kapsel was de gebruikelijke strakke helm en ze droeg een broekpak van ingetogen donkerpaars.

Zoals gewoonlijk kwam ze onmiddellijk ter zake. 'Die bloederige vingerafdruk op het rijbewijs van Jacquelyn Zabel is van ons eerste slachtoffer. Noemen jullie haar nog steeds Anna?' Ze gaf hun geen tijd om te antwoorden. 'Houdt die ontvoering bij de supermarkt verband met onze zaak?'

'Het is niet onmogelijk,' zei Will. 'De moeder is vanochtend rond halfzes ontvoerd. Haar zoontje, Felix, is slapend in zijn moeders auto aangetroffen. We hebben een vaag signalement uit hem los kunnen krijgen, maar hij is nog maar zes. De politie van Atlanta werkt mee. Voor zover ik weet hebben ze nog niet om assistentie gevraagd.'

'Wie zit erop?'

'Leo Donnelly.'

'Waardeloos,' bromde Amanda. 'Voorlopig mag hij op die zaak blijven, maar hou hem heel kort. Laat Atlanta het sleurwerk maar doen en voor de kosten van de technische recherche opdraaien, maar als hij de zaak begint te verknallen, haal je hem er onmiddellijk af.'

'Dat zal hij niet leuk vinden,' zei Faith.

'Denk je dat dat me ook maar ene moer interesseert?'

Ze wachtte niet op antwoord. 'Onze vrienden in Rockdale County schijnen er spijt van te hebben dat ze hun zaak aan ons hebben overgedragen,' deelde ze mee. 'Over vijf minuten is er buiten een persconferentie die ik heb belegd en waarbij ik Faith en jou naast me wil hebben. Jullie trekken een geruststellend gezicht wanneer ik het grote publiek verzeker dat hun nieren niets te duchten hebben van gewetenloze orgaanrovers.' Ze stak haar hand naar Sara uit. 'Dokter Linton, ik denk niet dat ik overdrijf als ik zeg dat we elkaar deze keer onder gunstiger omstandigheden ontmoeten.'

Sara nam haar hand aan. 'Dat geldt in elk geval voor mij.'

'Het was een aangrijpende dienst. Een passend eerbetoon aan een geweldige politieman.'

'O...' Beduusd liet Sara haar stem wegsterven. Tranen vulden haar ogen. 'Ik besefte niet dat u...' Ze kuchte en probeerde zichzelf weer in de hand te krijgen. 'Die dag is nog steeds heel wazig voor me.'

Amanda keek haar onderzoekend aan, en haar stem was verbazend mild. 'Hoe lang is het nu geleden?'

'Drieënhalf jaar.'

'Ik heb gehoord wat er in Coastal is gebeurd.' Amanda hield nog steeds Sara's hand vast, en Will zag dat ze haar een geruststellend kneepje gaf. 'We zorgen altijd voor onze eigen mensen.'

Sara veegde haar tranen af en keek Faith even aan, alsof ze zich niet goed raad wist. 'Ik wilde trouwens net mijn diensten aan uw agenten aanbieden.'

Will zag dat Faith haar mond opendeed en even snel weer sloot.

'Laat maar horen,' zei Amanda.

'Ik heb het eerste slachtoffer behandeld – Anna. Ik ben niet in de gelegenheid geweest om een volledig onderzoek bij haar te verrichten, maar ik heb wel enige tijd bij haar doorgebracht. Pete Hanson is een van de beste pathologen die ik ooit heb ontmoet, maar als jullie het goedvinden wil ik wel bij de sectie op het tweede slachtoffer aanwezig zijn. Misschien kan ik enig inzicht verschaffen in de verschillen en overeenkomsten tussen die twee.'

Daar hoefde Amanda geen seconde over na te denken. 'Dat sla ik niet af,' zei ze. 'Faith, Will, meekomen. Dokter Linton, over een uur ontvangen mijn agenten u in City Hall East.' Toen niemand zich verroerde, klapte ze in haar handen. 'Kom, we gaan.' Ze was al halverwege de gang toen Faith en Will haar met tegenzin volgden.

Will liep achter Amanda en hield zijn pas in om haar niet onder de voet te lopen. Ze liep snel voor zo'n kleine vrouw, maar hij voelde zich altijd een reus naast haar en probeerde dan ook een respectvolle afstand te bewaren. Neerkijkend op haar achterhoofd vroeg hij zich af of hun moordenaar misschien voor een vrouw als Amanda werkte. Will besefte dat een ander soort man weleens onversneden haat zou kunnen voelen in plaats van de ergernis vermengd met een vleugje vurig verlangen om het haar naar de zin te maken die de oudere vrouw in hem losmaakte.

Met haar hand op zijn arm hield Faith hem tegen. 'Dat is toch niet te geloven?'

'Wat is niet te geloven?'

'Dat Sara zich bij onze autopsie binnendringt.'

'Ze had anders wel gelijk toen ze zei dat ze dan beide slachtoffers heeft gezien.'

'Jij hebt beide slachtoffers ook gezien.'

'Ik ben geen lijkschouwer.'

'Zij ook niet,' beet Faith hem toe. 'Ze is niet eens een echte dokter. Ze is kinderarts. En wat bedoelde Amanda in jezusnaam toen ze het over Coastal had?'

Will was ook nieuwsgierig naar wat er in Coastal State Prison was voorgevallen, maar hij vroeg zich vooral af waarom dat alles Faiths woede opwekte.

'Jullie nemen alle hulp aan die Sara Linton bereid is te bieden,' riep Amanda over haar schouder. Kennelijk had ze hen horen fluisteren. 'Haar man was een van de beste politiemensen in deze staat, en ik zou een kundig arts als Sara elk onderzoek durven toevertrouwen.'

Faith deed niet eens moeite om haar nieuwsgierigheid te bedwingen. 'Wat is er eigenlijk met hem gebeurd?'

'Gedood tijdens het uitoefenen van zijn functie,' was alles wat Amanda kwijt wilde. 'Hoe gaat het trouwens met je, Faith, na die smak van gisteren?'

'O, prima hoor.' Faith klonk ongewoon opgewekt.

'Heeft de dokter je gezond verklaard?'

'Voor de volle honderd procent.' Nu klonk ze nog opgewekter.

'Daar moeten we het nog eens over hebben.' Amanda wuifde de bewakers weg toen ze de hal binnen liepen. Tegen Faith zei ze: 'Ik heb hierna een bespreking met de burgemeester, maar ik verwacht je aan het eind van de dag op mijn kamer.'

'In orde, chef.'

Werd hij nou met de minuut dommer, vroeg Will zich af, of werden de vrouwen in zijn leven gewoon steeds ondoorgrondelijker? Op dat moment had hij echter geen tijd om daarover na te denken. Hij schoof zijn hand langs Amanda en opende de glazen deur van de ingang. Buiten stond een spreekgestoelte, met een kleedje erachter waarop Amanda kon staan. Zoals gewoonlijk stelde Will zich wat terzijde op, in de veilige wetenschap dat de camera's hooguit zijn borst en misschien de knoop in zijn das mee zouden pakken wanneer ze scherp werden gesteld op Amanda. Faith besefte blijkbaar dat zij minder geluk had, en ze trok al bij voorbaat een nors gezicht toen ze achter haar chef ging staan.

De camera's flitsten. Amanda liep naar de microfoons. Luidkeels werden er vragen gesteld, maar pas toen het tumult wat bedaarde, haalde ze een opgevouwen blaadje uit de zak van haar jasje en streek het plat op de lessenaar. 'Ik ben Amanda Wagner, adjunct-hoofd van het district Atlanta van het Georgia Bureau of Investigation.' Ze zweeg even om haar woorden kracht bij te zetten. 'Sommigen van u hebben valse geruchten opgevangen over de zogenaamde Kidney Killer. Ik ben hier gekomen om u te verzekeren dat dit gerucht niet op waarheid berust. Een dergelijke moordenaar waart hier niet rond. De nier van het slachtoffer is niet verwijderd, en er is geen enkele chirurgische ingreep bij haar verricht. De politie van Rockdale

County heeft ontkend dat zij het voornoemde gerucht in de wereld heeft geholpen, en we moeten erop vertrouwen dat onze collega's in deze kwestie de waarheid spreken.' Zonder Faith aan te kijken wist Will dat ze met moeite haar lachen inhield. Ze ergerde zich mateloos aan rechercheur Max Galloway, en Amanda had zojuist het hele politiekorps van Rockdale County in aanwezigheid van de camera's neergesabeld.

'Wat kunt u vertellen over de vrouw die gisteravond naar het Grady is gebracht?' vroeg een van de verslaggevers.

Het was niet de eerste keer dat Amanda meer over hun zaak wist dan Will of Faith haar had verteld. 'Vanmiddag rond één uur hebben we een tekening van het slachtoffer voor u,' luidde haar antwoord.

'Waarom geen foto's?'

'Het slachtoffer heeft een aantal klappen op haar gezicht gehad. Zo willen we de kans vergroten dat iemand uit het publiek haar herkent.'

'Wat is haar prognose?' vroeg een vrouw van CNN.

'Buiten levensgevaar,' klonk het kortaf, en Amanda wees alweer naar de volgende die zijn hand had opgestoken. Het was Sam, de man die naar Faith had geroepen toen ze het ziekenhuis binnen gingen. Voor zover Will kon zien was hij de enige verslaggever die nog op de ouderwetse manier aantekeningen maakte in plaats van een digitale recorder te gebruiken. 'Wat is uw commentaar op de verklaring van Jacquelyn Zabels zus, Joelyn Zabel?'

Het kostte Will moeite om onbewogen voor zich uit te kijken, en zijn kaak verstrakte. In gedachten zag hij Faith hetzelfde doen, want de meute verslaggevers had nog steeds alleen aandacht voor Amanda in plaats van voor de twee geschokte agenten achter haar.

'De familie is uiteraard vreselijk ontzet,' antwoordde Amanda. 'We doen er alles aan om deze zaak op te lossen.'

'Maar u vindt het vast niet prettig dat ze zich in zulke harde bewoordingen over uw organisatie uitlaat,' drong Sam aan.

Naar de uitdrukking op zijn gezicht te oordelen moest

Amanda nu lachen, verbeeldde Will zich. Ze speelden allebei een spelletje, want de journalist wist maar al te goed dat Amanda geen idee had waarop hij doelde.

'Wat de uitspraken van mevrouw Zabel betreft, daarvoor moet u bij haar zijn,' zei ze. 'Ik heb verder geen commentaar.' Amanda beantwoordde nog twee vragen, waarna ze de persconferentie besloot met het gebruikelijke verzoek aan iedereen die over informatie beschikte om zich te melden.

De journalisten gingen uiteen om hun verhaal door te bellen. Ook al hadden ze verzuimd om het misleidende gerucht over de zogenaamde Kidney Killer op feiten te checken, toch zou niemand van hen de verantwoordelijkheid op zich nemen, daarvan was Will overtuigd.

'Ga je gang,' mompelde Amanda tegen Faith, zo zachtjes dat Will haar amper kon verstaan.

Faith had geen uitleg nodig, en ondersteuning al evenmin, maar toch greep ze Wills arm vast toen ze zich naar de groep verslaggevers begaf. Ze liep vlak langs Sam, en waarschijnlijk had ze iets tegen hem gezegd, want hij volgde haar naar een smal steegje tussen het ziekenhuis en de parkeergarage.

'Ik had die draak mooi te pakken, hè?' zei hij.

Faith wees naar Will. 'Agent Trent, dit is Sam Lawson, klootzak van beroep.'

Sam schonk hem een glimlach. 'Aangenaam kennis te maken.'

Will antwoordde niet, wat Sam geen enkel probleem scheen te vinden. De journalist was meer in Faith geïnteresseerd. Hij nam haar met zo'n roofdierachtige blik in zijn ogen op dat Will een soort oerdrang in zich voelde opkomen om hem eens flink op zijn bek te slaan.

'Shit, Faith,' zei Sam, 'wat zie jij er lekker uit.'

'Amanda is pissig op je.'

'Is ze dat niet altijd?'

'Je wilt echt geen ruzie met haar hebben, Sam. Je weet vast nog wel wat er de vorige keer is gebeurd.'

'Dat weet ik niet, dat is het mooie van zuipen.' Weer grijnsde hij terwijl hij haar van top tot teen bekeek. 'Je ziet er echt goed uit, schat. Fantastisch gewoon.'

Ze schudde haar hoofd, hoewel Will zag dat ze zich al bijna liet vermurwen. Hij had haar nooit eerder naar een man zien kijken zoals ze nu naar Sam Lawson keek. Er speelde absoluut nog iets tussen die twee, dat stond vast. Will had zich zelden zo overbodig gevoeld.

Gelukkig leek Faith te beseffen dat ze hier met een bepaalde bedoeling was. 'Heeft Rockdale je met Zabels zus in contact gebracht?'

'Journalistieke bronnen zijn vertrouwelijk,' antwoordde Sam, waarmee hij haar vermoeden zo goed als bevestigde.

'Wat houdt die verklaring van Joelyn in?' wilde Faith weten.

'Kort samengevat beweert ze dat jullie drie uur lang hebben staan hakketakken over wie de zaak zou krijgen, terwijl haar zus boven in een boom aan het doodgaan was.'

Faith trok haar lippen tot een dunne witte streep. Will voelde zich misselijk worden. Sam had ongetwijfeld vlak na Faith met die zus gepraat, en daarom wist hij zo zeker dat Amanda in het duister tastte.

'Heb jij Zabel die informatie gegeven?' vroeg Faith ten slotte.

'Daarvoor ken je me te goed.'

'Rockdale heeft haar die informatie toegespeeld, en toen heb jij het uit haar mond opgetekend.'

Hij haalde zijn schouders op, maar Faith wist genoeg. 'Ik ben verslaggever, Faith. Ik doe gewoon mijn werk.'

'Wat een rotwerk: treurende familieleden in de val laten lopen, afgeven op de politie, dingen in de krant zetten waarvan je weet dat het leugens zijn.'

'Dan snap je meteen waarom ik jarenlang aan de drank ben geweest.'

Faith zette haar handen in haar zij en slaakte een diepe, geërgerde zucht. 'Dat van Jackie Zabel klopt niet.'

'Tot die conclusie was ik ook al gekomen.' Sam pakte pen en notitieblok. 'Geef me eens een andere opening.'

'Je weet dat ik niet...'

'Vertel eens over dat hol. Ik heb gehoord dat hij daarbeneden een scheepsaccu had om ze mee te martelen.'

Dat van die scheepsaccu behoorde tot de zogenoemde 'schuldige kennis', het soort informatie dat alleen de moordenaar kon weten. Een handjevol mensen had het bewijsmateriaal gezien dat Charlie Reed onder de grond had verzameld, en die mensen droegen stuk voor stuk een penning. Tenminste, nog wel.

Faith verwoordde Wills gedachten. 'Een van beiden voorziet je van inside-information, Galloway of Fierro. Zij mogen ons verneuken en jij krijgt je verhaal op de voorpagina. Een win-winsituatie, niet?'

Sam grijnsde al zijn tanden bloot, en dat zei genoeg. 'Waarom zou ik met die lui van Rockdale praten als jij mijn informant in deze zaak bent?' vroeg hij niettemin.

De laatste weken had Will Faiths humeur van het ene moment op het andere zien omslaan, en het was voor de verandering prettig om eens niet in de vuurlinie te staan. 'Ik ben helemaal niks van jou, klootzak,' zei ze tegen Sam, 'en van je feiten klopt geen bal.'

'Vertel dan maar eens hoe het wel zit, schat.'

Ze leek bijna toe te geven, maar op het laatste moment kreeg haar gezonde verstand de overhand. 'Het GDI geeft geen officieel commentaar op de uitspraken van Joelyn Zabel.'

'Mag ik je citeren?'

'Citeer jij dit maar, schat.'

Will volgde Faith naar de auto, maar eerst keek hij de journalist even glimlachend aan. Hij wist bijna zeker dat het gebaar dat Faith had gemaakt niet voor publicatie in aanmerking kwam.

Negen

Drieënhalf jaar lang had Sara er alles aan gedaan om ontkenning tot kunst te verheffen, en het was dan ook geen verrassing toen ze pas na een vol uur besefte wat een vreselijke vergissing ze had gemaakt door haar diensten aan Amanda Wagner aan te bieden. Tijdens dat uur was ze naar huis gegaan om zich te douchen en om te kleden, vervolgens was ze naar City Hall East gereden, en pas toen ze in het souterrain was, drong de waarheid als een mokerslag tot haar door. Haar hand lag al op de deur met het bordje GBI PATHOLOOG-ANATOOM toen ze opeens stopte, niet in staat om verder te gaan. Een nieuwe stad. Een nieuw mortuarium. Een nieuwe manier om Jeffrey te missen.

Mocht ze wel toegeven dat ze het altijd heerlijk had gevonden om met haar man samen te werken? Dat ze het gevoel had gehad dat haar leven volmaakt was als ze boven het lichaam van een neergeschoten man of een dronken automobilist naar hem keek? Het leek macaber en dwaas, en nog veel meer van alles wat Sara meende achter zich te hebben gelaten toen ze naar Atlanta verhuisde, maar nu stond ze hier, met haar hand op een deur die de scheiding vormde tussen leven en dood, en ze was niet in staat om hem open te doen.

Met haar rug tegen de muur geleund staarde ze naar de letters die op het matglas waren geschilderd. Was Jeffrey niet hiernaartoe gebracht? En was Pete Hanson niet degene die het prachtige lijf van haar man had ontleed? Sara had het obductierapport nog ergens liggen. Destijds had het van cruciaal belang geleken dat ze over alle informatie beschikte die betrekking had op zijn dood: het toxicologisch verslag, maten en gewichten van organen, weefsel en bot. Jeffrey was onder haar ogen in Grant County gestorven, maar op deze plek, in dit souterrain onder City Hall, was alles wat hem tot een mens had gemaakt verwijderd, gereduceerd en geredigeerd.

Wat had Sara hier eigenlijk naartoe gedreven? Ze dacht aan de mensen die ze in de afgelopen paar uur had ontmoet. Felix McGhee met zijn verloren blik en zijn bleke gezichtje, met zijn trillende onderlip terwijl hij de gangen van het ziekenhuis afzocht naar zijn moeder en volhield dat ze hem nooit alleen zou laten. Will Trent die met zijn zakdoek de tranen van het kind had gedroogd. Sara had altijd gedacht dat haar vader en Jeffrey de enige mannen op aarde waren die nog een zakdoek bij zich droegen. En ten slotte Amanda Wagner, en wat ze over de rouwdienst had gezegd.

Op de dag dat Jeffrey werd begraven had Sara zoveel kalmerende middelen geslikt dat ze nauwelijks op haar benen kon staan. Haar neef had haar de hele tijd met zijn arm ondersteund, hij had haar letterlijk overeind gehouden zodat ze naar Jeffreys graf kon lopen. Sara had haar hand boven de kist gehouden die daar in de grond lag en ze had de handvol aarde niet los willen laten. Uiteindelijk had ze de strijd moeten opgeven. Met haar vuist tegen haar borst geklemd had ze de aarde over haar gezicht willen uitsmeren, willen opzuigen; ze was het liefst bij Jeffrey in de grond gekropen om hem vast te houden tot haar longen geen lucht meer kregen.

Sara stak haar hand in de achterzak van haar jeans en raakte de brief aan. Ze had hem al zo vaak opgevouwen dat de envelop bij de rand ging scheuren, zodat het gele blocnotepapier binnenin zichtbaar werd. Wat zou ze doen als de envelop op een dag plotseling uit elkaar viel? Wat zou ze doen als ze op een dag toevallig haar blik erop liet vallen en het nette handschrift, de gekwelde uitleg of schaamteloze verontschuldigingen zag van de vrouw die Jeffreys dood op haar geweten had?

'Sara Linton!' klonk een luide stem. Pete Hanson kwam

net op dat moment de trap af. Hij droeg een felgekleurd hawaïhemd – zijn favoriete dracht, zoals ze zich nog herinnerde – en de uitdrukking op zijn gezicht was een mengeling van vreugde en nieuwsgierigheid. 'Waaraan heb ik dit ongelooflijke genoegen te danken?'

Ze draaide er niet omheen. 'Ik heb me in een van je zaken weten te wurmen.'

'Aha, de leerling die het van de leraar overneemt.'

'Ik heb anders niet het idee dat je dit alles al op wilt geven.'

Hij schonk haar een dubbelzinnig knipoogje. 'Je weet dat ik het hart van een negentienjarige bezit.'

Sara herkende het aangevertje. 'Heb je dat nog steeds in een pot boven je bureau staan?'

Pete bulderde van het lachen, alsof hij het grapje voor het eerst hoorde.

Sara vond het tijd worden om haar aanwezigheid nader te verklaren. 'Ik heb gisteravond in het ziekenhuis een van de slachtoffers behandeld.'

'Ik heb over haar gehoord. Marteling, aanranding?'

'Ja.'

'En de prognose?'

'Er wordt alles aan gedaan om de infectie de kop in te drukken.' Sara weidde niet uit, maar dat was ook niet nodig. Pete kreeg menig ziekenhuispatiënt onder ogen bij wie de antibiotica niet waren aangeslagen.

'Heb je nog een inwendig sporenonderzoek bij haar verricht?'

'Vóór de operatie was daar niet genoeg tijd meer voor, en daarna...'

'Is de bewijsketen niet langer bruikbaar,' vulde hij aan. Pete kende zijn jurisprudentie. Anna was volgesmeerd met betadine en ze was aan talloze verschillende omgevingen blootgesteld geweest. Een advocaat die zijn geld waard was, kon wel ergens een getuige-deskundige vinden die zou aanvoeren dat een inwendig sporenonderzoek nadat het slachtoffer een operatie had ondergaan te veel besmet materiaal zou opleveren om nog als bewijs te kunnen dienen.

'Ik heb wel een paar splinters onder haar nagels vandaan gehaald,' zei Sara, 'maar ik dacht dat het misschien nuttig was als ik een forensische vergelijking tussen de twee slachtoffers maakte.'

'Een nogal twijfelachtige redenering, maar ik ben zo blij om je te zien dat ik je je gebrekkige logica vergeef.'

Sara lachte. Pete was altijd vrij bot geweest, op een beleefde, typisch zuidelijke manier – en dat was ook een van de redenen waarom hij een fantastische docent was.

'Dank je.'

'Het genoegen van jouw aanwezigheid is meer dan voldoende beloning.' Hij opende de deur en wilde haar voor laten gaan, maar Sara aarzelde. 'Vanuit de gang zie je niet zoveel,' merkte hij op.

Sara probeerde zo onverschrokken mogelijk te kijken en liep achter hem aan het mortuarium binnen. Het eerste wat haar trof was de geur. Ze had altijd gedacht dat 'weeïg' die nog het best omschreef, een woord dat pas betekenis kreeg als je zelf iets weeïgs rook. De overheersende geur was niet van de doden afkomstig, maar van de chemische stoffen die in de ruimte werden gebruikt. Voor het ontleedmes in de huid werd gezet, werd de dode in kaart gebracht, gefotografeerd en doorgelicht, werd hij uitgekleed en met een desinfecterend middel gewassen. Met het ene schoonmaakmiddel werden de vloeren gedweild, en met het andere de roestvrijstalen tafels gewassen, en voor het reinigen en steriliseren van de autopsie-instrumenten werd weer een ander chemisch middel gebruikt. Alles bij elkaar zorgden ze voor een onvergetelijke, ziekelijk zoete geur die tot in je huid doordrong en achter in je neus bleef hangen. Pas als je een tijdlang niet in een mortuarium was geweest, besefte je dat de lucht verdwenen was.

Alsof ze in Petes kielzog werd meegezogen liep Sara het vertrek door naar achteren. Het verschil tussen het mortuarium en de niet-aflatende bedrijvigheid van het Grady was even groot als dat tussen Grant County en Grand Central Station. In tegenstelling tot de eindeloze stoet patiënten die op de afdeling Spoed voorbijtrok, was een sectie een vastomlijnde vraag waar bijna altijd een antwoord op te vinden was. Bloed, lichaamsvocht, organen, weefsel – elk onderdeel vormde een stukje van de puzzel. Een lichaam loog niet. De doden slaagden er niet altijd in hun geheimen mee het graf in te nemen. Jaarlijks sterven er bijna tweeënhalf miljoen mensen in Amerika. Daarvan neemt Georgia er ongeveer zeventigduizend voor zijn rekening, van wie minder dan duizend het slachtoffer zijn van moord. Volgens de in Georgia geldende wet moet elk sterfgeval buiten het ziekenhuis of verzorgingstehuis onderzocht worden. Stadjes die zelden te maken krijgen met dood door geweld of gemeenten die zo krap bij kas zitten dat de plaatselijke uitvaartondernemer de functie van lijkschouwer vervult, dragen slachtoffers van geweldsmisdrijven vaak over aan de staat. De meerderheid eindigt in het mortuarium van Atlanta, en dat verklaarde waarom de helft van de tafels in beslag werd genomen door lijken in uiteenlopende stadia van ontleding.

'Snoopy!' riep Pete naar een oudere zwarte man in operatiepak. 'Dit is dokter Sara Linton. Ze gaat me assisteren bij de sectie op Zabel. Hoe is de stand van zaken?'

Zonder Sara ook maar aan te kijken zei de man: 'De röntgenfoto's staan op het scherm. Als u zover bent, haal ik haar nu op.'

'Uitstekend.' Pete liep naar de computer en rammelde wat op het toetsenbord. Een serie röntgenfoto's verscheen. 'Leve de techniek!' riep Pete uit, en onwillekeurig was Sara onder de indruk. In Grant County was het mortuarium weggestopt in een vergeten hoekje van het ziekenhuissouterrain. Het röntgenapparaat was ontworpen voor levende mensen, in tegenstelling tot de opstelling hier, waar het niet uitmaakte hoeveel straling er door het dode lichaam werd gejaagd. De foto's waren loepzuiver en werden afgelezen op een 24-inch flatpanelmonitor in plaats van een lichtbak die zo flikkerde dat je er een toeval van zou krijgen. In Grant had Sara één porseleinen tafel tot haar beschikking gehad, die in het niet viel bij de rijen roestvrijstalen brancards die achter haar stonden opgesteld. Op de gang, die door een glazen wand van het mortuarium was gescheiden, zag ze assistenten en pathologen druk heen en weer lopen. Ze besefte dat Pete en zij alleen waren, de enige levende wezens in de grote obductiezaal.

'We hebben alle andere gevallen weg laten halen toen we hem binnenbrachten,' zei Pete, en even wist Sara niet wat hij bedoelde. Hij wees naar een lege tafel aan het eind van de rij. 'Hier heb ik hem behandeld.'

Sara staarde naar de lege plek en vroeg zich af waarom dat beeld niet bij haar bovenkwam, dat vreselijke beeld van de laatste keer dat ze haar man had gezien. Het enige wat ze nu zag was een schone brancard met daarboven een lamp waarvan het licht weerkaatst werd in het doffe roestvrij staal. Hier had Pete het bewijsmateriaal verzameld dat naar Jeffreys moordenaar had geleid. Hier was het breekpunt geweest, was zonder enige twijfel bewezen wie bij zijn moord betrokken was.

Sara had verwacht dat ze door haar herinneringen overweldigd zou worden als ze hier stond, maar ze voelde slechts kalmte, een zekere doelgerichtheid. Op deze plek werd goed werk verricht. Hier werden mensen geholpen, zelfs als ze dood waren. Vooral als ze dood waren.

Langzaam keerde ze zich naar Pete toe. Nog steeds zag ze Jeffrey niet, maar ze voelde hem wel, alsof hij samen met haar in deze ruimte stond. Hoe kon dat? Hoe was het mogelijk dat Jeffrey, nadat ze haar brein drieënhalf jaar lang had gesmeekt om haar bij benadering het gevoel terug te geven van hoe het was om in zijn nabijheid te zijn, als in een flits bij haar was nu ze in het mortuarium stond?

De meeste politiemensen vonden het vreselijk om bij een sectie aanwezig te moeten zijn, en Jeffrey had daar geen uitzondering op gevormd, maar hij beschouwde zijn aanwezigheid als een teken van respect, als een belofte aan het slachtoffer dat hij al het mogelijke zou doen om te zorgen dat de moordenaar zijn straf niet ontliep. Daarom was hij bij de politie gegaan – niet alleen om onschuldigen te helpen, maar ook om de misdadigers te straffen die het op hen gemunt hadden.

In alle oprechtheid was dat ook de reden geweest waarom Sara de baan van lijkschouwer had geaccepteerd. Jeffrey had nog nooit van Grant County gehoord toen zij voor het eerst het mortuarium onder het ziekenhuis was binnen gelopen, een slachtoffer had onderzocht en had bijgedragen aan de oplossing van een zaak. Jaren eerder had Sara zelf aan den lijve geweld ondervonden, was ze zelf het slachtoffer geweest van een afgrijselijke verkrachting. Bij elke Y-snede die ze maakte, bij elk monster dat ze verzamelde en elke keer dat ze in de rechtbank getuigenis aflegde over de gruwelen die ze had opgetekend, had ze een gevoel van gerechtvaardigde wraak in zich voelen opvlammen.

'Sara?'

Ze besefte dat ze al een tijdje niets had gezegd. Na even gekucht te hebben zei ze: 'Ik heb het Grady de foto's van ons onbekende slachtoffer van gisteravond laten opsturen. Ze heeft nog iets gezegd voor ze buiten bewustzijn raakte. We vermoeden dat ze Anna heet.'

Hij klikte door naar het bestand, en Anna's röntgenfoto's verschenen op het scherm. 'Is ze bij bewustzijn?'

'Ik heb het ziekenhuis gebeld voor ik hiernaartoe kwam. Ze is nog niet bijgekomen.'

'Is er neurologische schade?'

'Ze heeft de operatie overleefd, wat niemand verwacht had. Haar reflexen zijn goed, de pupillen reageren nog steeds niet. Ze heeft een zwelling in de hersenen. Later op de dag staat er een scan voor haar gepland. Maar het zorgelijkst is die infectie. Er zijn wat kweken gemaakt om te zien hoe die het best bestreden kan worden. Sanderson heeft het centrum voor ziektebestrijding ingeschakeld.'

'Mijn god.' Pete bestudeerde een röntgenfoto. 'Hoeveel kracht moet je wel niet in je handen hebben om een rib uit te rukken?'

'Ze was uitgehongerd, uitgedroogd. Dat zal het wel vergemakkelijkt hebben.'

'Bovendien was ze vastgebonden – van verzet was dus geen sprake. Maar toch... lieve help. Dat doet me denken aan de derde mevrouw Hanson, Vivian. Die deed namelijk aan bodybuilding. Bicepsen zo dik als mijn been. Wat een vrouw.'

'Bedankt, Pete. Bedankt dat je zo goed voor hem gezorgd hebt.'

Weer gaf hij haar een knipoog. 'Als je respect hebt voor anderen, hebben anderen respect voor jou.'

Die uitspraak kende ze nog van zijn colleges.

'Snoopy,' zei Pete, want op dat moment duwde zijn assistent een brancard door de klapdeuren. Het hoofd van Jacquelyn Zabel stak boven een wit laken uit. Haar huid was paars verkleurd nadat ze ondersteboven in de boom had gehangen. Rond haar lippen was de huid nog donkerder, alsof iemand een handvol bosbessen over haar mond had uitgesmeerd. Sara zag dat ze een aantrekkelijke vrouw was geweest, met slechts enkele vage lijntjes bij haar ooghoeken waaraan haar leeftijd was af te lezen. Weer moest ze aan Anna denken, eveneens een opvallende verschijning.

Kennelijk dacht Pete hetzelfde. 'Hoe kan het toch dat naarmate vrouwen mooier zijn ze ook gruwelijker mishandeld worden?'

Sara kon slechts haar schouders ophalen. Het verschijnsel was haar bekend uit de tijd dat ze als lijkschouwer in Grant County had gewerkt. Mooie vrouwen leken zwaarder te moeten boeten als het om moord ging.

'Zet haar maar op mijn plek,' zei Pete tegen zijn assistent.

Sara keek toe terwijl Snoopy onbewogen zijn werk deed en het lichaam routineus maar met zorg naar een lege plek in de rij reed. Pete was hier in de minderheid; de meeste mensen die in het mortuarium werkten waren zwart of vrouw. In het Grady Hospital was het al niet anders. Het was Sara opgevallen dat de akelige karweitjes vaak door vrouwen of leden van minderheidsgroeperingen werden opgeknapt, en ze was zich er terdege van bewust dat ze zelf ook bij deze mengelmoes hoorde.

Met zijn voet zette Snoopy de wieltjes op de rem en daarna begon hij de verschillende scalpels, messen en zagen klaar te leggen die Pete in de loop van de daaropvolgende paar uur nodig zou hebben. Hij had net een grote snoeischaar tevoorschijn gehaald – van het soort dat je normaal op de tuinafdeling van een ijzerwarenzaak zou verwachten – toen Will en Faith binnenkwamen.

Will liep met een onaangedane uitdrukking op zijn gezicht langs de opengesneden lichamen. Faith daarentegen keek nog ellendiger uit haar ogen dan toen Sara haar in het ziekenhuis had gezien. Haar lippen waren bleek en met strakke blik liep ze langs een man van wie het gezicht van zijn schedel was gepeld zodat de arts hem op kneuzingen kon onderzoeken.

'Dokter Linton,' zei Will. 'Fijn dat u gekomen bent. Ik weet dat dit eigenlijk uw vrije dag is.'

Verbaasd over zijn formele toon gaf Sara een knikje en glimlachte even. Met elke minuut die verstreek ging Will Trent meer op een bankier lijken. Ze kon er nog steeds niet bij dat hij rechercheur was.

Pete stak Sara een paar handschoenen toe, maar ze aarzelde. 'Ik kom alleen kijken,' zei ze.

'Ben je bang om vuile handen te maken?' Hij blies in de handschoen om het ding te openen en stak zijn hand er toen in. 'Zullen we hierna gaan lunchen? Ik weet een nieuw Italiaans tentje aan Highland, fantastisch gewoon. Ik kan zo een coupon van het web halen en uitprinten.'

Sara stond op het punt zich te verontschuldigen toen Faith een vreemd geluid maakte, waarop iedereen haar kant op keek. Ze wapperde met haar hand voor haar gezicht, dat inmiddels lijkbleek was, en Sara vermoedde dat de omgeving haar te veel was geworden.

Pete negeerde haar en richtte zich tot Will en Faith. 'We hebben een heleboel sperma en ander lichaamsvocht op haar huid aangetroffen voor we haar schoonmaakten. Ik doe het allemaal bij de monsters van het inwendig onderzoek en stuur het zaakje dan op.'

Will stak zijn hand in de mouw van zijn jasje en krabde over zijn arm. 'Ik betwijfel of de man ooit is opgepakt, maar we zullen zien wat we van de computer terugkrijgen.'

Zoals gebruikelijk bij een dergelijke procedure zette Pete de dictafoon aan, noemde tijdstip en datum, en begon aan zijn verslag. 'Dit is het lichaam van Jacquelyn Alexandra Zabel, een ondervoede achtendertigjarige vrouw. Ze is gevonden in een bosachtig gebied bij Route 316 in Conyers, in het district Rockdale in Georgia, in de vroege uren van zaterdag 4 april. Het slachtoffer hing in een boom, met haar hoofd naar beneden en haar rechtervoet vastgehaakt in de takken. Er zijn duidelijke tekenen die op een gebroken nek wijzen en ook zijn er sporen van ernstige mishandeling. De procedure wordt uitgevoerd door Pete Hanson. Aanwezig zijn GBI-agenten Will Trent en Faith Mitchell en de onvolprezen dokter Sara Linton.'

Hij trok het laken terug en Faith hapte naar adem. Sara besefte dat ze voor het eerst met het werk van de ontvoerder geconfronteerd werd. Het harde licht van het mortuarium onthulde elke foltering: de blauwe plekken en striemen, de opengereten huid, de zwarte brandwonden van het elektriciteitsdraad, die net poeder leken maar onuitwisbaar waren. Voorafgaand aan het onderzoek was het lichaam schoongemaakt en het bloed afgeboend, zodat de wasbleke huid een schril contrast vormde met de wonden. Het slachtoffer zat onder de sneden. Ze waren net diep genoeg geweest om te bloeden zonder de dood tot gevolg te hebben gehad. Sara vermoedde dat ze met een scheermes of een vlijmscherp, dun mes waren aangebracht.

'Ik moet...' Faith maakte haar zin niet af. Plotseling draaide ze zich om en rende weg. Will keek haar na en haalde verontschuldigend zijn schouders op.

'Niet het meest geliefde onderdeel van haar werk,' merkte Pete op. 'Ze is aan de magere kant. Het slachtoffer, welteverstaan.'

Hij had gelijk. Onder haar huid tekenden Jacquelyn Zabels botten zich scherp af.

'Hoe lang heeft ze vastgezeten?' vroeg Pete.

Weer haalde Will zijn schouders op. 'Dat hopen we van jou te horen.'

'Het kan het gevolg van uitdroging zijn,' mompelde Pete en hij drukte met zijn vingers tegen de schouder van de vrouw. 'Wat vind jij?' vroeg hij aan Sara.

'De andere vrouw, Anna, verkeerde in dezelfde toestand. Misschien heeft hij ze plaspillen laten slikken zonder dat hij ze te eten en te drinken gaf. Uithongeren is geen ongebruikelijke martelmethode.'

'Hij heeft in elk geval alle methoden uitgeprobeerd, dat staat vast.' Pete slaakte een verblufte zucht. 'Het bloedonderzoek zal wel meer aan het licht brengen.'

Hij vervolgde zijn onderzoek. Snoopy legde telkens een liniaal bij de snijwonden en maakte foto's, terwijl Pete de schets voor het obductieverslag arceerde om bij benadering de schade aan te geven. Toen hij daarmee klaar was, legde hij zijn pen neer en trok de oogleden van de vrouw terug om de kleur te controleren.

'Interessant,' zei hij zachtjes, en hij nodigde Sara uit om zelf ook te kijken. In afwezigheid van een vochtige omgeving krimpen de organen van een ontbindend lichaam, en de huid trekt weg bij eventuele wonden. Toen Sara de ogen bestudeerde, ontdekte ze in de oogrok verschillende gaatjes, kleine rode stipjes die tot volmaakte cirkels waren uitgegroeid.

'Een naald of speld,' gokte Pete. 'Hij heeft minstens tien keer in elke oogbol geprikt.'

Sara bekeek de oogleden van de vrouw en zag dat ook die doorboord waren. 'Anna had starre, uitgezette pupillen,' zei ze. Ze pakte een paar handschoenen van het blad, trok ze aan en keek in de oren van de vrouw. Snoopy had de stolsels verwijderd, maar in de gehoorgangen zat nog een laagje opgedroogd bloed. 'Heb je een...'

Snoopy overhandigde haar een otoscoop. Sara duwde het uiteinde in het ene oor van Zabel en trof het soort beschadiging aan dat ze alleen bij mishandelde kinderen had gezien. 'Het trommelvlies is doorboord.' Om het andere oor te bekijken draaide ze het hoofd om, waarbij ze de gebroken nekwervels hoorde knarsen. 'Aan deze kant hetzelfde verhaal.' Ze gaf Pete de otoscoop, zodat hij ook kon kijken.

'Een schroevendraaier?' vroeg hij.

'Een schaar,' opperde Sara. 'Zie je hoe de huid aan het begin van de gehoorgang is weggeschaafd?'

'Het patroon loopt schuin naar boven en is aan de bovenkant dieper.'

'Dat klopt, want de schaar eindigt in een punt.'

Al knikkend schreef Pete iets op. 'Doof en blind.'

Sara verrichte de handeling die er logisch op volgde en maakte de mond van de vrouw open. De tong was ongeschonden. Ze drukte met haar vingers tegen de buitenkant van de luchtpijp, en met de laryngoscoop die Snoopy haar aanreikte keek ze in de keel. 'De slokdarm is helemaal rauw. Ruik je dat?'

Pete boog zich over het lichaam. 'Bleekmiddel? Zuur?'

'Gootsteenontstopper.'

'Ik was even vergeten dat je vader loodgieter is.' Hij wees naar een donkere vlek rond de mond. 'Heb je dit gezien?'

Sara bekeek de plek wat beter. Bij een dode stroomde het bloed altijd naar het laagste punt, waar dan een zogenaamde lijkvlek ontstond. Het gezicht was donkerpaars omdat ze met haar hoofd naar beneden in de boom had gehangen. De uitslag bij de lippen was daardoor moeilijk te onderscheiden, maar nadat Pete die had aangewezen, zag Sara hoe het vocht dat in haar mond was gegoten langs haar wangen was gestroomd toen ze zich erin verslikte.

Pete betastte de hals. 'Ik voel heel veel beschadiging. Het ziet er inderdaad naar uit dat hij haar een of ander adstringerend middel heeft laten drinken. Wanneer we haar opensnijden zullen we zien of het haar maag heeft bereikt.'

Sara was helemaal vergeten dat Will er was, en ze schrok van zijn stem. 'Het leek erop dat ze tijdens de val haar nek heeft gebroken. Ze is waarschijnlijk uitgegleden.'

Sara dacht aan hun eerdere gesprek, toen hij er zo zeker van was geweest dat Jacquelyn Zabel al in de boom had gehangen terwijl hij op de grond naar haar zocht. Hij had haar verteld dat het bloed van de vrouw nog warm was geweest. 'Heb jij haar uit de boom gehaald?' vroeg ze.

Will schudde zijn hoofd. 'Er moesten eerst foto's worden gemaakt.'

'Heb je haar halsslagader gevoeld om te zien of haar hart nog klopte?' vroeg Sara.

Hij knikte. 'Het bloed droop van haar vingers. Het was warm.'

Sara bekeek de handen van de vrouw en zag dat de nagels afgebroken waren en dat sommige zelfs tot op het nagelbed waren afgescheurd. Volgens de procedure was het lichaam gefotografeerd voor Snoopy het had gewassen. Pete wist wat Sara dacht. Hij wees naar het computerscherm. 'Snoopy, zou je de foto's van voor ze werd gewassen even willen tonen?'

De assistent ging meteen aan de slag, en Pete en Sara keken over zijn schouder mee. Alles stond in de databank, van de eerste foto's op de plaats delict tot de recentere, die in het mortuarium waren gemaakt. Snoopy klikte ze allemaal aan, en in rap tempo zag Sara een opeenvolging van foto's van Jacquelyn Zabel hangend in de boom, met haar nek in een vreemde, zijwaartse knik. Haar voet zat zo vastgehaakt in de takken dat die waarschijnlijk eerst moesten worden afgezaagd voor ze naar beneden gehaald kon worden.

Ten slotte had Snoopy de autopsieserie bereikt. Gezicht, benen en romp zaten onder het bloed. 'Kijk,' zei Sara, en ze wees naar de borst. Ze keerden allebei naar het lichaam terug, en Sara stak haar hand al uit, maar hield zich op het laatste moment in. 'Sorry,' zei ze. Hier had Pete de leiding.

Zijn ego kon blijkbaar wel tegen een stootje. Hij tilde de borst op en nu verscheen er een wond die kriskras over haar huid liep. Hij was het diepst in het midden van de X. Pete trok de operatielamp naar beneden om het beter te kunnen zien en drukte de huid toen uiteen. Snoopy reikte hem een vergrootglas aan, waarop Pete zich nog dichter over het lichaam boog. 'Je had toch een zakmes bij de boom gevonden?' vroeg hij aan Will.

'De enige vingerafdruk was van het slachtoffer afkomstig, een latente afdruk op het heft van het mes.'

Pete gaf Sara het vergrootglas zodat zij het ook kon bekijken. 'Linker- of rechterhand?' vroeg hij.

'Ik...' Will zweeg, en hij keek naar de deur om te zien of Faith al terug was. 'Ik kan het me niet meer herinneren.'

'Was het een duimafdruk? Of van de wijsvinger?'

Snoopy was al naar de computer gelopen om het na te trekken, en Will zei snel: 'Een deel van de duim op het heft van het mes.'

'En het lemmet, drie inch?'

'Zo ongeveer.'

Met een afwezig knikje maakte Pete een aantekening op zijn schets, maar Sara wachtte niet tot haar collega klaar was. 'Ze heeft zichzelf gestoken,' zei ze tegen Will, en terwijl ze het vergrootglas boven de betreffende plek hield, wenkte ze hem naar zich toe. 'Zie je dat de wond aan de onderkant V-vormig is en aan de bovenkant plat?' Will knikte. 'Het lemmet zat omgekeerd en werd naar boven getrokken.' Om het aanschouwelijk te maken deed Sara alsof ze zichzelf in haar borst stak. 'Ze hield haar duim op het heft om het mes er dieper in te kunnen steken. Ze heeft het waarschijnlijk laten vallen en toen is ze naar beneden getuimeld. Kijk eens naar haar enkel.' Ze wees naar de lichte krasjes aan de onderkant van het kuitbeen. 'Haar hart klopte al niet meer toen haar voet bleef haken. De botten zijn gebroken, maar er is geen zwelling, geen teken van trauma. Je zou ernstige kneuzingen moeten zien als het bloed nog steeds stroomde toen ze viel.'

Will schudde zijn hoofd. 'Ze heeft toch niet...'

'De feiten tonen het aan,' onderbrak Sara hem. 'Die wond heeft ze zichzelf toegebracht. Het is heel snel gegaan. Ze heeft niet lang geleden. In elk geval niet veel langer dan ze toch al deed,' voegde ze eraan toe.

Will keek Sara recht in haar ogen en het kostte haar moeite om haar blik niet af te wenden. Hij leek niet op een politieman, maar ze wist zeker dat hij wel zo dacht. Als er in een nog open zaak geen beweging meer zat, verweet elke rechtgeaarde politieman het zichzelf dat hij een verkeerde beslissing had genomen en een duidelijke aanwijzing over het hoofd had gezien. Daar was Will Trent nu ongetwijfeld mee bezig: iets bedenken waardoor hij de schuld voor Jacquelyns dood op zich kon nemen.

'Nu kun je haar helpen,' zei Sara. 'Niet toen je daar door dat bos liep.'

Pete legde zijn pen weer neer. 'Ze heeft gelijk.' Hij plaatste zijn handen op de borst van de dode. 'Zo te voelen zit er verdomd veel bloed, en ze had het in één keer goed toen ze moest raden waar ze zou steken. Waarschijnlijk heeft ze meteen het hart geraakt. Ik ben ook van mening dat ze pas na de dood haar voet en haar nek heeft gebroken.' Hij trok een handschoen uit, liep naar de computer en klikte de foto's van de plaats delict weer aan. 'Kijk eens hoe haar hoofd enigszins scheef tegen de takken leunt. Zo gaat het niet als je tijdens een val je nek breekt. Dan zou het heel hard tegen het voorwerp dat in de weg zat drukken. Als je leeft, weten je spieren hoe ze dergelijk letsel moeten voorkomen. Dat gaat er keihard aan toe, je nek wordt niet even zachtjes omgedraaid. Goed gedaan, meissie.'

Pete keek Sara stralend aan, en ze merkte dat ze als een studentje stond te blozen.

'Maar waarom zou ze zichzelf doden?' vroeg Will, alsof het leven voor de gemartelde vrouw nog de moeite waard was geweest.

'Waarschijnlijk was ze blind, en doof was ze zeker,' verklaarde Pete. 'Het verbaast me dat ze in die boom heeft kunnen klimmen. Ze heeft de zoekteams niet kunnen horen, en ze heeft geen idee gehad dat jullie haar probeerden te vinden.'

'Maar ze...'

'De infraroodcamera's van de helikopters hebben geen teken van haar opgepikt,' onderbrak Pete hem. 'Als jij daar niet had rondgelopen en toevallig omhoog had gekeken zou het lichaam waarschijnlijk pas zijn gevonden nadat de hertenjacht was geopend en er een DRT-oproep was binnengekomen.'

Dead Right There, bedoelde hij, en het sloeg op een lijk dat ergens was aangetroffen. Alle politieonderdelen hadden hun eigen taaltje, en het ene was nog kleurrijker dan het andere. DRT-meldingen kwamen vooral van jagers.

Pete wendde zich tot Sara. 'Als je geen bezwaar hebt,' zei hij, met een knikje naar de tas met instrumenten voor het inwendig onderzoek. Snoopy was een prima assistent, en Sara snapte de boodschap: ze mocht weer toekijken. Ze trok haar handschoenen uit, maakte de tas open en legde wattenstaafjes en buisjes klaar. Pete pakte het speculum en duwde de benen open, zodat hij het instrument in de vagina kon inbrengen.

Net als bij een zeer gewelddadige verkrachting die in moord eindigde, waren de vaginawanden na het overlijden dichtgeklemd gebleven, en het kunststof speculum brak af toen Pete probeerde om de ingang open te wrikken. Snoopy reikte hem een metalen speculum aan en Pete deed een nieuwe poging. Zijn handen trilden toen hij de verkrampte schede met kracht openmaakte. Het was afschuwelijk om te zien, en Sara was blij dat Faith er niet bij was toen de ruimte zich vulde met het wrikkende geluid waarmee het metaal het vlees uiteen wrong. Sara gaf Pete een wattenstaafje. Hij bracht het naar binnen, maar stuitte meteen op weerstand.

Pete boog zich naar voren om te zien wat de verstopping had veroorzaakt. 'Lieve god,' mompelde hij. Hij greep naar een verlostang met een dun uiteinde, en daarbij stootte hij het blad met instrumenten om. 'Handschoenen aan en helpen,' zei hij tegen Sara, met een stem die van alle charme verstoken was.

Sara trok met een ruk de handschoenen aan en sloeg haar handen om het speculum toen hij met de tang – die niet veel meer was dan een lang pincet – naar binnen ging. De uiteinden kregen iets te pakken en hij trok zijn hand terug. Er kwam een lang stuk wit plastic naar buiten, als een zilveren doek uit de mouw van een goochelaar. Pete bleef trekken en vlijde het plastic in laagjes in een grote kom. Het ene deel na het andere kwam eruit, alle besmeurd met donker, bijna zwart bloed, en met een geperforeerd lijntje aan elkaar verbonden.

'Vuilniszakken,' zei Will.

Sara kon nauwelijks ademen. 'Anna,' zei ze. 'We moeten Anna onderzoeken.'

Tien

Wills kamer op de tweede verdieping van City Hall East was een soort opbergkast met een raam. Dit keek uit op een stel in onbruik geraakte spoorbanen en het parkeerterrein van een Kroger-supermarkt, dat het trefpunt scheen te zijn van talloze verdacht uitziende figuren in buitengewoon dure auto's. De rugleuning van Wills stoel zat klem tegen de muur en als hij zich omdraaide trok hij een streep over de gipsplaat. Niet dat hij zich vaak hoefde om te draaien. Zonder zijn hoofd te bewegen kon hij de hele kamer overzien. Het kostte Will zelfs moeite om op de stoel te gaan zitten, want daarvoor moest hij zich tussen zijn bureau en het raam door wurmen – een manoeuvre waarbij hij telkens weer blij was dat hij geen kinderwens had.

Leunend op zijn elleboog keek hij toe terwijl zijn computer opstartte, het scherm begon te flikkeren en de opflitsende icoontjes hun plek innamen. Eerst opende Will zijn mail. Hij zette zijn koptelefoon op om de berichten te kunnen beluisteren via SpeakText, een programma dat hij een paar jaar daarvoor had geïnstalleerd. Nadat hij een aantal aanbiedingen voor potentieverhogende middelen en een smeekbede van een afgezet Nigeriaans staatshoofd had verwijderd, stuitte hij op een berichtje van Amanda en de aankondiging van een beleidswijziging bij de ziekteverzekering van de overheid. Het laatste bericht stuurde hij naar zijn privéadres, zodat hij in de geborgenheid van zijn eigen huis een moeizame inventaris zou kunnen opmaken van alles waarvoor hij niet langer gedekt was.

Amanda's mailtje kostte hem minder hoofdbrekens. Ze schreef altijd in kapitalen en formuleerde zelden in volledige zinnen. PRAAT ME BIJ stond er met vette letters op het scherm.

Wat viel er te vertellen? Dat er elf huisvuilzakken in hun slachtoffer waren gestouwd? Dat er bij Anna, het overlevende slachtoffer, hetzelfde aantal in haar vagina was aangetroffen? Dat er twaalf uur verstreken waren terwijl ze nog steeds geen idee hadden wie de vrouwen had ontvoerd, laat staan wat het patroon was dat de twee slachtoffers met elkaar verbond?

Blind, mogelijk doof, mogelijk stom. Will was in het hol geweest waar de vrouwen gevangen hadden gezeten. Hij kon zich geen voorstelling maken van de gruwelen die ze hadden ondergaan. De aanblik van de martelinstrumenten was al erg genoeg geweest, maar hij verbeeldde zich dat het nog erger zou zijn als hij ze niet had gezien. De last van Jackie Zabels dood was in elk geval van zijn schouders genomen, hoewel het besef dat de vrouw voor de dood had gekozen terwijl hulp zo dichtbij was hem bepaald geen troost bood.

Will hoorde nog steeds de meelevende toon waarop Sara Linton had uitgelegd hoe Zabel zich van het leven had beroofd. Hij kon zich niet herinneren wanneer een vrouw voor het laatst zo tegen hem had gesproken en had geprobeerd om hem een reddingslijn toe te werpen in plaats van te schreeuwen dat hij harder moest zwemmen, zoals Faith altijd deed, of nog erger: hem bij zijn benen te grijpen en dieper onder water te sleuren, zoals hij dat van Angie gewend was.

Onderuitgezakt op zijn stoel nam Will zich voor om elke gedachte aan Sara uit zijn hoofd te zetten. Hij had een zaak voor zich liggen die zijn onverdeelde aandacht opeiste, en hij dwong zichzelf alleen aan de vrouwen te denken voor wie hij werkelijk iets kon betekenen.

Anna en Jackie waren waarschijnlijk samen uit het hol ontsnapt. Jackie had niet kunnen horen of zien, en Anna was hoogstwaarschijnlijk blind geweest. De enige manier waarop de twee mishandelde vrouwen met elkaar hadden kunnen communiceren was door elkaar aan te raken. Hadden ze elkaars hand vastgehouden, waren ze samen blindelings voortgestrompeld in een poging een uitweg uit het bos te vinden? Op de een of andere manier hadden ze elkaar losgelaten en waren ze elkaar kwijtgeraakt. Anna moest hebben geweten dat ze op een weg liep – ze had ongetwijfeld het koele asfalt onder haar blote voeten gevoeld, het geraas van een naderende auto gehoord. Jackie was de andere kant op gelopen, ze had een boom gevonden en was erin geklommen, naar wat ze als een veilige plek beschouwde. Daar had ze zitten wachten. Elke zwaai van de boom, elke zwiep van een tak had een golf van paniek door haar lichaam gejaagd, zo bang was ze geweest dat haar ontvoerder haar zou vinden en mee terug zou nemen naar die koude, donkere plek.

Ze had waarschijnlijk haar rijbewijs, haar identiteit, in haar ene hand geklemd en het zelfmoordwapen in de andere. De keus was bijna niet te bevatten. Naar beneden klimmen en doelloos rondzwerven op zoek naar hulp, waarbij ze het risico liep om weer gepakt te worden? Of het lemmet in haar borst stoten? Vechten voor haar leven? Of zelf het initiatief nemen en er op haar eigen voorwaarden een eind aan maken?

De sectie had haar besluit gestaafd. Het lemmet was in haar hart gedrongen en had de hoofdslagader doorgesneden, waardoor haar borstkas met bloed werd gevuld. Volgens Sara was Jackie vrijwel onmiddellijk buiten bewustzijn geraakt en was haar hart al gestopt toen ze uit de boom viel. Ook het mes viel, en het rijbewijs. Er was aspirine in haar maag aangetroffen. Die had haar bloed verdund, zodat het na haar dood nog een hele tijd bleef doordruppelen. Dat was de warme spat op Wills nek geweest. Toen hij had opgekeken en haar uitgestoken hand had gezien, had hij gedacht dat ze naar de vrijheid graaide, terwijl ze op dat moment zelf al een uitweg had gevonden.

Hij sloeg een grote map open en spreidde de foto's van het hol als een waaier op zijn bureau uit. De martelinstrumenten, de scheepsaccu, de ongeopende blikjes soep –

198

Charlie had het allemaal gedocumenteerd en de beschrijving op een overzichtslijst vastgelegd. Will nam de foto's door op zoek naar de beste afbeelding van het hol. Charlie had op zijn hurken onder aan de ladder gezeten, net als Will die eerste avond. Alle hoekjes en gaatjes werden door bouwlampen aan de schaduw onttrokken. Will stuitte op een foto waarop de seksartikelen keurig lagen uitgestald, als artefacten bij een archeologische opgraving. Van sommige zag hij meteen hoe ze werden toegepast, maar andere waren zo ingewikkeld, zo afgrijselijk, dat zijn verbeelding tekortschoot toen hij zich probeerde voor te stellen hoe ze werkten.

Will was zo in gedachten verzonken dat hij pas na een tijdje doorhad dat zijn mobiel overging. Hij klapte de stukken open. 'Met Trent.'

'Je spreekt met Lola, schat.'

'Met wie?'

'Met Lola. Een van Angies meiden.'

De prostituee van de vorige avond. Will probeerde zijn stem vlak te houden, want hij was kwader op Angie dan op de hoer, die gewoon deed wat iedereen deed die onder aan de voedselketen zat: uit een bepaalde situatie voordeel proberen te peuteren. Bij Will viel echter weinig voordeel te halen en hij had meer dan genoeg van al die meiden die hem wilden paaien. 'Hoor eens,' zei hij, 'ik help je de bak niet uit. Als je een van Angies meiden bent, moet je Angie vragen om je te helpen.'

'Ik krijg haar niet te pakken.'

'Nou, ik anders ook niet, ik weet niet eens wat haar telefoonnummer is, dus je hoeft me niet langer te bellen. Begrepen?' Hij gaf haar geen tijd om te antwoorden. Nadat hij de verbinding had verbroken, legde hij het telefoontje voorzichtig terug op zijn bureau. Het plakband begon los te laten en het touwtje rafelde. Voor ze verdween had hij Angie gevraagd om hem met het telefoontje te helpen, maar het had niet boven aan haar prioriteitenlijstje gestaan, evenmin als veel andere zaken die Will betroffen.

Hij keek naar zijn hand, naar de trouwring aan zijn vinger. Was hij dom of alleen maar zielig? Hij wist niet meer wat het verschil was. Sara Linton was vast niet het type vrouw dat in een relatie dergelijke rottigheid uithaalde. Bovendien durfde Will te wedden dat haar man geen watje was geweest dat zoiets pikte.

'God, wat haat ik secties.' Faith wrong zich zijn kamer binnen. Ze zag nog steeds bleekjes. Will wist dat ze secties haatte – haar afkeer lag er duimendik bovenop – maar dit was de eerste keer dat hij het haar hoorde toegeven. 'Caroline heeft een bericht op mijn mobiel ingesproken.' Ze doelde op Amanda's assistente. 'Joelyn Zabel wil alleen met ons praten als er een advocaat bij is.'

Ze had het over de zus van Jackie Zabel. 'Gaat ze het korps echt aanklagen?'

Faith liet haar tas op zijn bureau vallen. 'Zodra ze een advocaat heeft opgescharreld. Kunnen we gaan?'

Will keek op de computer om te zien hoe laat het was. Ze hadden een halfuur voor ze met de Coldfields hadden afgesproken, en het opvanghuis was nog geen tien minuten rijden. 'Laten we alles nog eens doorpraten,' stelde hij voor.

Tegen de muur stond een klapstoel, en Faith moest eerst de deur sluiten voor ze kon gaan zitten. Haar eigen kamer was niet veel groter dan die van Will, maar je kon er wel je benen strekken zonder een muur te raken. Op de een of andere, voor Will ondoorgrondelijke manier belandden ze altijd op zijn kamer. Misschien kwam het doordat die van Faith ooit een opbergkast was geweest. Er zat geen raam in en er hing nog altijd een vage geur van toiletverfrisser en wc-reiniger. Toen Faith voor het eerst de deur achter zich had dichtgetrokken, was ze bijna flauwgevallen van de stank.

'Wat heb je allemaal?' vroeg ze, met een knikje naar de computer.

Will draaide de monitor om zodat Faith Amanda's mailtje kon lezen.

Fronsend tuurde ze naar het scherm. Hij had voor een felroze achtergrond en marineblauwe letters gekozen, want dan scheen hij de woorden gemakkelijker te kunnen onderscheiden. Mompelend veranderde Faith de kleuren en trok het toetsenbord naar zich toe om een antwoord in te typen. De eerste keer dat ze dat had gedaan, had Will geprotesteerd, maar de laatste paar maanden was hij gaan beseffen dat Faith gewoon een bazig type was, ongeacht wie ze voor zich had. Misschien kwam het doordat ze op haar vijftiende al moeder was geworden, of misschien was het aangeboren, maar ze voelde zich pas prettig als ze zelf de touwtjes in handen had.

Nu Jeremy studeerde en Victor Martinez kennelijk uit beeld was, moest Will het ontgelden. Zo zou het wel zijn als je een oudere zus had, vermoedde hij. Angie gedroeg zich trouwens precies zo tegenover Will, en hij ging nog wel met haar naar bed. Áls ze thuis was.

'Amanda moet nu zo ongeveer het sectierapport van Jacquelyn Zabel binnen hebben,' zei Faith al typend. 'Wat hebben we allemaal? Er zijn geen vingerafdrukken of andere sporen die we kunnen natrekken. Er zitten bergen DNA in het sperma en in het bloed, maar tot nu toe hebben we geen treffers. Anna's identiteit of zelfs haar achternaam is onbekend. We hebben te maken met een dader die zijn slachtoffers blind maakt, hun trommelvliezen doorboort en ze gootsteenontstopper laat drinken. Die vuilniszakken... jezus, daar kan ik me helemaal niks bij voorstellen. God mag weten waarmee hij ze allemaal toetakelt. Een van de vrouwen mist een rib...' Ze drukte op de pijltjestoets om iets aan de zin toe te voegen. 'Waarschijnlijk was Zabel daarna aan de beurt.'

'De aspirine,' zei Will. De hoeveelheid aspirine die in de maag van Jacquelyn Zabel was aangetroffen, was tien keer hoger dan wat een gemiddeld mens maximaal slikte.

'Aardig van hem om ze iets tegen de pijn te geven.' Faith ging met de pijltjestoets naar beneden. 'Kun je het je voorstellen? Je zit vast in dat hol, je hoort hem niet aankomen, je ziet niet wat hij doet, en je kunt niet om hulp schreeuwen.' Met een klik van de muis verzond Faith het bericht, en toen leunde ze achterover op haar stoel. 'Elf vuilniszakken. Dat Sara dat bij het eerste slachtoffer over het hoofd heeft gezien.'

'Ik stel me zo voor dat je niet meteen een bekkenonderzoek doet als iemand halfdood wordt binnengebracht met zo ongeveer alle botten in haar lichaam gebroken.'

'Je hoeft niet zo lichtgeraakt te doen,' zei Faith, ook al had Will niet de indruk dat hij dat deed. 'Ze heeft gewoon niks te zoeken in deze zaak.'

'Wie niet?'

Met een geërgerde blik klikte Faith de browser aan.

'Wat ben je aan het doen?' vroeg Will.

'Ik ga haar opzoeken. Haar man was bij de politie toen hij stierf. Ik weet niet wat er precies is gebeurd, maar het heeft vast in de krant gestaan.'

'Dat is niet eerlijk.'

'Niet eerlijk?' Faith gaf een roffel op de toetsen. 'Hoezo niet eerlijk?'

'Faith, je moet je niet met haar privé...'

Ze drukte op ENTER. Ten einde raad stak Will zijn hand naar beneden en trok de stekker van de computer uit het stopcontact. Faith schudde aan de muis en drukte vervolgens op de spatiebalk. Ze zaten in een oud gebouw, en de stroom viel regelmatig uit, maar toen ze opkeek, zag ze dat de lampen nog brandden.

'Heb jij de computer uitgedaan?'

'Als Sara Linton wilde dat je alles over haar privéleven wist, zou ze het je zelf wel vertellen.'

'Als ik zo braaf was als jij zou ik gaan blaffen.' Met haar armen over elkaar keek Faith Will verwijtend aan. 'Vind jij het dan niet raar dat ze zich binnenwurmt in ons onderzoek? Alsof ze nog lijkschouwer is. Ze is een doodgewone burger. Als ze niet zo knap was, zou je zelf ook inzien hoe vreemd...'

'Wat heeft haar uiterlijk er in godsnaam mee te maken?'

Faith was zo attent om zijn vraag nog een tijdje als een flikkerend neonbord met het woord IDIOOT erop in de lucht te laten hangen. Het duurde bijna een minuut voor het was uitgedoofd. 'Je moet niet vergeten dat ik ook een computer op mijn kamer heb,' zei ze. 'Ik kan haar net zo makkelijk daar opzoeken.'

'Wat je ook vindt, ik wil het niet weten.'

Faith wreef met haar handen over haar gezicht. Weer staarde ze wel een minuut lang naar de grauwe lucht aan de andere kant van het raam. 'Dit is knettergek. We zitten hier maar een beetje uit onze neus te vreten. Er moet een doorbraak komen, iets wat we kunnen natrekken.'

'Pauline McGhee...'

'Leo heeft niks over een broer kunnen vinden. Hij zegt dat haar huis brandschoon is – geen documenten, niks wat naar eventuele ouders of verwanten verwijst. We weten niet of ze een schuilnaam gebruikte, hoewel je dat gemakkelijk kunt verbergen als je de juiste mensen maar voldoende geld betaalt. De buren van Pauline blijven bij hun verhaal: ze kennen haar niet en anders mogen ze haar niet. Hoe het ook zij, ze kunnen ons niets over haar leven vertellen. Leo heeft met de leerkrachten op de school van het jongetje gesproken. Weer hetzelfde. Jezus, haar zoon zit nu in een pleeggezin omdat de moeder geen vrienden heeft die bereid zijn om hem in huis te nemen.'

'Wat doet Leo nu?'

Ze keek op haar horloge. 'Waarschijnlijk zint hij op een manier om ermee te kappen voor vandaag.' Zichtbaar vermoeid wreef ze weer in haar ogen. 'Hij trekt de vingerafdrukken van McGhee na, maar dat is een schot in het duister, tenzij ze ooit gearresteerd is geweest.'

'Vindt hij het nog steeds vervelend dat wij nu op zijn zaak zitten?'

'Nog meer dan daarvoor.' Faith perste haar lippen op elkaar. 'Wedden dat het komt doordat hij ziek is geweest? Dat doen ze echt, hoor – ze kijken hoeveel je verzekering ze kost en als je te duur wordt, dan proberen ze je eruit te werken. Je mag hopen dat je geen chronische ziekte krijgt waarvoor je dure medicijnen moet slikken.'

Gelukkig hoefde Will zich daar nog geen zorgen over te maken, en Faith waarschijnlijk ook niet. 'Misschien heeft die ontvoering van Pauline helemaal niets met onze zaak te maken,' zei hij. 'Misschien is het een simpele ruzie geweest waardoor haar broer op tilt sloeg, of een ontvoering door een onbekende. Het is een aantrekkelijke vrouw.'

'Als haar ontvoering niets met onze zaak te maken

heeft, is het waarschijnlijker dat ze door een bekende is meegenomen.'

'Dan is het vast de broer.'

'Waarom zou ze haar zoontje voor hem gewaarschuwd hebben als ze zich geen zorgen maakte? We hebben natuurlijk ook nog die Morgan,' voegde ze eraan toe. 'Wat een arrogante klootzak. Ik had hem bijna dwars door de telefoon heen op zijn bek geslagen toen ik hem sprak. Misschien speelde er iets tussen hem en Pauline.'

'Ze hebben samengewerkt. Het kan zijn dat ze te veel druk op hem heeft uitgeoefend en dat er toen iets geknapt is bij hem. Dat gebeurt wel vaker als mannen met bazige vrouwen moeten samenwerken.'

'Haha,' lachte Faith, maar niet van harte. 'Zou Felix Morgan niet herkend hebben als hij de ontvoerder is?'

Will haalde zijn schouders op. Kinderen waren in staat om alles te verdringen. Volwassenen waren daar trouwens ook goed in.

'Geen van beide slachtoffers heeft kinderen,' benadrukte Faith. 'Geen van beiden is als vermist opgegeven, voor zover we weten. De auto van Jacquelyn Zabel is onvindbaar. We hebben geen idee of Anna een auto heeft, want we weten niet eens wat haar achternaam is.' Haar toon werd steeds scherper naarmate ze alle doodlopende wegen stuk voor stuk opsomde. 'Of haar roepnaam. Wie zegt dat ze echt Anna heet? Weet jij veel wat Sara gehoord heeft?'

'Ik heb het ook gehoord,' nam Will het voor Sara op. 'Ik heb haar Anna horen zeggen.'

Faith sloeg geen acht op zijn reactie. 'Denk je nog steeds dat er misschien twee ontvoerders zijn?'

'Op dit moment weet ik niets meer zeker, behalve dan dat we niet met een amateur te maken hebben. Overal zit zijn DNA op, wat waarschijnlijk betekent dat hij geen strafblad heeft waarover hij zich zorgen moet maken. We hebben geen enkel aanknopingspunt, want hij heeft er niet één achtergelaten. Hij is hier goed in. Hij weet hoe hij zijn sporen moeten verbergen.'

'Een smeris?'

Will liet haar vraag onbeantwoord.

'Hij doet iets waardoor vrouwen hem gaan vertrouwen,' redeneerde Faith. 'Iets waardoor hij dicht genoeg bij hen in de buurt kan komen om ze te grijpen zonder dat iemand het ziet.'

'Dat pak,' zei Will. 'Vrouwen – en mannen ook – vertrouwen eerder een onbekende die goed gekleed is. Het is een op klasse gebaseerd vooroordeel, maar het klopt wel.'

'Fantastisch. Dan hoeven we alleen nog maar alle mannen in Atlanta in te rekenen die vanochtend een pak aanhadden.' Ze telde het lijstje af op de vingers van haar ene hand. 'Geen vingerafdrukken op de vuilniszakken die in de vrouwen zijn aangetroffen. Niets te ontdekken op de voorwerpen die in het hol zijn gevonden. De bloederige vingerafdruk op het rijbewijs van Jacquelyn Zabel is van Anna. Haar achternaam weten we niet. We weten niet waar ze woont of werkt en of ze nog familie heeft.' Faith had geen vingers meer over.

'De ontvoerder houdt er een methode op na, dat is duidelijk. Hij is geduldig. Hij graaft het hol en maakt het gereed voor zijn gevangenen. Zoals je al zei, houdt hij de vrouwen waarschijnlijk een tijdje in de gaten voor hij toeslaat. Hij heeft dit eerder gedaan. Wie weet hoe vaak.'

'Ja, maar dan hebben zijn slachtoffers het niet kunnen navertellen, want anders hadden we wel iets gevonden in de databank van het FBI.'

De telefoon op Wills bureau ging en Faith nam op. 'Met Mitchell.' Ze luisterde een paar tellen en haalde toen haar notitieboekje uit haar tas. In keurige blokletters schreef ze iets op, maar Will slaagde er niet in de woorden te ontcijferen. 'Kun je dat natrekken?' Ze zweeg even. 'Mooi. Bel me maar op mijn mobiel.'

Ze verbrak de verbinding. 'Dat was Leo. De uitslag van de vingerafdrukken op de SUV van Pauline McGhee is binnen. Haar echte naam is Pauline Agnes Seward. In 1989 is ze als vermist opgegeven in Ann Arbor, Michigan. Toen was ze zeventien. Volgens het rapport zeiden haar ouders dat een ruzie de aanleiding was geweest. Ze was op het verkeerde pad geraakt – drugs, ging met iedereen naar bed. Haar vingerafdrukken staan in het bestand vanwege een winkeldiefstal waarvoor ze een schuldigverklaring heeft afgelegd. De plaatselijke politie heeft een oppervlakkig onderzoek ingesteld en haar in de databank ingevoerd, maar dit is de eerste treffer in twintig jaar.'

'Dat klopt met wat Morgan zei. Pauline heeft hem verteld dat ze op haar zeventiende van huis is weggelopen. Is er nog iets over die broer gevonden?'

'Helemaal niks. Leo gaat het achtergrondonderzoek uitbreiden.' Faith stopte haar notitieboekje weer in haar handtas. 'Hij probeert de ouders op te sporen. Hopelijk wonen die nog steeds in Michigan.'

'Seward is niet zo'n gebruikelijke naam.'

'Inderdaad,' beaamde ze. 'Als de broer bij een zwaar delict betrokken is geweest, zou dat een hit op de computer moeten geven.'

'Weten we binnen welke leeftijdsgroep we ongeveer moeten zoeken? Hebben we een naam?'

'Leo zei dat hij contact met ons zou opnemen zodra hij iets had gevonden.'

Will leunde achterover, met zijn hoofd tegen de muur. 'Pauline valt nog steeds buiten onze zaak. We hebben nog geen patroon ontdekt dat overeenstemt.'

'Ze lijkt wel op onze andere slachtoffers. Niemand mag haar. Ze is met niemand intiem bevriend.'

'Misschien is ze erg close met haar broer,' zei Will. 'Volgens Leo heeft Pauline Felix via donorinseminatie gekregen, dat klopt toch? Misschien is de broer de donor.'

Faith maakte een walgend geluid. 'Jezus, Will.'

Haar toon bezorgde hem een schuldgevoel omdat hij iets dergelijks durfde te suggereren, maar hun werk hield nou eenmaal in dat ze ook met het ergste rekening moesten houden. 'Waarom zou Pauline anders tegen haar zoontje zeggen dat zijn oom slecht is, iemand tegen wie ze hem moet beschermen?'

Faith aarzelde voor ze antwoord gaf. 'Seksueel misbruik,' zei ze ten slotte.

'Ik kan er helemaal naast zitten,' gaf Will toe. 'Haar broer kan evengoed een dief of een oplichter of een drugsverslaafde zijn. Misschien is hij veroordeeld.'

'Als die Seward in Michigan een strafblad had, zou Leo al een treffer op de computer hebben gevonden.'

'Die broer kan ook geluk hebben gehad.'

Faith schudde haar hoofd. 'Pauline was bang voor hem en ze wilde haar zoontje bij hem uit de buurt houden. Dat duidt op geweld, op angst voor geweld.'

'Dus als die broer haar bedreigde of stalkte, moet er ergens een rapport zijn, zoals je al zei.'

'Dat hoeft niet. Hij is nog altijd haar broer. Bij familiekwesties gaan mensen niet zo snel naar de politie. Dat weet jij ook.'

Will was er niet helemaal van overtuigd, maar het was waar dat Leo niets op de computer had gevonden. 'In welk geval zou jij Jeremy voor je broer waarschuwen?'

Daar moest ze over nadenken. 'Ik kan me niet voorstellen dat Zeke iets zou doen waardoor ik tegen Jeremy zou zeggen dat hij niet meer met zijn oom mocht praten.'

'Stel dat hij je sloeg.'

Ze deed haar mond al open om te antwoorden, maar leek zich te bedenken. 'Het gaat er niet om of ik ermee zou kunnen leven, maar om wat Pauline zou doen.' Faith zweeg weer en zei toen peinzend: 'Families zitten ingewikkeld in elkaar. Mensen slikken heel veel rottigheid als het om hun eigen bloed gaat.'

'Chantage?' Will wist dat hij in het duister tastte, maar toch ging hij door. 'Misschien wist die broer iets ergs uit Paulines verleden. Er moet een reden voor zijn geweest dat ze op haar zeventiende haar naam heeft veranderd. We spoelen nu even snel door naar het heden. Pauline heeft een baan waar ze goed mee verdient. Op haar hypotheek valt niets aan te merken. Ze rijdt in een mooie auto. Waarschijnlijk heeft ze er heel veel geld voor over om dat alles zo te houden.'

Meteen schoot Will zijn eigen idee weer af. 'Maar aan de andere kant moet ze wel blijven werken als haar broer haar chanteert. Hij heeft er niks aan als hij haar ontvoert.'

'Het is ook weer niet zo dat er losgeld voor haar wordt gevraagd. Het maakt niemand iets uit dat ze weg is.'

Will schudde zijn hoofd. Ook deze lijn liep dood.

'Oké,' zei Faith, 'misschien heeft Pauline niets met onze zaak te maken. Misschien is er iets klefs aan de hand tussen haar en haar broer. Wat moeten we nu? Op ons gat blijven zitten tot er een derde – of vierde – vrouw wordt ontvoerd?'

Daar had Will geen antwoord op. Gelukkig werd dat ook niet van hem verwacht.

Faith keek op haar horloge. 'Kom, dan gaan we met de Coldfields praten.'

Er waren kinderen in het vrouwenopvanghuis aan Fred Street – iets wat Will niet had voorzien, hoewel het natuurlijk logisch was dat dakloze vrouwen dakloze kinderen hadden. Aan de voorkant van het huis was een klein stuk terrein afgezet waar ze konden spelen. De kinderen waren van uiteenlopende leeftijd, maar Will ging ervan uit dat ze nog geen zes waren, want de oudere kinderen hoorden op dat tijdstip van de dag op school te zitten. De kleintjes droegen zonder uitzondering een samenraapseltje van versleten kleren en hadden speelgoed dat betere tijden had gekend: barbies met afgeknipt haar, autootjes die wielen misten. Eigenlijk had Will medelijden met hen moeten hebben, bedacht hij, want toen hij hen zag spelen was het alsof hij naar een tafereel uit zijn eigen kindertijd keek, alleen hadden deze kinderen minstens één ouder die er voor hen was en die hen met de normale wereld verbond.

'Lieve help,' mompelde Faith, en haar hand verdween al in haar tas. Op de balie bij de ingang stond een pot voor giften, en daar schoof ze een paar briefjes van tien dollar in. 'Wie let er op die kinderen?'

Will keek de gang in. De muren waren versierd met papieren paasknipsels en kindertekeningen. Hij zag een gesloten deur met daarop een gestileerd vrouwenfiguurtje. 'Waarschijnlijk is ze even naar het toilet.'

'Iedereen kan ze zomaar meenemen.'

Will dacht niet dat er veel mensen waren die een van deze kinderen wilden hebben. Dat was deel van het probleem.

'VOOR HULP OP BEL DRUKKEN,' las Faith, van het bordje onder de bel, vermoedde Will, maar dat zou een aap nog snappen. Will stak zijn hand uit en drukte op de bel

'Ze geven hier computercursussen,' zei Faith.

'Wat?'

Ze pakte een brochure van de balie. Voorop zag Will afbeeldingen van glimlachende vrouwen en kinderen, en een verzameling bedrijfslogo's van de sponsoren die met grote bedragen over de brug kwamen. 'Computerles, hulpverlening, maaltijden.' Faiths blik vloog over de tekst. 'Medische hulp vanuit een christelijke optiek.' Ze liet de folder weer op het stapeltje vallen. 'Dan zul je wel te horen krijgen dat je naar de hel gaat als je abortus laat plegen. Mooi advies voor vrouwen die toch al te veel monden moeten voeden.' Ze drukte nog maar eens op de bel, deze keer zo hard dat het ding van de balie tolde.

Will raapte de bel op van de vloer. Toen hij overeind kwam, stond hij oog in oog met een forse latinovrouw die met een baby op haar arm achter de balie was verschenen. Met lijzig, onmiskenbaar Texaans accent richtte ze zich tot Faith. 'Als u iemand komt arresteren, verzoeken we u om dat niet te doen waar de kinderen bij zijn.'

'We hebben een afspraak met Judith Coldfield,' antwoordde Faith op gedempte toon, want ze was zich ervan bewust dat de kinderen niet alleen toekeken, maar evenals de vrouw allang hadden geraden wat ze deed voor de kost.

'Loop maar om het gebouw heen naar de ingang van de winkel. Judith zit vandaag in de verkoop.' Zonder een bedankje af te wachten draaide ze zich om en verdween met het kind in de gang.

Faith duwde de deur weer open en liep de straat op. 'Wat haat ik dit soort instellingen.'

Will vond een tehuis voor daklozen niet echt iets om te haten, zelfs niet als je Faith heette. 'Waarom dan?'

'Help ze gewoon. Zonder dat ze ervoor moeten bidden.'

'Sommige mensen vinden troost in het gebed.'

'En de mensen dan voor wie dat niet geldt? Hoeven die

soms niet geholpen te worden?' Dus je mag wel dakloos zijn en doodgaan van de honger, maar je krijgt geen gratis maaltijd of een veilige plek om te slapen, tenzij je ook vindt dat abortus een gruwel is en dat andere mensen het recht hebben om jou te vertellen wat je met je lichaam moet doen?'

Will wist niet zo goed wat hij daarop moest antwoorden, en nadat ze nijdig haar tas op haar schouder had gehesen volgde hij haar zwijgend naar de zijkant van het bakstenen gebouw. Faith liep nog steeds in zichzelf te mompelen toen ze de hoek om sloegen naar de ingang van de winkel. Er hing een groot bord boven de deur, waarschijnlijk met de naam van het tehuis erop. De economische recessie trof tegenwoordig alles en iedereen, maar vooral liefdadigheidsinstellingen, die afhankelijk waren van lieden die er warm genoeg bij zaten om hun medemens te helpen. Veel van de plaatselijke instellingen namen goederen in ontvangst die ze verkochten om basisvoorzieningen te kunnen betalen. Op de etalageruit werden allerlei voorwerpen vermeld die in de winkel te koop waren. Terwijl ze naar de ingang liepen, las Faith hardop voor. 'HUISHOUDELIJKE ARTIKELEN, LINNENGOED, KLEREN, GIFTEN ZIJN WELKOM, GROTERE GEBRUIKSVOORWERPEN WORDEN GRATIS AFGEHAALD.'

Will deed de deur open en hoopte dat ze haar mond zou houden.

'ALLE DAGEN OPEN, BEHALVE ZONDAG.' 'VERBODEN VOOR HONDEN.'

'Ja, nou weet ik het wel,' zei hij, en hij keek de winkel rond. Op een plank stond een rij blenders, met daaronder broodroosters en kleine magnetrons. Aan rekken hingen kleren, de meeste in modestijlen uit de jaren tachtig. Soepblikken en allerlei andere etensvoorraden waren zo weggestouwd dat het zonlicht dat door de ramen naar binnen stroomde er niet op kon vallen. Wills maag begon te rammelen, en opeens herinnerde hij zich weer dat hij altijd etensblikjes had moeten sorteren die tijdens de feestdagen bij het weeshuis werden afgeleverd. Niemand gaf ooit iets lekkers. Meestal waren het blikjes ham en ingemaakte bietjes, echt iets waar een kind op zat te wachten tijdens het kerstdiner.

Faith was op een nieuw bord gestuit: ALLE GAVEN ZIJN AFTREKBAAR. DE OPBRENGST KOMT RECHTSTREEKS TEN GOEDE AAN DAKLOZE VROUWEN EN KINDEREN. GOD ZEGENE WIE ANDEREN ZEGENT.

Will merkte dat hij zijn kiezen zo stijf op elkaar klemde dat zijn kaak er pijn van deed. Gelukkig had hij geen tijd om lang bij de pijn stil te staan. Achter de toonbank dook een man op die als twee druppels water op Sam Drucker uit *Green Acres* leek. 'Hallo daar!'

Faiths hand vloog naar haar borst. 'Jezus, wie bent u?'

De man bloosde zo hevig dat Will de hitte die van zijn gezicht sloeg bijna kon voelen. 'Neem me niet kwalijk, mevrouw.' Hij veegde zijn hand aan zijn T-shirt af. Naar de zwarte vegen te oordelen, was dit niet de eerste keer dat hij dat deed. 'Ik ben Tom Coldfield. Ik help mijn moeder met...' Hij wees naar de vloer achter de toonbank. Will zag dat hij een grasmaaier aan het repareren was. De motor lag gedeeltelijk uit elkaar. Kennelijk probeerde hij er een nieuwe ventilatorriem in te zetten, maar dat verklaarde nog niet waarom de carburateur op de vloer lag.

'Er ligt een moer op de...' zei Will, maar Faith onderbrak hem.

'Ik ben Faith Mitchell van het GBI. Dit is mijn collega, Will Trent. We hebben hier afgesproken met Judith en Henry Coldfield. Ik ga ervan uit dat u familie bent?'

'Dat zijn mijn ouwelui,' legde de man uit, en hij lachte een stel konijnentanden bloot. 'Ze zijn achter in de winkel. Mijn pa is een beetje chagrijnig omdat hij nu zijn partijtje golf mist.' Hij leek te beseffen hoe volslagen onbeduidend dit moest klinken. 'Sorry, ik vind het ook vreselijk wat die vrouw is overkomen. Maar het is gewoon... Tja... Ze hebben die andere rechercheur al alles verteld wat er gebeurd is.'

Faith bleef vriendelijk. 'Ze vinden het vast niet erg om het ook nog eens aan ons te vertellen.'

Daar leek Tom Coldfield het niet mee eens te zijn, maar niettemin wenkte hij hen mee naar achteren. Will liet

Faith voorgaan, en met enige moeite baanden ze zich een weg langs dozen en stapels spullen die aan het tehuis waren geschonken. Will vermoedde dat Tom Coldfield ooit een sportief type was geweest, maar nu hij de dertig was gepasseerd was daar weinig meer van over. Zijn middel begon uit te dijen en zijn schouders hingen af. Boven op zijn hoofd had hij een kale plek die aan de tonsuur van een franciscaner monnik deed denken. Will durfde er gif op in te nemen dat Tom Coldfield een stel kinderen had. Hij was het prototype van de voetbalvader. Waarschijnlijk reed hij in een minibus en speelde hij online fantasievoetbal.

'Kijk maar niet naar de rommel,' zei Tom. 'We hebben een tekort aan vrijwilligers.'

'Werkt u hier?' vroeg Faith.

'O, nee. Dan zou ik gek worden.' Hij grinnikte toen hij Faiths verbaasde reactie zag. 'Ik ben luchtverkeersleider. Mijn moeder praat altijd net zo lang op mijn schuldgevoel in tot ik kom helpen als er mensen nodig zijn.'

'Bent u in militaire dienst geweest?'

'Bij de luchtmacht, zes jaar. Hoe raadde u dat?'

Faith haalde haar schouders op. 'Dan ben je altijd van een opleiding verzekerd. Mijn broer is bij de luchtmacht,' voegde ze eraan toe om contact met de man te krijgen. 'Hij is in Duitsland gestationeerd.'

Tom schoof een doos aan de kant. 'In Ramstein?'

'In Landstuhl. Hij is chirurg.'

'Een en al ellende daar. Uw broer verricht het werk van de Heer.'

Als rasechte politievrouw zette Faith haar persoonlijke mening even opzij. 'Zeker weten.'

Tom bleef voor een gesloten deur staan en klopte aan. Will keek de gang weer in naar de andere kant van het tehuis. Hij zag de balie waarvoor ze hadden staan wachten tot de vrouw uit het toilet kwam. Faith zag het ook en terwijl Tom de deur opende, schonk ze Will een getergde blik.

'Mam, dit zijn rechercheurs Trent en – sorry, maar zei u Mitchell?'

'Ja,' beaamde Faith.

Er waren slechts twee mensen in het vertrek, maar voor de vorm stelde Tom zijn ouders aan hen voor. Judith zat achter een bureau, met een grootboek opengeslagen voor zich. Henry zat op een stoel bij het raam. Hij had een krant in zijn handen en pas nadat hij die met een klap had omgeslagen en zorgvuldig opgevouwen richtte hij zijn aandacht op Will en Faith.

Tom had niet gelogen toen hij had gezegd dat zijn vader geïrriteerd was omdat hij zijn partijtje golf miste. Henry Coldfield was het schoolvoorbeeld van een knorrige oude baas.

'Zal ik nog wat stoelen halen?' bood Tom aan. Hij was al verdwenen voor iemand kon antwoorden. Het vertrek had de afmetingen van een doorsneekantoortje, wat inhield dat er vier mensen konden zitten zonder dat ze elkaar met de ellebogen raakten. Faith pakte de enige onbezette stoel, en Will bleef in de deuropening staan. Gewoonlijk spraken ze van tevoren af wie het woord zou voeren, maar op dit verhoor hadden ze zich niet voorbereid. Al doende zouden ze een bepaalde aanpak moeten ontwikkelen. Bij een getuigenverhoor moest je eerst zorgen dat de ander zich op zijn gemak voelde. Mensen gaven zich pas bloot en wilden je helpen als ze beseften dat jij niet de vijand was. Faith zat het dichtst bij het echtpaar, en zij begon dan ook.

'Meneer en mevrouw Coldfield, het is erg fijn dat u ons wilde ontvangen. Ik weet dat u al met rechercheur Galloway hebt gesproken, maar u hebt onlangs iets zeer traumatisch meegemaakt. Soms kan het een paar dagen duren voor u zich weer alles herinnert.'

'Eerlijk gezegd hebben we nog nooit zoiets meegemaakt,' zei Judith Coldfield. Will vroeg zich af of ze dacht dat mensen regelmatig met hun auto's tegen vrouwen op knalden die in een ondergronds hol waren verkracht en gemarteld.

'Judith,' zei Henry, die hetzelfde scheen te denken als Will.

'O, hemel.' Judith sloeg haar hand voor haar mond om haar gegeneerde lachje te verbergen, maar Will zag nog net van wie Tom zijn konijnentanden en zijn snelle blos had geërfd. 'Ik bedoelde eigenlijk dat we nog nooit met de politie hebben gepraat,' legde de vrouw uit. Ze klopte haar man op zijn hand. 'Henry heeft ooit een bon voor te hard rijden gekregen, maar dat was maar één keer. Wanneer was dat ook alweer, schat?'

'In de zomer van '83,' antwoordde Henry. Naar zijn strakke kaak te oordelen was hij er nog niet helemaal overheen. 'Tien kilometer te hard,' zei hij, waarbij hij Will aankeek, alsof alleen een man het zou kunnen begrijpen.

Will zou graag iets meelevends willen zeggen, maar hij kon niets bedenken. 'Komt u uit het noorden van het land?' vroeg hij aan Judith.

'Is dat zo duidelijk?' Ze lachte, en weer sloeg ze haar hand voor haar mond, zich pijnlijk bewust van haar vooruitstekende tanden. 'Uit Pennsylvania.'

'Hebt u daar tot uw pensionering gewoond?'

'O, nee,' antwoordde Judith. 'Vanwege Henry's werk zijn we nogal eens verhuisd. We hebben hoofdzakelijk in het noordwesten gewoond. In Oregon, Washington State, Californië, maar in die laatste staat vonden we het niet prettig, hè Henry?' Henry bromde wat. 'We hebben ook in Oklahoma gewoond, maar dat was maar kort. Bent u daar ooit geweest? Het is er vreselijk vlak.'

Faith trok het net wat strakker. 'En Michigan?'

Judith schudde haar hoofd, waarop Henry zei: 'Ik heb eens een footballwedstrijd in Michigan gezien, dat was in '71. Michigan tegen Ohio State. Het werd 10-7. Ik ben toen zowat doodgevroren.'

Faith greep de gelegenheid aan om hem uit zijn tent te lokken. 'Bent u footballfan?'

'Ik haat die sport.' Aan zijn frons was te zien dat hij er nog steeds met afgrijzen aan terugdacht, terwijl de meeste mensen toch een moord zouden doen om een wedstrijd tussen de twee aartsrivalen te kunnen bijwonen.

'Henry is altijd vertegenwoordiger geweest,' liet Judith hun weten. 'Ook voor die tijd leidde hij al een rondreizend bestaan. Zijn vader heeft dertig jaar lang in het leger gezeten, bij de landmacht.'

Faith nam het gesprek over en probeerde een manier te

vinden om de man aan de praat te krijgen. 'Mijn grootvader zat ook bij de landmacht.'

Weer was Judith degene die antwoordde. 'Tijdens de oorlog kreeg Henry uitstel van militaire dienst omdat hij studeerde.' Will vermoedde dat ze Vietnam bedoelde. 'Uiteraard hadden we vrienden die in dienst waren, en Tom heeft bij de luchtmacht gezeten, waar we erg trots op zijn. Zo is het toch, Tom?'

Will had niet gemerkt dat Tom was teruggekeerd. 'Sorry, maar er zijn geen stoelen meer,' zei de jonge Coldfield met een verontschuldigend lachje. 'De kinderen zijn er een fort mee aan het bouwen.'

'Waar bent u gestationeerd geweest?' vroeg Faith.

'Beide keren in Keesler,' antwoordde Tom. 'Eerst ben ik daar opgeleid en toen heb ik me opgewerkt tot adjudant bij het 334e eskader van de technische troepen, waar ik verantwoordelijk was voor de basisopleiding verkeersleider. Er was sprake van dat ik zou worden overgeplaatst naar Altus, maar rond die tijd heb ik mijn ontslag ingediend.'

'Ik wilde u net vragen waarom u bij de luchtmacht bent weggegaan, maar nu snap ik het. Keesler ligt in Mississippi. Tja.'

De blos keerde in alle hevigheid terug, en Tom lachte wat gegeneerd. 'Inderdaad, mevrouw.'

Faith richtte zich nu tot Henry, want het was duidelijk dat ze zonder Henry's zegen niet veel uit Judith los zouden krijgen. 'Bent u ooit het land uit geweest?'

'Ik ben altijd in de States gebleven.'

'U praat met een militair accent,' merkte Faith op, waaruit Will opmaakte dat de man kennelijk accentloos sprak.

Nu Faith zoveel aandacht voor hem aan den dag legde, leek Henry's terughoudendheid langzaam weg te smelten. 'Je gaat waar ze je sturen.'

'Dat zei mijn broer ook toen hij werd uitgezonden.' Faith boog zich naar voren. 'Om u de waarheid te zeggen denk ik dat hij het leuk vindt om overal naartoe te gaan en nergens te wortelen.'

Henry werd steeds toegankelijker. 'Is hij getrouwd?' vroeg hij.

'Nee.'

'In elke haven een ander liefje, zeker?'

'Nou, dat mag ik niet hopen.' Faith lachte. 'Wat mijn moeder betreft, was het de luchtmacht of het klooster.'

Henry grinnikte. 'Zo denken de meeste moeders over hun zonen.' Hij gaf zijn vrouw een kneepje in haar hand, en Judith keek Tom stralend van trots aan.

Nu wendde Faith zich tot de zoon. 'Zei u niet dat u verkeersleider was?'

'Ja, mevrouw,' antwoordde hij, ook al was hij waarschijnlijk ouder dan Faith.

'Ik werk op Charlie Brown,' voegde hij eraan toe, doelend op de burgerluchthaven ten westen van Atlanta. 'Nu alweer tien jaar. Het is een mooie baan. Soms begeleiden we 's nachts ook verkeer van Dobbins.' Dobbins was een luchtmachtbasis net buiten de stad. 'Ik wil wedden dat uw broer weleens daarvandaan vertrokken is.'

'O, vast,' beaamde Faith. Ze keek hem net lang genoeg aan om zijn ijdelheid te strelen. 'Woont u tegenwoordig in Conyers?'

'Ja, mevrouw.' Tom schonk haar nu een brede glimlach, waarbij zijn konijnentanden naar voren staken als de slagtanden van een olifant. Hij was inmiddels wat relaxter, en daarmee ook spraakzamer. 'Na Keesler ben ik naar Atlanta verhuisd.' Hij knikte in de richting van zijn moeder. 'Ik was echt heel blij toen mijn ouders besloten om hier ook te komen wonen.'

'Ze wonen toch aan Clairmont Road?'

Tom knikte, nog steeds met een lach op zijn gezicht. 'Ze kunnen nu langskomen zonder dat ze een koffer hoeven te pakken.'

Judith leek er wat moeite mee te hebben dat het kennelijk klikte tussen die twee. Vlug mengde ze zich weer in het gesprek. 'Toms vrouw is dol op haar bloementuin.' Ze begon in haar tas te rommelen. 'En Mark, zijn zoon, is bezeten van alles wat met luchtvaart te maken heeft. Hij gaat met de dag meer op zijn vader lijken.'

'Mam, ze hoeven toch niet...'

Te laat. Judith haalde een foto tevoorschijn, die ze Faith aanreikte. Faith maakte de geijkte waarderende geluiden en gaf de foto door aan Will.

Uitdrukkingsloos bekeek hij de gezinsfoto. De Coldfields hadden sterke genen, dat was duidelijk. De jongen en het meisje op de foto waren het evenbeeld van hun vader. Wat het er niet beter op maakte was dat Tom er niet in geslaagd was een knappe vrouw te vinden die de genenpool van de Coldfields enigszins had kunnen aanlengen. Ze had blond piekhaar en een berustende trek rond haar mond, alsof ze zich erbij had neergelegd dat dit het hoogste was wat ze ooit zou bereiken.

'Darla, zo heet zijn vrouw,' zei Judith. 'Ze zijn nu bijna tien jaar getrouwd, toch, Tom?'

Enigszins opgelaten haalde hij zijn schouders op – het aloude gebaar van een kind dat zich geneert voor zijn ouders.

'Heel leuk,' zei Will, waarna hij de foto weer aan Judith teruggaf.

'Hebt u kinderen?' vroeg Judith aan Faith.

'Ik heb een zoon.' Daar liet Faith het bij. 'Is Tom enig kind?' vroeg ze op haar beurt.

'Ja.' Opnieuw glimlachte Judith achter haar hand. 'Henry en ik hadden nooit kunnen denken dat we nog eens...' Haar stem stierf weg, en ze keek Tom vol trots aan. 'Hij was een wonder.'

Weer maakte Tom een opgelaten schoudergebaar.

Heel subtiel bracht Faith het gesprek op de reden van hun komst. 'Was u bij Tom op bezoek geweest toen dat ongeluk gebeurde?'

Judith knikte. 'Hij wilde iets leuks doen omdat we veertig jaar getrouwd waren. Hè, Tom?' Haar stem kreeg iets afwezigs. 'Wat een gruwelijke gebeurtenis. Voortaan zal ik op elke huwelijksdag terugdenken...'

Tom onderbrak haar. 'Ik snap niet hoe het heeft kunnen gebeuren. Hoe kon die vrouw...' Hij schudde zijn hoofd. 'Het is onbegrijpelijk. Allejezus, wie doet er nou zoiets?'

'Tom,' zei Judith sussend. 'Wat minder grof, graag.'

Faith schonk Will een blik waaruit hij opmaakte dat ze elk grammetje wilskracht inzette om haar ogen niet wanhopig ten hemel te slaan. Ze had zichzelf echter weer snel in de hand, en nu richtte ze zich tot het oudere echtpaar. 'Ik weet dat u alles al aan rechercheur Galloway hebt verteld, maar ik zou graag weer bij het begin willen beginnen. U reed over de weg, zag de vrouw, en toen...?'

'Nou,' begon Judith, 'eerst dacht ik namelijk dat het een hert was. We zien heel vaak herten in de berm. Als het donker is, rijdt Henry altijd wat langzamer voor het geval er eentje de weg over schiet.'

'Als ze de koplampen zien, verstarren ze gewoon,' legde Henry uit, alsof een hert dat gevangenzat in de koplampen een onbekend verschijnsel was.

'Het was nog niet donker,' vervolgde Judith. 'Het schemerde, denk ik. En toen zag ik iets op de weg. Ik wilde het net tegen Henry zeggen, maar het was al te laat. We waren er al tegenop gebotst. Tegen haar.' Ze haalde een papieren zakdoekje uit haar tas en bette haar ogen. 'Die aardige mannen hebben nog geprobeerd om haar te helpen, maar ik denk niet... na dat alles...'

Henry pakte de hand van zijn vrouw. 'Heeft ze... Is de vrouw...?'

'Ze ligt nog in het ziekenhuis,' vertelde Faith. 'Het is onzeker of ze ooit weer bij bewustzijn komt.'

'Heer in de hemel,' fluisterde Judith, bijna als in gebed. 'Ik hoop dat dat niet gebeurt.'

'Moeder...' zei Tom, en zijn stem steeg van verbazing.

'Ik weet dat het niet aardig klinkt, maar ik hoop dat ze dit nooit hoeft te weten.'

Ouders en zoon zwegen. Tom keek zijn vader aan. Henry slikte, en Will zag dat hij door zijn herinneringen werd overmand. 'Ik dacht dat mijn hart het begaf,' zei hij ten slotte met een bitter lachje.

'Henry heeft hartproblemen,' zei Judith op gedempte, vertrouwelijke toon, alsof haar man er niet zelf bij zat.

'Niets ernstig, hoor,' wierp hij tegen. 'Die stomme airbag raakte me recht in mijn borst. Voor de veiligheid, beweren ze. Dat ellendige ding heeft me bijna het leven gekost.'

'Meneer Coldfield,' vroeg Faith, 'hebt u die vrouw de weg op zien lopen?'

Henry knikte. 'Het ging precies zoals Judith zei. Het was te laat om nog te kunnen stoppen. Ik reed niet eens hard. Ik hield de maximumsnelheid aan. Toen zag ik iets – eerst dacht ik dat het een hert was, zoals zij al zei. Ik trapte vol op de rem. Ze dook gewoon uit het niets op. Zomaar uit het niets. Ik wist nog steeds niet dat het een vrouw was, tot we uitstapten en haar zagen. Verschrikkelijk. Gewoonweg verschrikkelijk.'

'Hebt u altijd een bril gedragen?' vroeg Will behoedzaam.

'Ik ben sportvlieger. Mijn ogen worden twee keer per jaar gekeurd.' Lichtelijk verstoord nam hij zijn bril af, maar zijn stem bleef kalm. 'Ik mag dan oud zijn, maar ik ben nog steeds in staat om te vliegen. Niks geen staar, en met bril scoor ik 20/20.'

Will besloot om nu meteen maar alles te vragen. 'En uw hart?'

Judith ging zich er weer mee bemoeien. 'Dat stelt niets voor. Gewoon iets om in de gaten te houden, en hij mag zich niet al te zwaar inspannen.'

Nog steeds verontwaardigd nam Henry het gesprek weer over. 'De dokters maken zich er niet druk om. Ik slik een paardenmiddel en zorg dat ik niet zwaar til. Verder ben ik prima in orde.'

Om hem wat rustiger te stemmen veranderde Faith van onderwerp. 'Een knaap van de landmacht die aan vliegen doet?'

Henry leek nog even met zichzelf te overleggen of hij het onderwerp van zijn gezondheid zomaar zou laten schieten. 'Ik mocht van mijn vader lessen nemen toen ik nog een jongen was,' zei hij ten slotte. 'We waren gestationeerd in Nowhere, in Alaska. Hij vond het een goede manier om me op het rechte pad te houden.'

Faith glimlachte, en hij ontspande zich enigszins.

'Was het daar goed vliegweer?' vroeg ze.

'Als je geluk had,' zei hij met een weemoedig lachje. 'Bij het landen moest je goed opletten – er stond altijd een gure wind, die het vliegtuig als een vliegenmepper heen en weer zwiepte. Er waren dagen dat ik gewoon mijn ogen sloot en hoopte dat ik op het veld in plaats van op het ijs terechtkwam.'

'*Cold field*,' zei Faith, spelend met zijn naam.

'Zo is het,' antwoordde Henry, die het grapje kennelijk vaker had gehoord. Hij zette zijn bril weer op en kwam ter zake. 'Hoor eens, ik vertel mensen niet graag hoe ze hun werk moeten doen, maar waarom vraagt u ons niet naar die andere auto?'

'Andere auto?' herhaalde Faith. 'Bedoelt u de wagen die stopte om te helpen?'

'Nee, die andere. Die zagen we in tegenovergestelde richting langsscheuren. Dat was ongeveer twee minuten voor we die vrouw aanreden.'

Judith verbrak de verbijsterde stilte. 'Maar dat weet u vast al. We hebben het hele verhaal ook aan die andere rechercheur verteld.'

Elf

De rit naar het politiebureau van Rockdale County verliep in een waas dat Faith vulde met elk scheldwoord dat ze kon bedenken.

'Ik wist dat dat rund tegen me stond te liegen,' zei ze, Max Galloway en het hele Rockdale-team hartgrondig verwensend. 'Je had die zelfingenomen grijns moeten zien toen hij het ziekenhuis uit liep.' Ze sloeg met de palm van haar hand op het stuur, alsof het de adamsappel van Galloway was. 'Denken ze dat dit een spelletje is of zo? Hebben ze niet gezien wat die vrouw is aangedaan? Jezus nog aan toe!'

Will zat zwijgend naast haar. Zoals gewoonlijk had ze geen idee wat er door hem heen ging. Hij had de hele rit geen woord gezegd, en pas toen ze de parkeerplaats voor bezoekers bij het politiebureau van Rockdale op reed, deed hij zijn mond open. 'Ben je eindelijk uitgeraasd?'

'God, nee, ik ben nog lang niet uitgeraasd. Ze hebben tegen ons gelogen. Ze hebben ons nog niet eens het rapport van de plaats delict gefaxt, verdomme. Hoe kunnen we nou in godsnaam aan een zaak werken als ze informatie achterhouden die...'

'Bedenk eens waarom ze dat gedaan hebben,' onderbrak Will haar. 'De ene vrouw is dood, de andere is zo goed als dood, en nog steeds houden ze bewijsmateriaal voor ons achter. Ze geven geen donder om de mensen om wie het gaat, Faith. Het enige waar ze om geven is hun eigen ego, en dat ze ons op onze bek willen zien gaan. Ze lekken informatie naar de pers, ze weigeren samen te werken. Denk je dat we ook maar iets bereiken als we daar op hoge poten naar binnen gaan?'

Nog voor Faith kon antwoorden, was Will al uitgestapt. Hij liep om de auto heen en opende het linkerportier voor haar, alsof ze samen uit waren.

'Neem één ding van me aan, Faith. Je kunt geen ijzer met handen breken.'

Ze weigerde zijn helpende hand. 'Ik laat me niet door die Max Galloway in de zeik nemen.'

'Nou, ik wel hoor,' zei Will, en weer bood hij haar zijn hand, alsof ze hulp nodig had bij het uitstappen.

Faith graaide haar tas van de achterbank. Terwijl ze achter hem aan het trottoir over liep, bedacht ze dat het geen wonder was dat iedereen Will Trent voor een registeraccountant aanzag. Het ego van de man was bijna onzichtbaar, zo weinig stelde het voor. Ze werkte nu een jaar met hem samen en de heftigste emotie die ze bij hem had waargenomen was irritatie, en die was meestal op haar gericht. Soms was hij humeurig of melancholiek, en hij kon zich over heel veel dingen opwinden, maar ze had hem nog nooit echt kwaad gezien. Ooit had hij in één vertrek gezeten met een verdachte die hem nog maar een paar uur daarvoor een kogel door het hoofd had willen jagen, maar Will had slechts empathie getoond.

De geüniformeerde agent achter de balie herkende Will meteen. Zijn lippen plooiden zich tot een honende grijns. 'Trent.'

'Rechercheur Fierro,' antwoordde Will, hoewel de man duidelijk niet langer rechercheur was. Zijn forse buik puilde tussen de knopen van zijn uniformjasje naar buiten als vulling uit een jamdonut. In aanmerking genomen wat Fierro Amanda over de kont van Lyle Peterson had toegevoegd, verbaasde het Faith dat de man niet in een rolstoel zat.

'Ik had dat luik weer boven je kop dicht moeten smijten en je in dat hol moeten laten stikken,' zei Fierro.

'Ben ik even blij dat je dat niet gedaan hebt.' Will wees naar Faith. 'Dit is mijn collega, GBI-agent Mitchell. We willen rechercheur Max Galloway graag spreken.'

'Waarover?'

Faith had genoeg van alle beleefdheden. Ze deed haar mond al open om tegen hem uit te varen, maar met een blik snoerde Will haar de mond.

'Als rechercheur Galloway niet beschikbaar is, willen we graag met commissaris Peterson praten,' zei hij. 'Of anders gaan we naar je maat Sam Lawson van de *Atlanta Beacon*,' voegde Faith eraan toe, 'en dan vertellen we hem dat alle verhalen die je hem hebt zitten voeren alleen maar dienen om je eigen vette reet in te dekken na de fouten die je in deze zaak hebt gemaakt.'

'Wat ben jij een bitch, dame.'

'En dan ben ik nog niet eens begonnen,' zei Faith. 'Je zorgt nu dat Galloway komt, of anders halen we onze chef erbij. Ze heeft je penning al ingenomen. Wat denk je dat ze je straks afpakt? Ik heb zo'n vermoeden dat het je miezerige...'

'Faith,' waarschuwde Will.

Fierro pakte de telefoon en toetste een intern nummer in. 'Max, ik heb hier een stelletje klerelijers die je willen spreken.' Hij liet het ding weer op de houder vallen. 'De gang door, rechtsaf, eerste deur links.'

Faith ging voorop, omdat Will de weg toch niet zou kunnen vinden. Het bureau was een typisch overheidsgebouw uit de jaren zestig: allemaal glazen bouwstenen en een slechte ventilatie. De muren hingen vol eerbewijzen en foto's van politiemensen tijdens liefdadigheidsevenementen en gemeentelijke barbecues. Fierro's aanwijzingen volgend sloeg Faith rechts af en bleef staan voor de eerste deur links.

'Eikel,' fluisterde ze nadat ze het bordje op de deur had gelezen. Hij had hen naar een verhoorkamer gestuurd.

Will stak zijn arm voor Faith langs om de deur open te doen. Ze zag hem naar de tafel kijken die met bouten aan de vloer was bevestigd, en naar de stangen aan de zijkant van de tafel waar verdachten tijdens het verhoor met hun handboeien aan vastgeketend konden worden. 'Bij ons is het gezelliger,' was het enige wat hij zei.

Er stonden twee stoelen aan weerszijden van de tafel.

Faith wierp haar tas op de stoel die met de rugleuning naar de confrontatiespiegel stond en bleef met haar armen over elkaar staan, want ze wilde niet zitten als Galloway binnenkwam. 'Wat een geëtter. We moeten echt Amanda erbij halen. Die pikt dit gezeik niet.'

Met zijn handen in zijn zakken leunde Will tegen de muur. 'Als we Amanda erbij betrekken, hebben ze helemaal niets meer te verliezen. Ze proberen het gezichtsverlies nog een beetje te beperken door met ons te kloten. Laat ze toch. Wat kan het schelen, als we daardoor de informatie krijgen die we nodig hebben.'

Faith wierp een blik op de confrontatiespiegel en vroeg zich af of er een engelenbak achter zat. 'Als we dit achter de rug hebben, leg ik alles vast in een officieel rapport. Belemmering van de rechtsgang, hinderen van een lopende zaak, liegen tegen een politiebeambte. Die vette klootzak van een Fierro draagt weer een uniform. Galloway mag blij zijn als hij straks als hondenvanger aan de slag kan.'

Ergens op de gang hoorden ze een deur opengaan en vervolgens dichtklikken. Een paar tellen later verscheen Galloway in de deuropening. Hij keek nog even sullig uit zijn ogen als de vorige avond.

'Ik heb gehoord dat jullie me wilden spreken.'

'We hebben zojuist met de Coldfields gepraat,' zei Faith.

Galloway knikte naar Will, die zijn groet beantwoordde, nog steeds leunend tegen de muur.

'Is er een reden voor dat je me gisteravond niet over die andere auto hebt verteld?' wilde Faith weten.

'Ik dacht dat ik het je wel had verteld.'

'Gezeik.' Faith wist niet wat haar kwader maakte: dat hij dit als een soort spelletje beschouwde of dat ze gedwongen was dezelfde toon tegen hem aan te slaan die ze vroeger tegenover Jeremy gebruikte als ze hem huisarrest oplegde.

Met een glimlach naar Will stak Galloway zijn handen in de lucht. 'Is je collega altijd zo hysterisch? Misschien is ze ongesteld of zo.'

Faith balde haar handen tot vuisten. Ze zou hem eens laten zien hoe hysterisch ze kon worden.

'Hoor eens.' Will ging nu tussen hen in staan. 'Vertel ons nou maar gewoon over die auto en wat je verder nog weet. We gaan het je echt niet moeilijk maken. We gebruiken liever geen zwaardere middelen om achter die informatie te komen.' Will liep naar de stoel en pakte Faiths tas voor hij ging zitten. Hij hield de tas op zijn schoot, wat een belachelijk gezicht was, alsof hij bij een kleedkamertje zat te wachten terwijl zijn vrouw kleren paste.

Met een gebaar nodigde hij Galloway uit om tegenover hem plaats te nemen. 'We hebben één slachtoffer in het ziekenhuis, waarschijnlijk in een onomkeerbaar coma,' zei hij. 'De sectie op Jacquelyn Zabel, de vrouw die in de boom hing, heeft niets opgeleverd. Een derde vrouw wordt vermist. Ze is verdwenen van een parkeerterrein bij een supermarkt. Haar kind werd op de achterbank van de auto aangetroffen. Hij heet Felix, een jongetje van zes. Op dit moment zit hij bij onbekende pleegouders. Het enige wat hij wil is dat zijn mammie terugkomt.'

Galloway was onaangedaan.

'Je hebt die recherchepenning niet gekregen vanwege je mooie ogen,' vervolgde Will. 'Gisteravond zijn er wegversperringen geplaatst. Jullie waren op de hoogte van de tweede auto die de Coldfields hebben gezien. Jullie hebben mensen aangehouden.' Hij besloot het over een andere boeg te gooien. 'We hebben dit niet aan je chef gemeld. We hebben onze chef er niet bij gehaald om je op je flikker te geven. Tijd is een luxe die we ons niet kunnen veroorloven. De moeder van Felix wordt vermist. Misschien ligt ze nu in een ander hol, vastgebonden aan een ander bed, met onder zich een andere lege plek voor het volgende slachtoffer. Wil je dat op je geweten hebben?'

Na een tijdje slaakte Galloway een diepe zucht en ging zitten. Hij boog zich naar voren en kreunend, alsof het hem fysiek pijn deed, haalde hij zijn notitieboekje uit zijn achterzak.

'Hebben ze je verteld dat de auto wit was, en waarschijnlijk een vierdeurs?' vroeg hij.

'Ja,' antwoordde Will. 'Henry Coldfield wist niet wat voor type het was. Een oudere auto, zei hij.'

Galloway knikte. Hij reikte Will zijn notitieboekje aan. Will sloeg zijn blik neer, bladerde het door alsof hij de informatie in zich opnam en gaf het toen aan Faith. Ze zag een lijstje met drie namen en een adres in Tennessee, met een telefoonnummer. Ze nam haar tas van Will over om de gegevens te kunnen overschrijven.

'Twee vrouwen – zussen – en hun vader,' zei de rechercheur. 'Ze waren op de terugreis van Florida naar Tennessee, waar ze wonen. Ze stonden met autopech aan de kant van de weg, op een kleine tien kilometer van de plek waar de Buick ons eerste slachtoffer schepte. Ze zagen een witte personenauto naderen en een van de vrouwen probeerde hem aan te houden. De auto minderde vaart, maar stopte niet.'

'Kon ze de bestuurder zien?'

'Een zwarte man met een honkbalpet op, harde bonkende muziek. Ze zei dat ze eigenlijk blij was dat hij niet stopte.'

'Hebben ze nog een kenteken gezien?'

'Alleen maar drie letters: alfa, foxtrot, charlie – en dat heeft zo ongeveer driehonderdduizend auto's opgeleverd, waarvan zestienduizend wit, en daar weer de helft van was in de onmiddellijke omgeving geregistreerd.'

Faith schreef de letters – A, F, C – op, hoewel ze besefte dat ze met het kenteken niks opschoten, tenzij ze toevallig op de betreffende auto stuitten. Ze bladerde Galloways aantekeningen verder door om te zien wat hij nog meer achterhield.

'Ik wil graag met alle drie spreken,' zei Will.

'Te laat,' zei Galloway. 'Ze zijn vanochtend naar Tennessee afgereisd. De vader is oud en hij is er niet best aan toe. Zo te horen brachten ze hem naar huis om te sterven. Wat mij betreft bel je ze, of rij je ernaartoe. Maar neem maar van mij aan dat we ze helemaal hebben uitgemolken.'

'Hebben jullie verder nog iets op die plek gevonden?' vroeg Will.

'Het staat allemaal in de rapporten.'

'Die hebben we nog niet ontvangen.'

Galloway trok zowaar een berouwvol gezicht. 'Sorry. De

secretaresse had ze meteen aan jullie moeten faxen. Waarschijnlijk liggen ze ergens onder de troep op haar bureau.'
'We nemen ze wel mee bij het weggaan,' zei Will. 'Zou je het nog even voor me op een rijtje willen zetten?'
'Het is precies zoals je zou verwachten. Toen de surveillancewagen verscheen, was de man die zijn auto aan de kant had gezet, die ambulancebroeder, met het slachtoffer bezig. Judith Coldfield ging finaal over de rooie, want ze was bang dat haar man een hartaanval had gehad. De ambulance kwam en nam het slachtoffer mee. Tegen die tijd ging het weer wat beter met de oude man, en daarom wachtte hij tot de tweede ambulance kwam. Die arriveerde een paar minuten later. Onze jongens riepen de recherche erbij en begonnen de plek af te zetten. Alles volgens het boekje. Er is verder niks bijzonders ontdekt, eerlijk waar.'
'We zouden graag de agent willen spreken die het eerst ter plekke was, om te horen wat zijn indruk was.'
'Die is met zijn schoonvader aan het vissen in Montana.' Galloway haalde zijn schouders op. 'Ik hou jullie echt niet aan het lijntje. Die vakantie was al een tijd geleden gepland.'
Faith was op een bekende naam gestuit in Galloways aantekeningen. 'Wat is er precies met Jake Berman?' Tegen Will zei ze: 'Rick Sigler en Jake Berman waren de twee mannen die zijn gestopt om Anna te helpen.'
'Anna?' vroeg Galloway.
'Die naam gaf ze op in het ziekenhuis,' legde Will uit. 'Rick Sigler was toch die ambulancebroeder die een avondje was wezen stappen?'
'Klopt,' bevestigde Galloway. 'Dat verhaal over die film leek me iets te magertjes.'
Faith slaakte een geërgerde zucht. Ze vroeg zich af hoeveel doodlopende wegen de man nog moest inslaan voor hij van pure domheid zijn bewustzijn verloor.
'Hoe dan ook,' zei Galloway, die Faith nadrukkelijk negeerde, 'ik heb ze allebei door de computer gehaald. Sigler is schoon, maar die Berman heeft een strafblad.'
Het was alsof Faith een klap in haar gezicht kreeg. Ze

had die ochtend twee uur lang achter de computer gezeten, maar het was geen moment bij haar opgekomen om te kijken of de mannen een criminele geschiedenis hadden.

'Aanzet tot ontucht.' Galloway glimlachte toen hij de verbijstering op Faiths gezicht zag. 'Die vent is getrouwd en heeft twee kinderen. Hij is een halfjaar geleden opgepakt omdat hij een andere man stond te neuken op een toilet in de Mall of Georgia. Een of andere jonge gast liep daar binnen en trof ze al rampetampend aan. Vuile smeerlap. Mijn vrouw gaat daar altijd winkelen.'

'Heb je Berman gesproken?' vroeg Will.

'Hij heeft een vals nummer opgegeven.' Galloway wierp Faith weer een vernietigende blik toe. 'Het adres op zijn rijbewijs is ook al oud, en toen we het natrokken kwam er niks uit.'

Faith meende dat er iets niet klopte in zijn verhaal en ze sloeg onmiddellijk toe. 'Hoe weet je dat hij een vrouw en twee kinderen heeft?'

'Omdat het in het arrestatierapport staat. Hij was samen met hen aan het winkelen. Ze stonden bij de toiletten te wachten tot hij weer naar buiten kwam.' Galloways mond vertrok van walging. 'Hem moet je hebben, neem dat maar van mij aan.'

'De vrouwen zijn verkracht,' zei Faith, en ze wierp hem zijn notitieboekje toe. 'Homo's hebben het niet op vrouwen voorzien. Daarom zijn ze homo.'

'Vind je de dader soms een type dat op vrouwen valt?'

Daar zat iets in, en Faith gaf dan ook geen antwoord.

'Hoe zit het met Rick Sigler?' vroeg Will.

Op z'n dooie gemak sloeg Galloway zijn notitieboekje dicht en stopte het in zijn zak. 'Die was helemaal schoon. Hij werkt nu al zestien jaar op de ambulance. Hij heeft op de Heritage High School gezeten, hier vlakbij.' Weer was de walging van zijn gezicht af te lezen. 'Zat in het footballteam, geloof het of niet.'

Heel rustig stelde Will zijn laatste vraag. 'Wat hou je verder nog allemaal achter?'

Galloway keek hem recht in zijn ogen. 'Dat is alles wat ik weet, *kemo sabe*.'

Faith geloofde hem niet, maar Will leek er genoegen mee te nemen. Hij schudde de man zelfs de hand. 'Bedankt voor je tijd, rechercheur.'

Faith deed het licht aan, liep de keuken in, zette haar tas op het aanrecht en liet zich op dezelfde stoel ploffen waarop ze de dag was begonnen. Ze had koppijn en haar nek was zo stijf dat ze amper haar hoofd kon draaien. Ze pakte de telefoon om haar voicemail te beluisteren. Jeremy had een kort, ongewoon lief berichtje ingesproken. 'Hoi mam, ik bel alleen even om te vragen hoe het gaat. Liefs.' Faith fronste haar wenkbrauwen. Ze vermoedde dat hij zijn scheikundetentamen had verknald of anders in geldnood zat.

Ze toetste zijn nummer in, maar hing weer op nog voor de verbinding tot stand was gekomen. Faith was doodop, zo uitgeput dat ze een waas voor ogen had, en het enige wat ze wilde was een warm bad en een glas wijn, hoewel beide werden afgeraden voor iemand in haar toestand. Ze ging het niet nog erger maken door tegen haar zoon uit te varen.

Faiths laptop stond nog steeds op tafel, maar ze had geen zin om haar mail te checken. Amanda had gezegd dat ze haar aan het eind van de dag op haar kamer verwachtte in verband met dat flauwvallen in de parkeergarage van het gerechtsgebouw. Faith wierp een blik op het fornuisklokje. Het was bijna tien uur, en de werkdag was allang voorbij. Amanda was waarschijnlijk thuis, waar ze het bloed uit de insecten perste die ze in haar web had verstrikt.

Faith vroeg zich af of het nog erger kon worden die dag, wat mathematisch gezien bijna onmogelijk was, gezien het late tijdstip. De laatste vijf uur was ze samen met Will de auto in en uit gestapt, had ze overal aangebeld en ongeacht wie er opendeed – man, vrouw of kind – naar Jake Berman gevraagd. Alles bij elkaar woonden er drieentwintig Jake Bermans verspreid over de stad. Faith en Will hadden met zes gepraat en twaalf afgestreept, en de overige vijf hadden ze niet te pakken gekregen, omdat ze niet thuis of niet op hun werk waren, of simpelweg niet opendeden.

Als het gemakkelijker was geweest om de man te vinden, zou Faith zich niet zoveel zorgen maken. Getuigen logen voortdurend tegen de politie. Ze gaven valse namen en telefoonnummers op en voorzagen je van de verkeerde gegevens. Het was zo normaal dat Faith zich zelden opwond als het gebeurde. Maar met Jake Berman was iets anders aan de hand. Iedereen liet een papieren spoor achter. Oude adressen of mobieletelefoongegevens konden worden nagetrokken, en na een tijdje stond je oog in oog met je getuige en deed je alsof je geen halve dag had verspeeld door naar hem te zoeken.

Jake Berman had geen papieren spoor achtergelaten. Hij had het vorige jaar niet eens belastingaangifte gedaan. Tenminste niet onder de naam Jake Berman – en nu doemde het spook van Pauline McGhees broer op. Misschien had Berman net als Pauline Seward een andere naam aangenomen. Misschien had Faith op die eerste avond tegenover hun moordenaar gezeten, aan dat tafeltje in het restaurant van het Grady Hospital.

Of misschien was Jake Berman een ordinaire belastingontduiker die nooit een creditcard of een mobiele telefoon gebruikte, en had Pauline McGhee haar oude leven achter zich gelaten omdat vrouwen dat soms deden – ze lieten hun oude leven gewoon achter zich.

Faith ging steeds meer de voordelen van die optie inzien.

Terwijl ze van deur naar deur gingen, had Will Beulah, Edna en Wallace O'Connor uit Tennessee gebeld. Wat die oude vader betrof, had Max Galloway niet gelogen. De man woonde in een tehuis, en uit Wills reacties maakte Faith op dat zijn geest niet al te scherp meer was. De zussen waren zeer spraakzaam en deden hun best om van nut te kunnen zijn, maar het enige wat ze nog konden vertellen over de witte auto die ze op enkele kilometers van de plek van het ongeluk over de weg hadden zien scheuren, was dat er modder op de bumper had gezeten.

Het opsporen van Rick Sigler, de aanleiding van Jake Bermans aanwezigheid op Route 316, had niet veel meer opgeleverd. Faith had het telefoontje gepleegd, en toen de man hoorde wie ze was, had hij bijna een hartaanval gekregen. Rick zat in zijn ambulance. Hij bracht een patiënt naar het ziekenhuis, en had er nog twee op zijn lijstje staan. Faith en Will hadden de volgende ochtend om acht uur met hem afgesproken, als hij klaar was met zijn werk.

Faith staarde naar haar laptop. Ze wist dat ze dit alles in een rapport moest verwerken zodat Amanda de informatie ook onder ogen kreeg, hoewel haar chef heel goed in staat leek om op eigen houtje van alles aan de weet te komen. Niettemin trof Faith de noodzakelijke voorbereidingen. Ze trok de computer over de tafel naar zich toe, opende hem en drukte de spatiebalk in om hem wakker te schudden.

In plaats van naar haar e-mailprogramma te gaan klikte ze de browser aan. Faiths handen bleven even boven de toetsen zweven en toen begonnen haar vingers als vanzelf te bewegen: SARA LINTON GRANT COUNTY GEORGIA.

Firefox hoestte bijna drieduizend treffers op. Faith klikte de eerste link aan, die haar naar een pagina over kindergeneeskunde voerde. Ze had een gebruikersnaam en wachtwoord nodig als ze Sara's verhandeling over het ventriculair-septumdefect bij ondervoede kinderen wilde raadplegen. De tweede link betrof een onderwerp dat al even boeiend was, en Faith scrolde naar beneden, waar ze een artikel vond over een schietpartij in een bar in Buckhead, waar Sara als dienstdoend arts van het Grady bij betrokken was geweest.

Faith besefte hoe stom ze het aanpakte. Een algemene zoekopdracht was prima, maar zelfs de krantenartikelen vertelden maar het halve verhaal. Als een politieman de dood vond, werd het GBI altijd ingeschakeld. Via de interne databank van het bureau had Faith toegang tot de dossiers van alle zaken. Ze opende het programma en gaf een algemene zoekopdracht. Weer dook Sara's naam overal op, bij de ene zaak na de andere waarin ze in haar functie van lijkschouwer getuigenis had afgelegd. Faith beperkte de zoekopdracht door de getuige-deskundigenverklaringen eruit te halen.

Deze keer waren er slechts twee treffers. De eerste betrof een verkrachtingszaak van meer dan twintig jaar eerder. Zoals bij de meeste browsers verscheen er onder de link een korte inhoudsbeschrijving, een paar regeltjes tekst om aan te geven waarover de zaak ging. Faith las de beschrijving vluchtig door en bewoog de muis naar de link zonder erop te klikken. Ze dacht aan Wills woorden, aan zijn dappere betoog over Sara Lintons privacy. Misschien had hij ergens nog gelijk ook.

Faith klikte de tweede link aan en opende het bestand over Jeffrey Tolliver. Dit betrof de moord op een politieman. De verslagen waren uitgebreid en gedetailleerd, het soort verhaal dat je schreef als je er zeker van wilde zijn dat elk woord klopte wanneer je in de rechtbank aan een kruisverhoor werd onderworpen. Faith las over de achtergrond van de man, over zijn lange jaren als wetsdienaar. Er waren hyperlinks die de zaken waaraan hij had gewerkt met elkaar verbonden. Sommige herinnerde Faith zich nog van het nieuws, andere kende ze van de gesprekken in de recherchekamer.

Ze scrolde door de ene pagina na de andere, las over het leven van Tolliver en kreeg een beeld van zijn karakter door de respectvolle manier waarop anderen hem beschreven. Faith ging door tot ze bij de foto's van de plaats delict was aangeland. Tolliver was met een primitieve pijpbom gedood. Sara had erbij gestaan, had het allemaal zien gebeuren, had hem zien sterven. Faith vermande zich en opende de bestanden die betrekking hadden op de autopsie. De foto's waren schokkend, de toegebrachte schade was gruwelijk. Zijn arm was afgerukt, zijn borst opengereten. Op de een of andere manier waren foto's van de plaats delict tussen die van de sectie beland: Sara die haar handen uitstak naar de camera zodat de bloedstraal vastgelegd kon worden. Sara's gezicht in close-up, met vegen donker bloed rond haar mond, en ogen die even vlak en levenloos waren als die van haar man op de mortuariumfoto's.

Op alle dossiers stond de zaak nog steeds als open aangemerkt. Nergens las ze iets over een ontknoping, arrestatie of veroordeling. Voor de moord op een politieman was dat zeer merkwaardig. Wat had Amanda ook alweer over Coastal gezegd?

Faith opende een nieuw venster. Het GBI was belast met het onderzoek naar alle sterfgevallen op overheidsterrein. Ze gaf een zoekopdracht naar sterfgevallen in de Coastal State Prison tijdens de voorafgaande vier jaar. Het waren er zestien in totaal. Er waren drie moorden bij: een magere blanke racist die was doodgeslagen in de recreatiezaal, en twee zwarten die bij elkaar opgeteld honderdnegentig keer gestoken waren met het tot een punt geslepen uiteinde van een plastic tandenborstel. Faith nam de overige dertien sterfgevallen vluchtig door: acht zelfmoorden, vijf natuurlijke doodsoorzaken. Ze dacht weer aan wat Amanda tegen Sara Linton had gezegd: *We zorgen altijd voor onze eigen mensen.*

Gevangenbewakers noemden het 'een gevangene op borgtocht naar Jezus sturen'. Een dergelijk sterfgeval vond altijd in stilte plaats, op onopvallende, zeer geloofwaardige wijze. Een politieman zorgde er wel voor dat hij geen sporen achterliet. Faith vermoedde dat een van de zelfmoorden of overdoses de moordenaar van Tolliver betrof – een trieste, beklagenswaardige dood, maar niettemin gerechtvaardigd. Ze voelde zich wat lichter worden, opgelucht omdat de man zijn straf had ontvangen en de weduwe van een politieman een lang proces was bespaard.

Faith sloot de bestanden, klikte erlangs tot ze allemaal verdwenen waren, en toen opende ze Firefox weer. Ze tikte de naam van Jeffrey Tolliver in achter die van Sara Linton. Er verschenen artikelen uit de plaatselijke krant. De *Grant Observer* kwam niet direct in aanmerking voor de Pulitzer-prijs. Op de voorpagina stond het lunchmenu van de basisschool, en de belangrijkste verhalen leken allemaal betrekking te hebben op de wapenfeiten van het footballteam van de middelbare school.

Nu ze de precieze datums wist, duurde het niet lang of Faith had de artikelen over de moord op Tolliver gevonden. Wekenlang had die het nieuws beheerst. Ze verbaasde zich erover hoe knap hij was. Er was een foto bij van hem en Sara tijdens een of andere officiële gelegenheid. Hij was in smoking, zij in een nauwsluitend zwart jurkje. Ze stond stralend naast hem, een totaal ander iemand. Vreemd genoeg bezorgde vooral deze foto Faith een schuldgevoel over haar clandestiene onderzoek naar het leven van Sara Linton. De arts leek zo verdomd gelukkig op die foto, alsof alles in haar leven helemaal klopte. Faith keek naar de datum. De foto was twee weken voor Tollivers dood genomen.

Na die laatste ontdekking sloot Faith de computer af. Ze was verdrietig en voelde een lichte afkeer van zichzelf. In één opzicht had Will gelijk: ze had niet moeten kijken.

Als boetedoening voor haar zonden pakte Faith haar meetapparaatje. Haar bloedsuikergehalte was aan de hoge kant, en ze moest even nadenken voor ze wist wat haar te doen stond. De zoveelste naald, de zoveelste injectie. Ze keek in haar tas. Er waren slechts drie insulinepennen over en ze had nog geen afspraak met Delia Wallace gemaakt, zoals ze had beloofd.

Faith trok haar rok omhoog en ontblootte haar bovenbeen. Ze kon nog steeds zien waar ze zich had geprikt toen ze tijdens de lunchpauze naar het toilet was gegaan. Rond de plek waar ze zich had geïnjecteerd was een kleine kneuzing ontstaan, en Faith bedacht dat ze het deze keer maar in haar andere been moest proberen. Haar hand beefde minder dan de eerdere keren, en al na de zesentwintigste tel stak ze de naald in haar dijbeen. Ze leunde achterover op haar stoel en wachtte tot ze zich wat beter voelde. Na ruim een minuut was ze er nog ellendiger aan toe dan eerst.

Morgen, dacht ze. Het eerste wat ze de volgende ochtend zou doen, was een afspraak maken met Delia Wallace.

Ze trok haar rok naar beneden en ging staan. Het was een troep in de keuken; in de gootsteen stond een stapel borden, en de afvalemmer zat boordevol. Van nature was Faith niet erg netjes, maar haar keuken was meestal brandschoon. Ze was iets te vaak bij moordzaken geroepen waar een vrouw languit op de vloer van haar smerige keuken had gelegen. Als ze iets dergelijks zag, had Faith haar oordeel altijd meteen klaar, alsof zo'n vrouw erom gevraagd had om door haar vriend te worden doodgeslagen, of te worden neergeschoten en vermoord door een onbekende, alleen omdat ze vuile borden in de gootsteen had laten staan.

Ze vroeg zich af wat Will dacht als hij op een plaats delict kwam. Samen hadden ze talloze lijken gezien, maar hij keek altijd even ondoorgrondelijk. Will had nooit ergens anders gewerkt dan bij het GBI. Hij had nooit een uniform gedragen, hij had nooit hoeven uitrukken omdat het ergens verdacht rook om vervolgens een dode oude vrouw op haar bank aan te treffen. Hij had nooit gesurveilleerd of automobilisten die te hard reden aangehouden, waarbij je maar moest afwachten of er een domme puber achter het stuur zat of een bendelid dat hem een pistool voorhield en liever de trekker overhaalde dan dat hij een aantekening op zijn rijbewijs kreeg.

Hij was alleen zo verdomd passief. Faith snapte het niet. Ook al straalde hij het niet uit, toch was Will een grote man. Elke dag ging hij hardlopen, ongeacht het weer. Hij trainde met gewichten. Kennelijk had hij een vijver in zijn achtertuin gegraven. Onder dat pak zaten zulke spierbundels dat het leek alsof zijn lijf uit steen was gebeiteld. Die middag had hij echter met Faiths tas op zijn schoot Max Galloway om informatie gesmeekt. Als Faith in Wills schoenen had gestaan zou ze die gek tegen de muur hebben gewerkt en hem bij zijn ballen hebben gegrepen tot hij elk stukje informatie met een hoog stemmetje uitzong.

Maar ze was Will niet, en Will zou zoiets nooit doen. Hij schudde gewoon Galloways hand en als de eerste de beste onnozele sukkel bedankte hij hem voor de gunst die Galloway hem uit hoofde van zijn beroep had bewezen.

Ze zocht in het kastje onder het aanrecht naar vaatwasmiddel, maar het enige wat ze vond was een lege doos. Die liet ze in het kastje staan, waarop ze naar de koelkast liep om het aan te tekenen op haar boodschappenlijstje. Pas nadat Faith de eerste drie letters van het woord had neergepend, ontdekte ze dat het al op het lijstje stond. Twee keer nog wel.

'Verdomme,' fluisterde ze, en ze legde haar hand op haar

buik. Hoe moest ze voor een kind zorgen als ze niet eens voor zichzelf kon zorgen? Faith hield van Jeremy, ze aanbad elke vierkante millimeter van zijn lichaam, maar ze had achttien jaar op het moment gewacht waarop ze haar eigen leven weer kon opvatten, en nu kon ze weer achttien jaar wachten. Dan was ze over de vijftig en kreeg ze korting in de bioscoop op vertoon van haar 50+-pasje.

Wilde ze dat wel? Kon ze het eigenlijk wel? Faith durfde haar moeder niet weer om hulp te vragen. Evelyn was dol op Jeremy en zonder te klagen had ze altijd op haar kleinzoon gepast – toen Faith aan de politieacademie studeerde, of toen ze dubbele diensten draaide om de eindjes aan elkaar te knopen –, maar ze kon niet van haar moeder verwachten dat ze haar weer te hulp zou schieten.

Maar op wie kon ze anders rekenen?

Niet op de vader van het kind. Victor Martinez was lang, donker en knap... en absoluut niet in staat om voor zichzelf te zorgen. Hij was decaan aan Georgia Tech en verantwoordelijk voor bijna twintigduizend studenten, maar al hing zijn leven ervan af, hij kon nog geen paar schone sokken in zijn la leggen. Toen ze elkaar een halfjaar kenden, was hij bij Faith ingetrokken, wat romantisch en onbesuisd had geleken, tot de werkelijkheid om de hoek kwam kijken. Binnen een week deed Faith Victors was, haalde ze zijn kleren van de stomerij, kookte ze voor hem en ruimde ze zijn rotzooi op. Het was net alsof ze Jeremy weer helemaal van voren af aan moest opvoeden, met dit verschil dat ze haar zoon op zijn kop kon geven als hij lui was. De druppel die de emmer had doen overlopen was toen Victor nadat ze net het aanrecht had schoongemaakt een mes vol pindakaas op het afdruiprek had laten vallen. Als Faith op dat moment haar pistool bij de hand had gehad, had ze hem neergeschoten.

De volgende ochtend had hij zijn biezen gepakt.

Toch kon Faith het niet helpen, maar terwijl ze het koord van de vuilniszak dichttrok dacht ze met tedere gevoelens terug aan Victor. Er was één groot verschil tussen haar zoon en haar ex-minnaar: ze had Victor nooit zes keer hoeven vragen om de vuilnis buiten te zetten. Dat was een van de karweitjes waar Faith een bloedhekel aan had, en belachelijk genoeg kreeg ze tranen in haar ogen bij het vooruitzicht dat ze die zak de trap af moest sjouwen naar de vuilcontainer buiten. Er werd op de deur geklopt: drie scherpe tikken gevolgd door het geklingel van de bel.

Terwijl ze de gang door liep, veegde Faith haar tranen af. Haar wangen waren zo nat dat ze haar mouw moest gebruiken. Haar pistool rustte nog op haar heup, en ze deed geen moeite om door het kijkgaatje te gluren.

'Dit is weer eens wat anders,' zei Sam Lawson. 'Meestal huilen vrouwen wanneer ik vertrek, niet wanneer ik op kom dagen.'

'Wat moet je, Sam? Het is al laat.'

'Vraag je me nog binnen?' Hij trok zijn wenkbrauwen op. 'Geef toe: dat vind je best leuk.'

Faith was te moe om ertegen in te gaan, en daarom draaide ze zich om en ging hem voor naar de keuken. Een paar jaar lang was ze verslingerd geweest aan Sam Lawson, maar tegenwoordig wist ze niet meer zo goed wat ze in hem gezien had. Hij dronk te veel. Hij was getrouwd. Hij hield niet van kinderen. Het was handig om hem in de buurt te hebben en hij wist wanneer hij moest ophoepelen, en zoals Faith het zag betekende dat dat hij altijd kort nadat hij zijn nut had bewezen weer opstapte.

Oké, nu wist ze weer wat ze in hem gezien had.

Sam haalde een prop kauwgum uit zijn mond en liet die in de afvalbak vallen. 'Ik ben blij dat ik je vandaag tegen het lijf liep. Ik moet je iets vertellen.'

'Ga je gang,' zei Faith, en ze bereidde zich al voor op slecht nieuws.

'Ik ben tegenwoordig nuchter. Al bijna een jaar.'

'Heb je iets goed te maken of zo?'

Hij lachte. 'Jezus, Faith. Je bent zowat de enige in mijn leven die ik niet belazerd heb.'

'Alleen omdat ik je de deur uit heb geschopt voor je de kans kreeg.' Faith trok het koord van de vuilniszak strak en knoopte het stevig dicht. 'Die zak gaat kapot.'

Hij had het nog niet gezegd of het plastic scheurde.

'Shit,' mompelde Faith.

'Zal ik...'

'Ik red me wel.'

Sam leunde tegen het aanrecht. 'Wat is het toch heerlijk om een vrouw met haar handen te zien werken.'

Ze schonk hem een vernietigende blik.

Weer lachte hij. 'Ik heb gehoord dat je vandaag in Rockdale een paar koppen tegen elkaar hebt geslagen.'

Inwendig vloekend bedacht Faith dat Max Galloway hun nog steeds die eerste verslagen van de plaats delict niet had gestuurd. Ze was zo woedend geweest dat ze vergeten was om er werk van te maken, maar hij moest niet denken dat ze hem op zijn woord geloofde toen hij zei dat er verder niets bijzonders was gevonden.

'Faith?'

Ze antwoordde met het standaardzinnetje. 'De politie van Rockdale verleent haar volledige medewerking aan dit onderzoek.'

'Ik zou me maar zorgen maken om die zus als ik jou was. Heb je het nieuws gezien? Joelyn Zabel loopt overal rond te tetteren dat jouw collega schuldig is aan de dood van haar zuster.'

Dat stak Faith meer dan ze wilde toegeven. 'Lees het sectierapport maar.'

'Dat heb ik al ingezien.' Faith vermoedde dat Amanda het rapport aan een paar sleutelfiguren had laten lezen om te zorgen dat het nieuws zo snel mogelijk verspreid werd. 'Jacquelyn Zabel heeft zichzelf van het leven beroofd.'

'Heb je dat ook tegen die zus gezegd?'

'Die is niet in de waarheid geïnteresseerd.'

Faith keek hem doordringend aan. 'Dat geldt voor de meeste mensen.'

Hij haalde zijn schouders op. 'Van mij heeft ze gekregen wat ze hebben wilde. Nu zoekt ze het hogerop, bij de tv.'

'Dus de *Atlanta Beacon* is niet belangrijk genoeg voor haar, hè?'

'Waarom maak je het me zo moeilijk?'

'Ik hou niet van het soort werk dat jij doet.'

'Ik ben ook niet kapot van jouw baantje.' Hij liep naar het keukenkastje en pakte de doos met vuilniszakken. 'Trek maar een nieuwe over de oude.'

Faith pakte een zak, maar toen ze het witte plastic in haar handen hield, kostte het haar moeite om niet te denken aan wat Pete tijdens de sectie had gevonden.

Sam had niets door en zette de doos terug. 'Hoe zit dat trouwens met die Trent?'

'Alle verzoeken om informatie gaan via de pr-afdeling.'

Sam had zich nog nooit met een kluitje in het riet laten sturen. 'Francis probeerde me wijs te maken dat Trent zich vandaag goed heeft laten verneuken door Galloway. Zoals hij het vertelde was Trent net een soort Keystone Cop.'

Faith was de vuilnis op slag vergeten. 'Wie is Francis?'

'Fierro.'

Ze putte een kinderlijk genoegen uit het feit dat de man zo'n meisjesachtige naam had. 'En jij hebt elk woord van die eikel afgedrukt zonder ook maar de moeite te nemen het even te checken bij iemand die wist hoe het zat.'

Sam ging weer tegen het aanrecht aan staan. 'Zit me niet zo op mijn nek, schat. Ik doe gewoon mijn werk.'

'Heb je soms bij de AA geleerd hoe je excuses moet aanbieden?'

'Over die Kidney Killer heb ik niks geschreven.'

'Alleen omdat het bericht al ontkracht was voor jouw krant werd gedrukt.'

Hij moest lachen. 'Jij laat je ook nooit in de maling nemen, hè?' Hij keek toe terwijl ze de oude zak in de nieuwe probeerde te wurmen. 'Jezus, wat heb ik je gemist.'

Weer schonk Faith hem een scherpe blik, maar ondanks al haar goede voornemens, merkte ze dat ze op zijn woorden reageerde. Een paar jaar daarvoor was Sam nog haar reddingsboei geweest – altijd beschikbaar als ze hem echt nodig had, zonder dat het verstikkend werd.

'Ik heb niets over jouw collega geschreven,' benadrukte hij.

'Bedankt.'

'Wat hebben die lui van Rockdale trouwens? Ze willen jullie echt te grazen nemen.'

'Ze vinden het belangrijker om ons een loer te draaien dan dat we erachter komen wie die vrouwen heeft ontvoerd.' Faith stond er niet bij stil dat ze nu Wills mening herhaalde. 'Sam, het is heel erg. Ik heb een van hen gezien. Die moordenaar, wie het ook is...' Op het laatste moment besefte ze wie ze voor zich had. 'Off the record,' zei hij.

'Niets is ooit off the record.'

'Natuurlijk wel.'

Faith wist dat hij gelijk had. In het verleden had ze Sam geheimen toevertrouwd die nooit naar buiten waren gebracht. Geheimen over zaken waaraan ze werkte. Geheimen over haar moeder, een goede politiebeambte die uit haar functie was gezet omdat een paar van haar rechercheurs zich hadden verrijkt met in beslag genomen drugs. Sam had nooit een woord geschreven over wat Faith hem verteld had, en nu zou ze hem ook moeten vertrouwen. Alleen kon ze dat niet. Het ging niet meer alleen om hem. Will was erbij betrokken. Ook al nam ze het haar collega vreselijk kwalijk dat hij zo'n watje was, ze ging liever dood dan dat ze hem aan nog meer kritiek blootstelde.

'Wat is er toch met je, schat?' vroeg Sam.

Faith keek neer op de gescheurde vuilniszak en wist dat hij alles van haar gezicht zou aflezen als ze opkeek. Ze dacht weer aan de dag waarop ze had ontdekt dat haar moeder haar baan zou verliezen. Evelyn had geen behoefte aan troost gehad. Ze had alleen willen zijn. Faith had hetzelfde gevoeld, tot Sam verscheen. Hij had zich haar huis binnengepraat, net als nu. Toen ze zijn armen om zich heen had gevoeld, had ze zich laten gaan, had ze gesnikt als een kind terwijl hij haar vasthield.

'Schatje?'

Ze sloeg de nieuwe vuilniszak open. 'Ik ben moe, ik ben chagrijnig en je schijnt niet te snappen dat je van mij geen verhaal hoeft te verwachten.'

'Ik wil ook geen verhaal.' Zijn toon was veranderd. Ze keek naar hem op, en tot haar verbazing zag ze een glimlach rond zijn lippen. 'Zoals je eruitziet, zo...'

In gedachten vulde Faith hem al aan: *opgeblazen, bezweet, ziekelijk dik.*

'Zo mooi,' zei hij, en ze waren allebei verbaasd. Sam was niet iemand die complimentjes uitdeelde, en Faith was het al helemaal niet gewend om ze in ontvangst te nemen. Hij duwde zich van het aanrecht af en liep naar haar toe. 'Er is iets aan je veranderd.' Hij raakte haar arm aan en ze begon helemaal te gloeien toen ze de ruwe huid van zijn handpalm voelde. 'Je ziet er gewoon zo...' Nu was hij heel dichtbij en hield zijn blik op haar lippen gericht, alsof hij ze wilde kussen.

'O,' zei Faith, en toen: 'Nee Sam.' Ze week terug. Ze kende dit nog van de eerste keer dat ze zwanger was geweest: mannen vielen op haar, vertelden haar dat ze beeldschoon was, ook al puilde haar buik zo uit dat ze zich niet eens kon bukken om haar veters te strikken. Het was vast iets met hormonen of feromonen of iets dierlijks. Op haar veertiende had ze het ranzig gevonden, nu ze drieëndertig was vond ze het hooguit irritant. 'Ik ben zwanger.'

Het zinnetje hing als een loden ballon tussen hen in. Faith besefte dat dit de eerste keer was dat ze het hardop had uitgesproken.

Sam probeerde er een grapje van te maken. 'Wauw, en ik hoefde niet eens mijn broek uit te doen.'

'Ik meen het. Ik ben zwanger,' herhaalde ze.

'Is het...' Hij zocht naar woorden. 'De vader?'

Ze dacht aan Victor, aan zijn vuile sokken in haar wasmand. 'Die weet het niet.'

'Je moet het hem vertellen. Daar heeft hij recht op.'

'Sinds wanneer maak jij je sterk voor hoe het hoort in een relatie?'

'Sinds ik ontdekt heb dat mijn vrouw abortus heeft laten plegen zonder het aan mij te vertellen.' Hij boog zich naar haar toe en legde zijn handen weer op haar armen. 'Gretchen was bang dat ik het niet zou trekken.' Hij haalde zijn schouders op, nog steeds met zijn handen op Faiths armen. 'Waarschijnlijk had ze gelijk, maar toch.'

Faith hield zich nog net op tijd in. Natuurlijk had Gretchen gelijk. Ze had nog beter een dingo kunnen vragen

241

om haar met de opvoeding te helpen. 'Speelde dit toen wij iets hadden?' vroeg ze.

'Daarna.' Hij sloeg zijn blik neer en keek naar zijn hand die haar arm streelde, naar zijn vingers die over de kraag van haar blouse gleden. 'Ik zat nog net niet helemaal aan de grond.'

'Maar je verkeerde ook niet in een positie om een weloverwogen beslissing te kunnen nemen.'

'We werken nog steeds aan een oplossing.'

'Ben je daarom hiernaartoe gekomen?'

Hij drukte zijn mond op de hare. Ze voelde zijn ruige baardstoppels, proefde de kaneelgum waarop hij had lopen kauwen. Hij tilde haar op het aanrecht, en zijn tong vond de hare. Het was niet onaangenaam, en toen hij zijn handen over haar benen naar boven liet glijden en haar rok opschoof, hield Faith hem niet tegen. Ze hielp hem zelfs, iets wat ze achteraf gezien beter niet had kunnen doen, want nu was het een stuk sneller afgelopen dan de bedoeling was geweest.

'Sorry.' Sam schudde zijn hoofd, nog nahijgend. 'Dat wilde ik helemaal niet... Ik had gewoon...'

Het kon Faith niet schelen. Ook al had ze Sam in de loop van de jaren uit haar bewustzijn verdrongen, haar lichaam leek zich nog alles van hem te herinneren. Het was heerlijk om zijn armen weer om haar heen te voelen, om zo dicht bij iemand te zijn die alles wist over haar familie, haar werk en haar verleden – ook al was zijn lichaam op dat moment van weinig nut voor haar. Heel zachtjes kuste ze hem op zijn mond, alleen maar om die band met hem weer te voelen. 'Het geeft niet.'

Sam trok zich terug, zo opgelaten dat het niet tot hem doordrong hoe onbelangrijk het was.

'Sammy...'

'Ik weet gewoon niet hoe ik de dingen moet aanpakken als ik nuchter ben.'

'Het geeft echt niet,' herhaalde ze, en opnieuw probeerde ze hem te kussen.

Hij week nog verder terug, maar in plaats van haar aan te kijken, vestigde hij zijn blik op een plek ergens achter haar schouder. 'Zal ik je...' Hij maakte een halfslachtig gebaar in de richting van haar schoot.

Faith slaakte een diepe zucht. Waarom waren de mannen in haar leven toch altijd zo teleurstellend? Jezus, alsof ze zulke hoge eisen stelde.

Hij keek op zijn horloge. 'Gretchen zit waarschijnlijk op me te wachten. Ik kom de laatste tijd vaak laat van mijn werk.'

Berustend legde Faith haar hoofd tegen het kastje achter zich. Ze besloot er maar het beste van te maken. 'Zou je de vuilnis mee willen nemen als je toch naar buiten gaat?'

Twaalf

'Godverdomme,' fluisterde Pauline, en meteen vroeg ze zich af waarom ze het niet uitschreeuwde. 'Godverdomme!' brulde ze met overslaande stem. Ze rammelde aan de boeien om haar polsen, rukte eraan, ook al wist ze dat het zinloos was. Hier zat ze dan gevangen, met haar geboeide handen strak vastgebonden aan een leren riem zodat ze met haar vingertoppen nauwelijks haar kin kon aanraken, ook al rolde ze zichzelf op tot een balletje. Ook haar voeten waren geketend, en de dikke schakels rinkelden bij elke stap die ze zette. Ze had in haar leven zoveel yoga gedaan dat ze haar voeten met gemak naar haar hoofd kon brengen, maar wat had ze daaraan? Waar was de ploeghouding goed voor als je leven op het spel stond?

De blinddoek maakte het nog erger, hoewel ze erin geslaagd was het ding een stukje naar boven te schuiven door met haar gezicht langs de ruwe betonblokken van een van de muren te wrijven. De sjaal zat strak. Millimeter voor millimeter duwde ze het ding omhoog, waarbij ze stukken vel van haar wang schaafde. Het maakte niet uit of ze langs de boven- of onderkant van de strook stof keek, maar toch had Pauline het gevoel dat ze iets bereikt had, dat ze erop voorbereid zou zijn als die deur openging en ze een streepje licht kon zien.

Voorlopig was alles in diepe duisternis gehuld. Dat was het enige wat ze zag. Geen ramen, geen lampen, geen enkele manier om het verstrijken van de tijd te meten. Als ze erover nadacht, als ze bedacht dat ze niet kon zien, dat ze niet wist of ze in de gaten werd gehouden of gefilmd werd of nog erger, dan werd ze gek. Jezus, ze wás al half-gek. Ze was drijfnat, zweet gutste van haar huid alsof ze onder een stromende kraan stond. Het gleed in stroompjes langs haar hoofdhuid naar beneden en kriebelde aan haar neus. Het was om razend van te worden, en door dat ver-domde donker werd alles alleen maar erger.

Felix hield van het donker. Hij vond het heerlijk als ze bij hem in bed kroop, hem vasthield en verhaaltjes vertel-de. Hij vond het fijn onder de dekens, die hij helemaal over zijn hoofd trok. Misschien had ze hem te veel vertroeteld toen hij klein was. Pauline verloor hem nooit uit het oog. Ze was bang dat hij bij haar weggehaald zou worden, dat ontdekt zou worden dat ze eigenlijk helemaal geen moe-der hoorde te zijn, dat ze niet in staat was om op de juiste manier van een kind te houden. Maar dat kon ze wel. Ze hield van haar zoon. Ze hield zoveel van hem dat alleen de gedachte aan hem haar ervan weerhield zich op te rol-len, de ketenen om haar nek te wikkelen en zichzelf van kant te maken.

'Help!' riep ze, ook al wist ze dat het zinloos was. Als de kans had bestaan dat iemand haar kon horen, zou ze wel gekneveld zijn.

Uren eerder had ze het vertrek met haar passen opgeme-ten. Aan de ene kant waren de muren van betonblokken, aan de ander kant van gipsplaat. De metalen deur was aan de buitenkant vergrendeld. In de hoek lag een kunststof matje. Er was een poepdoos met een deksel. Het beton voelde koud aan haar blote voeten. Uit de aangrenzende ruimte klonk een soort gezoem, als van een boiler, in elk geval iets mechanisch. Ze bevond zich in een kelder. Ze zat onder de grond, en bij die gedachte kreeg ze koude ril-lingen, alsof haar huid werd afgestroopt. Pauline vond het vreselijk onder de grond. Op het werk parkeerde ze haar auto niet eens in de garage, zo haatte ze het.

Ze staakte haar geijsbeer en sloot haar ogen, ook al zag ze hoe dan ook niets.

Niemand waagde het om zijn auto op haar plek te zet-ten. Die was pal naast de deur. Soms liep ze naar buiten om een luchtje te scheppen en dan ging ze bij de ingang van de garage staan om te kijken of haar plek nog vrij was. Vanaf het trottoir kon ze het bordje lezen: PAULINE MC-GHEE. God, ze had hemel en aarde moeten bewegen om het bordenbedrijf zover te krijgen dat ze de 'c' in onderkast zetten. Het had iemand zijn baan gekost, en dat was maar goed ook, want ze brachten er niks van terecht. Als er iemand op haar parkeerplaats stond, riep ze de bewaker erbij en liet de auto van zo'n eikel wegslepen. Porsche, Bentley, Mercedes – het zou Pauline worst wezen. Ze had die plek verdiend, en ook al maakte ze er geen gebruik van, ze piekerde er niet over om hem aan iemand anders af te staan.

'Laat me eruit!' schreeuwde ze. Ze rukte aan de kettingen en probeerde de riem los te wringen. Die was van dik leer, van het soort dat haar broer in de jaren zeventig droeg. Over de hele lengte liepen twee rijen met ijzer beslagen gaten, en de gesp had twee tongen. Het metaal voelde als een wassen blok en ze wist dat de tongen vastgesoldeerd waren. Ze kon zich niet herinneren wanneer het gebeurd was, maar ze wist heel goed hoe een vastgesoldeerde riem voelde.

'Help me!' riep ze. 'Help me dan!'

Niets. Geen hulp. Geen antwoord. Geen beweging in de riem te krijgen. Die sneed in haar huid en schraapte over haar heupbeenderen. Als ze niet zo'n dikke reet had zou ze er gewoon uit kunnen glippen.

Water, dacht ze. Wanneer had ze voor het laatst water gedronken? Je kon weken, in sommige gevallen maanden zonder eten, maar water was een ander verhaal. Na drie, hooguit vier dagen ging je voor de bijl: krampen, smachtende dorst. Ondraaglijke hoofdpijn. Zou ze nog water krijgen? Of zou hij haar laten wegkwijnen om dan met haar te doen wat hij wilde, terwijl zij daar lag, hulpeloos als een kind?

Kind.

Nee. Ze weigerde aan Felix te denken. Morgan zou hem in huis nemen. Hij zou zorgen dat haar kindje niets overkwam. Morgan was een klootzak en een leugenaar, maar hij zou voor Felix zorgen, omdat hij diep vanbinnen niet slecht was. Pauline wist hoe een slechterik eruitzag, en Morgan Hollister leek er in de verste verte niet op.

Ze hoorde voetstappen achter zich, aan de andere kant van de deur. Ze bleef staan en hield haar adem in om beter te kunnen luisteren. Een trap – iemand kwam de trap af. Ze kokhalsde toen het opnieuw tot haar doordrong dat ze onder de grond zat, met boven haar hoofd aarde, steen, metselwerk. Zelfs in het donker zag ze de muren op zich af komen. Wat was erger: in haar eentje hierbeneden vast te zitten of samen met iemand anders?

Want ze wist wat er ging gebeuren. Ze wist het zeker, zo zeker als ze wist dat ze leefde. Er was er nooit één alleen. Hij wilde er altijd twee: met donker haar, donkere ogen en donkere harten die hij kon verbrijzelen. Zo lang mogelijk hield hij ze gescheiden, maar nu was het moment aangebroken waarop hij ze samen wilde hebben. Gekooid, als twee dieren. Die het samen uitvochten. Als twee dieren.

Spoedig zou de eerste dominosteen vallen, en dan zou de rest volgen, de ene na de andere. Eén vrouw alleen, twee vrouwen alleen, en dan...

Ze hoorde een gestameld 'Nee-nee-nee-nee' en besefte dat de woorden uit haar eigen mond kwamen. Ze week terug en drukte zich tegen de muur aan. Haar knieën beefden zo hevig dat ze op de vloer zou zijn gevallen als het ruwe betonblok haar niet had ondersteund. De handboeien rinkelden, zo trilden haar handen.

'Nee,' fluisterde ze, alleen dat ene woord, en ze schudde haar angst van zich af. Ze was een vechtersbaas. Haar leven van de afgelopen twintig jaar zou niet eindigen in een of ander smerig ondergronds hol.

De deur ging open. Onder de blinddoek zag ze licht opflitsen.

'Hier is je vriendin,' zei hij.

Ze hoorde iets op de vloer ploffen – toen een diepe zucht, het gerinkel van kettingen, stilte die gevolgd werd door een ander, rustiger geluid, een bons die weergalmde door de ruimte.

De deur sloeg weer dicht. Het licht was verdwenen. Er klonk gefluit, een moeizaam ademen. Pauline zocht tot ze het lichaam had gevonden. Lang haar, een blinddoek, een mager gezicht, kleine borsten, handen geboeid voor de buik. Het gefluit kwam uit de gebroken neus.

Pauline had geen tijd om zich daar nu druk om te maken. Ze doorzocht de zakken van de vrouw, probeerde iets te vinden waarmee ze zou kunnen ontsnappen. Niets. Niets, behalve nog iemand die eten en water zou willen hebben.

'Kut.' Pauline ging op haar hurken zitten. Het kostte haar de grootste moeite om het niet uit te schreeuwen, om niet te tieren van woede. Haar voet stootte tegen iets hards. Opeens dacht ze weer aan die tweede bons, en ze tastte om zich heen.

Ze streek met haar handen langs de dunne kartonnen doos, die zo'n vijftien bij vijftien centimeter mat en misschien twee pond woog. Aan de ene kant liep een geperforeerde lijn. Ze drukte ertegenaan en verbrak het zegel. Haar vingers stuitten op iets glads aan de binnenkant.

'Nee...' fluisterde ze.

Niet weer.

Ze sloot haar ogen en voelde tranen onder de blinddoek door sijpelen. Felix, haar baan, haar leven – alles gleed weg toen ze de gladde plastic vuilniszakken tussen haar vingers voelde.

DAG DRIE

Dertien

Will had zich ertoe moeten zetten om zoals gewoonlijk om vijf uur op te staan. Bij het hardlopen kwam hij amper vooruit en hij was verre van verkwikt de douche uit gestapt. Nu stond hij bij het aanrecht, en terwijl hij zijn cornflakes papperig liet worden in de kom porde Betty hem tegen zijn enkel om hem uit zijn lethargie wakker te schudden.

Betty's riem hing naast de deur, en hij bukte zich om het ding aan haar halsband vast te klikken. Ze likte zijn hand en onwillekeurig klopte Will haar liefkozend op haar kopje voor hij weer overeind kwam. Alles aan de chihuahua was gênant. Ze was het soort hondje dat een filmsterretje in een leren tasje met zich meesleepte, bepaald niet een beest om mee te gaan hardlopen. Wat het nog erger maakte was dat ze hooguit vijftien centimeter groot was, en de enige riem in de hele dierenwinkel die lang genoeg was voor Will was felroze en paste heel goed bij haar met bergkristal ingelegde halsband, zoals menige aantrekkelijke vrouw in het park hem had laten weten – om meteen daarna een poging te doen Will aan een broer te koppelen.

Betty was een soort erfenis geweest. Een paar jaar daarvoor was ze door Wills buurvrouw in de steek gelaten. Angie had vanaf het allereerste moment de pest aan het beest gehad, en ze had Will vaak op zijn kop gegeven voor iets waarvan ze wist dat hij er niks aan kon doen: iemand die in een weeshuis was opgegroeid bracht een hond niet naar het asiel, ook al voelde hij zich nog zo belachelijk als hij zich ermee in het openbaar moest vertonen.

Zijn leven met de hond bevatte nog een paar beschamende aspecten, waarvan zelfs Angie niet op de hoogte was. Will werkte op de meest onmogelijke uren en soms, als er bijna een doorbraak in een zaak was, had hij nauwelijks tijd om naar huis te gaan en een schoon overhemd aan te trekken. Die vijver in zijn achtertuin had hij voor Betty gegraven, in de veronderstelling dat het een aardig tijdverdrijf voor haar zou zijn om naar de vissen te kijken. Een paar dagen lang had ze tegen de vissen geblaft, maar toen had ze haar plek op de bank weer opgezocht, om daar rond te hangen tot Will thuiskwam.

Hij verdacht de hond er half-en-half van dat ze een spelletje met hem speelde en op de bank sprong zodra ze hem de sleutel in het slot hoorde steken, om dan te doen alsof ze daar de hele dag had liggen wachten, terwijl ze in werkelijkheid het hondenluikje in en uit was gerend, in de tuin met de kois had gestoeid en naar zijn cd's had geluisterd.

Will klopte op zijn zakken om te voelen of hij zijn telefoon en portefeuille bij zich had, en haakte vervolgens zijn *paddle holster* aan zijn riem. Hij ging het huis uit en deed de deur achter zich op slot. Betty's staartje stak in de lucht en zwiepte woest heen en weer toen hij met haar in de richting van het park liep. Will keek op zijn mobiel om te zien hoe laat het was. Nog een halfuur, dan zou hij Faith treffen bij het cafeetje aan de andere kant van het park. Wanneer er schot in een zaak zat, liet hij zich meestal daar door haar oppikken in plaats van thuis. Als Faith al doorhad dat het cafeetje zich naast een hondendagverblijf met de naam Sir Barks-A-Lot bevond, was ze zo vriendelijk om er niets over te zeggen.

Hoewel het licht op rood stond, staken ze de straat over, waarbij Will zijn pas inhield om de hond niet onder de voet te lopen, net als hij de vorige dag met Amanda had gedaan. Hij wist niet wat hem meer zorgen baarde: de zaak, die nog maar bitter weinig concreets had opgeleverd, of het feit dat Faith kwaad op hem was. Faith was weliswaar vaker kwaad op hem geweest, maar dit was woede die met een zweem van teleurstelling gepaard ging.

Hij voelde de druk die ze op hem uitoefende, ook al zei ze het niet met zoveel woorden. Het probleem was dat ze een heel ander soort agent was dan Will. Hij wist al heel lang dat zijn minder agressieve aanpak haaks stond op die van haar, maar in plaats van een strijdpunt was het eerder iets waar ze beiden hun voordeel mee hadden gedaan. Nu was hij daar niet meer zo zeker van. Faith zag Will het liefst als het soort agent dat hij minachtte – zo'n type dat er eerst met zijn vuisten op los slaat en achteraf over de gevolgen nadenkt. Will had een hartgrondige hekel aan dat soort lui, en meer dan eens had hij er tijdens een zaak eentje de laan uit gestuurd. Je kon niet volhouden dat je aan de goede kant van de streep stond als je je net zo gedroeg als de boeven. Dat moest Faith ook weten. Ze kwam uit een familie van politiemensen. Aan de andere kant had haar moeder ontslag moeten nemen wegens ongeoorloofd gedrag, dus misschien wist Faith het wel, maar hechtte ze er niet veel waarde aan.

Toch geloofde Will dat niet. Faith was niet alleen een prima politievrouw, ze was ook een goed mens. Ze was er nog steeds van overtuigd dat haar moeder geen blaam trof. Ze geloofde nog steeds dat er een scherpe lijn liep tussen goed en kwaad, tussen juist en fout. Het volstond niet als Will tegen haar zei dat zijn manier de beste was – dat moest Faith zelf gaan inzien.

Hij had nooit straatdiensten gedraaid zoals Faith, maar hij had zich wel in talloze kleine gemeenschappen begeven en op de harde manier geleerd dat je het plaatselijke korps niet op stang moest jagen. Volgens de regels werd het GBI door de commissaris ingeschakeld, niet door rechercheurs of agenten op straat. Die werkten gewoon door aan een zaak in de veronderstelling dat ze die zelf wel konden oplossen, en van inmenging van buitenaf moesten ze niets hebben. De kans was groot dat je ze later weer nodig had, en als je ze de grond in trapte en ze elke kans ontnam om hun gezicht te redden, zouden ze alles doen om je tegen te werken, ongeacht de gevolgen.

Rockdale County was daar een mooi voorbeeld van.

Amanda had de commissaris, Lyle Peterson, tegen zich in het harnas gejaagd toen ze samen met hem op een andere zaak zat. Nu ze niet zonder de samenwerking van het plaatselijke korps konden, stak Rockdale een spaak in het wiel in de vorm van Max Galloway, een enorme zak en bovendien verbijsterend slordig.

Het werd tijd dat Faith inzag dat politiemensen niet altijd uit onbaatzuchtigheid handelden. Ze hadden een ego. Ze hadden een territorium. Ze waren net dieren die hun terrein afbakenden, en als je hun gebied binnen drong interesseerde het ze niet hoeveel slachtoffers er vielen. Voor sommigen was het gewoon een spel dat ze moesten winnen, ongeacht waar de klappen vielen.

Alsof ze zijn gedachten kon lezen, bleef Betty bij de ingang van Piedmont Park staan om haar behoefte te doen. Will wachtte, ruimde de rommel op en terwijl ze het park door liepen, deponeerde hij het zakje in een van de afvalbakken. Het wemelde er van de joggers, sommige met hond, andere alleen. Ze hadden zich allemaal warm ingepakt tegen de kou, maar te oordelen naar de snelheid waarmee de nevel oploste in de zon wist Will nu al dat het tegen de middag zo warm zou zijn dat zijn boord weer langs zijn hals zou schuren.

Er waren inmiddels vierentwintig uur verstreken en Faith en hij hadden de hele dag nog voor zich – eerst gingen ze met Rick Sigler praten, de ambulancebroeder die Anna had bijgestaan nadat ze door de auto was geschept; hopelijk slaagden ze erin Jake Berman, Siglers contact, op te sporen, en daarna moesten ze een paar vragen stellen aan Joelyn Zabel, die vreselijke zus van Jacquelyn Zabel. Will wist dat hij niet te snel met zijn oordeel klaar moest staan, maar de vorige avond had hij het mens overal op het nieuws gezien, zowel op plaatselijke als op landelijke zenders. Het was duidelijk dat Joelyn zichzelf graag hoorde praten. Het was nog duidelijker dat ze ook graag de beschuldigende vinger op iemand richtte. Will was blij dat hij de vorige dag bij de autopsie was geweest, en dat de last van Jacquelyn Zabels dood van zijn lange lijst met overige lasten was geschrapt, want anders zouden de woorden van haar zus hem als messteken geraakt hebben.

Het liefst zou hij het huis van Pauline McGhee doorzoeken, maar dan kwam Leo Donnelly waarschijnlijk in opstand. Er moest een manier zijn om dat te voorkomen, en als er één ding was dat Will die dag wilde regelen, dan was het wel dat Leo aan hun kant kwam te staan.

In plaats van te slapen had Will bijna de hele nacht aan Pauline McGhee liggen denken. Telkens als hij zijn ogen sloot, liepen de beelden van het hol en McGhee door elkaar; dan lag zij vastgebonden als een beest op het houten bed, terwijl Will hulpeloos toekeek. Zijn intuïtie fluisterde hem in dat er iets aan de hand was met McGhee. Ze was al eens weggelopen, twintig jaar eerder, maar nu had ze zich gesetteld. Felix was een fijn knulletje. Zijn moeder liet hem echt niet in de steek.

Will grinnikte. Uitgerekend hij zou moeten weten dat er altijd al moeders waren geweest die hun zoontjes in de steek lieten.

'Kom.' Met een rukje aan haar riem trok hij Betty weg hij een duif die bijna even groot was als zij.

Hij stopte zijn hand in zijn zak voor de warmte, en bleef ondertussen over de zaak nadenken. Will was niet zo dom om persoonlijk alle eer op te eisen voor het merendeel van de arrestaties die hij op zijn naam had staan. Het was nou eenmaal een feit dat mensen die misdaden pleegden vaak dom waren. De meeste moordenaars maakten fouten omdat ze impulsief te werk gingen. Er brak ruzie uit, er lag een wapen binnen handbereik, de gemoederen liepen hoog op, en als het allemaal voorbij was, was het alleen nog de vraag of de rechter het op moord of op doodslag gooide.

Een ontvoering door een onbekende was iets heel anders. Dat soort zaken liet zich niet zo gemakkelijk oplossen, vooral niet als er meer slachtoffers waren. Seriemoordenaars waren per definitie goed in hun vak. Ze wisten dat ze gingen moorden. Ze wisten wie ze gingen vermoorden, en ook hoe ze het gingen aanpakken. Ze hadden eindeloos geoefend en hun vaardigheid geperfectioneerd. Ze wisten aan ontdekking te ontkomen, verborgen bewijsmateriaal of lieten simpelweg geen enkel spoor achter. Als ze al gepakt werden, was het vaak een kwestie van stom geluk van de kant van de politie, of van achteloosheid van de kant van de moordenaar. Ted Bundy was gepakt tijdens een doodgewone verkeerscontrole. Twee keer nog wel. BTK, die zijn brieven altijd met deze drie letters ondertekende om de politie te tergen en om aan te geven dat hij zijn slachtoffers vastbond, martelde en doodde – *bind, torture and kill* –, ging in de fout toen hij per ongeluk het verkeerde computerschijfje aan zijn dominee gaf. Richard Ramirez werd in elkaar geslagen door een burger die het recht in eigen handen nam toen zijn auto werd gestolen. Ze werden allemaal gepakt dankzij het toeval, en allemaal hadden ze ten tijde van hun arrestatie al verscheidene moorden op hun kerfstok. Meestal verstreken er jaren voor een seriemoordenaar kon worden aangehouden, en het enige wat er voor de politie op zat, was wachten op het volgende lijk en bidden dat het toeval de moordenaar eindelijk voor het gerecht zou brengen.

Will liet alle feiten nog eens de revue passeren: een witte personenauto die met een noodvaart over de weg scheurde, een martelhol midden in het bos, bejaarde getuigen die niets bruikbaars te melden hadden. Misschien bood Jake Berman een aanknopingspunt, maar de kans was groot dat ze hem nooit zouden vinden. Rick Sigler was brandschoon, behalve dan dat hij een paar maanden achterliep met het afbetalen van zijn hypotheek, wat in deze barre economische tijden niet bepaald schokkend was. De Coldfields waren, theoretisch althans, een typisch voorbeeld van het gemiddelde gepensioneerde stel. Pauline McGhee had een broer voor wie ze bang was, maar het was heel goed mogelijk dat die angst werd ingegeven door iets wat niets met hun zaak te maken had. Misschien had ze zelf helemaal niets met hun zaak te maken.

Het fysieke bewijsmateriaal was al even mager. De vuilniszakken die in de lichamen van de slachtoffers waren aangetroffen, waren van het soort dat in elke supermarkt of buurtwinkel te koop was. De herkomst van de voorwerpen in het hol – van de scheepsaccu tot de martelwerktuigen – was volslagen onbekend. Er waren talloze vingerafdrukken en lichaamsvloeistoffen aangetroffen en in de computer ingevoerd, maar dat had geen enkele treffer opgeleverd. Zedenmisdadigers gingen heimelijk en vernuftig te werk. Zo'n tachtig procent van alle misdaden die door middel van DNA-onderzoek werden opgelost, betrof inbraak, geen geweldpleging. Glas ging kapot, er werd slordig met keukenmessen omgesprongen, lippenbalsem viel op de grond – en dat alles voerde onvermijdelijk naar de inbreker, die meestal al een lang strafblad had. Maar een verkrachting door een onbekende die nooit eerder contact had gehad met het slachtoffer – dat was zoeken naar een speld in een hooiberg.

Betty was blijven staan en snuffelde aan een hoge graspol bij de plas. Toen Will opkeek zag hij een hardloopster naderen. Ze droeg een zwarte legging en een felgroen jasje. Haar haar zat in een staartje onder een bijpassende honkbalpet. Twee windhonden draafden naast haar voort, met de kop omhoog en de staart recht naar achteren. Het waren prachtdieren, gestroomlijnd, gespierd en op hoge poten. Net als hun eigenares.

'Shit,' mompelde Will. Hij graaide Betty van de grond en verborg haar achter zijn rug.

Sara Linton bleef op nog geen meter afstand staan, en de honden hielden als getrainde commando's achter haar halt. Het enige wat Will Betty ooit had kunnen bijbrengen, was dat ze haar bak leegat.

'Hallo,' zei Sara, met een verbaasde uithaal. 'Will?' zei ze, toen hij niet reageerde.

'Hallo.' Hij voelde Betty aan zijn hand likken.

Sara keek hem onderzoekend aan. 'Is dat een chihuahua achter je rug?'

'Nee, ik ben gewoon blij je te zien.'

Sara glimlachte enigszins verward, en aarzelend liet hij haar Betty zien.

Ze maakte wat liefkozende, kirrende geluidjes, en Will wachtte op de gebruikelijke vraag. 'Is ze van je vrouw?'

'Ja,' loog hij. 'Woon je hier in de buurt?'

'In de Milk Lofts, aan een zijstraat van North Avenue.'

Ze woonde nog geen twee straten bij hem vandaan. 'Je lijkt me niet echt een type voor een loft.'

Weer keek ze hem verbaasd aan. 'Wat voor type lijk ik dan?'

Will was nooit bedreven geweest in de kunst van het converseren, en hij kon al helemaal niet onder woorden brengen wat voor indruk Sara Linton op hem maakte, tenminste niet als hij geen modderfiguur wilde slaan.

Hij haalde zijn schouders op en zette Betty op de grond. Sara's honden kwamen in beweging, maar ze hoefde maar één keer met haar tong te klakken en ze weken weer terug.

'Ik moet ervandoor,' zei Will. 'Ik heb met Faith afgesproken bij het koffietentje aan de andere kant van het park.'

'Vind je het goed als ik met je meeloop?' Ze wachtte zijn antwoord niet af. De honden gingen staan en Will tilde Betty op, want anders kwamen ze niet vooruit. Sara was lang, bijna even lang als Will. Hij maakte een rekensommetje zonder al te opvallend naar haar te kijken. Als Angie op haar tenen ging staan kon ze haar kin bijna op zijn schouder leggen. Dat zou Sara weinig moeite kosten. Als ze wilde, kon ze met haar mond zijn oor aanraken.

'Goed.' Ze nam haar pet af en trok haar staartje strak. 'Ik heb nog eens over die vuilniszakken nagedacht.'

Will wierp haar een blik toe. 'En?'

'Het is een krachtige boodschap.'

Will had die zakken niet als een boodschap gezien – eerder als een gruwel. 'Hij beschouwt die vrouwen als vuil.'

'En wat hij ze aandoet – hij berooft ze van hun zintuigen.'

Weer keek Will haar even aan.

'Zie geen kwaad, hoor geen kwaad, spreek geen kwaad.'

Hij knikte en vroeg zich af waarom hij daar zelf niet aan gedacht had.

'Ik zou weleens willen weten of dit alles een godsdienstige invalshoek heeft. Ik werd trouwens op het idee gebracht door iets wat Faith die eerste avond zei. Dat God Adams rib nam om Eva te maken.'

'Vesalius,' zei Will zachtjes.

Sara lachte verrast. 'Die naam heb ik niet meer gehoord sinds ik eerstejaarsstudent medicijnen was.'

Will deed het met een schouderophalen af, maar in gedachten sprak hij een dankgebedje uit omdat hij die week op History Channel *Grote wetenschappers* had meegepikt. Andreas Vesalius was een anatoom die onder andere had bewezen dat mannen en vrouwen over hetzelfde aantal ribben beschikten. Als dank voor zijn ontdekking dreigde het Vaticaan hem in een kerker te gooien.

'En dan heb je ook nog het getal 11,' vervolgde Sara. Ze zweeg even, alsof ze een reactie verwachtte. 'Elf vuilniszakken, de elfde rib. Er moet een verband zijn.'

Will bleef staan. 'Wat?'

'Die vrouwen. Ze hadden elk elf vuilniszakken in hun lichaam. De rib die uit Anna's borstkas was verwijderd, was de elfde rib.'

'Denk je dat de moordenaar geobsedeerd is door het getal 11?'

Sara was doorgelopen en Will volgde haar. 'Als je bedenkt in hoeveel vormen dwangmatig gedrag zich uit, zoals drugsmisbruik, eetstoornissen, controledwang – waarbij je je gedwongen voelt om dingen te controleren, zoals het slot op de deur of het fornuis of het strijkijzer –, dan is het logisch dat een seriemoordenaar, dus iemand die dwangmatig doodt, ook volgens een specifiek patroon te werk gaat, of in dit geval volgens een specifiek getal dat een bepaalde betekenis voor hem heeft. Daarom houdt het FBI er een databank op na, zodat je methoden kunt natrekken en vergelijken en patronen kunt ontdekken. Misschien moet je eens zoeken op het getal 11, wie weet vind je iets specifieks.'

'Ik weet niet eens of je er op die manier in kunt zoeken. Ik bedoel, het gaat alleen maar over díngen – messen, scheermesjes, wat je ermee kunt, en over het algemeen niet over het aantal keren dat iemand er iets mee doet, tenzij het wel heel erg opvallend is.'

'Dan zou ik de Bijbel er eens op naslaan. Als het getal 11 een religieuze betekenis heeft, kom je misschien achter het motief van de moordenaar.' Ze maakte een gebaar alsof ze klaar was met haar verhaal, maar toen voegde ze eraan toe: 'Het is deze zondag Pasen. Dat zou ook weleens bij het patroon kunnen horen.'

'Elf apostelen,' zei Will, en het klonk als een vraag. Weer schonk ze hem die merkwaardige blik, maar opeens bedacht ze icts. 'Je hebt gelijk. Judas verried Jezus. Toen waren er nog maar elf apostelen over. Er was een twaalfde die hem moest vervangen. Didymus? Ik kan het me niet meer herinneren. Mijn moeder weet het vast wel.' Ze haalde haar schouders op. 'Het kan natuurlijk ook een gigantische tijdverspilling zijn.'

Will was er altijd heilig van overtuigd geweest dat toevalligheden over het algemeen aanwijzingen bevatten. 'Het kan geen kwaad om ernaar te kijken.'

'En de moeder van Felix?'

'Die is voorlopig nog gewoon een vermist persoon.'

'Hebben jullie de broer al gevonden?'

'De politie van Atlanta is naar hem op zoek,' zei Will, en dat was alles wat hij erover kwijt wilde. Sara werkte op de afdeling Spoed van het Grady, waar de godganse dag politie over de vloer kwam met verdachten en getuigen. 'We weten niet eens of zij ook iets met onze zaak te maken heeft,' voegde hij eraan toe.

'Dat hoop ik niet, al was het alleen maar vanwege Felix. Je kunt je toch niet voorstellen hoe het voor hem moet zijn om in de steek te worden gelaten en in een of ander vreselijk tehuis te belanden?'

'Dat soort instellingen is ook weer niet zo erg,' wierp Will tegen. 'Ik ben zelf in een tehuis opgegroeid,' flapte hij er uit voor hij er erg in had.

Ze was al even verbaasd als hij, maar om andere redenen. 'Hoe oud was je toen je daar kwam?'

'Nog heel klein,' antwoordde hij. Het liefst had hij zijn woorden ingeslikt, maar nu kon hij er niet meer onderuit. 'Een baby. Vijf maanden.'

'En je bent nooit geadopteerd?'

Hij schudde zijn hoofd. Dit werd ingewikkeld en, erger nog, gênant.

'Mijn man en ik...' In gedachten verzonken staarde ze

voor zich uit. 'We wilden een kind adopteren. We stonden al een tijdje op de lijst en...' Ze maakte een hulpeloos gebaar. 'Toen hij vermoord werd, was het allemaal... Het was gewoon te veel.'

Will wist niet of hij nu met haar mee moest voelen. Hij dacht aan de talloze keren dat hij als jongetje naar een kennismakingspicknick of -barbecue was gegaan in de verwachting dat hij door zijn nieuwe ouders mee naar huis zou worden genomen, maar telkens belandde hij weer in zijn kamer in het kindertehuis.

Tot zijn immense opluchting hoorde hij de hoge claxon van Faiths Mini, die ze tegen alle regels in pal voor het cafeetje had geparkeerd. Ze stapte uit, maar liet de motor draaien. 'We moeten van Amanda weer naar het bureau.' Bij wijze van groet hief ze haar kin in de richting van Sara. 'Joelyn Zabel heeft die afspraak wat naar voren geschoven. Nu zitten we tussen *Good Morning America* en CNN in. Dan brengen we Betty na afloop wel naar huis.'

Will was helemaal vergeten dat hij de hond nog in zijn hand hield. Ze had haar snuitje tussen de knopen van zijn vest gestoken.

'Ik neem haar wel mee,' bood Sara aan.

'Dat kan ik niet...'

'Ik ben toch de hele dag thuis om de was te doen,' onderbrak Sara hem. 'Maak je over haar maar geen zorgen. Dan pik je haar op als je klaar bent met je werk.'

'Dat is echt heel...'

Faith was nog ongeduldiger dan gewoonlijk. 'Geef haar die hond nou maar, Will.' Met grote stappen liep ze terug naar haar auto, en Will keek Sara verontschuldigend aan.

'De Milk Lofts?' vroeg hij, alsof hij het niet meer goed wist.

Sara nam Betty van hem over. Hij voelde hoe koud haar vingers waren toen ze langs zijn huid streken. 'Ze heet Betty, hè?' Hij knikte. 'Het mag best laat worden, hoor. Ik heb geen plannen.'

'Bedankt.'

Ze glimlachte en tilde Betty even omhoog, als een glas

wijn waarmee ze een toost uitbracht.

Will stak de straat over en stapte in Faiths auto. Hij was blij dat hij de laatste was geweest die op de passagiersstoel had gezeten, want nu hoefde hij zich niet als een aap op de krappe plek te wurmen.

Faith wond er geen doekjes om toen ze wegreed. 'Wat moest je met Sara Linton?'

'Ik kwam haar toevallig tegen.' Will vroeg zich af waarom hij zich aangevallen voelde, en meteen daarop verbaasde hij zich over Faiths vijandige toon. Hij vermoedde dat ze nog steeds boos op hem was vanwege zijn houding tegenover Max Galloway de vorige dag. Omdat hij er zo gauw geen oplossing voor kon bedenken, besloot hij haar af te leiden. 'Sara had een interessante vraag, of eigenlijk een theorie, met betrekking tot onze zaak.'

Faith voegde in tussen het overige verkeer. 'Vertel op, ik zit te popelen.'

Het tegenovergestelde was eerder waar, maar toch legde Will Sara's theorie aan haar voor, waarbij hij de nadruk legde op het getal 11 en de overige punten die ze had aangeroerd. 'Zondag is het Pasen,' zei hij. 'Misschien heeft het iets met de Bijbel te maken.'

Het sierde Faith dat ze de moeite nam erover na te denken. 'Tja,' zei ze ten slotte. 'Op het bureau ligt wel ergens een bijbel en we zouden ook op de computer kunnen zoeken naar het getal 11. Er zijn vast heel veel godsdienstmaniakken met een eigen website.'

'Waar staat dat precies in de Bijbel, dat er een rib uit Adam werd gehaald om Eva te maken?'

'In Genesis.'

'Dat is het oude gedeelte, hè? Niet het nieuwe.'

'Het Oude Testament. Het is het eerste Bijbelboek. Daar begint alles.' Faith keek hem even van terzijde aan, net als Sara had gedaan. 'Ik weet dat je de Bijbel niet kunt lezen, maar ben je ook nooit naar de kerk geweest?'

'Ik kan de Bijbel wel lezen,' zei Will bits. Toch zag hij Faith liever nieuwsgierig dan woedend, en daarom voegde hij eraan toe: 'Weet je nog waar ik ben opgegroeid? Scheiding van Kerk en Staat.'

'O, daar heb ik niet bij stilgestaan.'

Het was hoe dan ook een enorme leugen. Het kindertehuis stond religieuze activiteiten niet toe, maar er kwamen vrijwilligers van zo ongeveer elke plaatselijke kerk over de vloer, en de kinderen werden wekelijks met busjes naar de zondagsschool afgevoerd. Will was er ook een keer heen gegaan. Toen hij besefte dat het eigenlijk een school was, waar je moest kunnen lezen om de lessen te volgen, was hij nooit teruggekomen.

'Ben je nooit naar de kerk geweest?' drong Faith aan. 'Echt niet?'

Will zweeg in het besef dat hij weer eens zo dom was geweest om de verkeerde deur te openen.

Faith minderde vaart voor een stoplicht. 'Ik geloof niet dat ik ooit iemand heb ontmoet die nog nooit naar de kerk is geweest,' zei ze zachtjes, bijna in zichzelf.

'Kunnen we op een ander onderwerp overgaan?'

'Het is gewoon raar.'

Met lege blik staarde Will uit het raampje, in het besef dat iedereen die ooit zijn pad had gekruist hem op zeker moment weleens voor raar had uitgemaakt. Het licht sprong op groen en de Mini reed door. City Hall East lag op vijf minuten rijden van het park. Deze ochtend leek de rit uren te duren.

'Zelfs al heeft Sara gelijk,' zei Faith, 'dan flikt ze het 'm toch weer, probeert ze zich weer deze zaak binnen te praten.'

'Ze is lijkschouwer. Tenminste, dat is ze geweest. Ze heeft Anna geholpen toen die in het ziekenhuis werd binnengebracht. Het is heel normaal dat ze wil weten wat er gebeurt.'

'Dit is een moordzaak, niet *Big Brother*,' wierp Faith tegen. 'Weet ze waar je woont?'

Die vraag was nog niet bij Will opgekomen, maar hij was minder paranoïde dan Faith deze ochtend. 'Hoe zou ze dat moeten weten?'

'Misschien is ze je gevolgd.'

Wills lach verstomde al snel toen hij besefte dat ze het meende. 'Ze woont iets verderop. Ze was in het park met haar honden aan het hardlopen.'

'Dat is allemaal wel heel toevallig.'

Geërgerd schudde Will zijn hoofd. Faith moest niet proberen om Sara Linton als pispaal te gebruiken voor haar problemen met hem. 'We moeten hiermee ophouden, Faith. Ik weet dat je kwaad op me bent vanwege gisteren, maar we gaan nu naar een ondervraging, en wc moeten als team optreden.'

Het licht versprong weer en ze gaf gas. 'We zíjn ook een team.'

Ze mochten dan een team zijn, veel gesproken werd er niet tijdens de rest van het ritje. Pas toen ze in City Hall East waren en de lift naar boven namen, deed Faith haar mond weer open.

'Je das zit scheef.'

Wills hand schoot naar de knoop. Nu dacht Sara Linton vast dat hij een sloddervos was. 'Zo beter?'

Faith scrolde op dat moment door haar BlackBerry, ook al had ze geen ontvangst in de lift. Ze keek even op en gaf een vluchtig knikje, waarna ze haar aandacht weer op het apparaatje richtte.

Hij probeerde net te bedenken wat hij kon zeggen toen de deuren opengingen. Amanda stond hen voor de lift op te wachten en was al net als Faith haar mail aan het checken, alleen deed zij het met een iPhone. Will voelde zich heel dom zoals hij daar met lege handen stond, precies zoals hij zich gevoeld had toen Sara Linton was verschenen met haar grote, indrukwekkende honden en hij Betty als een bolletje wol met één hand had opgepakt.

Met haar vinger scrolde Amanda door de berichten, en haar stem klonk afwezig toen ze hen over de gang meevoerde naar haar kamer. 'Praat me eens bij.'

Faith noemde alle dingen op die ze nog niet wisten en die een eindeloze lijst vormden, en de dingen die ze wel wisten, maar daar was ze snel mee klaar. Ondertussen liep Amanda haar e-mail door te nemen en deed net alsof ze naar Faith luisterde toen die haar op de hoogte bracht van wat ze ongetwijfeld al in hun rapport had gelezen. Will had niet veel op met multitasking, vooral omdat je alles dan maar half deed. Het was menselijk gezien on-

mogelijk om aan twee dingen tegelijk je volle aandacht te schenken. Als om dit te bewijzen keek Amanda op van haar schermpje. 'Wat zei je?' vroeg ze
'Linton denkt dat er een link met de Bijbel is,' herhaalde Faith.
Amanda bleef staan. Ze liet de hand met de iPhone zakken en was opeens zeer geïnteresseerd. 'Hoezo?'
'De elfde rib, elf vuilniszakken, eind deze week is het Pasen.'
Amanda was alweer met haar iPhone bezig, en al pratend bewoog ze haar vinger over het touchscreen. 'We hebben de juridische dienst erbij gehaald voor ons gesprek met Joelyn Zabel. Zij neemt haar eigen advocaat mee, en daarom heb ik er drie van ons besteld. We moeten dit spelen alsof de hele wereld meeluistert, want ik weet zeker dat elk woord dat we tegen haar zeggen bij het grote publiek terechtkomt.' Ze schonk hun een betekenisvolle blik. 'Laat het praten maar aan mij over. Jullie kunnen vragen stellen, maar zonder te improviseren.'
'We krijgen toch niks uit die Zabel,' zei Will. 'Alleen al met die advocaten zitten er vier extra mensen in de kamer. Met ons erbij is dat zeven, en dan zij nog als middelpunt. Ze weet heel goed dat de camera's gaan draaien zodra ze het gebouw uit komt. Het mag van mij wel wat minder.'
Amanda keek weer op haar iPhone. 'Nog briljante ideeen om dat voor elkaar te krijgen?'
'Misschien kunnen we met haar praten als ze al die tv-interviews achter de rug heeft,' was het enige wat Will kon bedenken. 'Dan proberen we haar bij haar hotel te pakken te krijgen, zonder al die pers en andere drukte.'
Amanda keek niet eens naar hem op. 'Misschien win ik de loterij. Misschien krijg jij promotie. Zie jij waar al dat ge-misschien toe leidt?'
Nu kregen ergernis en slaapgebrek de overhand. 'Waarom zijn we hier dan? Waarom neem jij Zabel niet voor je rekening en laat je ons verder iets nuttigers doen dan haar van materiaal voorzien voor het boek waarvoor ze ongetwijfeld al een contract heeft getekend?'

Eindelijk keek Amanda op van haar iPhone. Ze gaf het apparaat aan Will. 'Ik snap het even niet meer, agent Trent. Lees jij dit eens en vertel dan wat je ervan vindt.' Zijn blik werd scherp en in zijn oren klonk een vreemde hoge pieptoon. De iPhone hing als een haak met een dik stuk aas in de lucht. Op het schermpje stonden woorden, zoveel zag hij nog wel. Will beet op het puntje van zijn tong en proefde bloed. Hij wilde het apparaatje pakken, maar Faith graaide het voor zijn neus weg.

Op afgemeten toon las ze voor: 'In de Bijbel staat het getal 11 meestal symbool voor oordeel en verraad. Oorspronkelijk waren er elf geboden, maar de katholieken voegden de eerste twee samen, en de protestanten de laatste twee om ze op tien af te ronden.' Ze scrolde verder. 'De Filistijnen gaven Delila elfhonderd zilverstukken om Samson ten val te brengen. Jezus vertelde elf gelijkenissen op weg naar zijn dood in Jeruzalem.' Zwijgend scrolde ze door. 'De katholieke kerk beschouwt elf van de apocriefe boeken als canoniek.'

Faith gaf het apparaat weer aan Amanda. 'En zo kunnen we de hele dag wel doorgaan. Vlucht 11 op 9/11 raakte een van de Twin Towers, die zelf weer op het getal 11 leken. De Apollo 11 maakte de eerste maanlanding. De Eerste Wereldoorlog eindigde op de 11e van de 11e. Je hoort in de elfde cirkel van de hel thuis voor wat je Will net hebt aangedaan.'

Glimlachend stopte Amanda haar iPhone in haar zak en liep verder de gang door. 'Denk aan de regels, kinderen.'

Will wist niet op welke regels ze doelde: die die haar aanwezen als degene die hier de touwtjes in handen had, of de regels waaraan ze zich te houden hadden tijdens het verhoor van Joelyn Zabel. Er was echter geen tijd om erover na te denken, want Amanda stapte het voorvertrek naar haar kamer al door en opende de deur. Terwijl ze naar haar bureau liep en ging zitten, stelde ze iedereen voor. Uiteraard was haar kamer groter dan enig ander vertrek in het gebouw, bijna zo groot als de vergaderzaal op de verdieping waar Will en Faith huisden.

Joelyn Zabel en een man die ongetwijfeld haar advocaat was zaten tegenover Amanda op voor bezoek gereserveerde stoelen. Naast het bureau stonden nog twee stoelen, kennelijk bedoeld voor Faith en Will. De drie overheidsadvocaten, herkenbaar aan hun zwarte pakken en stemmige zijden dassen, zaten naast elkaar op een bank achter in het vertrek. De advocaat van Joelyn Zabel was gekleed in een pak waarvan de blauwe kleur op die van een haai leek, wat zeer toepasselijk was, want zijn glimlach deed Will ook sterk aan de onderwatercarnivoor denken.

'Fijn dat u gekomen bent,' zei Faith tegen de vrouw. Ze schudde haar hand en ging zitten.

Joelyn Zabel was een wat molliger uitvoering van haar zus. Niet dat ze dik was, maar haar heupen vertoonden een gezonde welving, terwijl Jacquelyn jongensachtig dun was geweest. Will ving een vleugje sigarettenwalm op toen hij haar hand schudde.

'Gecondoleerd met uw verlies,' zei hij.

'Trent,' merkte ze op. 'Dus u bent degene die haar gevonden heeft.'

Will probeerde oogcontact met haar te bewaren zonder zijn nog steeds diepgewortelde schuldgevoel te verraden omdat hij haar zuster niet op tijd had gevonden. 'Nogmaals, gecondoleerd met uw verlies,' herhaalde hij, want hij kon niks beters bedenken.

'Ja,' snauwde ze. 'Nu weet ik het wel.'

Nadat Will naast Faith had plaatsgenomen, klapte Amanda in haar handen als een kleuterjuf die de aandacht van de klas vraagt. Ze legde haar hand op een manilla map. Will vermoedde dat die een verkorte versie van het sectierapport bevatte. Pete had opdracht gekregen om het gedeelte over de vuilniszakken weg te laten. Gezien de knusse betrekkingen die het korps van Rockdale County met de pers onderhield, moesten ze zuinig zijn met bezwarende informatie waarop ze een eventuele verdachte konden vastpinnen.

'Mevrouw Zabel,' ging Amanda van start, 'ik neem aan dat u voldoende tijd hebt gehad om het rapport door te nemen?'

'Ik wil trouwens graag een kopietje voor mijn archief, Mandy,' sprak de advocaat.

Amanda's glimlach was nog haaiachtiger dan de zijne.

'Uiteraard, Chuck.'

'Fantastisch, jullie kennen elkaar dus allemaal.' Joelyn sloeg haar armen over elkaar en trok haar schouders op. 'Zou u me eens willen uitleggen wat u er in jezusnaam aan doet om de moordenaar van mijn zus op te sporen?'

Amanda's glimlach haperde geen moment. 'We doen er alles aan om...'

'Hebben jullie al een verdachte? God, we hebben het hier anders wel over een smerig beest.'

Amanda antwoordde niet, wat Faith als teken opvatte om het woord te mogen nemen. 'We zijn het helemaal met u eens. Degene die dit heeft gedaan, is een beest. Daarom willen we het ook met u over uw zuster hebben. We willen meer over haar leven weten. Wie haar vrienden waren. Wat haar gewoonten waren.'

Schuldbewust sloeg Joelyn haar blik even neer. 'Ik had niet veel contact met haar. We hadden het allebei nogal druk. Bovendien woonde ze in Florida.'

Faith sloeg een wat mildere toon aan. 'Ze woonde toch aan Florida Bay? Het moet daar heel mooi zijn. Goeie aanleiding om een familiebezoekje met een vakantie te combineren.'

'Tja, dat zou inderdaad leuk zijn geweest, alleen heeft die bitch me nooit uitgenodigd.'

Sussend raakte haar advocaat haar arm even aan. Will had Joelyn Zabel op elke belangrijke tv-zender voorbij zien komen, en bij elk interview zat ze weer even hard te snotteren over de tragische dood van haar zus. In al die uren dat hij haar had geobserveerd, had hij haar niet één echte traan zien vergieten, ook al had ze alles gedaan wat een huilend mens doet: haar neus opgehaald, haar ogen gedept en heen en weer geschommeld. Zelfs dat liet ze nu achterwege. Blijkbaar kon ze alleen verdriet voelen als er een camera draaide. Nog duidelijker was dat ze van haar advocaat uitsluitend de rol van rouwend familielid mocht spelen.

Joelyn snufte, ook al had ze nog geen traan gelaten. 'Ik heb heel veel van mijn zusje gehouden. Mijn moeder is pas naar een verzorgingshuis gegaan. Ze heeft nog hooguit een halfjaar te leven, en nu gebeurt dit met haar dochter. Het is verschrikkelijk om een kind te verliezen.' Voorzichtig probeerde Faith nog een paar vragen te stellen. 'Hebt u zelf kinderen?'

'Vier.' Ze klonk trots.

'Jacquelyn had geen...'

'Jezus, nee zeg. Drie abortussen nog voor haar dertigste. Ze was doodsbang om dik te worden. Dat is toch niet te geloven? De enige reden waarom ze ze door de plee spoelde, was vanwege haar stomme gewicht. En dan loopt ze tegen de veertig, en opeens wil ze moeder worden.'

Faith wist haar verbazing goed te verbergen. 'Probeerde ze zwanger te worden?'

'Hebt u niet gehoord wat ik over die abortussen zei? U kunt het opzoeken. Ik zit hier niet te liegen, hoor.'

Als mensen bij hoog en bij laag beweerden dat ze niet logen over het een of het ander, dan logen ze wel over iets anders, wist Will uit ervaring. Wat dat andere was zou weleens de sleutel tot Joelyn Zabel kunnen zijn. Hij vond haar bepaald geen liefhebbend type, en ongetwijfeld wilde ze haar uurtje in de schijnwerpers zo lang mogelijk rekken.

'Was Jackie op zoek naar een draagmoeder?' vroeg Faith.

Joelyn leek te beseffen hoe belangrijk haar woorden waren. Opeens hing iedereen aan haar lippen. Ze nam er alle tijd voor. 'Ze wilde adopteren,' zei ze ten slotte.

'Via een particuliere organisatie? Of een overheidsinstantie?'

'Jezus, hoe moet ik dat nou weten? Ze bulkte van het geld. Ze kon alles kopen waar ze zin in had.' Joelyn klemde de armleuningen van haar stoel vast, en Will zag dat ze nu een favoriet onderwerp te pakken had. 'Dat is de echte tragedie: dat ik niet meer zal meemaken dat ze een of andere verstoten mongool adopteert die haar uiteindelijk besteelt of schizofreen wordt waar ze bij zit.'

Will voelde Faith verstarren en hij nam het van haar over. 'Wanneer hebt u voor het laatst met uw zuster gesproken?'

'Ongeveer een maand geleden. Ze was helemaal lyrisch over het moederschap, alsof ze er ook maar iets van snapte. Ze had het erover dat ze een kind uit China of Rusland of ergens uit die buurt wilde adopteren. Weet u, sommigen van die kinderen worden later moordenaars. Ze zijn misbruikt en nu zijn ze gewoon ziek in hun hoofd. Met allemaal is er wel iets aan de hand.'

'Dat zien we inderdaad regelmatig.' Mismoedig schudde Will zijn hoofd, alsof het een tragedie was die maar al te vaak voorkwam. 'Schoot het een beetje op met die adoptie? Weet u welke instantie ze in de arm had genomen?'

Zodra het om details ging, werd Joelyn terughoudend. 'Jackie vertelde nooit zoveel. Ze ging altijd heel neurotisch met haar privacy om.' Met een ruk van haar hoofd gebaarde ze naar de overheidsadvocaten, die hun best deden op te gaan in de bekleding. 'Ik weet dat u van die sukkels daar op de bank niet uw excuses mag aanbieden, maar u zou toch minstens kunnen toegeven dat u het gigantisch hebt verkloot.'

Nu bemoeide Amanda zich er weer mee. 'Mevrouw Zabel, de autopsie heeft aangetoond...'

Joelyn haalde strijdlustig haar schouder op. 'Het enige wat is aangetoond is wat ik allang weet: jullie hebben daar maar een beetje staan niksen terwijl mijn zus doodging, stomkoppen.'

'Misschien hebt u het rapport niet aandachtig genoeg gelezen, mevrouw Zabel.' Amanda's stem klonk vriendelijk en ze sloeg dezelfde sussende toon aan als op de gang, vlak voor ze Will de grond in boorde. 'Uw zus heeft zichzelf van het leven beroofd.'

'Alleen omdat jullie geen zak hebben gedaan om haar te helpen.'

'Beseft u dat ze doof en blind was?' vroeg Amanda.

Uit de blik die Zabel haar advocaat toewierp, leidde Will af dat ze dat nog niet wist.

Amanda nam een tweede map uit de bovenste la van

haar bureau en doorzocht de inhoud. Will zag kleurenfoto's van Jacquelyn Zabel in de boom, in het mortuarium. Dit was buitengewoon wreed, zelfs voor Amanda's doen. Ook al was Joelyn Zabel een vreselijk mens, ze had wel op een gruwelijke manier haar zus verloren. Hij zag Faith onrustig heen en weer schuiven op haar stoel en wist dat zij hetzelfde dacht.

Op haar dooie gemak zocht Amanda naar het juiste document, dat toevallig onder de ergste foto's lag weggestopt. Even later had ze de passage gevonden die betrekking had op het uitwendige onderzoek van het lichaam. 'Tweede alinea,' zei ze.

Aarzelend ging Joelyn op de rand van haar stoel zitten. Op die heimelijke manier waarop mensen naar een ernstig verkeersongeluk kijken probeerde ze beter zicht op de foto's te krijgen, waarna ze weer naar achteren schoof, met het rapport in haar hand. Will zag haar ogen al lezend heen en weer schieten. Plotseling stopte ze, en hij wist dat ze niets meer zag.

Ze slikte een paar keer en stond op. 'Sorry,' mompelde ze, en toen stoof ze de kamer uit.

Het was alsof ook alle lucht op slag uit het vertrek was verdwenen. Faith staarde recht voor zich uit. Amanda stapelde in alle rust de foto's weer keurig op elkaar.

'Dat was niet aardig, Mandy,' zei de advocaat.

'Zo gaan die dingen, Chuck.'

Will stond op. 'Ik moet even mijn benen strekken.'

Voor iemand kon reageren was hij de kamer al uit. Caroline, de secretaresse van Amanda, zat achter haar bureau. Will hief zijn kin. 'Op het toilet,' fluisterde ze.

Met zijn handen in zijn zakken liep Will de gang door. Hij bleef staan voor de deur van het damestoilet, die hij met zijn voet openduwde, waarna hij zijn hoofd om de hoek stak. Joelyn Zabel stond voor de spiegel, met een brandende sigaret in haar hand. Ze schrok toen ze Will zag.

'U mag hier helemaal niet komen,' snauwde ze, en ze hield haar vuist voor haar gezicht, alsof ze zich op een knokpartijtje voorbereidde.

'Er mag in dit gebouw niet gerookt worden.' Will liep naar binnen en ging met zijn rug tegen de dichte deur staan, nog steeds met zijn handen in zijn zakken.

'Wat hebt u hier te zoeken?'

'Ik kwam even kijken of het wel goed met je ging.'

Ze nam ecn diepe haal van haar sigaret. 'En daarvoor komt u zomaar het damestoilet binnen vallen? Dit is verboden terrein voor u, oké? Gewoon verboden.'

Will keek om zich heen. Hij was nog nooit in een damestoilet geweest. Er stond een gerieflijke bank, en ernaast een tafeltje met bloemen. Het rook er naar parfum, de handdoekenautomaten waren goed voorzien en de wastafel zat niet onder de spatten zoals op het herentoilet, waar de voorkant van je broek nat werd als je je handen waste. Geen wonder dat vrouwen hier zoveel tijd doorbrachten.

'Hallo?' zei Joelyn. 'Hé, gek. Weg uit het damestoilet!'

'Wat hou je voor me achter?'

'Ik heb u alles verteld wat ik weet.'

Hij schudde zijn hoofd. 'Er zijn hier geen camera's. Geen advocaten, geen publiek. Vertel me nou maar wat je achterhoudt.'

'Sodemieter op.'

De deur ging zachtjes open en drukte tegen zijn rug, maar werd snel weer dichtgedaan. 'Je hield helemaal niet van je zus,' zei Will.

'Goed geraden, Sherlock.' Haar hand beefde toen ze haar longen opnieuw volzoog met rook.

'Wat heeft ze je aangedaan?'

'Ze was een bitch.'

Dat gold al evenzeer voor Joelyn zelf, maar Will hield zich in. 'Tegenover jou of bedoel je dat gewoon in het algemeen?'

Ze keek hem strak aan. 'Waar slaat dat op?'

'Het kan me namelijk niks schelen wat je doet wanneer je hier vertrekt. Voor mijn part klaag je de overheid aan. Voor mijn part klaag je mij persoonlijk aan. Het kan me echt niks schelen. Degene die je zuster heeft vermoord, heeft waarschijnlijk alweer iemand anders te pakken – een of andere vrouw die terwijl wij hier staan te kletsen wordt gemarteld en verkracht – en als je iets voor me achterhoudt, betekent dat dat het je totaal niet uitmaakt wat er met die andere vrouw gebeurt.'

'Nu moet u oppassen.'

'Vertel dan wat je verbergt.'

'Ik verberg niets.' Ze wendde zich van de spiegel af en streek met haar vingers langs de onderkant van haar ogen om te voorkomen dat haar make-up doorliep. 'Jackie, die verborg altijd van alles.'

Will zweeg.

'Ze was heel gesloten, ze deed altijd alsof ze beter was dan ik.'

Hij knikte, alsof hij het snapte.

'Zij kreeg altijd alle aandacht, zij had alle vriendjes.' Ze schudde haar hoofd en leunend tegen het wasmeubel, met haar hand naast de wasbak, keerde ze haar gezicht naar Will toe. 'Als kind ging mijn gewicht voortdurend op neer. Jackie plaagde me er altijd mee als we aan het zonnebaden waren; dan zei ze dat ik net een gestrande walvis was.'

'Dat probleem ben je ontgroeid, dat is duidelijk.'

Met een ongelovig gezicht wuifde ze het compliment weg. 'Alles ging altijd heel makkelijk bij haar. Geld, mannen, succes. Iedereen vond haar aardig.'

'Dat is niet waar,' wierp Will tegen. 'Geen van haar buren is er ondersteboven van dat ze er niet meer is. Ze hadden het niet eens door tot de politie bij hen aanklopte. Ik had het gevoel dat ze opgelucht waren dat ze weg was.'

'Ik geloof er geen woord van.'

'De buurvrouw van je moeder, Candy, is er kennelijk ook niet al te kapot van.'

Nog steeds was ze niet overtuigd. 'Nee hoor, Jackie zei altijd dat Candy net een minipoedeltje was dat rond haar hielen rende en altijd bij haar wilde zijn.'

'Dat klopt niet,' zei Will. 'Candy was helemaal niet zo dol op haar. Nog minder dan jij, zou ik bijna zeggen.'

Joelyn nam een laatste trek van haar sigaret en liep toen een cabine in om hem door te spoelen. Will zag dat ze de nieuwe informatie over haar zuster moest verwerken, en dat die haar wel aanstond. Ze liep terug naar de wasbak

273

en leunde weer tegen het meubel. 'Ze is altijd al een leugenaar geweest. Ze loog altijd over kleine dingen, dingen die er niet eens toe deden.'

'Zoals?'

'Dan zei ze bijvoorbeeld dat ze naar de winkel ging, terwijl ze in werkelijkheid naar de bibliotheek ging. Of dat ze een afspraakje had met de een, terwijl ze uitging met de ander.'

'Nogal stiekem, lijkt me.'

'Dat was ze ook. Dat woord past perfect bij haar: stiekem. Onze moeder werd er gek van.'

'Zat ze vaak in de problemen?'

Joelyn lachte snuivend. 'Jackie was altijd het lievelingetje van de leraren, ze wist altijd heel goed tegen wie ze moest slijmen. Ze hield ze allemaal aan het lijntje.'

'Niet allemaal,' merkte Will op. 'Je zei dat jullie moeder er gek van werd. Je moeder heeft ongetwijfeld geweten wat er aan de hand was.'

'Inderdaad. Wat ze niet aan geld heeft uitgegeven om hulp voor Jackie te zoeken. Het heeft mijn hele jeugd verkloot. Alles draaide altijd om Jackie: hoe zij zich voelde, wat zij uitspookte, of zíj wel gelukkig was. Niemand vroeg zich ooit af of ík gelukkig was.'

'Vertel eens over die adoptie. Met welke instantie was ze in gesprek?'

Schuldbewust sloeg Joelyn haar blik neer.

'Ik zal je zeggen waarom ik het vraag,' zei Will op neutrale toon. 'Als Jackie probeerde om een kind te adopteren, dan moeten we naar Florida om het betreffende bureau op te sporen. Als het om een buitenlands contact gaat, moeten we misschien naar Rusland of China om te zien of het allemaal legitiem is wat ze daar doen. Als Jackie hier een draagmoeder zocht, moeten we elke vrouw opsporen met wie ze eventueel heeft gepraat. We moeten elke instantie grondig onderzoeken tot we iets vinden, wat dan ook, wat verband houdt met je zuster, want ze is een buitengewoon slecht persoon tegen het lijf gelopen die haar minstens een week lang gemarteld en verkracht heeft, en als we weten hoe je zus met haar ontvoerder in contact is

274

gekomen, ontdekken we misschien wie die man is.' Hij
liet zijn woorden even bezinken. 'Denk je dat we via een
adoptiebureau iets kunnen vinden, Joelyn?'
Zonder te antwoorden keek ze naar haar handen. Will
telde de tegels aan de muur achter haar hoofd. Hij was al
bij zesendertig toen ze eindelijk haar mond opendeed. 'Dat
zei ik zomaar, dat ze een kind wilde. Jackie had het er wel
over, maar ze ging het echt niet doen. Het leek haar een
leuk idee om moeder te zijn, maar ze wist dat ze het nooit
aan zou kunnen.'
'Weet je dat zeker?'
'Het is net zoiets als wanneer je een goed afgerichte hond
ziet. Je wilt ook een hond, maar eigenlijk wil je díé hond,
niet een nieuwe waar je zelf mee aan de slag moet en die
je nog alles moet leren.'
'Hield ze van jouw kinderen?'
Joelyn kuchte. 'Die heeft ze nooit ontmoet.'
Will wachtte even voor hij verderging. 'Kort voor ze
stierf is ze bekeurd wegens rijden onder invloed.'
'Echt?' vroeg Joelyn verbaasd.
'Dronk ze veel?'
Heftig schudde ze haar hoofd. 'Jackie verloor niet graag
de controle over zichzelf.'
'De buurvrouw, Candy, beweert anders dat ze samen
wiet hebben zitten roken.'
Haar mond viel open van verbazing. Weer schudde ze
haar hoofd. 'Maak dat de kat wijs. Dat soort dingen deed
Jackie niet. Ze vond het leuk als anderen te veel dronken
en zich lieten gaan, maar zelf deed ze het nooit. We hebben het nu over een vrouw die sinds haar zestiende altijd
hetzelfde gewicht heeft gehouden. Haar kont was zo strak
dat hij piepte als ze liep.' Ze dacht er nog even over na en
schudde toen nogmaals haar hoofd. 'Nee, Jackie niet.'
'Waarom was ze het huis van jullie moeder aan het uitruimen? Waarom besteedde ze het vuile werk niet uit?'
'Ze vertrouwde niemand. Zij wist altijd precies hoe dingen gedaan moesten worden, en wie het ook was, een ander deed het altijd fout.'
Dat klopte wel met wat Candy had gezegd. Verder waren

hun verhalen totaal verschillend, wat niet verbazend was, in aanmerking genomen dat Joelyn en haar zus niet bepaald een hechte band hadden gehad.

'Zegt het getal 11 je iets?' vroeg Will.

Ze fronste haar voorhoofd. 'Nee, helemaal niks.'

'En de woorden "Ik ontken mezelf niet"?'

Weer schudde ze haar hoofd. 'Toch is het raar,' zei ze. 'Ook al was Jackie nog zo rijk, ze deed niets anders dan zichzelf ontkennen.'

'Hoezo?'

'Op het gebied van eten. Drank. Pleziertjes.' Ze lachte spijtig. 'Vrienden. Familie. Liefde.' Haar ogen vulden zich met tranen – de eerste echte tranen die Will bij haar had gezien. Hij rechtte zijn rug en liep de deur uit. Op de gang trof hij Faith aan, die op hem stond te wachten.

'Weet je iets meer?' vroeg ze.

'Ze heeft gelogen over die adoptie. Tenminste, dat zei ze.'

'Dat kunnen we bij Candy navragen.' Faith pakte haar telefoontje en klapte het open. Al pratend toetste ze het nummer in. 'We zouden tien minuten geleden in het ziekenhuis zijn voor onze afspraak met Rick Sigler. Ik heb hem proberen te bellen om te zeggen dat we iets later kwamen, maar hij nam niet op.'

'En zijn vriend, Jake Berman?'

'Daar heb ik meteen een stel agenten op gezet. Ze zouden bellen als ze hem gevonden hadden.'

'Vind je het niet vreemd dat we hem niet te pakken kunnen krijgen?'

'Op dit moment niet, maar stel me die vraag nog maar eens aan het eind van de dag, als we hem dan nog niet hebben gevonden.' Ze drukte het telefoontje tegen haar oor en sprak een bericht in voor Candy Smith, met het verzoek om terug te bellen. Ze klapte het apparaat weer dicht en klemde het in haar hand. De schrik sloeg Will om het hart bij de gedachte aan wat ze ging zeggen – iets over Amanda, een aanval op Sara Linton, of op hemzelf. Gelukkig ging het over de zaak.

'Volgens mij maakt Pauline McGhee hier deel van uit.'

'Hoezo?'

'Gewoon een gevoel. Ik kan het niet uitleggen, maar het is mij allemaal iets te toevallig.'

'McGhee is nog steeds Leo's zaak. We zijn niet bevoegd om ons ermee te bemoeien, en we hebben geen enkele aanleiding om hem te vragen of we ook mee mogen doen. Denk je dat je hem kunt bewerken?' voegde hij er niettemin aan toe.

Ze schudde haar hoofd. 'Ik wil Leo geen problemen bezorgen.'

'Hij zou je toch bellen? Als hij Paulines ouders heeft opgespoord in Michigan?'

'Dat heeft hij wel gezegd.'

Zwijgend bleven ze voor de lift staan.

'We moeten geloof ik maar eens langs Paulines werk gaan,' zei Will ten slotte.

'Mijn idee.'

Veertien

Faith liep te ijsberen door de hal van Xac Homage, het designbureau met de belachelijke naam waar Pauline McGhee werkzaam was. Het kantoor besloeg de negenentwintigste verdieping van het Symphony Building, een architectonisch lomp gebouw dat als een enorm speculum op de hoek van Peachtree Street en Fourteenth Street verrees. Bij dat beeld moest Faith meteen weer denken aan wat ze in het sectierapport van Jacquelyn Zabel had gelezen. Ze huiverde.

Geheel in overeenstemming met de pretentieuze naam was de glazen hal van Xac Homage gemeubileerd met lage banken, waar je onmogelijk op kon zitten zonder elke spier in je kont aan te trekken, omdat je anders als een zoutzak achteroverviel en zonder hulp nooit meer overeind kwam. Faith zou voor de zoutzak zijn gegaan als ze geen rok had gedragen die ook al omhoogkroop als ze er niet bij zat als een gangsterhoer in een rapvideo.

Ze had trek, maar wist niet wat ze moest eten. Ze was bijna door haar insulinevoorraad heen en had nog steeds geen idee of ze de doseringen goed berekende. Ze had nog geen afspraak gemaakt met de arts die Sara haar had aanbevolen. Haar voeten waren opgezwollen, ze verging van de rugpijn, en het liefst had ze met haar hoofd tegen de muur gebeukt omdat ze Sam Lawson maar niet kon vergeten, hoe ze haar best ook deed.

Te oordelen naar de zijdelingse blikken die Will haar toewierp, kreeg ze het vage vermoeden dat ze zich als een volslagen idioot gedroeg.

278

'God,' mompelde Faith, en ze drukte haar voorhoofd tegen de schone ruit. Waarom stapelde ze de ene vergissing op de andere? Ze was niet dom. Of misschien toch wel. Misschien had ze zichzelf al die jaren voor de gek gehouden en was ze eigenlijk een van de domste mensen op aarde.

Ze keek neer op de auto's die als mieren over het zwarte asfalt van Peachtree Street kropen. Een maand eerder had Faith in de wachtkamer van de tandarts een tijdschriftartikel gelezen waarin beweerd werd dat een vrouw genetisch zo in elkaar stak dat ze zich minstens drie weken nadat ze seks met een man had gehad aan hem vastklampte, want zo lang duurde het voor het lichaam doorhad of het zwanger was of niet. Op dat moment had ze erom gelachen, want ze had zich nog nooit aan een man willen vastklampen. In elk geval niet na de vader van Jeremy, die letterlijk de staat uit was gevlucht toen Faith hem had verteld dat ze zwanger was.

Niettemin keek ze nu om de tien minuten naar haar telefoontje en checkte ze haar e-mail, zo graag wilde ze met Sam praten, wilde ze weten hoe het met hem ging en of hij misschien boos op haar was – alsof zij er iets aan kon doen dat het zo gelopen was. Alsof hij zo'n fantastische minnaar was geweest dat ze niet genoeg van hem kon krijgen. Ze was al zwanger, dus het kon niet aan haar genetische bedrading liggen dat ze zich als een dwaas schoolmeisje gedroeg. Of misschien wel. Misschien was ze gewoon het slachtoffer van haar eigen hormonen.

Of misschien moest ze haar kennis van wetenschappelijke feiten niet uit de *Ladies Home Journal* halen.

Faith draaide haar hoofd om en zag Will in de nis bij de lift. Hij was aan het bellen, waarbij hij zijn mobiel met twee handen vastklemde om te voorkomen dat het ding uit elkaar viel. Ze kon niet langer boos op hem zijn. Het was fantastisch zoals hij Joelyn Zabel had aangepakt, dat moest ze toegeven. Hij benaderde het werk heel anders dan zij; soms werkte dat in hun voordeel en soms in hun nadeel. Faith schudde haar hoofd. Op dit moment kon ze zich niet met de verschillen tussen hen bezighouden, niet nu haar hele leven op de rand van een enorme rots balanceerde en de aarde aan één stuk door beefde.

Will verbrak de verbinding en liep naar haar toe. Hij keek naar het verlaten bureau van de secretaresse. Er waren al minstens tien minuten verstreken sinds de vrouw Morgan Hollister was gaan halen. In gedachten zag Faith het tweetal als bezeten dossiers versnipperen, hoewel het waarschijnlijker was dat de secretaresse – zo'n geblondeerd type dat met de simpelste opdracht nog moeite scheen te hebben – hen eenvoudigweg was vergeten en nu met haar mobiel aan haar oor op de wc zat.

'Met wie was je in gesprek?' vroeg Faith.

'Met Amanda.' Hij pakte een paar snoepjes uit de kom op de salontafel. 'Ze belde om haar verontschuldigingen aan te bieden.'

Faith moest om het grapje lachen, en hij deed van harte mee.

Will pakte nog een paar snoepjes en hield Faith de kom voor, maar ze schudde haar hoofd. 'Vanmiddag heeft ze weer een persconferentie belegd. Joelyn Zabel ziet af van haar rechtszaak tegen de stad.'

'Waarom dat opeens?'

'Haar advocaat besefte dat ze geen poot hadden om op te staan. Wees maar niet bang, volgende week staat ze op de cover van een of ander tijdschrift, en de week erop wil ze ons weer een proces aandoen omdat we de moordenaar van haar zus nog niet hebben gevonden.'

Het was voor het eerst dat een van hen hun ware angst verwoordde: dat de moordenaar zo vernuftig was dat hij wegkwam met zijn misdadige praktijken.

Will wees naar de deur achter het bureau. 'Zullen we maar weer opstappen?'

'Nog heel even.' Ze probeerde de afdruk weg te vegen die haar voorhoofd op het glas had achtergelaten, maar ze maakte het alleen maar erger. Het zwaartepunt van de spanning tussen hen was tijdens de rit op de een of andere manier verschoven, en nu was niet langer Will degene die bang was dat Faith kwaad op hem was, maar vreesde Faith dat ze hem tegen de haren in had gestreken.

'Is het weer goed tussen ons?' vroeg ze.

'Natuurlijk is het weer goed tussen ons.'

Ze geloofde hem niet, maar er viel niks te beginnen met iemand die beweerde dat er geen vuiltje aan de lucht was, want dat zou hij net zo lang volhouden tot je het gevoel kreeg dat je alles had verzonnen.

'Nou, in elk geval weten we dat bitcherigheid een familiekwaaltje is bij de Zabels,' zei Faith.

'Joelyn valt wel mee.'

'Het is moeilijk om het goeie zusje te zijn.'

'Wat bedoel je?'

'Nou, als jij het brave kind in het gezin bent, altijd goede cijfers haalt en nooit in de problemen raakt et cetera, en je zus zit de zaak voortdurend te verzieken en krijgt alle aandacht, dan ga je je buitengesloten voelen, want het maakt niet uit hoe braaf je bent, je ouders hebben toch alleen maar aandacht voor die rotzus van je.'

'En ik dacht nog wel dat je broer zo'n braverik was,' zei Will, waaruit Faith opmaakte dat ze wel heel verbitterd had geklonken.

'Dat is hij ook,' zei ze. 'Ik was het opstandige kind dat alle aandacht naar zich toe trok.' Ze gniffelde. 'Ik weet nog dat hij mijn ouders op een dag vroeg of ze hem voor adoptie wilden opgeven.'

Will glimlachte flauwtjes. 'Iedereen wil wel geadopteerd worden.'

Faith dacht weer aan Joelyn Zabels vreselijke opmerking over haar zusters zoektocht naar een kind. 'Wat Joelyn zei...'

Hij onderbrak haar. 'Waarom noemde haar advocaat Amanda voortdurend Mandy?'

'Dat is een afkorting van Amanda.'

Hij knikte peinzend, en Faith vroeg zich af of bijnamen ook bij het rijtje zaken hoorden waarmee hij problemen had. Het klopte ergens wel. Als je een naam wilde afkorten, moest je eerst weten hoe die gespeld werd.

'Wist je dat zestien procent van alle ons bekende seriemoordenaars ooit geadopteerd is?'

Faith trok haar wenkbrauwen op. 'Dat kan niet kloppen.'

'Joel Rifkin, Kenneth Bianchi, David Berkowitz. Ted Bundy werd door zijn stiefvader geadopteerd.'
'Hoe kan het dat je opeens zoveel over seriemoordenaars weet?'
'History Channel,' zei hij. 'Echt, daar steek je nog eens wat van op.'
'Waar haal je de tijd vandaan om zoveel tv te kijken?'
'Het is nou ook weer niet zo dat ik een druk sociaal leven heb.'
Faith keek weer uit het raam en opnieuw zag ze het beeld voor zich van Will met Sara Linton die ochtend. Ze had de verslagen over Jeffrey Tolliver gelezen en daaruit afgeleid dat hij als politieman precies het tegenovergestelde van Will was: fysiek ingesteld, een geboren leider, iemand die tot het uiterste ging om een zaak op te lossen. Niet dat Will niet gedreven was, integendeel, maar hij was eerder geneigd om een verdachte met zijn blik een bekentenis af te dwingen dan door middel van geweld. Faith voelde wel aan dat Will niet Sara Lintons type was, en daarom had ze die ochtend zo'n medelijden met hem gehad toen ze zag hoe stuntelig hij zich tegenover haar gedroeg.
Kennelijk stond hij ook over die ochtend na te denken. 'Ik weet het nummer van haar flat niet,' zei hij.
'Van Sara?'
'Ze woont in de Milk Lofts in Berkshire.'
'Er is vast wel een namenbord in het geb...' Faith maakte haar zin niet af. 'Ik wil haar achternaam wel opschrijven zodat je die met het bord kunt vergelijken. Zoveel mensen wonen daar nou ook weer niet.'
Zichtbaar ontmoedigd haalde hij zijn schouders op. 'We kunnen het ook online opzoeken.'
'Daar staat ze vast nergens geregistreerd.'
De deur ging open en de geblondeerde secretaresse kwam weer binnen, gevolgd door een uitzonderlijk lange, uitzonderlijk gebruinde en uitzonderlijk knappe man, gekleed in het prachtigste pak dat Faith ooit had gezien.
'Ik ben Morgan Hollister,' zei hij, en met uitgestoken hand liep hij het vertrek door. 'Sorry dat ik u zo lang heb laten wachten. Ik was in telefonische bespreking met een

cliënt in New York. Deze commotie rond Pauline heeft echt een spaak in het wiel gestoken, zoals ze zeggen.'

Faith wist niet goed wie dat soort dingen zei, maar ze vergaf het hem onmiddellijk toen ze zijn hand schudde. Hij was de aantrekkelijkste man en tevens de grootste nicht die ze in tijden tegen het lijf was gelopen. In aanmerking genomen dat ze in Atlanta zaten, de homohoofdstad van het Zuiden, was dat niet gering.

'Ik ben GBI-agent Trent, en dit is GBI-agent Mitchell,' zei Will, die de roofzuchtige blik negeerde waarmee Morgan Hollister hem opnam.

'Traint u veel?' vroeg Morgan.

'Vooral vrije gewichten. Wat benchpressen.'

Morgan gaf hem een klap op zijn arm. 'Stevige jongens.'

'Ik waardeer het zeer dat u ons naar Paulines spullen laat kijken,' zei Will, hoewel Morgan dat helemaal niet had aangeboden. 'Ik weet dat de politie van Atlanta hier ook al is geweest. Hopelijk komt het gelegen.'

'Uiteraard.' Met zijn hand op Wills schouder voerde Morgan hem mee naar de deur. 'We zijn echt kapot van wat er met Paulie is gebeurd. Ze was een fantastische meid.'

'We hebben ook gehoord dat ze weleens moeilijk kon zijn om mee samen te werken.'

Hij grinnikte even, en Faith interpreteerde zijn lachje als een soort code voor 'dat heb je nou eenmaal met vrouwen'. Tot haar opluchting concludeerde ze dat seksisme al even welig tierde in de homogemeenschap.

'Zegt de naam Jacquelyn Zabel u iets?' vroeg Will.

Morgan schudde zijn hoofd. 'Ik werk met alle cliënten. In dat geval had ik het me moeten herinneren, maar ik kan wel even in de computer kijken.' Hij trok een bedroefd gezicht. 'Die arme Paulie. Het was een vreselijke schok voor ons allemaal.'

'We hebben tijdelijk onderdak voor Felix gevonden,' zei Will.

'Felix?' Hij keek verbaasd. 'O ja, dat kleine ventje,' zei hij toen. 'Die redt het wel. Echt wat je noemt een vechtersbaasje.'

Morgan voerde hen mee een lange gang door. Rechts was

een serie kleine kamertjes met ramen die uitkeken op de snelweg. De bureaus lagen bezaaid met stalen stof en diagrammen. Faiths blik viel op een stel blauwdrukken die op een vergadertafel lagen uitgespreid, en een enigszins weemoedig gevoel bekroop haar.

Als kind had ze architect willen worden, een droom die op haar veertiende in duigen viel, toen ze van school werd gestuurd omdat ze zwanger was. Tegenwoordig ging het uiteraard anders, maar destijds werd een zwangere tiener geacht van de aardbodem te verdwijnen en haar naam werd nooit meer genoemd, tenzij die in verband werd gebracht met de jongen die haar met kind had geschopt, en dan alleen nog als 'dat sletje dat bijna zijn leven heeft verwoest door zwanger te worden'.

Morgan bleef staan voor een kamer met een dichte deur, waar Pauline McGhees naam op stond. Hij haalde een sleutel tevoorschijn.

'Sluit u die kamer altijd af?' vroeg Will.

'Dat deed Paulie. Gewoon een van haar trekjes.'

'Had ze veel van die zogenaamde trekjes?'

'Dingen moesten altijd gaan zoals zij het wilde.' Morgan maakte een onverschillig gebaar. 'Ik liet haar haar gang gaan. Ze was een kei op administratief gebied, en ook kon ze als geen ander onderaannemers naar haar hand zetten.' Zijn glimlach vervloog. 'De laatste tijd zijn er trouwens problemen geweest. Ze heeft een belangrijke opdracht verknald. Dat heeft het bedrijf handenvol geld gekost. Ik weet niet of ze hier nog zou zitten als dit niet was gebeurd.'

Als Will zich al afvroeg waarom Morgan over Pauline sprak alsof ze dood was, dan deed hij er het zwijgen toe. In plaats daarvan stak hij zijn hand naar de sleutel uit. 'We doen de zaak wel weer op slot als we klaar zijn.'

Morgan aarzelde. Blijkbaar was hij ervan uitgegaan dat hij bij het doorzoeken van de kamer aanwezig zou zijn.

'Ik breng hem bij u terug zodra we klaar zijn, oké?' zei Will. Hij gaf Morgan een klopje op zijn hand. 'Bedankt, hè.' Toen keerde hij de man zijn rug toe en liep de kamer in. Faith volgde en trok de deur achter zich dicht.

'Vind je dat niet vervelend?' vroeg ze onwillekeurig.

'Dat gedoe van die Morgan?' Hij haalde zijn schouders op. 'Hij weet dat ik niet geïnteresseerd ben.'

'Maar toch...'

'In het kindertehuis zaten nogal wat homoseksuele jongens. De meesten waren stukken aardiger dan de hetero's.'

Faith kon zich niet voorstellen dat ouders om wat voor reden dan ook afstand deden van hun kind, en al helemaal niet om die reden. 'Wat vreselijk.'

Kennelijk had Will geen zin om erover te praten. Hij keek de kamer rond. 'Sobere boel hier,' zei hij.

Faith was het met hem eens. Het was alsof er nooit iemand in Paulines kamer kwam. Op het bureau lag geen snippertje papier. De brievenbakken waren leeg. De designboeken stonden met rechte rug in een rij op de planken opgesteld. De tijdschriften lagen keurig gerangschikt in gekleurde dozen. Zelfs de computermonitor leek exact in een hoek van vijfenveertig graden op het bureau te staan. Het enige van sentimentele waarde was een kiekje van Felix op een schommel.

'Echt wat je noemt een vechtersbaasje,' herhaalde Will spottend Morgans woorden over Paulines zoontje. 'Gisteravond heb ik de maatschappelijk werkster gebeld. Felix redt het helemaal niet.'

'Wat is er dan met hem?'

'Hij huilt heel veel. Hij weigert te eten.'

Faith bestudeerde de foto en zag de tomeloze vreugde in de ogen van de jongen terwijl hij stralend naar zijn moeder keek. Ze wist nog goed hoe Jeremy op die leeftijd was. Om op te vreten zo lief. Faith was toen net afgestudeerd aan de politieacademie; ze was met Jeremy naar een goedkoop appartement in een zijstraat van Monroe Drive verhuisd en woonde voor het eerst niet langer onder haar moeders dak. Hun levens waren verstrengeld geraakt op een manier die ze nooit voor mogelijk had gehouden. Jeremy was zozeer deel van haar dat het haar moeite kostte om hem in het kinderdagverblijf achter te laten. 's Avonds zat hij plaatjes te kleuren terwijl zij aan de keukentafel haar dagrapporten schreef. Met zijn ijle stemmetje zong hij liedjes voor haar wanneer zij het avondeten kookte en de lunch voor de volgende dag bereidde. Soms kroop hij bij haar in bed en rolde zich dan als een poesje onder haar arm op. Nooit eerder, en zeker daarna niet meer, had ze zich zo belangrijk en onmisbaar gevoeld.

'Faith?' Kennelijk had Will iets gezegd wat ze niet had gehoord.

Voor ze als een baby ging janken, zette ze de foto terug op Paulines bureau. 'Ja?'

'Ik zei: wedden dat Jacqueline Zabels huis in Florida al even netjes is?'

Faith kuchte en probeerde haar aandacht bij het gesprek te bepalen. 'Die kamer van haar bij haar moeder thuis was keurig opgeruimd,' zei ze. 'Ik dacht dat ze dat deed omdat het in de rest van het huis zo'n zooi was – je weet wel, als een soort rustpunt te midden van de chaos. Misschien is ze gewoon een opruimmaniak.'

'Een type A-persoonlijkheid.' Will liep om het bureau heen en trok een lade open. Faith keek naar wat hij daar vond. Een rij kleurpotloden in een plastic bakje. Post-It-blokjes in een nette stapel. Hij trok een tweede la open en trof een grote ringband aan, die hij op het bureau legde. Toen hij erdoorheen bladerde, zag Faith plattegronden van kamers, stalen stof en uitgeknipte foto's van meubels.

Faith startte de computer terwijl Will de overige laden doorzocht. Ze wist bijna zeker dat ze niets zouden vinden, maar merkwaardig genoeg had ze wel het gevoel dat ze op deze manier iets aan de zaak deden. Het klikte weer tussen Will en haar, ze voelde zich weer zijn collega in plaats van zijn tegenstander. Dat was alvast één goed ding.

'Moet je kijken.' Will had de onderste la aan de linkerkant opengetrokken. Het was er een troep, vergelijkbaar met een keukenrommella. Er lagen proppen papier, en onderin zagen ze verscheidene lege chipszakken.

'Nu weten we in elk geval dat ze ook maar een mens was,' zei Faith.

'Vreemd, hoor,' vond Wil. 'Alles is zo keurig netjes en dan vinden we opeens deze la.'

Faith pakte een prop papier en streek die glad op het bureau. Er stond een lijstje op met aangevinkte posten, die waarschijnlijk afgehandeld waren: supermarkt, lamp laten repareren voor woonkamer Powell; Jordan bellen ivm stalen van bank. Ze pakte een nieuwe prop papier, waarop iets van dezelfde strekking stond.

'Misschien verfrommelde ze de lijstjes als ze ze had afgewerkt,' opperde Will.

Faith tuurde met samengeknepen ogen naar een van de lijstjes in een poging het door Wills ogen te zien. Hij wist je zo verdomd goed in de waan te laten dat hij kon lezen dat Faith zelf soms helemaal vergat dat hij een probleem had.

Will doorzocht de boekenkast en nam een doos met tijdschriften van een van de middelste planken. 'Wat is dit?' Hij haalde een tweede doos weg, en toen een derde. Faith zag het draaislot van een kluis.

Will voelde aan het handvat, maar dat gaf niet mee. Hij streek met zijn vingers langs de naad. 'Hij zit in de muur gemetseld.'

'Zullen we je vriendje Morgan om de combinatie vragen?'

'Ik durf er een godsvermogen om te verwedden dat hij die niet kent.'

Faith ging de weddenschap niet aan. Evenals Jacqueline Zabel leek Pauline McGhee dol op geheimen te zijn.

'Bekijk jij eerst die computer maar eens, dan kan ik Morgan daarna altijd nog halen.'

Faith keek naar de monitor. Ze zag een vakje waarin een wachtwoord moest worden ingevuld.

Will had het ook gezien. 'Probeer "Felix" eens.'

Dat deed Faith, en wonderbaarlijk genoeg werkte het. Ze nam zich voor om thuis meteen het wachtwoord voor haar e-mailprogramma te wijzigen. Dat was namelijk 'Jeremy'. Terwijl Will zich weer met de boekenplanken bezighield nam ze de berichten door. Ze trof de gebruikelijke mailtjes van collega's op kantoor aan, maar er was niets persoonlijks bij waarachter een vriend of vertrouweling schuilging. Achterovergeleund opende Faith de browser in de hoop ergens in de geschiedenis een e-mailprovider aan te treffen. Nergens vond ze Gmail of Yahoo, maar wel stuitte ze op verscheidene websites.

Op goed geluk klikte ze er een aan, waarop een pagina van YouTube verscheen. Terwijl het filmpje werd geladen, controleerde Faith het geluid. Een gitaar snerpte door de speakers aan de onderkant van de monitor, waarna de woorden 'Ik ben gelukkig' verschenen, gevolgd door: 'Ik glimlach'.

Will kwam achter haar staan. Terwijl de woorden oplosten in de zwarte achtergrond las ze ze hardop voor. *'Ik voel. Ik leef. Ik sterf.'*

De gitaar werd met elk woord dreigender, en er verscheen een foto van een meisje in een cheerleaderspakje. Haar broekje hing laag op haar heupen en het topje bedekte amper haar borsten. Ze was zo mager dat Faith haar ribben kon tellen.

'Jezus,' mompelde ze. Nu maakte een tweede foto zich uit de achtergrond los, deze keer van een zwart meisje dat opgerold op haar bed lag, met haar rug naar de camera. Haar huid was strak, en haar wervels en ribben tekenden zich zo scherp af dat je elk botje tegen het magere vel kon zien drukken. Haar schouderblad stak als een mes naar buiten.

'Is dit een site van een of andere hulporganisatie?' vroeg Will. 'Geld voor aids?'

Faith schudde haar hoofd toen de volgende foto verscheen: een model dat voor de skyline van een stad stond afgebeeld, met stakerige armen en benen. Er kwam een nieuw meisje in beeld, of eigenlijk was het een vrouw. Haar sleutelbeen stak pijnlijk scherp uit. De huid van haar schouders leek net vochtig papier dat over de onderliggende pezen was gelegd.

Faith klikte de browsergeschiedenis aan. Ze riep een tweede video op. De muziek was anders, maar de intro leek op die van het vorige filmpje. *'Eet om te leven,'* las ze voor. *'Leef niet om te eten.'* De woorden gingen over in de foto van een meisje dat zo mager was dat het akelig was om te zien. Faith opende de ene pagina na de andere. *'De enige vrijheid die we nog hebben, is de vrijheid om ons dood te hongeren,*' las ze. '*Mager is mooi. Dik is lelijk.*' Ze keek naar de bovenkant van het scherm om te zien wat voor video het was. 'Thinspo. Nooit van gehoord.'

'Ik snap het niet. Die meiden zien er uitgehongerd uit, maar ze hebben tv op hun kamer, ze hebben mooie kleren aan.'

Faith klikte een nieuwe link aan. 'Thinspiration,' zei ze. 'Lieve hemel, dat geloof je toch niet? Ze zijn uitgemergeld.'

'Is er een nieuwsgroep of iets dergelijks?'

Faith keek weer naar de geschiedenis. Ze nam de lijst vluchtig door en stuitte op nog meer video's, maar ze vond niets wat op een chatroom leek. Ze scrolde naar de volgende pagina, en meteen had ze beet. 'ATLANTA-PRO-ANA-DOT-COM,' las ze. 'Het is een pro-anorexiasite.' Faith klikte de link aan, maar weer verscheen er een vakje waarin om een wachtwoord werd verzocht. Opnieuw probeerde ze 'Felix', maar dat leverde niets op. Ze las de kleine lettertjes. 'Hier staat dat het wachtwoord zes tekens moet bevatten, en Felix heeft maar vijf letters.' Ze typte allerlei varianten van zijn naam in en ten behoeve van Will sprak ze ze hardop uit. 'Nul-Felix, één-Felix, Felix-nul...'

'Hoeveel letters telt "thinspiration"?' vroeg Will.

'Te veel,' antwoordde ze. '"Thinspo" heeft er zeven.' Ze tikte het woord in, maar er gebeurde niets.

'Wat is haar gebruikersnaam?'

Faith las de naam op van het vakje dat boven het wachtwoord stond: 'A-T-L THIN.' Ze besefte dat het zinloos was om het voor hem te spellen. 'Dat is kort voor "Atlanta Thin".' Ze vulde de gebruikersnaam in. 'Nop. O!' Inwendig kon ze zichzelf wel schoppen. 'De verjaardag van Felix.' Ze opende de agenda op de computer en zocht op 'verjaardag'. Er waren slechts twee treffers: een voor Pauline en een voor haar zoon. 'Een-twee-nul-acht-nul-twee.' Het scherm veranderde niet. 'Nee, dat werkt ook al niet.'

Will knikte en krabde afwezig aan zijn arm. 'Een kluis heeft altijd een combinatie van zes cijfers, hè?'

'Proberen kan geen kwaad.' Faith wachtte, maar Will verroerde zich niet. 'Een-twee-nul-acht-nul-twee,' herhaalde ze, want hij had geen enkele moeite met getallen. Hij kwam nog steeds niet in actie, en eindelijk begon het haar te dagen. 'O, sorry,' zei ze. 'Geeft niet. Het is mijn schuld.' 'Nee, de mijne.' Faith stond op en liep naar de kluis. Ze draaide de schijf naar rechts tot hij op de 12 bleef staan, ging toen twee keer naar links en draaide naar de 8. Will kon goed met cijfers overweg, maar niet met links en rechts.

Faith draaide naar het laatste cijfer en toen ze meteen daarop de klik hoorde waarmee de tuimelaar op zijn plaats viel, was ze lichtelijk teleurgesteld omdat het zo gemakkelijk bleek te zijn. Ze opende de kluis en zag een schrift met ringband, van het soort dat elk schoolkind in zijn tas had, en één vel laserprinterpapier. Ze nam de inhoud door en zag dat het een uitgeprint e-mailbericht was over een lift die moest worden opgemeten om te zien of er een bank in paste, iets waarbij Faith nog nooit had stilgestaan, ook al was de eerste koelkast die ze had gekocht te groot geweest voor de keukendeur. 'Dingen van haar werk,' zei ze tegen Will, en ze pakte het schrift.

Bij de eerste bladzij gingen haar nekharen overeind staan en ze moest een huivering onderdrukken toen ze besefte wat ze zag. Het blad was in keurig schuinschrift beschreven, telkens weer dezelfde regel. Faith sloeg het blad om en toen het volgende. Op sommige plaatsen waren de woorden met zoveel kracht neergepend dat ze dwars door het papier drukten. Faith was niet een type dat in het bovennatuurlijke geloofde, maar de woede die van het schrift af spatte, was tastbaar.

'Weer hetzelfde, hè?' Waarschijnlijk had Will de regelindeling herkend, steeds hetzelfde korte zinnetje waarmee het hele schrift was volgeschreven, alsof het een sadistisch soort kunst betrof.

Ik ontken mezelf niet... Ik ontken mezelf niet... Ik ontken mezelf niet...

'Hetzelfde,' beaamde Faith. 'Dit verbindt Pauline met het hol, met Jackie Zabel en met Anna.'

'Dit is met pen geschreven,' zei Will. 'Die blaadjes in

het hol waren met potlood beschreven.'
'Toch is het hetzelfde zinnetje. "Ik ontken mezelf niet."
Pauline heeft dit uit eigen beweging geschreven, niet omdat ze het moest. Niemand heeft haar gedwongen. Voor zover we weten, is ze nooit in dat hol geweest.' Faith bladerde het schrift door en stelde vast dat het tot aan het eind vol stond met hetzelfde zinnetje. 'Jackie Zabel was mager. Niet zo mager als die meiden op de video, maar wel heel mager.'
'Joelyn Zabel zei dat haar zus nog net zo weinig woog als op de middelbare school.'
'Denk je dat ze een eetstoornis had?'
'Ik denk dat ze heel veel eigenschappen gemeen had met Pauline: ze gaf niet graag de touwtjes uit handen, ze hield er geheimen op na. Pete zei dat Jackie ondervoed was,' voegde hij eraan toe, 'maar misschien was ze zichzelf al aan het uithongeren.'
'En Anna? Is die ook mager?'
'Hetzelfde verhaal. Je kon haar botten zien.' Hij legde zijn hand op zijn sleutelbeen. 'We dachten dat het bij het martelen hoorde, dat hij ze uithongerde. Maar dic meiden op de video, die doen het toch met opzet? Die video's lijken net porno voor anorexialijders.'
Faith knikte, en het bloed steeg naar haar wangen toen ze weer een mogelijk verband ontdekte. 'Misschien hebben ze elkaar allemaal via internet leren kennen.' Ze keerde terug naar het wachtwoordvakje op de Pro-Ana-chatroom en typte Felix' verjaardag in, in alle denkbare combinaties: ze liet de nullen weg, voegde ze weer in, schreef de datum helemaal uit en draaide de getallen om. 'Misschien heeft Pauline wel een wachtwoord gekregen dat ze niet mocht veranderen.'
'Of misschien vindt ze de inhoud van die chatroom belangrijker dan wat er verder op de computer staat of in de kluis ligt.'
'We hebben een verband, Will. Als al die vrouwen een eetstoornis hebben, dan hebben we eindelijk iets wat hen met elkaar verbindt.'
'En een chatroom waartoe we geen toegang hebben, en

familieleden die niet bepaald behulpzaam zijn.'
'Die broer van Pauline McGhee. Ze heeft tegen Felix gezegd dat hij een slechte man was.' Faith wendde zich van de computer af en schonk Will nu haar volle aandacht. 'Is het een idee om weer eens met Felix te gaan praten om te zien of hij zich verder nog iets herinnert?'
Will twijfelde. 'Hij is nog maar zes, Faith. Hij is wanhopig nu hij zijn moeder kwijt is. Ik denk niet dat we nog iets uit hem krijgen.'
Ze schrokken op toen de telefoon op het bureau ging. Zonder nadenken nam Faith op. 'Met het toestel van Pauline McGhee.'
'Hallo.' Morgan Hollister klonk niet al te blij.
'Hebt u iets over Jacquelyn Zabel kunnen vinden in uw administratie?' vroeg Faith.
'Ik ben bang van niet, rechercheur, maar wat nou zo grappig is: ik heb een telefoontje voor u op lijn 2.'
Met een schouderophalen in de richting van Will drukte ze op het verlichte knopje. 'Met Faith Mitchell.'
Leo Donnelly stak meteen van wal. 'Is het niet bij je opgekomen om eerst even contact met mij op te nemen voor je je met mijn zaak ging bemoeien?'
De verontschuldigingen lagen al op Faiths lippen, maar Leo gunde haar de tijd niet om ze uit te spreken.
'Ik krijg een telefoontje van mijn chef die net is gebeld door die kontneuker van een Hollister, die wil weten waarom het GBI in McGhees kamer loopt rond te struinen terwijl wij vanochtend alles al doorzocht hebben.' Hij hijgde het uit. 'Mijn chéf, Faith. Hij wil weten waarom ik dit zaakje niet zelf aankan. Weet je wat voor figuur ik nu sla?'
'Het heeft met elkaar te maken,' zei Faith. 'We hebben een link gevonden tussen Pauline McGhee en onze overige slachtoffers.'
'O, wat ben ik allejezus blij voor je, Mitchell. Ondertussen zit ik wel met mijn kloten in een bankschroef omdat jij nog geen twee seconden tijd had om mij even te waarschuwen.'
'Leo, het spijt me...'

'Laat maar zitten,' snauwde hij. 'Eigenlijk moet ik het je niet vertellen, maar zo zit ik niet in elkaar.'

'Wat moet je me eigenlijk niet vertellen?'

'Dat we weer een vermiste hebben.'

Faiths hart sloeg over. 'Weer een vermiste vrouw?' vroeg ze om Wills aandacht te trekken. 'Past ze in ons profiel?'

'Midden dertig, donker haar, bruine ogen. Ze werkt bij een of andere chique bank in Buckhead, waar je al stinkend rijk moet zijn om de deur door te mogen. Geen vrienden. Iedereen zegt dat ze een megabitch is.'

Faith gaf Will een knikje. Weer een slachtoffer, weer een klok die doortikte. 'Hoe heet ze? Waar woont ze?'

Hij sprak zo snel toen hij de naam en het adres opnoemde dat Faith hem moest vragen om het te herhalen. 'Olivia Tanner,' zei hij. 'Ze woont in Virginia Highland.'

Faith krabbelde het adres op de rug van haar hand.

'Je staat nu echt bij mij in het krijt,' zei Leo.

'Leo, het spijt me vreselijk dat ik...'

Hij liet haar niet uitspreken. 'Als ik jou was, Mitchell, zou ik maar uitkijken. Behalve dan dat ze allemaal succesvol waren, ga jij de laatste tijd steeds meer op dat profiel lijken.'

Ze hoorde een zachte klik, wat in zeker opzicht nog erger was dan een hoorn die op de haak werd gesmeten.

Olivia Tanner woonde in een van die huizen in Midtown die er vanaf de straat bedrieglijk klein uitzagen – hooguit negentig vierkante meter –, maar in werkelijkheid zes slaapkamers en vijfenhalve badkamer bleken te bevatten, en waar een prijskaartje van iets meer dan een miljoen dollar aan hing. Nu ze in de werkkamer van Pauline McGhee was geweest en een blik had geworpen in de rauwe ziel van de vermiste vrouw bekeek Faith het huis van Olivia Tanner met heel andere ogen. De bloementuin was prachtig, maar alle planten stonden soort bij soort in keurige rijen. Het huis zat aan de buitenkant strak in de verf en de goot liep in een sierlijke lijn langs de dakrand. Voor zover Faith de buurt kende, vermoedde ze dat de woning ongeveer dertig jaar ouder was dan haar eigen bescheiden

293

optrekje, maar hij zag er splinternieuw uit.

'Goed,' sprak Will in zijn mobiel. 'Bedankt voor het gesprek.' Hij verbrak de verbinding en zei tegen Faith: 'Volgens Joelyn Zabel leed haar zus aan anorexia en boulimia toen ze op de middelbare school zat. Ze weet niet goed wat er de laatste tijd speelde, maar jc mag ervan uitgaan dat Jackie er nog niet van verlost was.'

Faith liet de informatie bezinken. 'Oké,' zei ze ten slotte. 'Dat is het dus. Dat is de link.'

'Maar wat schieten we ermee op?' Faith zette de motor af. 'De technische jongens krijgen Jackie Zabels Mac niet open. Het kan weken duren voor ze het wachtwoord op de computer van Pauline McGhee hebben gevonden, en we weten helemaal niet of ze die andere vrouwen via de anorexia-chatroom heeft leren kennen of dat het gewoon iets was waar ze tijdens de lunchpauze naartoe surfte. Niet dat ze lunchte, trouwens.' Ze keek op naar het huis van Olivia Tanner. 'Wedden dat we hier ook helemaal niks vinden?'

Will dacht een tijdje na voor hij iets zei. 'Jij bent met je gedachten bij Felix, terwijl je je met Pauline zou moeten bezighouden.'

Het lag Faith voor op de tong dat hij ongelijk had, maar het was waar. Ze dacht voortdurend aan Felix, die nu bij een of ander pleeggezin was, waar hij tranen met tuiten huilde. Ze moest zich op de slachtoffers concentreren, op het gegeven dat Jacquelyn Zabel en Anna nog voor Pauline McGhee en Olivia Tanner waren ontvoerd. Hoe lang konden de twee vrouwen het gemartel en de vernedering doorstaan? Elke minuut die verstreek was weer een minuut waarin ze moesten lijden.

Elke minuut die verstreek was weer een minuut waarin Felix niet bij zijn moeder was.

'We kunnen Felix alleen helpen door Pauline te helpen,' zei Will.

Faith slaakte een diepe zucht. 'Het begint echt op mijn zenuwen te werken dat je me zo goed doorhebt.'

'Alsjeblieft zeg,' zei hij zachtjes. 'Je bent even ondoorgrondelijk als een suikerbroodje.' Will opende het portier en stapte uit. Ze keek hem na terwijl hij vastberaden op het huis af liep.

Faith stapte ook uit de auto en volgde hem. 'Geen garage, geen BMW,' merkte ze op. Na dat pijnlijke telefoongesprek met Leo had Faith contact opgenomen met de brigadier die de melding had ontvangen dat Olivia Tanner werd vermist. De vrouw reed in een blauwe BMW 325, wat nauwelijks opviel in deze buurt. Ze was alleenstaand, werkte als vicepresident bij een plaatselijke bank, had geen kinderen, en haar enige levende familielid was haar broer.

Will voelde aan de voordeur, maar die zat dicht. 'Waar blijft die broer?'

Faith keek op haar horloge. 'Zijn vliegtuig is een uur geleden geland. Als het verkeer tegenzit...' Haar stem stierf weg. In Atlanta zat het verkeer altijd tegen, vooral in de buurt van het vliegveld.

Will bukte zich en keek onder de welkomstmat om te zien of er een sleutel lag. Toen dat niks opleverde, streek hij met zijn hand langs de bovenkant van het deurkozijn en controleerde de bloempotten, maar zonder resultaat. 'Zullen we gewoon naar binnen gaan?'

Faith slikte een opmerking in over de gretigheid waarmee hij voorstelde om in te breken, waarmee ze in overtreding zouden zijn. Ze had lang genoeg met hem samengewerkt om te weten dat frustratie bij Will soms als adrenaline werkte, terwijl Faith er juist rustig van werd. 'Laten we nog een paar minuten op hem wachten.'

'Misschien moeten we vast een slotenmaker bestellen voor het geval de broer geen sleutel heeft.'

'Zullen we eerst maar eens rustig aan doen?'

'Nu praat je net zo tegen me als tegen een getuige.'

'We weten niet eens of Olivia Tanner een van onze slachtoffers is. Misschien is ze wel heel levendig, met geblondeerd haar, en heeft ze een heleboel vrienden en een hond.'

'Bij de bank zeiden ze dat ze nog nooit een dag heeft verzuimd sinds ze daar werkt.'

'Voor hetzelfde geld is ze van de trap gevallen. Heeft ze

besloten ervandoor te gaan. Is ze weggelopen met een onbekende die ze in een bar heeft ontmoet.'

Will antwoordde niet. Hij vouwde zijn handen als een kommetje om zijn ogen en tuurde door een van de voorste ramen naar binnen. De politieman die de vorige dag de melding had verwerkt, had dat ongetwijfeld ook al gedaan, maar Faith liet hem zijn gang gaan terwijl ze op Michael Tanner, de broer van Olivia, stonden te wachten.

Ondanks zijn woede had Leo hun een gunst bewezen door over dat telefoontje te vertellen. Volgens de procedure moest er een rechercheur op de zaak worden gezet. Afhankelijk van wat die rechercheur nog meer aan karweitjes had, had het wel vierentwintig uur kunnen duren voor Michael Tanner iemand sprak die meer kon dan een rapport opstellen. En dan duurde het misschien nog een dag voor het GBI te horen kreeg dat er iemand werd vermist die paste bij hun profiel. Leo had hun twee kostbare dagen geschonken in een zaak waarin elke minuut telde. En bij wijze van dank hadden ze hem een trap na gegeven.

Faiths BlackBerry begon te trillen. Ze bekeek haar mail en in gedachten bedankte ze Caroline, de secretaresse van Amanda. 'Ik heb het arrestatierapport van Jake Berman, van dat incident in de Mall of Georgia.'

'Wat staat erin?'

Faith keek naar het knipperende icoontje. 'Het duurt een paar minuten voor het bestand gedownload is.'

Will liep om het huis heen en tuurde door alle ramen. Faith liep achter hem aan, waarbij ze haar BlackBerry als een wichelroede voor zich uit hield. De eerste bladzijde van het rapport was binnen. *'Naar aanleiding van klachten van bezoekers aan de Mall of Georgia...'* las ze, waarna ze naar beneden scrolde, op zoek naar de relevante passages. *'Daarop maakte de verdachte het typische handgebaar waarmee hij aangaf dat hij geïnteresseerd was in geslachtsgemeenschap. Ik antwoordde door twee keer te knikken, waarna hij me meenam naar de cabines achter in het herentoilet.'* Weer sloeg ze een gedeelte over. *'De vrouw van de verdachte en zijn twee zoontjes van vijf en zeven stonden buiten te wachten.'*

'Wordt de naam van de vrouw nog genoemd?'

'Nee.'

Will liep de trap op naar de veranda aan de achterkant van Olivia Tanners huis. Atlanta lag in het voorgebergte van de Appalachen, wat betekende dat het een heuvelachtig gebied was. De woning van Olivia Tanner stond aan de voet van een steile helling, zodat haar achterburen ongehinderd op haar huis neerkeken.

'Zouden zij iets hebben gezien?' opperde Will.

Faith keek naar het buurhuis. Het was heel groot, het soort villa dat je gewoonlijk alleen in de buitenwijken aantrof. Het bestond uit drie verdiepingen. De bovenste twee hadden elk een groot balkon, en bij het souterrain was een terras met een stenen haard, waar je omheen kon zitten. Alle luiken en jaloezieën aan de achterkant van het huis zaten dicht. Alleen de gordijnen voor een van de souterraindeuren waren open.

'Het ziet er leeg uit,' zei ze.

'Waarschijnlijk een gedwongen verkoop.' Will voelde aan de achterdeur van Olivia's huis. Die zat op slot. 'Olivia wordt sinds gisteren vermist, als het niet langer is. Als zij een van onze slachtoffers is, betekent dat dat ze vlak voor of vlak na Pauline is gepakt.' Hij controleerde de ramen. 'Zijn we het erover eens dat Jake Berman misschien de broer van Pauline McGhee is?'

'Het is mogelijk,' beaamde Faith. 'Pauline heeft tegen Felix gezegd dat haar broer gevaarlijk is. Ze wilde hem uit de buurt van haar kind houden.'

'Er moet een reden voor zijn dat ze zo bang voor hem was. Misschien is hij gewelddadig. Misschien is hij wel de aanleiding dat Pauline is weggelopen en haar naam heeft veranderd. Ze was nog maar heel jong toen ze alle banden verbrak. Ze moet doodsbang voor hem zijn geweest.'

Faith somde het nog eens op. 'Jake Berman was op de plek van het ongeluk. Hij is verdwenen. Als getuige heeft hij zich niet al te bereidwillig getoond. Hij heeft geen papieren spoor achtergelaten, behalve dan die arrestatie voor openbare schennispleging.'

'Als Paulines broer Berman als schuilnaam heeft aangenomen, dan heet hij al een tijdje zo. Onder die naam is hij namelijk gearresteerd en is zijn zaak afgehandeld.'

'Als hij zich twintig jaar geleden, toen Pauline van huis wegliep, anders is gaan noemen is dat wat processenverbaal betreft zowat een heel leven. In die tijd waren ze nog met een inhaalslag bezig, probeerden ze informatie en oude zaken op de computer in te voeren. Veel van die dossiers zijn toen niet meegenomen, met name in kleine plaatsen. Bedenk alleen maar eens hoe moeilijk het voor Leo is om de ouders van Pauline op te sporen, en die hebben haar nog wel als vermist opgegeven.'

'Hoe oud is Berman?'

Faith scrolde terug naar het begin van het rapport. 'Zevenendertig.'

Will bleef staan. 'Pauline is ook zevenendertig. Zou het een tweeling zijn?'

Faith zocht in haar tas tot ze de zwart-witkopie van Pauline McGhees rijbewijs had gevonden. Ze probeerde zich het gezicht van Jake Berman weer voor de geest te halen, maar toen besefte ze dat ze zijn dossier in haar andere hand hield. De BlackBerry was nog steeds aan het laden. Ze hield het ding boven haar hoofd in de hoop dat de ontvangst dan beter zou zijn.

'Laten we maar weer naar de voorkant van het huis gaan,' stelde Will voor. Ze liepen er via de andere kant omheen. Will keek door de ramen om te zien of er iets verdachts te bespeuren viel. Tegen de tijd dat ze de veranda aan de voorkant hadden bereikt, was het volledige dossier eindelijk binnengehaald.

Op zijn arrestatiefoto had Jake Berman een volle baard, van het onverzorgde soort dat je zag bij kleinburgerlijke vaders die zich een revolutionair uiterlijk wilden aanmeten. Faith liet de foto aan Will zien. 'Toen ik hem sprak, was hij gladgeschoren.'

'Volgens Felix had de man die zijn moeder heeft meegenomen een snor.'

'Zo snel kan hij die niet hebben laten staan.'

'We kunnen een tekening laten maken van Jake zonder baard, met snor – wat niet al.'

'Het is aan Amanda of we die op de telex mogen zetten.' Als er een tekening van Jake Berman werd vrijgegeven kon hij in paniek raken en helemaal onderduiken. Als hij degene was die ze zochten, zou dat ook een waarschuwing voor hem kunnen zijn. Hij zou iedereen die getuige was geweest van zijn daden kunnen vermoorden en de staat verlaten, of erger nog: het land. Hartsfield International Airport verwerkte dagelijks tweeënhalfduizend vluchten.

'Hij heeft donker haar en donkere ogen, net als Pauline.'

'Of net als Amanda.'

'Hij ziet er niet uit als haar tweelingbroer,' moest Will toegeven. 'Misschien is hij gewoon haar broer.'

Faith had weer eens niet goed gekeken. Ze vergeleek de geboortedata. 'Berman was vlak na zijn arrestatie jarig. Hij is anderhalf jaar ouder dan Pauline.'

'Droeg hij een pak toen hij werd gearresteerd?'

Ze scrolde door het bestand. 'Trui en spijkerbroek. Net als toen ik hem in het Grady sprak.'

'Staat er iets over een beroep in dat rapport?'

Faith keek nog eens goed. 'Zonder werk.' Ze las de overige gegevens en schudde haar hoofd. 'Wat een slordig rapport. Niet te geloven dat een inspecteur dat heeft laten passeren.'

'Ik heb dat soort undercoveroperaties ook wel gedaan. Je pakt zo'n tien tot vijftien kerels per dag. De meesten voeren verzachtende omstandigheden aan of betalen gewoon de boete en hopen dat daarmee de zaak is afgehandeld. Dan hoeven ze niet voor de rechter te verschijnen, want het laatste wat ze willen is oog in oog staan met degene die ze heeft aangeklaagd.'

'Wat is dat "typische handgebaar" waarmee ze aangeven dat ze zin in seks hebben?' vroeg Faith nieuwsgierig.

Will maakte een uiterst obscene beweging met zijn vingers, en Faith had er alweer spijt van dat ze ernaar gevraagd had.

'Er moet een reden voor zijn dat Jake Berman zich schuilhoudt,' zei hij.

'Wat zijn onze opties? Of hij is een doodgewone schooier, of hij is Paulines broer, of hij is onze dader, of hij is alle drie tegelijk.'

'Of niets van dat alles,' merkte Will op. 'Toch moeten we even met hem praten.'

'Amanda heeft het hele team erop gezet. Alle denkbare variaties op zijn naam worden uitgeplozen Jake Seward, Jack Seward en ga zo maar door. Ook wordt op McGhee, Jackson en Jakeson gezocht. De computer haalt alles wat dubbelzinnig is eruit.'

'Wat is zijn tweede naam?'

'Henry. We hebben dus Hank, Harry, Hoss...'

'Hoe kan het toch dat we een arrestatierapport van hem hebben, maar hem niet kunnen vinden?'

'Hij maakt geen gebruik van creditcards. Hij heeft geen hypotheek of mobieletelefoonrekening. Geen van de adressen waarop hij voor zover bekend heeft gewoond, heeft iets bruikbaars opgeleverd. We weten niet wie zijn huidige werkgever is of voor wie hij in het verleden heeft gewerkt.'

'Misschien staat alles op naam van zijn vrouw, en dat is nou net de naam die we niet hebben.'

'Als mijn man in het winkelcentrum betrapt werd met zijn lul uit zijn broek terwijl ik buiten met de kinderen stond te wachten...' Faith maakte haar zin niet af. 'We zouden al een heel eind zijn opgeschoten als de advocaat die hem bij die schennisplegingszaak heeft bijgestaan niet zo'n eikel was.' De man weigerde om ook maar enige informatie over zijn cliënt te verstrekken, en hij bleef volhouden dat hij niet wist hoe hij weer met Jake Berman in contact kon komen. Amanda had al een volmacht aangevraagd om zijn dossier te mogen inzien, maar dat soort zaken kostte tijd, en daar ontbrak het hun aan.

Een blauwe Ford Escape bleef voor het huis staan. De man die uit de wagen stapte was het schoolvoorbeeld van een door zorg gekwelde ziel, van zijn gerimpelde voorhoofd tot zijn handen, die hij zenuwachtig wringend voor zijn beginnende buikje hield. Hij was kalend en had afhangende schouders, maar verder zag hij er onopvallend uit. Als Faith moest raden zou ze zeggen dat hij voor zijn

300

beroep minstens acht uur per dag achter de computer zat. 'Zijn jullie de politiemensen met wie ik heb gesproken?' vroeg hij. 'Sorry,' voegde hij eraan toe toen hij besefte hoe abrupt hij klonk. 'Ik ben Michael Tanner, de broer van Olivia. Bent u van de politie?'

'Ja.' Faith haalde haar penning tevoorschijn en stelde zichzelf en Will voor. 'Hebt u een sleutel van het huis van uw zuster?'

Michael maakte een bezorgde en tegelijkertijd opgelaten indruk, alsof dit alles wellicht op een misverstand berustte. 'Ik weet eigenlijk niet of we dit wel moeten doen. Olivia is nogal op haar privacy gesteld.'

Faith en Will wisselden een blik. Weer een vrouw die duidelijk haar terrein afbakende.

'Als het nodig is, kunnen we een slotenmaker laten komen,' opperde Will. 'We moeten echt het huis in, voor het geval er iets is gebeurd. Misschien is Olivia gevallen of...'

'Ik heb een sleutel.' Michael viste een stuk elastiek met daaraan een sleutel uit zijn zak. 'Deze heeft ze me drie maanden geleden toegestuurd. Ik weet niet waarom. Ze wilde gewoon dat ik er een had. Waarschijnlijk omdat ze wel wist dat ik er toch niks mee zou doen. Misschien hoor ik hem eigenlijk niet te gebruiken.'

'U bent niet helemaal vanuit Houston hiernaartoe gevlogen als u niet dacht dat er iets aan de hand was,' zei Will.

Michael trok wit weg, en even ving Faith een glimp op van hoe de laatste uren voor hem waren verlopen: hij was naar het vliegveld gereden, op het vliegtuig gestapt, had een auto gehuurd, en al die tijd had hij zich afgevraagd of hij zichzelf niet voor schut zette omdat er niets met zijn zus aan de hand was. En al die tijd wist hij diep in zijn hart dat het tegenovergestelde waar was.

Michael overhandigde Will de sleutel. 'De politieman met wie ik gisteren heb gesproken, zei dat hij een agent langs zou sturen om even aan te bellen.' Hij zweeg, alsof hij van Faith en Will bevestiging verwachtte. 'Ik was bang dat ik niet serieus werd genomen. Ik weet dat Olivia een volwassen vrouw is, maar ze is wel een gewoontedier. Ze wijkt niet snel van haar vaste schema af.'

Will draaide de deur van het slot en liep het huis in. Faith hield de broer nog even achter op de veranda. 'Waaruit bestaat dat vaste schema?'

Even sloot hij nadenkend zijn ogen. 'Ze werkt bij een particuliere bank in Buckhead, dat doet ze nu al bijna twintig jaar. Ze werkt zes dagen per week, behalve op maandag, dan doet ze boodschappen en andere karweitjes: de stomerij, de bibliotheek, dat soort zaken. Ze is altijd om acht uur op haar werk, en meestal vertrekt ze 's avonds om acht uur, tenzij er ergens iets te doen is. Ze is verantwoordelijk voor community relations. Als er ergens een feest is of een geldinzamelingsactie of iets wat de bank sponsort, moet zij erbij zijn. Verder is ze altijd thuis.'

'Heeft de bank u gebeld?'

Hij legde zijn hand op zijn keel en wreef over een helderrood litteken. Faith vermoedde dat er ooit tracheotomie op hem was toegepast of dat hij een ander soort keeloperatie had ondergaan.

'De bank had mijn telefoonnummer niet,' zei hij. 'Ik heb ze gebeld toen ik gisterochtend niets van Olivia hoorde. Ik heb ze ook gebeld zodra ik geland was. Ze hebben geen idee waar ze is. Ze heeft nog nooit een dag verzuimd op haar werk.'

'Hebt u een recente foto van uw zus?'

'Nee.' Hij leek te beseffen waarom Faith om een foto vroeg. 'Het spijt me. Olivia vond het vreselijk om gefotografeerd te worden. Dat heeft ze altijd al vreselijk gevonden.'

'Geeft niet,' stelde Faith hem gerust. 'Als het moet kopiëren we de foto die op haar rijbewijs staat.'

Will kwam de trap af. Hij schudde zijn hoofd, en Faith nam de man mee naar binnen. 'Wat een prachtig huis,' zei ze in een poging de stemming wat te verlichten.

'Ik ben hier nog nooit geweest,' moest hij bekennen. Evenals Faith keek hij om zich heen en waarschijnlijk dacht hij ook hetzelfde: het huis was net een museum.

De gang liep helemaal door tot aan de keuken met de witte kasten en de werkbladen van glimmend wit marmer. Op de trap lag een witte loper, en de woonkamer was al even spartaans ingericht. Alles was maagdelijk wit, van de wanden tot de meubels tot het kleed op de vloer. Zelfs de kunst aan de muren bestond uit witte doeken in witte lijsten.

Michael rilde. 'Wat is het hier kil.'

Faith wist dat hij het niet over de temperatuur had. Ze ging de mannen voor de woonkamer in. Er stonden een bank en twee stoelen, maar ze had geen idee of ze moest gaan zitten of blijven staan. Uiteindelijk nam ze maar op de bank plaats. De zitting was zo hard dat hij nauwelijks meegaf onder haar gewicht. Will nam de stoel naast haar en Michael ging aan het andere eind van de bank zitten.

'Laten we maar eens bij het begin beginnen, meneer Tanner,' zei Faith.

'Dokter Tanner,' zei hij, maar meteen fronste hij zijn voorhoofd. 'Sorry. Het doet er niet toe. Zeg maar Michael.'

'Oké, Michael.' Faith sloeg een kalme, sussende toon aan, want hij balanceerde op het randje van paniek. Ze begon met een simpele vraag: 'Je bent dus arts?'

'Radioloog.'

'Werk je in een ziekenhuis?'

'In het Methodist Breast Center.' Hij knipperde met zijn ogen, en Faith besefte dat hij met moeite zijn tranen bedwong.

Ze kwam meteen ter zake. 'Wat bracht je er gisteren toe om de politie te bellen?'

'Olivia belt me tegenwoordig elke dag. Dat heeft ze nooit eerder gedaan. Vroeger hadden we niet veel contact, en toen ze ging studeren groeiden we nog verder uit elkaar.' Hij glimlachte flauwtjes. 'Twee jaar geleden bleek ik kanker te hebben. Van de schildklier.' Weer raakte hij het litteken op zijn keel aan. 'Ik voelde gewoon een soort leegte.' Het klonk bijna als een vraag, en Faith knikte alsof ze het begreep. 'Ik wilde bij mijn familie zijn. Ik wilde dat Olivia weer deel van mijn leven uitmaakte. Ik wist dat het wel op haar voorwaarden moest, maar ik was bereid om dat offer te brengen.'

'Wat waren haar voorwaarden dan?'

'Ik mocht haar niet bellen. Zij belde mij altijd.'

Faith wist niet wat ze daarop moest zeggen. 'Hadden die telefoontjes een bepaald patroon?' vroeg Will.

Michael begon weer te knikken, alsof hij blij was dat iemand eindelijk begreep waarom hij zo bezorgd was. 'Ja. De afgelopen anderhalf jaar heeft ze me elke dag gebeld. Soms zegt ze niet veel, maar ze belt me onveranderlijk elke ochtend op hetzelfde tijdstip.'

'Waarom zegt ze niet veel?' vroeg Will.

Michael keek naar zijn handen. 'Het is moeilijk voor haar. Vroeger als kind heeft ze akelige dingen meegemaakt. Je zult haar niet snel zien glimlachen bij het woord "gezin".' Hij wreef weer over zijn litteken, en Faith voelde de intense droefheid die hij uitstraalde. 'Eigenlijk glimlacht ze vrijwel nooit.'

Will keek Faith even aan om te zien of ze het goedvond dat hij het overnam. Ze gaf een knikje. Het was duidelijk dat Michael Tanner zich meer op zijn gemak voelde bij Will. Het was nu haar taak om zich zo veel mogelijk op de achtergrond te houden.

'Je zus was dus niet gelukkig?' vroeg Will.

Langzaam schudde Michael zijn hoofd, en zijn verdriet vulde de kamer.

Will zweeg even om de man wat ruimte te geven. 'Wie heeft haar misbruikt?'

Faith schrok van de vraag, maar de tranen die uit Michaels ogen drupten toonden aan dat Will de spijker op de kop had geslagen. 'Onze vader. Het is tegenwoordig bijna een cliché.'

'Wanneer was dat?'

'Onze moeder is gestorven toen Olivia acht was. Ik vermoed dat het kort daarna is begonnen. Dat ging zo een paar maanden door tot Olivia naar de dokter moest. Er was schade bij haar aangericht. De dokter deed aangifte, maar mijn vader...' Nu kwamen de tranen pas echt. 'Mijn vader zei dat ze zichzelf met opzet had verwond. Dat ze daar... daarbeneden iets in gestopt had om zichzelf pijn te doen. Om de aandacht te trekken omdat ze haar moeder zo miste.' Boos veegde hij zijn tranen af. 'Mijn vader was rechter. Hij kende het hele politiekorps, en zij meenden dat ze hem kenden. Hij beweerde dat Olivia loog, en iedereen ging er dus van uit dat ze het allemaal verzon – ik al helemaal. Jarenlang heb ik haar gewoonweg niet geloofd.'

'Wat heeft je op andere gedachten gebracht?'

Hij liet een vreugdeloos lachje horen. 'De logica. Het klopte niet dat ze... dat ze zo is geworden, tenzij er iets vreselijks is gebeurd.'

Will bleef de man strak aankijken. 'Heeft je vader jou ooit iets aangedaan?'

'Nee.' Zijn antwoord kwam te snel. 'Niets seksueels, bedoel ik. Soms strafte hij me. Dan pakte hij zijn riem. Hij kon heel wreed zijn, maar ik dacht dat vaders zoiets nou eenmaal deden. Dat het normaal was. De beste manier om een pak slaag te ontlopen was door een braaf zoontje te zijn, en reken maar dat ik een braaf zoontje was.'

Weer duurde het even voor Will zijn volgende vraag stelde. 'Hoe heeft Olivia zichzelf gestraft voor wat er was gebeurd?'

Michael worstelde met zijn emoties, hij probeerde ze in toom te houden, maar dat werd een jammerlijke mislukking. Ten slotte drukte hij snikkend zijn duim en wijsvinger tegen zijn ogen. Will bleef roerloos zitten, evenals Faith. Ze voelde wel aan dat ze Michael Tanner nu niet moest troosten, dat zou het slechtste zijn wat ze kon doen.

Met de rug van zijn hand veegde hij zijn tranen af. Na een tijdje zei hij: 'Olivia leed aan boulimia. Ik denk dat ze nog steeds aan anorexia lijdt, maar ze heeft me verteld dat het overgeven en laxeren tot het verleden behoren.'

Faith merkte dat ze haar adem inhield. Olivia Tanner had een eetstoornis, net als Pauline McGhee en Jackie Zabel.

'Wanneer is dat begonnen?' vroeg Will.

'Toen ze een jaar of tien, elf was. Ik weet het niet meer zo goed. Ik ben drie jaar jonger. Het enige wat ik me kan herinneren is dat het verschrikkelijk was. Ze... Ze kwijnde gewoon weg.'

305

Will knikte slechts en liet de man zijn verhaal afmaken.

'Olivia was altijd met haar uiterlijk bezig. Ze was heel mooi, maar dat wilde ze nooit...' Michael zweeg. 'Ik denk dat mijn vader het alleen maar erger maakte. Hij kneep haar altijd, plaagde haar, zei dat het tijd werd om van haar babyvet af te komen. Ze was helemaal niet dik. Ze was een heel normaal meisje. Ze was mooi. Ze wás mooi. Weet u wat er gebeurt als je jezelf uithongert?'

Michael keek nu naar Faith, en die schudde haar hoofd.

'Ze kreeg drukplekken op haar rug. Grote, gapende wonden waar haar botten door haar huid drukten. Ze kon niet zitten, nooit een lekker makkelijke houding aannemen. Ze had het altijd koud, en ze voelde haar handen en voeten niet meer. Soms bracht ze de energie niet eens op om naar de wc te gaan. Dan liet ze haar ontlasting gewoon lopen.' Hij zweeg, overmand door herinneringen. 'Ze sliep zo'n tien tot twaalf uur per dag. Haar haar viel uit. Ze kreeg onbedwingbare aanvallen, waardoor ze aan één stuk door rilde. Haar hart sloeg op hol. Haar huid... het was gewoon afstotelijk. De droge schilfers vielen ervan af. En zij vond dat het het allemaal waard was. Ze dacht dat ze op die manier mooi werd.'

'Is ze ooit in het ziekenhuis opgenomen?'

Hij lachte, alsof ze zich er geen voorstelling van konden maken hoe afschuwelijk de situatie was geweest. 'Ze lag om de haverklap in het Houston General Hospital en werd dan aan het infuus gelegd. Zodra ze voldoende was aangekomen mocht ze het ziekenhuis weer uit, en als ze thuiskwam begon het gekots van voren af aan. Twee keer is haar nierfunctie uitgevallen. Iedereen was bezorgd over de schade die haar hart opliep. Toentertijd was ik woest op haar. Ik snapte niet waarom ze zoiets deed, waarom ze zichzelf met opzet zoiets vreselijks aandeed. Het leek wel... Waarom hongert iemand zichzelf uit? Waarom onderwerp je jezelf...' Hij keek de kamer rond, de kille ruimte die zijn zus voor zichzelf had geschapen. 'Controle. Er was één ding waarover ze controle wilde hebben, en ik vermoed dat het bij haar het eten was dat ze in haar mond stopte.'

'Ging het beter met haar?' vroeg Faith. 'De laatste tijd, bedoel ik.'

Hij knikte, maar tegelijkertijd haalde hij zijn schouders op. 'Het ging beter met haar toen ze niet meer bij mijn vader woonde. Ze ging naar de universiteit en haalde een MBA. Daarna is ze naar Atlanta verhuisd. Ik denk dat de afstand er ook toe bijgedragen heeft.'

'Is ze in therapie geweest?'

'Nee.'

'En een praatgroep? Of een chatroom misschien?'

Heel beslist schudde hij zijn hoofd. 'Olivia vond niet dat ze hulp nodig had. Ze dacht dat ze alles onder controle had.'

'Had ze vrienden of...'

'Nee. Ze had niemand.'

'Leeft je vader nog?'

'Hij is ongeveer tien jaar geleden gestorven. Heel vredig. Iedereen was blij dat hij gewoon in zijn slaap overleed.'

'Is Olivia gelovig? Ze gaat niet naar de kerk of...'

'Als ze langs de bewaking kwam, zou ze het Vaticaan platbranden.'

'Zeggen de namen Jacquelyn Zabel, Pauline McGhee of Anna je iets?' vroeg Will.

Weer schudde hij zijn hoofd.

'Zijn je zus of jij ooit in Michigan geweest?'

Hij keek hen vragend aan. 'Nooit. Ik tenminste niet. Olivia heeft haar hele volwassen leven in Atlanta gewoond, maar misschien is ze daar ooit eens geweest zonder dat ik het wist.'

'En de woorden "Ik ontken mezelf niet". Betekenen die iets voor je?'

'Nee, maar het is wel precies het tegenovergestelde van hoe Olivia in het leven staat. Ze ontzegt zichzelf alles.'

'En "thinspo", of "thinspiration"?'

Weer schudde hij zijn hoofd. 'Nee.'

Faith nam het over. 'Hoe zit het met kinderen? Heeft Olivia kinderen? Of wil ze kinderen?'

'Dat zou fysiek onmogelijk zijn geweest,' antwoordde de man. 'Haar lichaam... de schade die ze zichzelf heeft toegebracht. Ze zou totaal niet in staat zijn om een kind te dragen.'

'Ze zou een kind kunnen adopteren.'

'Olivia had niks met kinderen.' Zijn stem was zo zacht dat Faith hem amper verstond. 'Ze wist wat er met hen kon gebeuren.'

Will stelde de vraag die op Faiths lippen lag. 'Denk je dat ze er weer mee bezig was, dat ze zichzelf weer uithongerde?'

'Nee,' antwoordde Michael. 'Niet zoals eerst tenminste. Daarom belde ze me elke ochtend, klokslag zes uur, om me te laten weten dat alles goed met haar was. Soms nam ik op en dan praatte ze met me, maar het gebeurde ook dat ze alleen maar "Alles in orde" zei en de verbinding weer verbrak. Volgens mij was het haar reddingslijn. Dat hoop ik althans.'

'Maar gisteren heeft ze je niet gebeld,' zei Faith. 'Kan het zijn dat ze boos op je was?'

'Nee.' Weer veegde hij zijn tranen af. 'Ze werd nooit boos op me. Ze maakte zich zorgen om me. Ze heeft zich altijd zorgen om mij gemaakt.'

Will knikte alleen maar, en daarom vroeg Faith: 'Waarom maakte ze zich zorgen?'

'Omdat ze...' Michael zweeg en kuchte een paar keer.

'Ze wilde hem tegen hun vader beschermen,' zei Will.

Michael knikte een paar keer en er viel een stilte in de kamer. Hij leek al zijn moed bijeen te rapen. 'Denkt u...' Hij brak zijn zin af. 'Olivia zou nooit van haar schema afwijken.'

Will keek hem recht in zijn ogen. 'Ik kan het op de zachte manier doen, maar ik kan ook eerlijk zijn, Tanner. Er zijn hier maar drie mogelijkheden. De eerste is dat je zus is weggelopen. Dat doen mensen nou eenmaal. Je wilt niet weten hoe vaak dat gebeurt. Een andere mogelijkheid is dat ze een ongeluk heeft gehad of gewond is geraakt...'

'Ik heb de ziekenhuizen al gebeld.'

'Dat heeft de politie van Atlanta ook gedaan. Ze hebben alle rapporten doorgenomen en van iedereen is de identiteit bekend.'

Weer knikte Michael, want waarschijnlijk wist hij dat al. 'En de derde mogelijkheid?' vroeg hij zachtjes.

'Dat iemand haar heeft meegenomen,' antwoordde Will. 'Iemand die haar kwaad wil doen.'

Michael slikte een paar keer. Hij keek heel lang naar zijn handen en ten slotte knikte hij. 'Bedankt dat u zo eerlijk bent, rechercheur.'

Will stond op. 'Vind je het goed als we een kijkje nemen in het huis en de spullen van je zus doorzoeken?'

Weer knikte Michael. 'Ik ga wel naar boven,' zei Will tegen Faith. 'Neem jij de benedenverdieping.'

Faith kreeg de tijd niet om het plan met hem te bespreken en ze besloot om niet in discussie te gaan, ook al had Olivia Tanner haar computer waarschijnlijk boven staan. Ze liet Michael Tanner in de woonkamer achter en liep de keuken in. Het licht stroomde door de ramen naar binnen, waardoor alles nog witter leek. De keuken was prachtig, maar al even steriel als de rest van het huis. De werkbladen waren leeg, op de platste televisie na die Faith ooit had gezien. Zelfs de snoeren van de kabel en de stekker waren weggewerkt en verdwenen in een piepklein gaatje in het licht geaderde marmer.

De inloopprovisiekast was zo goed als leeg. Het weinige eten dat er stond was in keurige rijen neergezet, de dozen met de merknaam naar voren en de blikjes allemaal met het etiket dezelfde kant op. Er stonden zes voordeelpotten aspirine, nog in de verpakking. Ze waren van een ander merk dan de pot die Faith in de slaapkamer van Jacquelyn Zabel had aangetroffen, maar het viel haar wel op dat beide vrouwen heel veel aspirine slikten.

Weer iets wat om opheldering vroeg.

Terwijl Faith de keukenkastjes doorzocht, pleegde ze een paar telefoontjes. Zo zachtjes mogelijk vroeg ze of er een achtergrondonderzoek naar Michael Tanner kon worden ingesteld, al was het alleen maar om hem van het lijstje met verdachten te schrappen. Het volgende telefoontje was een verzoek om een aantal agenten van het korps in Atlanta in te zetten voor een buurtonderzoek. Faith had de telefoongegevens van Olivia Tanners vaste verbinding opgevraagd, zodat ze konden nagaan met wie ze gebeld had, maar haar mobiele telefoon stond waarschijnlijk op naam van de bank. Als ze echt geluk hadden, was er ergens een BlackBerry, zodat ze haar mail konden lezen. Misschien was er iemand in Olivia's leven van wie haar broer geen weet had. Faith schudde haar hoofd, want ze wist dat daar weinig kans op was. Het huis was een modelwoning en voelde aan alsof er niet in geleefd werd. Hier werden nooit feestjes gegeven, het was hier geen vrolijke boel in het weekend. En een man woonde er al helemaal niet.

Wat voor leven had Olivia Tanner geleid? Faith had wel eerder met vermiste personen te maken gehad. Als je wilde weten wat er met zo'n vrouw gebeurd was – meestal betrof het vrouwen –, was het van cruciaal belang om je in haar positie te verplaatsen. Waar hield ze van en wat stond haar tegen? Wie waren haar vrienden? Wat was er zo vreselijk aan haar vriend/echtgenoot/minnaar dat ze haar biezen had gepakt en was verdwenen?

Olivia had geen enkele aanwijzing achtergelaten, geen emotionele ankers die een aanknopingspunt boden. De vrouw woonde in een levenloos huis zonder ook maar één gemakkelijke stoel om aan het eind van de dag op neer te ploffen. Er zat geen barstje in haar borden en schalen, er was geen schilfertje vanaf en ze zagen eruit alsof ze nog nooit gebruikt waren. Zelfs de koffiekopjes blonken tot op de bodem. Hoe moest Faith zich verplaatsen in een vrouw die in een perfect onderhouden witte doos woonde?

Faith keerde terug naar de keukenkastjes, maar weer sprong er niets in het oog. Zelfs de zogenaamde rommella was netjes: kurkentrekkers in een plastic hoes, een hamer die op een rol touw lag. Faith streek met haar vinger langs de binnennaad van een kastje, maar vond geen korreltje zand of ander vuil. Er viel iets te zeggen voor een vrouw die haar keukenkastjes zowel vanbinnen als vanbuiten schoonmaakte.

Ze trok de onderste la open en vond een grote envelop, zoals die voor het versturen van foto's wordt gebruikt. Ze maakte hem open en trof een stapel glossy pagina's aan die met zorg uit tijdschriften waren geknipt. Op alle foto's stonden modellen in uiteenlopende gradaties van ontkleedheid, of ze nou parfum verkochten of gouden horloges. Dit waren niet de vrouwen in twinsetjes met parelkettingen, die altijd opgewekt hun huis afstoften en de rommel van hun schattige kindjes opruimden. Wat deze modellen uitdroegen was seks, losbandigheid en vooral hoe mager je kon zijn. Faith had vaker dit soort graatmagere modellen gezien.

Zoals iedereen die weleens in de supermarkt in de rij stond, had ze de *Cosmo*, de *Vogue* of de *Elle* doorgebladerd, maar bij de aanblik van deze anorectische vrouwen en in de wetenschap dat Olivia Tanner de foto's niet had uitgekozen omdat ze een nieuwe oogschaduw of lipgloss wilde kopen maar omdat ze de geretoucheerde skeletten als een haalbaar streven zag, werd ze misselijk.

Ze dacht weer aan de woorden van Michael Tanner, aan de kwelling waaraan zijn zus zich had onderworpen om maar mager te zijn. Ze snapte niet waarom Will ervan overtuigd was dat de vrouw had geprobeerd om haar broer te beschermen. Het leek onwaarschijnlijk dat een man die zijn dochter verkrachtte het ook op zijn zoon had voorzien, maar Faith werkte al te lang bij de politie om nog te geloven dat misdadigers volgens een logisch patroon te werk gingen. Ondanks haar eigen tienerzwangerschap was de familie Mitchell redelijk normaal. Er waren geen gewelddadige alcoholici of seksbeluste ooms. Als het om ernstige stoornissen bij kinderen ging, verliet ze zich altijd op Will.

Hij had het er nooit direct over gehad, maar ze vermoedde dat hij als kind behoorlijk mishandeld was. Het was duidelijk dat zijn bovenlip ooit open had gelegen en nooit goed was geheeld. Het vage litteken dat langs de zijkant van zijn kaak liep en onder zijn boord verdween zag er oud uit, iets wat je als kind opliep en de rest van je leven met je meedroeg. Ze had tijdens de warmste zomermaanden met Will samengewerkt, maar ze had hem nooit zijn mouwen zien oprollen of ook maar zijn das zien lostrekken. Vooral zijn vraag naar de manier waarop Olivia Tanner zichzelf had gestraft, was onthullend. Faith dacht vaak dat Angie

Polaski een straf was die Will voortdurend over zichzelf afriep.

Ze hoorde voetstappen op de trap. Hoofdschuddend kwam Will de keuken binnen. 'Ik heb boven bij de telefoon op REDIAL gedrukt. Ik kreeg het antwoordapparaat van haar brocr in Houston.'

Hij had een boek in zijn hand. 'Wat is dit?'

Hij reikte haar de dunne roman aan. Op de rug zat een plakstrookje van de bibliotheek. Het omslag vertoonde een hurkende naakte vrouw. Ze droeg hoge hakken, maar haar pose was eerder artistiek dan kinky en gaf aan dat het hier om literatuur ging, niet om pulp. Niet het type boek dat Faith ooit zou lezen. Ze nam de tekst op de achterkant vluchtig door. 'Het gaat over een vrouw die aan diabetes lijdt en die bovendien verslaafd is aan de speed, en over haar vader die haar misbruikt.'

'Een liefdesverhaal dus.' Hij raadde naar de titel. 'Expose?'

Hij zat er niet ver naast. Faith had ontdekt dat hij de eerste drie letters van een woord meestal wel kon lezen en dan giste naar de rest. Heel vaak had hij het bij het rechte eind, maar van buitenissige woorden raakte hij in de war.

Ze legde het boek met de voorkant naar beneden op het keukenblad. 'Heb je een computer gevonden?'

'Geen computer. Geen agenda. Geen kalender.' Hij trok een paar laden open, tot hij de afstandsbediening van de tv had gevonden. Hij zette het toestel aan en draaide het scherm schuin naar zich toe. 'Dit is de enige tv in het huis.'

'Heeft ze geen tv op haar slaapkamer?'

'Nee.' Will zapte langs de verschillende kanalen en stuitte op het gebruikelijke digitale aanbod. 'Ze heeft geen kabel. In de kabelkast in het souterrain heb ik geen DSL-modem gevonden.'

'Dan heeft ze dus ook geen breedbandinternet,' concludeerde Faith. 'Misschien heeft ze een inbelverbinding. Ze zou weleens een laptop op haar werk kunnen hebben.'

'Of iemand heeft hem meegenomen.'

'Of ze laat alles wat met haar werk te maken heeft daar

achter. Volgens haar broer werkt ze van de vroege ochtend tot halverwege de avond.'

Will schakelde de tv uit. 'Heb jij hierbeneden nog iets gevonden?'

'Aspirine,' zei Faith, en ze wees naar de potten in de provisiekast. 'Wat bedoelde je toen je zei dat Olivia Michael waarschijnlijk beschermde?'

'Daar hadden we het over op Paulines werk. Hadden jouw ouders veel tijd voor je broer toen jij in de problemen zat?'

Faith schudde haar hoofd, en ze besefte dat het klopte wat hij zei. Olivia had alle negatieve aandacht weggetrokken van haar broer, zodat hij nog een enigszins normaal leven kon leiden. Geen wonder dat de man onder schuld gebukt ging. Hij had het overleefd.

Will stond uit het raam te kijken, naar het schijnbaar lege huis achter dat van Olivia. 'Die gordijnen daar bij de deuren zitten me dwars.'

Faith kwam naast hem staan. Hij had gelijk. Alle jaloezieën voor de achterste ramen zaten dicht, maar de gordijnen voor de deuren van het souterrain waren opzijgeschoven.

'Michael!' riep ze. 'We gaan even naar buiten. We zijn zo weer terug.'

'Oké,' antwoordde hij.

Zijn stem klonk nog onvast. 'We hebben tot nu toe niets gevonden,' zei Faith ter geruststelling. 'We kijken nog steeds alleen maar rond.'

Ze wachtte. Een antwoord bleef uit.

Will hield de achterdeur open, waarna ze samen de veranda op liepen.

'Al haar kleren zijn maat 36,' zei hij. 'Is dat normaal?'

'Gelukkig niet,' mompelde Faith, en op hetzelfde moment besefte ze wat ze had gezegd. 'Dan ben je wel dun, maar niet gruwelijk dun.'

Ze liet haar blik weer door de achtertuin gaan. De meeste stadstuinen bestonden uit een lapje met schuttingen afgezette grond, waarachter om de zestig meter een telefoonpaal verrees. Faith volgde Will het verandatrapje af.

313

Om Olivia's tuin liep een dure schutting van cederhout. De planken stonden plat op elkaar, met de palen aan de buitenkant. 'Is dit volgens jou nieuw?' vroeg ze. Will schudde zijn hoofd. 'De planken zijn met de hogedrukspuit schoongemaakt. Nieuw cederhout is roder.' Achter in de tuin bleven ze staan. Er stonden strepen op de planken van de schutting. Diepe krassen die door het midden naar boven liepen. Will boog zich voorover. 'Zo te zien heeft iemand dit met zijn voeten gedaan, waarschijnlijk in een poging eroverheen te klimmen.' Faith was het met hem eens. Zo moest het gegaan zijn. Ze keek weer op naar het huis van de achterburen. 'Dat huis ziet er verlaten uit. Zou het inderdaad een gedwongen verkoop zijn?'

'Er is maar één manier om daarachter te komen.' Will liep naar een ander deel van de schutting en wilde zich er al overheen hijsen toen hij besefte dat Faith bij hem was. 'Wacht je hier op me? Of zullen we eromheen lopen?'

'Zie ik er zo zielig uit?' Ze greep de bovenkant van de schutting. Dat soort dingen hadden ze ook op de politieacademie gedaan, maar dat was alweer jaren geleden, en toen had ze geen rok gedragen. Faith deed alsof ze het niet merkte toen Will haar van achteren een zetje gaf, en stiekem hoopte ze dat hij zou doen alsof hij niet had gezien dat ze haar kobaltblauwe omaonderbroek droeg.

Op de een of andere manier slaagde ze erin de andere kant te bereiken. Zodra ze op de grond stond, vloog Will als een tienjarige Chinese gymnast over de schutting.

'Uitslover,' fluisterde ze, waarna ze de steile helling naar het lege huis op liep.

De achterwand van het souterrain bestond grotendeels uit ramen die uitkeken op de tuin. Aan weerszijden waren openslaande deuren. Toen Faith dichterbij kwam, zag ze dat een van de deuren openstond. De wind zwol aan en een stuk wit gordijn flapperde naar buiten.

'Zou het echt zo gemakkelijk zijn?' vroeg Will zich af, en kennelijk dacht hij hetzelfde als Faith: hield hun verdachte zich binnen schuil? Was dit de plek waar zijn slachtoffers gevangenzaten?

Vastberaden stapte Will op het huis af.

'Zal ik versterking laten komen?' vroeg Faith.

Will leek zich echter geen zorgen te maken. Hij duwde met zijn elleboog de deur open en stak zijn hoofd naar binnen.

'Ooit gehoord van redelijke verdenking?'

'Hoor je dat?' vroeg Will, ook al wisten ze allebei dat hij niets ongewoons had opgevangen. Volgens de wet mochten ze een huis pas binnengaan met een bevel tot huiszoeking of als er onmiddellijk gevaar dreigde.

Faith draaide zich om en keek naar het huis van Olivia Tanner. De vrouw hield kennelijk niet van gordijnen. Vanwaar Faith stond kon ze door het hele huis kijken, tot aan de keuken en wat waarschijnlijk Olivia's slaapkamer was.

'We moeten een huiszoekingsbevel aanvragen.'

Will was al binnen. Binnensmonds vloekend haalde Faith haar pistool uit haar tas. Ze liep het souterrain in en zette haar voet voorzichtig op het witte berberkleed. De ruimte was afgetimmerd en was waarschijnlijk ooit een soort hobbykamer geweest. Er stonden een pooltafel en een cocktailbar. Elektriciteitsdraden staken uit de muur waar ooit een thuisbioscoop had gezeten. Will was nergens te bekennen. 'Stomkop,' mompelde Faith. Ze zette weer een stap en duwde de deur naar achteren tot hij de muur raakte. Ze luisterde zo gespannen dat haar oren er bijna pijn van deden.

'Will?' fluisterde ze. Toen er geen antwoord kwam liep Faith met bonkend hart verder de kamer in. Ze boog zich over de bar, keek erachter en zag een lege doos en een omgevallen colablikje. Achter haar was een kast, waarvan de deur half openhing. Met de loop van haar pistool duwde Faith hem verder open.

'Leeg,' zei Will, terwijl hij de hoek om kwam.

Faith stond als aan de grond genageld. 'Wat ben jij aan het doen?' snauwde ze. 'Hij had hier wel in kunnen zitten.'

Will leek totaal niet onder de indruk. 'We moeten erachter zien te komen wie er allemaal toegang tot dit huis hebben. Makelaars. Aannemers. Eventuele kopers.' Hij haalde een paar rubberen handschoenen uit zijn zak en onderzocht het slot van de tuindeur. 'Er zitten krassen op van gereedschap. Iemand heeft het slot opengebroken.' Hij liep naar de ramen, waarvoor goedkope kunststof lamellen hingen. Een van de stroken was naar achteren gebogen. Will draaide aan de kunststof staaf en het daglicht stroomde naar binnen. Hij ging op zijn hurken zitten en bestudeerde de vloer.

Faith stopte haar pistool weer in haar tas. Haar hart ging nog steeds als een razende tekeer. 'Will, ik ben me doodgeschrokken. Je gaat nooit meer een huis binnen zonder dat ik bij je ben, begrepen?'

'Je moet niet denken dat je altijd je zin krijgt.'

'Wat stelt dat nou weer voor?' vroeg ze, hoewel ze het antwoord al wist nog voor ze was uitgesproken. Hij probeerde zich wat agressiever op te stellen om haar een plezier te doen.

'Kijk.' Will wenkte haar. 'Voetafdrukken.'

Faith zag de roodachtige contouren van een paar schoenen op het vlakke tapijt. Een van de dingen die zo mooi waren aan Georgia was de rode klei die zich overal aan hechtte, of het nu nat of droog was. Door de verbogen strook van de lamellen keek ze naar buiten. Ze kon Olivia's huis helemaal zien.

'Je had gelijk,' zei Will. 'Hij houdt ze in de gaten. Hij volgt ze, leert hun dagelijkse routine kennen, weet wie ze zijn.' Hij liep achter de cocktailbar en deed de kastjes open en dicht. 'Iemand heeft dit colablikje als asbak gebruikt.'

'Dat zullen de verhuizers zijn geweest.'

Hij opende de koelkast. Ze hoorde glas rinkelen. 'Doc Peterson's Root Beer.' Waarschijnlijk had hij het logo herkend.

'We moeten hier snel weg, voor we de plek nog meer besmetten dan al het geval is.'

Gelukkig leek Will het met haar eens te zijn. Hij liep achter Faith aan naar buiten en trok de deur half dicht, net zoals ze hem hadden aangetroffen.

'Dit voelt anders,' zei Faith.

'Hoe dan?'

'Ik weet het niet,' moest ze bekennen. 'In het huis van Jackies moeder of op Paulines werk hebben we niets gevonden. Leo heeft haar huis doorzocht. Ook niets. Onze man laat geen sporen achter, dus waarom hebben we opeens een stel schoenafdrukken? Waarom stond de deur open?'

'Hij is zijn eerste twee slachtoffers kwijtgeraakt. Anna en Jackie zijn ontsnapt. Misschien had hij zijn oog al op Olivia Tanner laten vallen. Misschien heeft hij zijn plannen met haar naar voren geschoven zodat hij iemand heeft die de anderen kan vervangen.'

'Wie wisten er allemaal dat dit huis leegstond?'

'Iedereen die een beetje oplette.'

Faith keek weer naar Olivia's huis en zag Michael Tanner achter op de veranda staan. Ze zag er nu al tegen op om haar kont weer over die schutting te wurmen.

'Ik ga wel,' zei Will. 'Loop jij maar om.'

Ze schudde haar hoofd en liep met vastberaden pas de achtertuin door. Deze keer moest het gemakkelijker zijn om over de schutting te klimmen, want de palen zaten aan de buitenkant. Een lange balk die horizontaal over het midden liep diende als opstap, en Faith had minder hulp dan eerst nodig toen ze zich eroverheen hees. Will nam weer een aanloopje en sprong, waarbij hij met één hand op de schutting leunde.

Michael Tanner stond hen met samengevouwen handen bij de achterdeur van Olivia's huis op te wachten. 'Is er iets?'

'Niets wat we je op dit moment kunnen vertellen,' zei Faith. 'Wel moet je...'

Ze wilde op de onderste tree stappen, maar op dat moment gleed haar voet weg. Een komisch geluid – een soort *woef* – ontsnapte aan haar lippen, maar haar val had niets komisch. Een paar tellen lang zag ze sterretjes en haar hoofd tolde. Automatisch greep ze naar haar buik, en het enige waaraan ze kon denken was aan wat er in haar groeide.

'Gaat het?' vroeg Will. Hij knielde naast haar neer en sloeg zijn hand om haar achterhoofd.

317

Michael Tanner ging aan de andere kant naast haar zitten. 'Heel langzaam in- en uitademen, tot u weer voldoende lucht hebt.' Hij streek met zijn handen langs haar ruggengraat, en ze had hem al bijna aan de kant gemept toen ze zich herinnerde dat hij arts was. 'Langzaam ademen. In en uit.'

Faith probeerde te doen wat hij zei. Om de een of andere onverklaarbare reden hijgde ze.

'Gaat het echt wel?' vroeg Will.

Ze knikte, in de hoop dat er niks aan de hand was. 'Ik kreeg gewoon geen lucht meer,' zei ze met enige moeite.

'Help me eens overeind.'

Will stak zijn handen onder haar armen en ze besefte weer hoe sterk hij was toen hij haar moeiteloos omhoogtrok tot ze op haar voeten stond. 'Daar moet je eens mee stoppen, met dat vallen.'

'Ik ben ook zo dom.' Faith had nog steeds haar hand op haar buik, en het kostte haar moeite om hem weg te trekken. Zwijgend stond ze te luisteren naar iets in haar lichaam, probeerde ze een pijnscheut of een kramp te ontdekken die aangaf dat er iets mis was. Ze voelde of hoorde niets. Maar was alles echt in orde?

'Wat is dit?' vroeg Will, en hij plukte iets uit haar haar. Tussen zijn duim en wijsvinger zat een stukje confetti.

Faith streek met haar vingers door haar haar en keek achterom. In het gras lagen een heleboel piepkleine stukjes confetti.

'Verdomme,' zei Will. 'Die heb ik ook in Felix' schooltas gezien. Dit is geen confetti. Die dingen komen uit een taser.'

Vijftien

Sara had geen idee waarom ze op haar vrije dag in het Grady was. Ze had nog maar de helft van haar was gedaan, in de keuken kon je amper een kop thee zetten en de toestand van de badkamer was zo bar en boos dat ze zich diep schaamde als ze eraan dacht.

Toch was ze weer hier, in het ziekenhuis, en ze nam de trap naar de vijftiende verdieping om onopgemerkt de intensive care binnen te glippen.

Sara voelde zich schuldig omdat ze Anna niet grondiger had onderzocht toen ze op Spoed werd binnengebracht. Röntgenfoto's, MRI's, echo's, een scan. Praktisch elke arts in het ziekenhuis had de vrouw onder handen gehad, en toch hadden ze allemaal de elf vuilniszakken over het hoofd gezien. Het centrum voor ziektebestrijding was er zelfs bij gehaald om een kweek te maken van het geïnfecteerde weefsel, maar ook dat had niets opgeleverd. Anna was gemarteld, er was in haar gesneden en ze was uiteengereten – ze was ongelooflijk toegetakeld, maar herstel was onmogelijk zolang dat plastic in haar lichaam zat. Toen Sara de zakken had verwijderd, had de stank de hele ruimte gevuld. De vrouw was vanbinnen al aan het rotten. Het mocht een wonder heten dat ze geen toxic shock had opgelopen.

Als ze logisch nadacht, wist Sara dat het niet haar schuld was, maar gevoelsmatig vond ze dat ze het verkeerd had aangepakt. Terwijl ze die ochtend kleren stond te vouwen en de afwas deed, dwaalde ze in gedachten telkens weer af naar de avond dat Anna was binnengebracht. Ze betrapte zichzelf erop dat ze een ander scenario verzon, waarin ze meer had kunnen doen dan de vrouw aan de volgende arts over te dragen. Ze hield zichzelf voor dat Anna alleen al ondraaglijke pijn had geleden toen ze rechtgelegd moest worden voor de röntgenfoto's. Het was Sara's taak geweest om haar te stabiliseren voor de operatie, niet om een volledig gynaecologisch onderzoek te verrichten.

Toch bleef ze zich schuldig voelen.

Lichtelijk buiten adem stond Sara even stil op de overloop van de vijfde verdieping. Waarschijnlijk was ze nog nooit zo fit geweest, maar de loopband en de elliptische trainer in de sportschool hadden haar niet bepaald voor het echte leven toegerust. In januari had ze nog gezworen dat ze minstens één keer per week buiten zou gaan hardlopen. Met al zijn tv's, loopbanden en airconditioning miste de plaatselijke sportschool een van de grote voordelen van het hardlopen, namelijk dat je alleen was met jezelf. Je kon uiteraard altijd zeggen dat je alleen wilde zijn met jezelf, maar het doen was een ander verhaal. Januari had plaatsgemaakt voor februari, en nu was het al april, maar pas deze ochtend was Sara aan haar voornemen toegekomen en een rondje gaan hardlopen.

Ze greep de leuning vast en hees zich de trap weer op. Toen ze bij de negende verdieping was aangekomen, stonden haar bovenbenen in brand. Op de vijftiende verdieping bleef ze een tijdje voorovergebogen staan om op adem te komen, anders dachten de verpleegkundigen op de intensive care straks dat er een gek in hun midden was opgedoken.

Ze stak haar hand in haar zak om haar lippenbalsem te pakken, en meteen verstijfde ze. In paniek doorzocht ze haar overige zakken. De brief was weg. Ze had hem al die tijd bij zich gedragen, een talisman die ze telkens als ze aan Jeffrey dacht aanraakte. Dan werd ze weer herinnerd aan de verachtelijke vrouw die de brief had geschreven, degene die de verantwoordelijkheid droeg voor zijn dood, en nu was de brief weg.

Wanhopig probeerde ze te bedenken waar ze hem had neergelegd. Had ze hem per ongeluk meegewassen? Haar hart bonkte in haar keel. Ze groef in haar geheugen en uiteindelijk herinnerde ze zich dat ze de brief de vorige dag op het aanrecht had gelegd, nadat ze was thuisgekomen van de sectie op Jacquelyn Zabel.

Ze deed haar mond open en blies in één keer alle lucht uit. De brief was thuis. Ze had hem die ochtend op de schoorsteenmantel gezet, wat achteraf gezien een merkwaardige plaats was. Jeffreys trouwring lag er ook. Die twee dingen hoorden niet bij elkaar. Wat had haar toch bezield?

De deur ging open en een verpleegster kwam naar buiten met een pakje sigaretten in haar hand. Sara herkende Jill Marino, de ic-verpleegkundige die Anna de vorige ochtend had verzorgd.

'Het is toch je vrije dag vandaag?' vroeg Jill.

Sara haalde haar schouders op. 'Ik kan maar niet genoeg van deze tent krijgen. Hoe is het met haar?'

'De infectie reageert op de antibiotica. Dat was een goeie van je. Als je die zakken niet had verwijderd, zou ze nu dood zijn.'

Sara gaf een geringschattend knikje. Als ze die zakken meteen had ontdekt, zouden Anna's kansen veel groter zijn geweest.

'Ze is om een uur of vijf van de beademing gehaald.' Jill hield de deur voor Sara open. 'De uitslag van de hersenscan is ook binnen. Het zag er allemaal goed uit, behalve de schade aan de oogzenuw. Die is blijvend. De oren zijn in orde, dus ze kan in elk geval horen. Voor de rest is alles oké. Geen enkele reden waarom ze niet wakker zou worden. Nou ja, je begrijpt wel wat ik bedoel,' voegde ze eraan toe, toen ze besefte dat Anna talloze redenen had om niet wakker te worden.

'Ga je ervandoor?'

Schuldbewust wees Jill naar de sigaretten. 'Even naar het dak voor wat frisse lucht.'

'Heeft het zin om je te vertellen dat die dingen dodelijk zijn?'

'Voor het zover is heeft het werk hier me allang de das omgedaan,' antwoordde de verpleegster, waarop ze langzaam de trap op sjokte.

Nog steeds werd de deur naar Anna's kamer door twee agenten bewaakt. Het waren niet dezelfde van de vorige dag, maar ze tikten wel hun pet aan toen ze Sara zagen. Een van hen trok zelfs het gordijn voor haar terug. Met een erkentelijk glimlachje liep ze de kamer in. Op de tafel bij de muur stond een prachtig boeket. Sara zocht naar een kaartje, maar vond er geen.

Ze ging op de stoel zitten en vroeg zich af van wie de bloemen waren. Waarschijnlijk had een vertrekkende patiënt ze aan de verpleging gegeven om naar eigen inzicht uit te delen. De bloemen zagen er trouwens vers uit, alsof iemand ze diezelfde ochtend nog in zijn tuin had geplukt. Misschien had Faith ze gestuurd. Maar die gedachte zette Sara weer snel van zich af. Faith Mitchell leek haar niet bepaald een gevoelsmens. En verstandig was ze al evenmin, tenminste niet wat haar gezondheid betrof. Sara had die ochtend naar de praktijk van Delia Wallace gebeld. Faith had geen afspraak gemaakt. Nog even en ze was door haar insulinevoorraad heen. Dan zou ze wel weer bij Sara aankloppen, als ze niet opnieuw flauw wilde vallen.

Ze steunde met haar armen op Anna's bed en keek naar het gezicht van de vrouw. Zonder die slang in haar keel kon je je een beter beeld vormen van hoe ze er ooit moest hebben uitgezien, voor dit alles gebeurde. De kneuzingen op haar gezicht begonnen te genezen, wat betekende dat ze nog erger leken dan de vorige dag. Haar huid had een wat gezondere teint, maar was opgezwollen van de vloeistoffen die haar werden toegediend. Ze was zo sterk ondervoed dat het weken zou duren voor haar botten zich weer onder een stevige vleeslaag hadden teruggetrokken.

Sara pakte de hand van de vrouw. Die voelde nog steeds droog aan. In een ritszakje naast de bloemen vond ze een fles lotion. Het was het gebruikelijke setje dat in het ziekenhuis werd uitgedeeld, gevuld met zaken die een of andere bestuurscommissie onontbeerlijk achtte voor patiënten: antislipsokken, lippenbalsem, en lotion die vaag naar ontsmettingsmiddel rook.

Sara spoot wat in haar handen, wreef ze samen om de lotion te verwarmen en nam Anna's breekbare hand in de hare. Ze kon elk botje van haar vingers voelen. De knokkels leken wel knikkers. Haar huid was zo droog dat de lotion vrijwel meteen werd opgenomen. Net toen Sara nog wat in haar handen spoot, bewoog Anna.

'Anna?' Sara legde haar hand op de zijkant van haar gezicht en oefende daarbij enige druk uit om haar gerust te stellen.

Anna's hoofd bewoog bijna onmerkbaar. Iemand in coma werd niet als bij toverslag wakker. Het was een heel proces, waar meestal veel tijd mee gemoeid was. De ene dag gingen de ogen open, en de volgende dag kwamen er misschien wat woorden waaruit niets viel af te leiden, maar die wellicht aansloten op een gesprek uit het verleden.

'Anna?' zei Sara nogmaals. Ze probeerde heel rustig te klinken. 'Je moet wakker worden.'

Weer bewoog ze haar hoofd, nu duidelijk in Sara's richting.

'Ik weet dat het moeilijk is, schat,' zei Sara op besliste toon, 'maar je moet echt wakker worden.' Anna's oogleden schoven omhoog, en ook al wist Sara dat de vrouw haar niet kon zien, toch kwam ze overeind, zodat ze pal in haar gezichtsveld stond. 'Wakker worden, Anna. Je bent nu veilig. Niemand kan je meer pijn doen.'

Haar mond bewoog. De lippen waren zo droog en gebarsten dat de huid scheurde.

'Ik ben bij je,' zei Sara. 'Ik kan je horen, schat. Word eens wakker, al is het maar voor mij.'

Anna hijgde opeens van angst. Alles wat er gebeurd was, begon haar kennelijk weer te dagen: de foltering die ze had ondergaan, het feit dat ze blind was.

'Je bent in het ziekenhuis. Ik weet dat je niet kunt zien, maar je kunt me wel horen. Je bent veilig. Er staan twee agenten voor de deur. Niemand kan je iets doen.'

Bevend hief Anna haar hand, en haar vingers streken langs Sara's arm. Sara pakte de hand en hield hem zo stevig mogelijk vast zonder haar nog meer pijn te doen. 'Je bent nu veilig,' bezwoer ze de vrouw. 'Niemand kan je nu nog pijn doen.'

Plotseling klemde Anna Sara's hand zo stevig vast dat de botten zowat werden vermorzeld. Een felle pijnscheut trok door haar heen.

De vrouw was helemaal bij, klaarwakker. 'Waar is mijn zoon?'

Zestien

Als je de trekker van een taser overhaalde, ontplofte er een gaspatroon, waardoor er twee sondes met weerhaken met een snelheid van zo'n vijftig meter per seconde werden afgeschoten. Door vijf meter stroomdraad werd vijftigduizend volt losgelaten op degene aan wie de sondes zich hechtten. De stroomstoten blokkeerden de zintuiglijke en motorische functies, evenals het centrale zenuwstelsel. Will was ooit tijdens een training met een taser beschoten. Hij kon zich nog steeds niet herinneren wat er vlak voor of vlak nadat hij was geraakt was gebeurd, alleen dat Amanda de trekker had overgehaald en ontzettend zelfingenomen had staan grijnzen toen hij eindelijk weer overeind had kunnen krabbelen.

Net als bij een vuurwapen werd een taser geladen met een soort huls waar de draden en de sondes in zaten. Omdat de opstellers van de grondwet het bestaan van een dergelijk apparaat niet hadden kunnen voorzien bracht het bezit van een taser geen onvervreemdbaar recht met zich mee. Een slimme jongen had bedacht om iets aan het product toe te voegen: om misbruik te voorkomen moesten alle taserhulzen papiersnippertjes bevatten die met honderden tegelijk verspreid werden als er een schot werd gelost. Op het eerste gezicht leken die snippertjes net confetti. Dat was met opzet, want het waren er zoveel dat een dader ze onmogelijk allemaal kon oprapen om zijn sporen te wissen. Het mooie ervan was dat de confetti onder een vergrootglas een serienummer bleek te hebben dat correspondeerde met de huls waarin de snippertjes hadden gezeten. Omdat Taser International niet met de wet overhoop wilde liggen, had het een eigen opsporingsprogramma ingevoerd. Je hoefde ze maar te bellen en het serienummer van een van de papiertjes door te geven, en je kreeg naam en adres van degene die de huls had gekocht. Faith zat nog geen drie minuten in de wachtstand toen het bedrijf een naam ophoestte.

'Shit,' fluisterde ze. 'Nee, dank u. Meer hoef ik niet te weten,' voegde ze er snel aan toe toen ze besefte dat ze nog steeds verbinding had. Ze klapte haar mobiel dicht en boog zich naar voren om het contactsleuteltje van de Mini om te draaien. 'De taserhuls is gekocht door Pauline Seward. Het adres is het lege pand achter het huis van Olivia Tanner.'

'Hoe zijn die patronen betaald?'

'Met een cadeaubon van American Express. Er stond geen naam op. Niet te traceren.' Ze keek hem veelbetekenend aan. 'Die hulzen zijn twee maanden geleden gekocht, wat betekent dat hij Olivia Tanner al minstens zo lang in de gaten houdt. En aangezien hij Paulines naam heeft gebruikt, moeten we ervan uitgaan dat hij toen ook al plannen met haar had.'

'Dat lege huis is eigendom van de bank – niet de bank waar Olivia werkt, trouwens.' Terwijl Faith zich met de taser had beziggehouden, had Will het nummer gebeld dat op het makelaarsbord in de voortuin stond. 'Het staat al bijna een jaar leeg. Het laatste halfjaar heeft niemand meer belangstelling getoond.'

Faith keerde de auto en reed de oprit uit. Will stak zijn hand op naar Michael Tanner, die met zijn handen om het stuur geklemd in zijn Ford Escape zat.

'Ik heb die tasersnippers in Felix' schooltas niet herkend,' zei Will.

'Waarom zou je ook? Het was gewoon confetti in de tas van een schooljongen. Je hebt een vergrootglas nodig om het serienummer te kunnen lezen. Als je iemand de schuld wilt geven,' voegde ze eraan toe, 'schuif het dan op de politie van Atlanta, die het over het hoofd heeft gezien. Hun technische recherche is daar geweest. Die hebben vast de matten in de auto schoongezogen. Maar ze hebben het materiaal nog niet verwerkt omdat een vermiste vrouw geen prioriteit heeft.'

'Dat adres waarop de huls geregistreerd staat, zou ons naar het huis achter de woning van Olivia Tanner hebben gevoerd.'

'Olivia Tanner werd al vermist toen jij de schooltas van Felix zag. De politie van Atlanta heeft die hele plek uitgekamd,' zei ze nogmaals. 'Zij hebben het verkloot.' Faiths mobiel ging. Ze keek wie het was en besloot niet op te nemen. Ze zette alles nog eens voor Will op een rijtje. 'Dat die tasersnippers in Felix' tas dezelfde herkomst hebben als die we in de achtertuin van Olivia Tanner hebben gevonden, heeft ons nog niet veel verder gebracht. Het enige wat we weten is dat onze man dit al een tijdje van plan is geweest en dat hij heel goed is in het uitwissen van zijn sporen. Maar dat wisten we vanochtend ook al.'

Will was van mening dat ze inmiddels veel meer wisten. Ze hadden nu iets wat de vrouwen met elkaar verbond. 'We weten dat er een link bestaat tussen Pauline en de andere slachtoffers. "Ik ontken mezelf niet" verbindt haar met Anna en Jackie, en de tasersnippers verbinden haar met Olivia.' Will dacht even na en vroeg zich af wat hem nog meer was ontgaan.

Faith zat in dezelfde richting te denken. 'Laten we het nog eens vanaf het begin doornemen. Wat hebben we allemaal?'

'Pauline en Olivia zijn allebei gisteren ontvoerd. Beide vrouwen zijn met hetzelfde wapen uitgeschakeld.'

'Pauline, Jackie en Olivia hadden alle drie een eetstoornis. We gaan ervan uit dat Anna er ook aan lijdt, toch?'

Will haalde zijn schouders op. Het was geen grote sprong, maar ze wisten het niet zeker. 'Goed, laten we daar dan maar van uitgaan.'

'Geen van de vrouwen had vrienden door wie ze gemist werden. Jackie had die buurvrouw, Candy, maar die nam ze niet echt in vertrouwen. Ze zijn alle drie aantrekkelijk, ze zijn dun, hebben donker haar en donkere ogen. En ze hadden alle drie een goedbetaalde baan.'

'Op Jackie na woonden ze allemaal in Atlanta,' voegde Will eraan toe. 'Hoe heeft hij Jackie in het vizier gekregen? Ze was hooguit een week in Atlanta om het huis van haar moeder uit te ruimen.'

'Ze moet er al eerder zijn geweest om te helpen met haar moeders verhuizing naar dat verzorgingstehuis in Florida,' vermoedde Faith. 'En dan hebben we het nog niet over die chatroom gehad. Misschien kenden ze elkaar daarvan.'

'Olivia had thuis geen computer.'

'Het is mogelijk dat ze een laptop had, en dat die is gestolen.'

Will krabde over zijn arm en dacht aan die eerste avond, toen hij het hol had ontdekt, aan alle tot wanhoop stemmende aanwijzingen die ze sindsdien hadden opgevolgd en die niets hadden opgeleverd, aan alle muren waar ze voortdurend tegenop liepen. 'Het lijkt alsof het allemaal met Pauline is begonnen.'

'Zij was het vierde slachtoffer.' Faith dacht nog eens goed over de hele situatie na. 'Het is mogelijk dat hij de beste voor het laatst heeft bewaard.'

'Pauline is niet vanuit haar huis ontvoerd, terwijl we ervan uitgaan dat dat bij die andere vrouwen wel het geval was. Ze is op klaarlichte dag meegenomen. Haar zoontje zat in de auto. Op haar werk werd ze gemist omdat ze een belangrijke vergadering had. Die andere vrouwen werden door niemand gemist, behalve Olivia, en niemand kon weten dat ze elke dag met haar broer belde, tenzij onze man haar telefoon had afgetapt, maar dat is duidelijk niet het geval.'

'En Paulines broer?' vroeg Faith. 'Ik zit er maar steeds aan te denken dat ze zo bang voor hem was dat ze haar zoontje zelfs voor hem waarschuwde. We kunnen nergens iets over hem terugvinden. Misschien heeft hij een andere naam aangenomen, net als Pauline op haar zeventiende.'

Will noemde alle mannen op die tijdens het onderzoek onder hun aandacht waren gekomen. 'Henry Coldfield is te oud en heeft het aan zijn hart. Rick Sigler heeft zijn hele leven in Georgia gewoond. Jake Berman... Wie weet.'

Diep in gedachten zat Faith met haar vingers op het

stuur te trommelen. 'Tom Coldfield,' zei ze ten slotte.
'Hij is ongeveer van jouw leeftijd. Hij was amper een tie-
ner toen Pauline van huis wegliep.'
'Dat is zo,' moest ze toegeven. 'Bovendien zou hij tijdens
het psychologisch onderzoek van de luchtmacht gigan-
tisch door de mand zijn gevallen.'
'Michael Tanner,' opperde Will. 'Hij is van de juiste leef-
tijd.'
'Er loopt een achtergrondonderzoek naar hem. Als er iets
boven was gekomen, zouden ze allang gebeld hebben.'
'Morgan Hollister.'
'Die gaat ook door de molen,' zei Faith. 'Hij leek er niet
al te kapot van te zijn dat Pauline was verdwenen.'
'Volgens Felix droeg de man die zijn moeder heeft ontvoerd net zo'n pak als haar collega Morgan.'
'Maar Felix zou Morgan toch wel herkend hebben?'
'Met een nepsnor?' Will schudde zijn hoofd. 'Ik weet het
niet. Laten we Morgan nog even op het lijstje houden. Als
er verder niks boven water komt, kunnen we aan het eind
van de dag altijd nog met hem gaan praten.'
'Hij is oud genoeg om haar broer te kunnen zijn, maar
waarom zou ze dan voor hetzelfde bedrijf werken als hij?'
'Mensen doen domme dingen als ze misbruikt zijn,' benadrukte Will. 'We moeten contact met Leo opnemen om
te zien wat hij heeft gevonden. Hij wilde de politie van
Michigan zover zien te krijgen dat ze Paulines ouders probeerden op te sporen. Ze is van huis weggelopen. Voor wie
is ze eigenlijk weggelopen?'
'Voor die broer,' zei Faith, en toen waren ze weer terug bij af. Opnieuw ging haar telefoon. Ze wachtte tot de
voicemail het overnam en toetste een nummer in. 'Ik zal
eens kijken waar Leo zit. Waarschijnlijk is hij op pad.'
'Ik zal Amanda wel bellen en zeggen dat we de zaak van
Pauline McGhee officieel moeten overnemen,' bood Will
aan. Hij klapte zijn telefoontje open, maar op dat moment
begon het ding haperend te rinkelen. Sinds het kapot was
gegaan, deed het soms heel vreemd. Will drukte zijn oor
tegen het apparaatje. 'Hallo?' zei hij.
'Hoi.' Haar stem klonk koel en nonchalant, en was als

warme honing in zijn oor. In gedachten zag hij het moedervlekje op haar kuit, dat hij altijd kon voelen als hij met zijn hand over haar been streek. 'Ben jij het?'

Will wierp een blik op Faith, en het klamme zweet brak hem uit. 'Ja.'

'Da's lang geleden.'

Weer keek hij even naar Faith. 'Ja,' herhaalde hij. Zo'n acht maanden eerder was hij van zijn werk thuisgekomen en had ontdekt dat Angies tandenborstel niet langer in het bekertje in de badkamer stond.

'Wat ben je aan het doen?' vroeg ze.

Will slikte om zijn droge mond te bevochtigen. 'Ik zit op een zaak.'

'Mooi. Ik dacht al dat je het druk had.'

Faith was klaar met haar telefoontje. Ze keek naar de weg voor hen, maar als ze een kat was geweest, zou ze één oor op Will hebben gericht.

'Dit gaat zeker over die vriendin van je?' vroeg hij aan Angie.

'Lola heeft een goeie tip.'

'Dat soort werk doe ik niet,' zei hij. Het GBI begon nooit een zaak; het maakte zaken af.

'Een of andere pooier heeft van een penthouse een drugshol gemaakt. Het ligt daar vol shit, alsof het snoepjes zijn. Ik zou maar eens met Amanda gaan praten. Kan ze een goeie beurt maken op het nieuws van zes uur, als ze daar voor al die dope staat.'

Will probeerde zich op haar woorden te concentreren. Het enige wat tot hem doordrong waren het geronk van de Mini en het alerte oor van Faith.

'Ben je daar nog, schat?'

'Geen interesse,' zei hij.

'Wil je het dan namens mij doorgeven? Het is in het penthouse in een appartementengebouw dat Twenty-one Beeston Place heet. De naam is hetzelfde als het adres. Twenty-one Beeston.'

'Ik kan je er echt niet mee helpen.'

'Herhaal het eens, zodat ik weet dat je het onthoudt.'

Wills handen zweetten zo hevig dat hij bang was dat de

telefoon uit zijn handen zou glippen. 'Twenty-one Beeston Place.'

'Als ik iets voor jou kan doen...'

Hij kon de verleiding niet weerstaan. 'Dat wordt dan een hele lijst.' Maar het was te laat, ze had de verbinding al verbroken. Will hield de telefoon nog even tegen zijn oor gedrukt, en alsof hij een normaal gesprek met een normaal iemand had gevoerd zei hij: 'Oké. Goeiendag.' Tot overmaat van ramp gleed het telefoontje weg toen hij het probeerde dicht te klappen, en het touwtje schoot uiteindelijk onder het plakband uit. Draadjes die hij nog nooit had gezien staken nu uit de achterkant.

Hij hoorde Faiths mond met een smak opengaan. 'Nu even niet,' zei hij.

Ze deed haar mond weer dicht en met haar handen om het stuur geklemd keerde ze de auto. 'Ik heb de meldkamer gebeld. Leo zit aan North Avenue. Een dubbele moord.'

Faith gaf een dot gas en scheurde door rood. Will trok zijn das wat losser, want hij vond het opeens erg warm in de auto. Zijn armen begonnen weer te jeuken, en hij voelde zich licht in zijn hoofd.

'Ik zal probeien Amanda te...'

'Angie belde. Ze had een tip.' Voor hij ze kon tegenhouden tuimelden de woorden over zijn lippen. Wanhopig probeerde hij te bedenken hoe hij zichzelf het zwijgen kon opleggen, maar hij had alle controle over zijn mond verloren. 'Een of ander penthouse in Buckhead is in een drugshol veranderd.'

'O,' was het enige wat Faith erop te zeggen had.

'Ze kent een meisje van toen ze nog bij Zedendelicten werkte. Een prostituee. Lola. Die wil graag de bak uit. Daarvoor wil ze de dealers wel verlinken.'

'Is het een goede tip?'

Will maakte een vaag gebaar. 'Ik denk het wel.'

'Ga je haar helpen?'

Weer dat gebaar.

'Angie heeft bij de politie gewerkt. Kent ze niemand bij de narcoticabrigade?'

Die vraag liet Will haar zelf beantwoorden. Angie was

iemand die altijd alle schepen achter zich verbrandde. Ze stak ze met liefde aan en gooide voor de goede orde nog wat benzine op de vlammen.

Blijkbaar bedacht Faith hetzelfde. 'Ik wil wel een paar mensen voor je bellen,' bood ze aan. 'Dan weet niemand dat jij erbij betrokken bent.'

Will probeerde te slikken, maar zijn mond was nog steeds te droog. Hij vond het vreselijk dat Angie een dergelijk effect op hem had. Nog erger was het dat Faith vanaf de voorste rij van zijn ellende kon meegenieten. 'Wat heeft Leo gezegd?' vroeg hij.

'Hij neemt niet op, waarschijnlijk omdat hij weet dat ik het ben.' Alsof het zo was afgesproken, ging op dat moment haar telefoon weer over. Faith keek wie het was en opnieuw nam ze niet op. Will vond niet dat hij het recht had om haar te vragen wat dat moest voorstellen, want zelf had hij een algeheel verbod ingesteld op gesprekken over zijn eigen telefoontjes.

Hij kuchte een paar keer om te voorkomen dat hij klonk als een jongen van dertien. 'Een taser betekent afstand. Als hij dichtbij had kunnen komen, had hij wel een stungun gebruikt.'

Faith bracht het gesprek weer op het oorspronkelijke onderwerp. 'Wat hebben we verder nog?' vroeg ze. 'We wachten op de DNA-uitslagen van Jacquelyn Zabel. We wachten op bericht van de technische recherche over de laptop van Zabel en de computer op Paulines werk. We wachten op bericht over eventueel forensisch bewijsmateriaal uit dat lege pand achter Olivia's huis.'

Will hoorde iets zoemen, en Faith haalde haar BlackBerry tevoorschijn. Met één hand aan het stuur las ze wat er op het schermpje stond. 'De telefoongegevens van Olivia Tanner.' Ze scrolde naar beneden. 'Elke ochtend om een uur of zeven een telefoontje naar hetzelfde nummer in Houston, Texas.'

'Zeven uur bij ons is zes uur in Houston,' zei Will. 'Dat is het enige nummer dat ze belde?'

Faith knikte. 'En dat gaat al maanden zo. Waarschijnlijk gebruikte ze haar mobiel voor haar overige telefoontjes.'

Ze stopte de BlackBerry weer in haar zak. 'Amanda regelt een gerechtelijk bevel voor de bank. Ze zijn zo aardig geweest om in hun cliëntenbestand naar de namen van onze vermiste vrouwen te zoeken – geen treffers overigens –, maar ze weigeren ons pertinent toegang tot Olivia's computer, telefoon of e-mail. Het zou iets te maken hebben met de federale bankwet. We moeten in die chatroom zien te komen.'

'Ik zou eerder denken dat ze in het geval van een onlinegroep er thuis mee in contact trad.'

'Volgens haar broer werkte ze de godganse dag.'

'Misschien kennen ze elkaar allemaal persoonlijk. Is het net zoiets als de AA of een breiclubje.'

'Het is niet echt iets wat je op het mededelingenbord prikt. "Vind je het lekker om jezelf dood te hongeren? Kom bij de club!"'

'Hoe hebben ze elkaar anders ontmoet?'

'Jackie is makelaar, Olivia is een bankier die geen hypotheken verstrekt, Pauline is binnenhuisarchitecte en Anna doet weer icts anders – waarschijnlijk voor een al even vet salaris.' Ze slaakte een diepe zucht. 'Het moet die chatroom zijn, Will. Waar kennen ze elkaar anders van?'

'Waarom moeten ze elkaar per se kennen?' bracht hij hiertegen in. 'De enige die ze allemaal moeten kennen is hun ontvoerder. Wie zou er contact kunnen hebben met vrouwen die op zoveel uiteenlopende terreinen werkzaam zijn?'

'Een conciërge, een monteur van het kabelbedrijf, de vuilnisman, de ongedierteverdelger...'

'Amanda heeft dat soort dingen laten natrekken door de afdeling Informatie. Als er al een dergelijk verband was, zou dat inmiddels duidelijk zijn.'

'Sorry als ik niet al te optimistisch klink. Ze zijn nu al twee dagen bezig en ze kunnen Jake Berman niet eens vinden.' Ze gaf een ruk aan het stuur en sloeg North Avenue in. Twee surveillancewagens van het politiekorps van Atlanta hadden het betreffende stuk straat afgezet. In de verte zagen ze Leo, die woest met zijn handen gebaarde en stond te tieren tegen een of ander zielig knulletje in uniform.

Faiths telefoon ging weer over. Terwijl ze uit de auto stapte, liet ze het ding in haar zak glijden. 'Ik sta op dit moment niet bepaald bij Leo in een goed blaadje. Misschien moet jij maar met hem praten.'

Dat leek Will ook beter, vooral omdat Leo nu al behoorlijk over de rooie leek te zijn. Hij ging nog steeds tegen de agent tekeer toen ze op hem af liepen. Elk tweede woord was 'fuck', en zijn gezicht was zo paars dat Will bang was dat hij elk moment een hartaanval kon krijgen.

Boven hun hoofd hing een helikopter, een Ghetto Bird, zoals hij door de plaatselijke politie werd genoemd. Hij vloog zo laag bij de grond dat Wills trommelvliezen ervan trilden. Leo wachtte even tot het ding zich een eind had verwijderd. 'Wat de fuck komen jullie hier doen?'

'Die zaak van de vermiste vrouw die je aan ons hebt overgedragen, Olivia Tanner,' zei Will. 'Bij haar huis lagen papiersnippertjes van een taser die horen bij een huls die is gekocht door Pauline Seward.'

'Fuck,' mompelde Leo.

'Verder hebben we op Paulines werk bewijs gevonden dat haar verbindt met het hol.'

Nu kreeg Leo's nieuwsgierigheid de overhand. 'Denk je dat Pauline de dader is?'

Dat was niet eens bij Will opgekomen. 'Nee, we denken dat ze door dezelfde man is ontvoerd die de andere vrouwen heeft ontvoerd. We moeten zo veel mogelijk informatie verzamelen...'

'Er valt niet bar veel te vertellen,' onderbrak Leo hem. 'Ik heb vanmorgen met Michigan gesproken. Dat heb ík maar op me genomen nu je collega de laatste tijd doet alsof ze het zonnetje in huis is.'

Faith wilde iets zeggen, maar Will legde haar met een handgebaar het zwijgen op. 'Wat ben je te weten gekomen?'

'Ik heb met een ouwe rot gesproken die daar achter de balie zit. De man heet Dick Winters. Hij zit al dertig jaar in het vak en mag de telefoon beantwoorden. Dat geloof je toch niet?'

'Kon hij zich Pauline herinneren?'

'Ja, hij kende haar nog wel. Ze was een mooie meid. Zo te horen kreeg die ouwe knar 'm vroeger aardig van haar overcind.'

Dat een of andere ranzige oude smeris een oogje op een tiener had gehad, was wel het laatste wat Will op dat moment interesseerde. 'Wat is er gebeurd?'

'Hij heeft haar een paar keer opgepakt wegens winkeldiefstal, alcoholmisbruik en belediging. Hij heeft haar nooit meegenomen naar het bureau, maar bracht haar altijd thuis en zei dan dat ze zich moest gedragen. Ze was minderjarig, maar toen ze zeventien werd, was het moeilijker om het te verbloemen. Een of andere winkelier was het zat en deed aangifte wegens winkeldiefstal. Die ouwe smeris gaat naar het gezin om te kijken of hij kan helpen, en dan merkt hij dat er iets aan de hand is. Wanneer hij beseft dat het menens is, stopt hij zijn lul weer in zijn broek. Het meisje heeft problemen op school, problemen thuis. Ze vertelt hem dat ze misbruikt wordt.'

'Is maatschappelijk werk erbij gehaald?'

'Ja, maar nog voor ze haar konden spreken, was ons Paulientje 'm gesmeerd.'

'Kon die agent zich nog namen herinneren? Van de ouders? Wat dan ook?'

Leo schudde zijn hoofd. 'Niets. Alleen Pauline Seward.' Opeens knipte hij met zijn vingers. 'Hij zei wel dat ze een broer had die een beetje getikt was, als je begrijpt wat ik bedoel. Gewoon een raar ettertje.'

'Hoezo raar?'

'Vreemd. Je weet hoe dat gaat. Je voelt gewoon iets.'

'Maar die agent weet niet meer hoe hij heette?' drong Will aan.

'Alle dossiers zijn geheim, omdat ze minderjarig was. Dan komt de kinderrechter eraan te pas, en dat is de volgende hindernis die je moet nemen,' zei Leo. 'Je hebt een gerechtelijk bevel van justitie in Michigan nodig om toegang tot de dossiers te krijgen. Dit alles speelde twintig jaar geleden. Volgens die oude baas is er tien jaar geleden brand geweest in het archief. Misschien is er helemaal geen dossier meer.'

335

'Precies twintig jaar geleden?' vroeg Faith.

Leo keek haar schuins aan. 'Met Pasen twintig jaar geleden.'

'Pauline McGhee, of Seward, wordt aanstaande zondag, dus eerste paasdag, al twintig jaar vermist?' vroeg Will voor alle duidelijkheid.

'Nee,' zei Leo. 'Twintig jaar geleden viel Pasen in maart.'

'Heb je dat opgezocht?' vroeg Faith.

Hij haalde zijn schouders op. 'Het is altijd de zondag die volgt op de eerste vollemaan na de lentenachtevening.'

Het duurde even voor Will doorhad dat Leo Engels sprak, want het klonk hem als Chinees in de oren. 'Weet je dat zeker?'

'Denk je dat ik achterlijk ben of zo?' vroeg hij. 'Ach, laat ook maar. Die ouwe wist het zeker. Pauline ging pleite op 26 maart. Paaszondag.'

Will begon het al uit te rekenen, maar Faith was hem voor. 'Dat was twee weken geleden. Dat zou overeen kunnen komen met het vermoedelijke tijdstip waarop Anna volgens Sara ontvoerd is.' Weer ging haar mobiel. 'Jezus,' siste ze toen ze zag wie het was. Ze klapte het telefoontje open. 'Wat is er?'

Faiths gezichtsuitdrukking veranderde van pure ergernis in schrik en ten slotte in ongeloof. 'O, god.' Haar hand ging naar haar borst.

Will dacht meteen aan Jeremy, haar zoon.

'Wat is het adres?' Haar mond viel open van verbazing. 'Beeston Place.'

'Dat is waar Angie...' zei Will.

'We gaan er meteen naartoe.' Faith sloot haar telefoon. 'Dat was Sara. Anna is wakker geworden. Ze praat.'

'Wat heeft ze gezegd over Beeston Place?'

'Daar woont ze – daar wonen ze. Anna heeft een baby van een halfjaar, Will. De laatste keer dat ze hem heeft gezien was in haar penthouse in Twenty-one Beeston Place.'

Nog voor Faith het portier goed en wel had dichtgetrokken was Will al achter het stuur gesprongen, had de stoel naar achteren geramd en was weggescheurd. Schakelend als een gek had hij de Mini door de bochten gejaagd en over de metalen platen bij wegwerkzaamheden laten stui teren. Op Piedmont Avenue was hij bonkend over de middenberm gereden om via de andere rijbaan het verkeer bij het stoplicht te omzeilen. Faith had al die tijd stilletjes naast hem gezeten terwijl ze zich vasthield aan de greep boven het portier, maar hij zag dat ze bij elke hobbel en bocht haar kiezen op elkaar klemde.

'Vertel nog eens wat ze heeft gezegd,' zei Faith.

Will voelde er niets voor om nu aan Angie te denken, om stil te staan bij de mogelijkheid dat ze wist dat er een kind bij betrokken was, een baby van wie de moeder was ontvoerd, een kind dat was achtergelaten in een penthouse dat in een crackhol was veranderd.

'Drugs,' zei hij. 'Dat was het enige wat ze zei: dat het als drugshol werd gebruikt.'

Ze zweeg toen hij vaart minderde en met een wijde bocht Peachtree Street in reed. Voor dit uur van de dag viel de verkeersdrukte mee, wat betekende dat er een file van slechts een halve kilometer stond. Weer maakte Will gebruik van de linkerrijbaan, en op het laatste moment scheurde hij de smalle zijstrook op om een vuilniswagen te ontwijken. Faith sloeg haar handen met een klap op het dashboard toen hij schuin door de bocht vloog en met gierende banden tot stilstand kwam voor Beeston Place Apartments.

De auto schommelde toen Will uitstapte. Hij rende naar de ingang. In de verte klonken de sirenes van patrouillewagens en een ambulance. De portier zat achter een hoge balie de krant te lezen. Het was een gezette man, en zijn uniform spande om zijn pens.

Will haalde zijn pasje tevoorschijn en duwde het de man in zijn gezicht. 'Ik moet het penthouse in.'

De man schonk Will een van de wreveligste grijnslachjes die hij in lange tijd had gezien. 'O, moet je het penthouse in?' Hij sprak met een buitenlands accent, Russisch of Oekraïens.

Hijgend kwam Faith bij hen staan. Ze tuurde naar zijn

337

naamplaatje. 'Meneer Simkov, dit is heel belangrijk. We zijn bang dat er een kind in gevaar verkeert.'

Hij maakte een hulpeloos gebaar. 'Alleen mensen die op de lijst staan mogen naar binnen, en aangezien jullie niet op de...'

Er knapte iets in Will. Voor hij besefte wat er gebeurde, schoot zijn hand uit, greep hij Simkov bij zijn nek en ramde hij de man met zijn hoofd tegen het marmeren blad van de balie.

'Will!' riep Faith. Ze hapte naar adem en haar stem sloeg over van verbazing.

'Geef me de sleutel!' beval Will, en hij duwde nog wat harder op de schedel van de man.

'In m'n zak,' kreunde Simkov. Zijn mond zat zo plat tegen de balie gedrukt dat zijn tanden over het marmer schraapten.

Met een ruk trok Will hem wat dichter naar zich toe, voelde in zijn voorzakken en haalde een sleutelbos tevoorschijn. Die wierp hij Faith toe en met gebalde vuisten liep hij een openstaande lift in.

Faith drukte op de knop voor het penthouse. 'Jezus,' fluisterde ze. 'Inmiddels weten we het wel, oké? Je kunt ook keihard zijn. En nu een beetje dimmen.'

'Hij houdt de deur in de gaten.' Will was zo woedend dat hij nauwelijks tot praten in staat was. 'Hij weet alles wat er gebeurt in dit gebouw. Hij heeft de sleutels van alle appartementen, inclusief van dat van Anna.'

Het drong inmiddels tot Faith door dat hij geen show weggaf. 'Oké. Je hebt gelijk. Maar even een tandje lager, graag. We weten niet wat we daarboven zullen aantreffen.'

Will voelde de pezen in zijn armen trillen. Toen ze bij de bovenste verdieping waren aangekomen, gingen de liftdeuren open. Hij beende de gang op en wachtte bij de deur tot Faith de sleutel met het juiste label had gevonden. Vervolgens legde hij zijn hand op de hare en nam de sleutel van haar over.

Will ging niet zachtzinnig te werk. Hij pakte zijn pistool en beukte de deur open.

'Gadver.' Kokhalzend sloeg Faith haar hand voor haar neus.

Will rook het ook: de weeïg zoete mengeling van brandend plastic en suikerspin.

'Crack,' zei ze, en ze wapperde met haar hand voor haar gezicht.

'Moet je zien.' Hij wees naar de hal achter de deur. Omgekrulde confetti lag in een opgedroogde gele plas op de vloer. Papiersnippertjes uit een taser.

Voor hen strekte zich een lange gang uit, met aan de ene kant twee deuren, die allebei dicht waren. Een eind verderop zag Will de woonkamer. Banken waren omvergegooid en de vulling was eruit getrokken. Overal slingerde troep. In de gang lag een grote man, met zijn armen gespreid en zijn gezicht naar de muur. De mouw van zijn overhemd was opgerold. Rond zijn biceps zat een tourniquet. De injectienaald stak nog uit zijn arm.

Met zijn Glock voor zich uit gericht liep Will de gang door. Faith trok haar eigen wapen, maar hij gebaarde dat ze moest blijven staan. Will rook dat het lichaam al tot ontbinding overging, maar toch probeerde hij een pols te voelen. Naast de voet van de man lag een wapen, een revolver van het merk Smith & Wesson, met een speciaal gemaakte gouden greep, zodat het ding eruitzag als iets wat vroeger op de speelgoedafdeling van goedkope warenhuizen werd verkocht. Will schopte het wapen weg, ook al zou de man er nooit meer naar reiken.

Hij wenkte Faith en liep toen terug naar de eerste gesloten deur op de gang. Hij wachtte tot ze klaarstond en gooide de deur open. Het was een garderobekast, en alle jassen lagen in een hoop op de vloer. Will porde met zijn voet tegen de jassen en keek of er iets onder lag voor hij naar de volgende dichte deur liep. Weer wachtte hij op Faith en toen schopte hij de deur open.

Ze kokhalsden, zo stonk het er naar poep en urine. Het toilet stroomde over. De muren van donker onyx zaten onder de ontlasting. In het fonteintje lag een donkerbruine plas. Wills haren gingen overeind staan. De stank in het vertrek deed hem denken aan het hol waarin Anna en Jackie gevangen hadden gezeten.

Hij trok de deur dicht en wenkte Faith mee de gang door naar de woonkamer. Ze moesten zich een weg banen langs kapot glas, naalden en condooms. Een wit T-shirt lag opgepropt en vol bloedvegen op de grond. Ernaast lag een gymschoen, ondersteboven en met de veters nog gestrikt.

De keuken grensde aan de woonkamer. Will keek achter het kookeiland om te zien of er zich iemand schuilhield, terwijl Faith voorzichtig langs het omvergeworpen meubilair en nog meer glasscherven liep.

'Niets,' zei ze.

'Hier ook niet.' Will opende het aanrechtkastje en zocht naar de afvalemmer. De zak was wit, net als de zakken die in de lichamen van de vrouwen waren aangetroffen. De emmer was leeg, het enige schone voorwerp in het hele appartement.

'Coke,' vermoedde Faith, en ze wees naar een stel witte blokken op de salontafel. Overal lagen pijpjes, naalden, opgerolde bankbiljetten, scheermesjes. 'Wat een rotzooi. Niet te geloven dat mensen zo'n troep om zich heen verdragen.'

Het had Will nog nooit verbaasd hoe diep een junk kon zinken en evenmin keek hij op van het algehele verval dat er het gevolg van was. Hij had mooie huizen in de buitenwijken in de loop van een paar dagen in vervallen speedholen zien veranderen. 'Waar zijn die lui gebleven?'

Faith haalde haar schouders op. 'Zo bang voor een lijk zijn ze nou ook weer niet dat ze een dergelijke voorraad coke laten liggen.' Ze keek over haar schouder naar de dode. 'Misschien moest hij het hier bewaken.'

Samen doorzochten ze de rest van de woning. Drie slaapkamers, waarvan één een in blauwe tinten uitgevoerde kinderkamer, en twee badkamers. Alle wc's en wasbakken zaten verstopt. De lakens lagen opgepropt op de bedden, en sommige matrassen waren omgekeerd. Kleren waren uit de kasten gerukt. Er was geen tv-toestel meer te vinden. Op het bureau in een van de slaapkamers lagen een toetsenbord en een muis, maar een computer ontbrak.

Degene die het huis had overgenomen had het volkomen onttakeld.

Aan het eind van de gang bleef Will staan en stak zijn pistool in de holster. Twee ambulancebroeders en een agent in uniform stonden bij de voordeur te wachten. Hij wenkte hen naar binnen.

'Zo dood als een pier,' verklaarde een van de broeders, nadat hij de junk bij de garderobekast vluchtig op vitale functies had gecontroleerd.

'Mijn collega ondervraagt de portier,' zei de agent op afgemeten toon, en daarbij keek hij Will aan. 'Zo te zien is hij gevallen. Op zijn oog.'

Faith stak haar wapen ook in de holster. 'Die vloeren beneden zijn nogal glad.'

De man knikte samenzweerderig. 'Wat je glad noemt.'

Will keerde terug naar de kinderkamer. Hij doorzocht de babykleertjes aan de kleine hangertjes in de kast. Hij liep naar de wieg en tilde het matrasje op.

'Voorzichtig,' waarschuwde Faith. 'Er kunnen naalden liggen.'

'Hij neemt geen kinderen mee,' zei Will, meer tegen zichzelf dan tegen Faith. 'Hij neemt de vrouwen mee, maar de kinderen laat hij achter.'

'Pauline is niet vanuit haar huis ontvoerd.'

'Met Pauline is er iets anders aan de hand.' Hij vatte het nog eens voor haar samen. 'Olivia is uit haar achtertuin ontvoerd. Anna werd bij haar voordeur gepakt. Je hebt die tasersnippertjes gezien. Ik wil wedden dat Jackie Zabel vanuit haar moeders huis is ontvoerd.'

'Zou Anna's baby bij vrienden kunnen zijn?'

Verbaasd om de wanhoop in Faiths stem staakte Will zijn gezoek. 'Anna heeft geen vrienden. Geen van deze vrouwen heeft vrienden. Daarom heeft hij ze ook uitgekozen.'

'Het is minstens een week geleden gebeurd, Will.' Faiths stem beefde. 'Kijk eens om je heen. Het is hier een bende.'

'Wil je het appartement soms overdragen aan de technische jongens?' vroeg hij. De rest van de vraag bleef onuitgesproken: *Wil je dat iemand anders het lichaampje vindt?*

Faith probeerde het over een andere boeg te gooien. 'Sara vertelde dat Anna haar achternaam heeft genoemd. Lindsey. Ze is bedrijfsjuriste. Als we eens naar haar werk bellen en kijken...'

Naast de commode stond een luieremmer, en Will tilde voorzichtig de kunststof binnenkant omhoog. De luiers waren oud en vormden niet de bron van de wat penetrantere luchtjes in het huis.

'Will...'

Hij liep naar de aangrenzende badkamer en doorzocht de afvalbak. 'Ik wil met die portier praten.'

'Waarom laat je niet...'

Nog voor ze was uitgesproken, was Will de kamer al uit. Hij liep de woonkamer weer in, keek onder de banken en trok de vulling uit sommige stoelen om te zien of er iets – of iemand – in verstopt zat.

Ondertussen onderzocht de agent de coke, duidelijk ingenomen met wat hij zag. 'Zo, dat is een mooie vangst. Dat ga ik melden.'

'Geef me nog even de tijd,' zei Will.

'Hebt u ons verder nog nodig?' vroeg een van de broeders.

'Nee,' zei Faith, op hetzelfde moment dat Will 'Ja' zei.

'Nog niet weggaan,' zei hij voor alle duidelijkheid.

'Kennen jullie een ambulancebroeder die Rick Sigler heet?' vroeg Faith.

'Rick? Jazeker,' zei de man, lichtelijk verbaasd.

Will luisterde al niet meer. Hij ging terug naar de voorste wc en probeerde door zijn mond adem te halen om maar niet te hoeven overgeven van de stront- en pislucht. Nadat hij de deur had dichtgedaan liep hij naar de voordeur, waar de confetti lag. Hij bukte zich om het spul beter te bekijken, en wist bijna zeker dat de snippers in opgedroogde urine lagen.

Hij kwam overeind, liep naar buiten, de gang op, en keek weer naar het appartement. Anna's penthouse besloeg de hele bovenverdieping van het gebouw. Er waren geen andere wooneenheden, geen buren. Niemand die haar had kunnen horen schreeuwen of haar belager had kunnen zien. De moordenaar had ongetwijfeld op dezelfde plek bij haar deur gestaan waar Will nu stond. Hij wierp een blik door de gang en vermoedde dat de man de trap op was gelopen, of anders van boven was gekomen. Er was een nooduitgang. Misschien was hij vanaf het dak naar beneden geklommen. Of misschien had die onbenul van een portier hem via de ingang binnengelaten en zelfs de knop van de lift voor hem ingedrukt. In de deur van Anna's penthouse zat een kijkgaatje. Ze had vast eerst gekeken wie het was. Deze vrouwen waren stuk voor stuk heel voorzichtig. Wie zou ze binnenlaten? Een bezorger. Onderhoud. Misschien de portier.

Faith kwam naar hem toe lopen. Haar gezicht stond ondoorgrondelijk, maar hij kende haar goed genoeg om te weten wat ze dacht: tijd om te gaan.

Nog één keer keek Will de gang door. Halverwege de tegenoverliggende muur zag hij nog een deur.

'Will...' zei Faith, maar hij liep al op de dichte deur af en deed hem open. Binnen was een metalen luik voor de stortkoker. Hij zag een stapel dozen en spullen die gerecycled moesten worden. Er was een mand voor het glas en een andere mand voor blikjes. In de bak voor het plastic lag een baby. Zijn oogjes stonden op een kiertje open en hij had zijn lipjes iets uiteen. Zijn huid was wasbleek.

Faith kwam achter Will staan. Ze greep zijn arm vast. Will kon geen stap zetten. De wereld was tot stilstand gekomen. Hij voelde zijn hart schudden in zijn borst en klemde zich aan de deurknop vast omdat zijn knieën het anders begaven. Uit Faiths mond steeg een zacht geluid op dat aan een klaagzang deed denken.

De baby keerde zijn hoofdje naar het geluid toe, en langzaam gingen zijn oogjes open.

'O mijn god,' fluisterde Faith. Ze schoof Will aan de kant, liet zich op haar knieën zakken en stak haar handen naar het kind uit. 'Ga hulp halen! Will, ga hulp halen!'

Will voelde de wereld weer in beweging komen. 'Hier

komen!' riep hij naar de ambulancebroeders. 'Jullie spullen meenemen!'

Faith hield de baby dicht tegen zich aan en onderzocht hem op wondjes en kneuzingen. 'O, snoesje,' zei ze zachtjes. 'Het komt goed met je. Ik heb je vast. Het komt echt goed.'

Will keek naar haar en de baby, zag hoe ze zijn haartjes naar achteren streek en haar lippen op zijn voorhoofd drukte. De oogjes van het kind zaten zo goed als dicht en zijn lipjes waren bleek. Will probeerde iets te zeggen, maar de woorden bleven in zijn keel steken. Hij voelde zich warm en koud tegelijk, en had het gevoel dat hij ter plekke en waar iedereen bij stond in tranen kon uitbarsten.

'Ik heb je vast, schatje,' murmelde Faith met van angst verstikte stem. De tranen stroomden over haar gezicht. Will had haar nooit als moeder meegemaakt, tenminste niet als moeder van een klein kind. Het was hartverscheurend om deze zachte kant van Faith te zien, een kant die zo betrokken was bij een ander menselijk wezen dat haar handen beefden toen ze het kind tegen haar borst drukte.

'Hij huilt niet,' fluisterde ze. 'Waarom huilt hij niet?'

Uiteindelijk was Will weer in staat iets te zeggen. 'Hij weet dat er toch niemand komt.' Hij boog zich voorover en legde zijn hand om het babyhoofdje dat op Faiths schouder rustte. Hij probeerde niet aan al die uren te denken dat het kind hier moederziel alleen had liggen huilen tot het niet meer kon, wachtend tot er iemand kwam.

De broeder hapte naar adem. Hij riep zijn collega en nam de baby van Faith over. De luier van het kind zat vol. Zijn buik was gezwollen en zijn hoofdje hing slap opzij.

'Hij is uitgedroogd,' zei de broeder, terwijl hij de pupillen van het jongetje controleerde en zijn gesprongen lipjes optrok om naar zijn tandvlees te kijken. 'En ondervoed.'

'Gaat hij het redden?' vroeg Will.

De man schudde zijn hoofd. 'Geen idee. Hij is er slecht aan toe.'

'Hoe lang...' Faiths stem haperde. 'Hoe lang heeft hij hier zo gelegen?'

'Geen idee,' zei de man nogmaals. 'Een dag, misschien twee dagen.'

'Twee dagen?' vroeg Will, ervan overtuigd dat de man zich vergiste. 'Maar de moeder is al minstens een week weg, misschien nog langer.'

'Na een week was hij dood geweest.' Voorzichtig draaide de broeder het kind om. 'Hij heeft beurse plekken omdat hij te lang in één houding heeft gelegen.' De man vloekte zachtjes. 'Ik weet niet hoe lang het duurt voor dat gebeurt, maar in elk geval heeft iemand hem water gegeven. Zonder water had hij het niet overleefd.'

'Misschien heeft die prostituee...' zei Faith.

Ze maakte haar zin niet af, maar Will wist wat ze wilde zeggen. Lola had waarschijnlijk een oogje op de baby gehouden nadat Anna was ontvoerd. Toen was ze in de bak beland en was het kind aan zijn lot overgelaten. 'Als Lola voor hem heeft gezorgd,' zei Will, 'dan moest ze het gebouw in en uit kunnen.'

De liftdeuren gleden open. Will zag een tweede agent, samen met Simkov, de portier. Onder zijn oog zat een blauwe plek die snel donkerder werd, en zijn wenkbrauw was gescheurd toen hij met zijn hoofd tegen de harde marmeren balie was geslagen.

'Die daar.' De portier wees triomfantelijk naar Will. 'Dat is die vent die me te grazen heeft genomen.'

Will balde zijn vuisten. Zijn kaak stond zo strak dat hij bang was dat zijn kiezen zouden knappen. 'Wist je dat hier een baby was?'

Weer die grijns. 'Wat weet ik nou van een baby?' zei de man. 'Misschien heeft de nachtportier...' Hij zweeg en keek door de open deur van het penthouse. 'Jezus, Maria en Jozef,' mompelde hij, waarna hij iets in zijn moedertaal zei. 'Wat hebben ze hierboven uitgespookt?'

'Wie?' vroeg Will. 'Wie zijn hierboven geweest?'

'Is die vent dood?' vroeg Simkov, die zijn ogen niet van het verwoeste penthouse kon losmaken. 'Jezus christus, moet je kijken. En die stank!' Hij probeerde het appartement binnen te gaan, maar de agent trok hem met een ruk naar achteren.

Will gaf de portier nog één kans en sprak elk woord van zijn vraag met zorg uit. 'Wist je dat er hierboven een baby was?'

Simkov trok zijn schouders bijna tot aan zijn oren op. 'Rot op, hoe moet ik nou weten wat er hier allemaal speelt bij die rijke stinkerds? Ik verdien acht dollar per uur, en dan zou ik me ook nog in hun leven moeten verdiepen?'

'Er is hier een baby,' zei Will, zo woedend dat hij amper kon praten. 'Een kleine baby die op sterven na dood was.'

'Een baby, nou en? Alsof mij dat een fuck kan schelen.'

Will werd door zwarte, verblindend felle razernij overspoeld, en pas toen hij boven op de man lag en zijn vuist als een boorhamer op en neer liet gaan, besefte hij waar hij mee bezig was. Maar hij stopte niet. Hij wilde niet stoppen. Hij dacht aan de baby die in zijn eigen vuil had gelegen, aan de moordenaar die hem in het vuilnishok had neergelegd zodat hij dood zou hongeren, aan de prostituee die wat ze over hem wist alleen maar wilde prijsgeven om de bak uit te komen, en aan Angie... Angie die boven op deze dampende hoop stront troonde en Will weer naar haar hand zette zoals ze dat altijd deed, die weer eens met hem zat te kloten zodat hij het gevoel had dat ook hij op de vuilnisbelt thuishoorde, samen met de rest van het tuig.

'Will!' riep Faith. Ze hield haar handen voor zich uit, zoals je doet als je met een gek praat. Will voelde een felle pijn diep in zijn schouders toen de twee agenten zijn armen achter zijn rug vastklemden. Hij hijgde als een dolle hond. Het zweet droop van zijn gezicht.

'Oké,' zei Faith, die haar handen nog steeds voor zich uit hield terwijl ze naar hem toe liep. 'Rustig. Gewoon rustig worden.' Ze raakte Will aan, iets wat ze nooit eerder had gedaan. Haar handpalmen lagen op zijn gezicht zodat hij gedwongen werd naar haar te kijken in plaats van naar Simkov, die op de vloer lag te kronkelen. 'Kijk me aan,' gebood ze. Ze sprak met zachte stem, alsof haar woorden alleen voor hen tweeën bestemd waren. 'Will, kijk me eens aan.'

Hij dwong zichzelf haar aan te kijken. Haar ogen waren

diepblauw, en ze stonden wijd open van angst. 'Het komt goed,' zei Faith. 'Het komt goed met de baby. Oké?' Will knikte, en hij voelde dat de agenten hun greep lieten verslappen. Faith stond nog steeds voor hem, en haar handen lagen nog steeds op zijn gezicht. 'Rustig maar,' zei ze tegen hem. Ze praatte nu net zo tegen hem als tegen de baby. 'Alles komt goed.'

Will deed een stap terug, zodat Faith hem los moest laten. Hij zag dat ze bijna net zo bang was als de portier. Zelf was Will ook bang – bang omdat hij die man nog steeds verrot wilde slaan, omdat hij wist dat hij, als hij alleen met Simkov was geweest, zonder die agenten, hem met zijn blote handen zou hebben doodgeslagen.

Faith hield Wills blik nog even vast. Toen richtte ze haar aandacht op de bebloede papzak op de vloer. 'Opstaan, eikel.'

Simkov kreunde en rolde zich tot een bal op. 'Ik kan me niet verroeren.'

'Bek houden.' Ze gaf een ruk aan Simkovs arm.

'Mijn neus!' krijste hij. Hij was zo duizelig dat hij alleen overeind bleef staan omdat zijn schouder tegen de muur knalde. 'Hij heeft mijn neus gebroken!'

'Zeur niet.' Faith keek de gang op en neer op zoek naar een bewakingscamera.

Will volgde haar voorbeeld, en tot zijn opluchting ontdekte hij er niet één.

'Geweldpleging door de politie!' schreeuwde de man. 'Jullie hebben het gezien. Jullie zijn allemaal mijn getuigen.'

'Je bent gevallen, maat,' zei een van de agenten achter Will. 'Weet je dat niet meer?'

'Ik ben niet gevallen,' zei de man met klem. Het bloed droop uit zijn neus en stroomde als uit een spons tussen zijn vingers door.

De tweede ambulancebroeder legde een infuus aan bij de baby. Zonder op te kijken zei hij: 'Kijk de volgende keer wat beter uit waar je loopt.'

En opeens was Will het soort politieman dat hij nooit had willen zijn.

Zeventien

Faiths handen trilden nog toen ze bij de ic-kamer was aangekomen waar Anna Lindsey lag. De twee agenten die voor de deur de wacht hadden gehouden, stonden nu met de verpleegsters achter de balie te kletsen, maar ze keken telkens Faiths kant op, alsof ze op de hoogte waren van de gebeurtenissen bij het penthouse van Anna Lindsey zonder goed te weten wat ze ervan moesten denken. Will stond met zijn handen in zijn zakken tegenover haar en staarde met wezenloze blik de gang door. Faith vroeg zich af of hij in shock verkeerde. God, misschien verkeerde ze zelf wel in shock.

Zowel privé als in haar werk had Faith regelmatig met woedende mannen te maken gehad, maar ze had nooit zoveel grof geweld gezien als wat Will had vertoond. Toen ze daar in die gang van Beeston Place had gestaan, was ze even bang geweest dat Will de portier zou vermoorden. Vooral van zijn gezicht was ze geschrokken: kil, genadeloos, slechts gericht op zijn beukende vuist waarmee hij het gezicht van de man had bewerkt. Net als elke andere moeder ter wereld had ook die van Faith haar gewaarschuwd dat ze voorzichtig moest zijn met wat ze wenste. Faith had weleens gewenst dat Will zich wat agressiever opstelde. Nu had ze er alles voor overgehad om de oude Will terug te krijgen.

'Ze zeggen echt niks,' stelde ze hem gerust. 'De agenten en de broeders.'

'Dat maakt niet uit.'

'Je hebt de baby gevonden,' hield ze hem voor. 'Wie weet

hoe lang het anders geduurd zou hebben voor iemand...'
'Ophouden.'
Met een luid *ping* gingen de liftdeuren open. Amanda kwam op een dratje naar buiten. Ze keek de gang door en nam alle aanwezigen in zich op, waarschijnlijk om getuigen bij voorbaat de mond te snoeren. Faith bereidde zich voor op een stortvloed aan verwijten, op onmiddellijke schorsing en misschien wel het verlies van hun penning. 'Alles oké met jullie tweeën?' was het enige wat Amanda vroeg.

Faith knikte. Will staarde naar de vloer.

'Blij dat je eindelijk ballen hebt gekregen,' zei Amanda tegen hem. 'Voor de rest van de week ben je geschorst en wordt je salaris ingehouden, maar denk maar niet dat je je al die tijd niet voor mij uit de naad hoeft te werken.'

'Komt in orde,' zei Will met gesmoorde stem.

Amanda liep met grote stappen naar het trappenhuis. Faith en Will volgden haar, en het viel Faith op dat er van de gebruikelijke gratie en zelfbeheersing van haar chef niet veel over was. Ze was al even geschokt als zij.

'Doe de deur eens dicht.'

Faiths handen trilden nog steeds toen ze de deur achter zich dichttrok.

'Charlie neemt het appartement van Anna Lindsey momenteel onder handen,' zei Amanda. Haar stem weergalmde door het trappenhuis, en ze ging op zachtere toon verder. 'Hij belt zodra hij iets vindt. Het moge duidelijk zijn dat je verder bij die portier uit de buurt blijft.' Deze opmerking was voor Will bestemd. 'De technische recherche komt morgen met de uitslag, maar ik zou maar niet al te hoopvol zijn, gezien de toestand van het appartement. De technische jongens zijn er nog niet in geslaagd de computers te kraken die de vrouwen hebben gebruikt. Ze laten er al hun wachtwoordprogramma's op los. Dat kan weken zo niet maanden gaan duren. Die anorexiawebsite wordt gehost door een shellprovider in Friesland, waar dat ook mag wezen. Ergens in het buitenland. Het bedrijf weigert registratiegegevens te verstrekken, maar het lab is er wel in geslaagd de gegevens van de site op het web te achter-

349

halen. Ze hebben ongeveer tweehonderd unieke gebruikers per maand. Dat is alles wat we weten.'

Will zei niets, en daarom nam Faith het woord. 'Hoe zit het met dat lege pand achter het huis van Olivia Tanner?'

'De schoenafdrukken komen van een paar Nikes, herenmaat 42, die te koop zijn in zo'n elfhonderd winkels door het hele land. In dat colablikje achter de bar lagen wat sigarettenpeuken. We proberen er DNA aan te onttrekken, maar dat kan van iedereen zijn.'

'En Jake Berman?' vroeg Faith.

'Wat dacht je zelf?' Amanda haalde even adem, als om zichzelf te kalmeren. 'We hebben zijn tekening en zijn arrestatiefoto door de hele staat verspreid. Die krijgt de pers ongetwijfeld in handen, maar we hebben ze gevraagd om het minstens vierentwintig uur stil te houden.'

Faiths hoofd tolde van de vragen, maar ze kreeg er niets uit. Nog geen uur daarvoor had ze in de keuken van Olivia Tanner gestaan, en toch kon ze zich geen detail van het huis meer herinneren.

Eindelijk deed Will zijn mond weer open. Hij klonk al even verslagen als hij eruitzag. 'Eigenlijk zou je me moeten ontslaan.'

'Zo makkelijk kom je er niet van af.'

'Ik meen het, Amanda. Je moet me ontslaan.'

'Ik meen het ook, stomme sukkel.' Amanda zette haar handen in haar zij, en nu was ze weer de gewone, geïrriteerde Amanda die Faith zo goed kende. 'Dankzij jou is de baby van Anna Lindsey gered. Dat mogen we wel als een winstpunt voor het team beschouwen.'

Hij krabde over zijn arm. Faith zag dat de huid op zijn knokkels geschaafd was en bloedde. Ze moest weer aan dat moment op de gang denken, toen ze haar handen op zijn gezicht had gelegd en hem tot kalmte had gemaand, omdat ze niet wist hoe het verder moest als Will Trent niet langer de man was met wie ze het afgelopen jaar praktisch elke dag had doorgebracht.

Amanda ving Faiths blik. 'Kun je ons heel even alleen laten?'

Faith duwde de deur open en liep de gang weer in. Het

gonsde van de ingetogen bedrijvigheid op de intensive care, maar het was niet te vergelijken met de drukte beneden, op de spoedafdeling. De agenten hadden hun post voor Anna's deur weer ingenomen, en ze keken Faith na toen ze voorbijliep.

'Ze zijn in onderzoekskamer 3,' zei een van de verpleegsters.

Faith wist niet waaraan ze die informatie te danken had, maar niettemin begaf ze zich naar onderzoekskamer 3. Binnen trof ze Sara Linton aan. De arts stond naast een kunststof wiegje. In haar armen hield ze de baby – Anna's baby.

'Hij gaat met sprongen vooruit,' zei Sara. 'Het zal nog een paar dagen duren, maar hij redt het wel. Je zult zien hoe goed het hun allebei zal doen als hij weer bij zijn moeder is.'

Faith bracht het op dat moment niet op zich van haar menselijke kant te laten zien, en daarom viel ze terug op haar rol van agent. 'Heeft Anna verder nog iets gezegd?'

'Niet echt. Ze heeft behoorlijk veel pijn. Nu ze wakker is, wordt de morfinedosering opgevoerd.'

Faith streek met haar hand over het ruggetje van de baby. Ze voelde de zachte, soepele huid, de botjes van zijn wervelkolom. 'Hoe lang denk je dat hij daar in zijn eentje heeft gelegen?'

'Die broeder heeft het goed gezien. Ik schat twee dagen, hooguit. Anders zou het niet zo gelopen zijn.' Sara verplaatste de baby naar haar andere schouder. 'Iemand heeft hem water gegeven. Hij is uitgedroogd, maar ik heb het wel erger meegemaakt.'

'Wat doe je hier eigenlijk?' vroeg Faith. Zonder na te denken had ze het er uitgeflapt. Ze hoorde de vraag nagalmen in haar oren en vond het eigenlijk wel een goede – zo goed dat ze hem nog eens herhaalde. 'Wat doe je hier eigenlijk? Wat had je trouwens bij Anna te zoeken?'

Voorzichtig legde Sara de baby weer in het wiegje. 'Ze is mijn patiënte. Ik kwam even kijken hoe het met haar ging.' Ze stopte het kind onder het dekentje. 'Net zoals ik vanmorgen wilde weten hoe het met jou ging. Op de praktijk van Delia Wallace zeiden ze dat je niet hebt gebeld.'

'Ik had het een beetje druk. Baby's uit het huisvuil redden en zo.'

'Faith, je hoeft me niet als je vijand te beschouwen.' Nu sloeg Sara het irritante toontje aan van iemand die redelijk probeert te blijven. 'Dit gaat niet langer alleen over jou. Je draagt een kind – een nieuw leven waarvoor je verantwoordelijk bent.'

'Dat bepaal ik zelf wel.'

'Straks valt er niet zoveel meer te bepalen. Je kunt het maar beter niet aan je lichaam overlaten, want als het tussen de diabetes en je baby gaat, dan wint de diabetes het altijd.'

Faith ademde diep in, maar dat maakte het er niet beter op. 'Je mag dan proberen je met mijn zaak te bemoeien,' voer ze uit, 'maar je hoeft niet te denken dat je je ook nog eens in mijn privéleven kunt mengen.'

'Sorry?' Sara had zowaar het lef om verbaasd te klinken.

'Je bent niet langer lijkschouwer, Sara. Je bent niet langer de vrouw van een commissaris van politie. Hij is dood. Je hebt met eigen ogen gezien hoe hij naar de verdommenis werd geblazen. Je krijgt hem echt niet terug door in het mortuarium rond te hangen en een onderzoek binnen te dringen.'

Sara stond met open mond, niet tot antwoorden in staat.

Geschokt barstte Faith in snikken uit. 'O mijn god, wat spijt me dat! Dat was vreselijk!' Ze sloeg haar hand voor haar mond. 'Ik kan niet geloven dat ik dat heb gezegd.'

Hoofdschuddend keek Sara naar de vloer.

'Het spijt me zo. God, het spijt me zo. Vergeef me, alsjeblieft.'

Het duurde even voor Sara het woord nam. 'Amanda zal je wel bijgepraat hebben.'

'Ik heb het op de computer opgezocht. Ik wilde niet...'

'Heeft agent Trent het ook gelezen?'

'Nee.' Faith klonk nu heel beslist. 'Nee. Hij zei dat het hem niet aanging, en hij heeft gelijk. Het gaat mij ook helemaal niet aan. Ik had niet moeten zoeken. Het spijt me echt. Ik ben gewoon een vreselijk, vreselijk mens, Sara. Ik kan niet geloven dat ik dat tegen je gezegd heb.'

Sara boog zich over de baby heen en legde haar hand langs zijn gezichtje. 'Het geeft niet.'

Faith wrong zich in bochten om maar iets te verzinnen en ze raffelde een hele lijst af met de ergste dingen die ze over zichzelf kon bedenken. 'Ik heb tegen je gelogen over mijn gewicht. Ik ben wel zeven kilo aangekomen in plaats van vierenhalf. Ik eet Pop-Tarts voor mijn ontbijt, en soms ook 's avonds, maar meestal met een cola light. Ik doe niet aan sport. Nooit. De enige keer dat ik ren is als ik snel even naar de wc ga voor de reclame voorbij is, en sinds ik een digitale recorder heb, doe ik dat zelfs niet meer, eerlijk waar.'

Sara zweeg nog steeds.

'Het spijt me verschrikkelijk.'

Ze bleef aan het dekentje frommelen en stopte het nog strakker in, zodat de baby als in een cocon in zijn wiegje lag.

'Het spijt me,' herhaalde Faith. Ze was er misselijk van, zo rot voelde ze zich.

Sara hield haar gedachten voor zich. Net toen Faith probeerde te bedenken hoe ze op een nette manier de kamer kon verlaten, zei de arts: 'Ik wist wel dat het zeven kilo was.'

Faith voelde een deel van de spanning wegvloeien. Om het niet weer te verpesten hield ze wijselijk haar mond.

'Nooit is er eens iemand die met mij over hem praat. In het begin natuurlijk wel, maar nu wordt zijn naam niet eens meer genoemd. Alsof ze me geen verdriet willen doen, alsof ik door het horen van zijn naam weer terugkeer naar...' Ze schudde haar hoofd. 'Jeffrey. Ik kan me niet herinneren wanneer ik dat voor het laatst heb gezegd. Hij heet – heette – Jeffrey.'

'Een mooie naam.'

Sara knikte. Ze slikte een paar keer.

'Ik heb foto's van hem gezien,' bekende Faith. 'Hij was knap.'

Een glimlach krulde om Sara's lippen. 'Dat was hij zeker.'

'En een goede politieman, dat maak ik op uit de rapporten die over de zaak zijn geschreven.'

'Hij was gewoon een goede man.'

Faith wilde nog iets zeggen en zocht wanhopig naar de juiste woorden.

Sara was haar voor. 'En jij?'

'Ik?'

'Hoe zit het met de vader?'

Faith voelde zich vreselijk opgelaten, en Victor was wel de laatste aan wie ze dacht. Ze legde haar hand op haar buik. 'Je bedoelt de vader van mijn baby?'

Sara glimlachte wat moeizaam.

'Die was op zoek naar een moeder, niet naar een vriendin.'

'Nou, dat is met Jeffrey nooit een probleem geweest. Hij kon heel goed voor zichzelf zorgen.' Haar blik kreeg iets afwezigs. 'Hij was het beste wat me ooit is overkomen.'

'Sara...'

Ze zocht in de laden van het bureau naar een glucosemeter. 'Laten we eens kijken hoe het met je bloedsuikerspiegel gesteld is.'

Deze keer was Faith te schuldbewust om te protesteren. Ze stak haar hand uit en wachtte tot het lancet in haar huid prikte.

Al pratend voerde Sara de procedure uit. 'Ik probeer niet om mijn man terug te krijgen. Geloof me, als ik me daarvoor alleen maar in een onderzoek hoefde te mengen, zou ik me morgen nog inschrijven op de politieacademie.'

Faith kromp ineen toen de naald in haar huid doordrong.

'Ik wil me weer nuttig voelen,' zei Sara, en haar toon kreeg iets vertrouwelijks. 'Ik wil het gevoel hebben dat ik iets meer voor mensen doe dan zalfjes voorschrijven tegen uitslag die waarschijnlijk vanzelf weer overgaat, of boeven oplappen zodat ze de straat weer op kunnen om elkaar opnieuw overhoop te schieten.'

Dergelijke altruïstische motieven had Faith niet achter Sara gezocht. Het zei vermoedelijk iets over haarzelf dat ze er altijd van uitging dat iedereen met zelfzuchtige bedoelingen het leven aanging. 'Je man moet wel... perfect zijn geweest,' zei ze tegen Sara.

Sara lachte terwijl ze de teststrip vulde. 'Hij liet zijn toque aan de deurknop van de badkamer hangen, de eerste keer dat we getrouwd waren ging hij vreemd – wat ik ontdekte toen ik op een dag vroeg thuiskwam uit mijn werk – en hij had een onwettige zoon van wiens bestaan hij tot zijn veertigste niet op de hoogte was.' Ze las de uitslag af van het schermpje en liet het aan Faith zien. 'Wat denk je? Sap of insuline?'

'Insuline. Tegen lunchtijd was mijn voorraad op,' bekende ze.

'Dat vermoedde ik al.' Sara pakte de telefoon en belde een verpleegkundige. 'Je moet dit echt onder controle zien te krijgen.'

'Maar deze zaak...'

'Deze zaak loopt wel door, net als alle andere zaken waaraan je ooit hebt gewerkt en alle zaken waaraan je in de toekomst zult werken. Ik ben ervan overtuigd dat agent Trent je best een paar uur kan missen terwijl jij zorgt dat dit in orde komt.'

Faith zelf was er minder van overtuigd dat agent Trent op dat moment ook maar iets kon missen.

Sara keek nog even bij de baby. 'Hij heet Balthazar,' zei ze.

'En ik maar denken dat we hem gered hadden.'

Sara was zo beleefd om om het grapje te lachen, maar haar woorden klonken ernstig. 'Ik ben bevoegd kinderarts, Faith. Ik ben als de beste van mijn jaar afgestudeerd aan Emory University, en ik heb bijna twintig jaar van mijn leven anderen geholpen, de levenden en de doden. Het staat je vrij om vraagtekens te zetten bij mijn persoonlijke motieven, maar mijn medische bekwaamheid mag je niet in twijfel trekken.'

'Je hebt gelijk.' Nu voelde Faith zich nog schuldiger. 'Het spijt me. Ik heb een zware dag achter de rug.'

'Het wordt er niet beter op als je bloedsuikergehalte niet in orde is.' Er werd op de deur geklopt. Sara liep ernaartoe en nam een handvol insulinepennen van de verpleegkundige aan. 'Je moet hier serieus mee omgaan,' zei ze tegen Faith nadat ze deur weer had gesloten.

'Dat weet ik.'

'Uitstellen lost niets op. Trek er eens twee uur voor uit om bij Delia langs te gaan en alles in orde te maken, zodat je je op je werk kunt concentreren.'

'Dat zal ik doen.'

'Stemmingswisselingen, plotselinge driftbuien – het zijn allemaal symptomen van je kwaal.'

Het was alsof Faith een standje van haar moeder kreeg, maar misschien had ze dat op dat moment wel nodig.

'Dank je.'

Sara legde haar handen op het wiegje. 'Dan is het nu aan jou.'

'Wacht eens,' zei Faith. 'Jij hebt toch vaak met meisjes te maken, hè?'

Sara haalde haar schouders op. 'Vroeger veel meer, toen ik nog een eigen praktijk had. Hoezo?'

'Wat weet je over thinspo?'

'Niet veel,' moest de arts toegeven. 'Ik weet dat het een woord is voor pro-anorexiapropaganda, vooral op internet.'

'Drie van onze slachtoffers hebben er iets mee.'

'Anna is nog steeds erg mager,' merkte Sara op. 'Haar lever- en nierfuncties zijn uitgevallen, maar ik dacht dat dat kwam door wat ze heeft meegemaakt, niet door iets wat ze zichzelf heeft aangedaan.'

'Zou ze aan anorexia kunnen lijden?'

'Het is mogelijk. Vanwege haar leeftijd heb ik daar eigenlijk niet bij stilgestaan. Over het algemeen komt anorexia bij tieners voor. Pete gaf ook al zoiets aan tijdens de sectie op Jacquelyn Zabel,' herinnerde Sara zich. 'Ze was erg mager, maar ze had dan ook al minstens twee weken lang amper te eten en te drinken gehad. Ik ging er gewoon van uit dat ze wat aan de lichte kant was toen ze ontvoerd werd. Ze was tenger van bouw.' Ze boog zich over Balthazar heen en streelde zijn wang. 'Anna kan onmogelijk een kind hebben gebaard als ze zichzelf uithongerde. Niet zonder ernstige complicaties.'

'Misschien heeft ze haar kwaal lang genoeg onder controle gehad om hem te kunnen krijgen,' giste Faith. 'Ik weet nooit goed wat nou wat is – heb je anorexia als je voortdurend moet overgeven?'

'Dat is boulimia. Anorexia is uithongering. Soms gebruiken ze laxeermiddelen, maar overgeven doen ze niet. Er wordt steeds meer bewijs gevonden dat de ziekte genetisch bepaald is, dat het een afwijking in een chromosoom is die iemand voorbestemt om de ziekte te krijgen. Meestal is er ook sprake van een omgevingsfactor waardoor het in gang wordt gezet.'

'Zoals kindermisbruik?'

'Dat zou kunnen. Soms is het pesten. Soms komt het door een lichamelijke afwijking. Het wordt ook wel geweten aan tijdschriften en filmsterren, maar het is te gecompliceerd om het op één oorzaak te schuiven. Bij jongens komt het ook steeds vaker voor. Vanwege de psychologische component is de kwaal bijzonder moeilijk te behandelen.'

Faith dacht aan hun slachtoffers. 'Is er een bepaald persoonlijkheidstype dat zich ertoe aangetrokken voelt?'

Sara dacht even na voor ze antwoordde. 'Het enige wat ik je kan vertellen is dat de paar anorexiapatiënten die ik heb behandeld buitengewoon veel bevrediging uit dat hongeren putten. Er is ontzettend veel wilskracht voor nodig om tegen de fysiologische drang naar voedsel in te gaan. Soms hebben ze het gevoel dat niets in hun leven klopt, en dat het enige waarop ze invloed hebben hun voedselinname is. Iemand die zichzelf uithongert, vertoont ook bepaalde fysieke reacties: je kunt je licht in je hoofd voelen, euforisch, soms heb je hallucinaties. Het lijkt veel op de roes die je krijgt van opiaten, en het gevoel kan ontzettend verslavend zijn.'

Faith probeerde zich te herinneren hoe vaak ze bij wijze van grap wel niet verzucht had dat ze graag de wilskracht zou willen bezitten om een weekje anorexia te hebben.

'Het grootste obstakel dat behandeling in de weg staat,' voegde Sara eraan toe, 'is dat het voor een vrouw maatschappelijk veel aanvaardbaarder is om te mager te zijn dan te dik.'

'Ik moet de eerste vrouw nog tegenkomen die tevreden is met haar gewicht.'

Sara lachte spijtig. 'Mijn zus bijvoorbeeld.'

'Is ze een heilige of zo?' Faith had het als grapje bedoeld, maar tot haar verrassing zei Sara: 'Zoiets. Ze is zendeling. Een paar jaar geleden is ze met een dominee getrouwd. Ze helpen aidsbaby's in Afrika.'

'Lieve help, ik heb haar nog nooit ontmoet, maar ik heb nu al een hekel aan haar.'

'Neem maar van mij aan dat zij ook haar gebreken heeft,' vertrouwde Sara haar toe. 'Je zei dat er nog drie slachtoffers zijn. Betekent dat dat er weer een vrouw is ontvoerd?'

Faith besefte dat Olivia Tanner nog niet tot het nieuws was doorgedrongen. 'Ja. Maar hou dat nog even voor je, als je wilt.'

'Uiteraard.'

'Twee van de vrouwen schijnen vrachten aspirine te hebben geslikt. Die nieuwe vrouw, over wie we vandaag pas gehoord hebben, had zes megapotten in haar huis staan. Jacquelyn Zabel had een grote pot bij haar bed.'

Sara knikte, alsof het haar nu begon te dagen. 'In hoge doseringen is het een braakmiddel. Dat verklaart waarom Zabel al die maagzweren had. En het verklaart ook waarom ze nog steeds bloedde toen Will haar vond,' voegde ze eraan toe. 'Vertel hem dat maar. Hij voelde zich heel schuldig omdat hij er niet op tijd bij was.'

Inmiddels had Will wel meer dingen om zich schuldig over te voelen, bedacht Faith. 'Hij wil het nummer van je appartement graag weten,' vroeg ze niettemin.

'Hoezo?' Toen ging Sara een licht op. 'O ja, het hondje van zijn vrouw.'

'Klopt,' zei Faith. Dat leugentje was wel het minste wat ze voor Will kon doen.

'Nummer 12. Mijn naam staat trouwens beneden op het bord.' Ze legde haar handen weer op de rand van de wieg. 'De hoogste tijd om dit jongetje naar zijn moeder te brengen.'

Faith hield de deur open terwijl Sara het wiegje naar

buiten reed. De bedrijvigheid op de gang vulde Faiths oren, tot ze de deur weer sloot. Ze ging op de kruk bij het werkblad zitten en trok haar rok omhoog om een plek op te zoeken die nog niet bont en blauw was geprikt. In het diabetesfoldertje had gestaan dat ze telkens op een andere plaats moest prikken, en daarom bekeek Faith haar buik, waar ze een maagdelijk witte vetrol vond, die ze tussen duim en wijsvinger nam. Ze hield de insulinepen op een paar centimeter van haar buik, maar injecteerde zichzelf nog niet. Ergens achter al die Pop-Tarts zat een piepklein baby'tje met piepkleine handjes en voetjes, een mondje en oogjes – het ademde met haar mee, en moest ook om de tien minuten plassen als Faith naar het toilet rende. Sara's woorden hadden hun uitwerking op Faith niet gemist, maar toen ze Balthazar Lindsey in haar armen had gehouden, was er iets in haar ontwaakt wat ze nog nooit in haar leven had gevoeld. Ook al had ze nog zoveel van Jeremy gehouden, zijn geboorte was amper een reden geweest om de vlag uit te hangen. Op haar vijftiende was ze nog niet aan kraamfeestjes toe geweest, en zelfs de zusters in het ziekenhuis hadden haar medelijdend bekeken.

Deze keer zou het anders gaan. Faith was op een leeftijd dat ze niet opviel als moeder. Ze kon door het winkelcentrum lopen met haar baby op haar heup zonder bang te hoeven zijn dat iedereen haar voor de oudere zus van haar eigen kind aanzag. Ze kon met hem naar het consultatiebureau en formulieren voor hem ondertekenen zonder dat haar moeder ook een handtekening hoefde te zetten. Ze kon het op ouderavonden oneens zijn met zijn leerkrachten zonder bang te hoeven zijn dat ze zelf naar de kamer van de directeur werd gestuurd. Jezus, ze kon nu zelf autorijden.

Deze keer zou ze het goed doen. Van begin tot eind zou ze een goede moeder zijn. Nou ja, misschien niet vanaf het allereerste begin. Faith dacht aan alle dingen die ze haar baby alleen al de afgelopen week had aangedaan: ze had hem genegeerd, zijn bestaan ontkend, ze was flauwgevallen in een parkeergarage, had abortus overwogen, hem blootgesteld aan wat Sam Lawson allemaal aan ziektes bij zich droeg en ze had hun leven in de waagschaal gesteld toen ze probeerde te voorkomen dat Will het hoofd van een Tsjechische portier tot pulp sloeg op het fijne, geluste tapijt op de gang bij het penthouse in Beeston Place.

Daar zaten ze nu, moeder en kind, op de intensive care van het Grady, terwijl ze op het punt stond een naald ergens in de buurt van zijn hoofdje te steken.

De deur ging open.

'Wat ben jij in godsnaam aan het doen?' wilde Amanda weten. Maar al snel had ze de situatie door. 'O, heremijntijd. En wanneer wilde je me dit vertellen?'

Ook al besefte ze dat het wat laat was voor zedigheid trok Faith haar rok toch maar naar beneden. 'Meteen nadat ik je had verteld dat ik zwanger ben.'

Amanda wilde de deur met een klap dichtslaan, wat door de hydraulische dranger werd verhinderd. 'Godverdomme, Faith. Zo kom je toch nooit verder, met een baby?'

Nu zette Faith haar stekels op. 'Ik ben anders al een heel eind gekomen met een baby.'

'Toen was je een jonkie in uniform en nam je zestienduizend dollar per jaar mee naar huis. Inmiddels ben je drieëndertig.'

Faith probeerde het met een grapje af te doen. 'Dan ga ik er maar van uit dat je niet op mijn kraamfeestje komt.'

Amanda's blik sneed door haar heen. 'Weet je moeder hiervan?'

'Ik wilde haar eerst van haar vakantie laten genieten.'

Amanda sloeg zichzelf tegen het voorhoofd, wat komisch zou zijn geweest als Faiths lot niet in haar handen lag. 'Een dyslectische halvegare met driftbuien en een vruchtbare, vette diabetica die nog nooit van geboortebeperking heeft gehoord.' Ze priemde met haar vinger in Faiths gezicht. 'Ik hoop dat je het ziet zitten met je collega, jongedame, want je bent nu voor eeuwig aan Will Trent gekoppeld.'

Faith probeerde dat 'vette' te verdringen, want dat was eerlijk gezegd nog het pijnlijkst. 'Ik kan me ergere dingen voorstellen dan voor de rest van mijn leven Will Trents partner te zijn.'

'Jullie mogen verdomd blij zijn dat de bewakingscamera's dat woede-uitbarstinkje van hem niet hebben vastgelegd.'

'Will is een eersteklas politieman, Amanda. Hij zou allang niet meer voor je werken als je dat zelf ook niet geloofde.'

'Nou...' Ze maakte haar zin niet af. 'Hij zou niet zo met zijn verlatingsangst te koop moeten lopen.'

'Hoe gaat het anders met hem?'

'Hij overleeft het wel,' antwoordde Amanda, hoewel ze niet al te overtuigd klonk. 'Ik heb hem erop uitgestuurd om die prostituee op te sporen, die Lola.'

'Zit ze dan niet in de bak?'

'Dat was me nogal een vangst daar in dat appartement – heroïne, speed, coke. Angie Polaski heeft Lola eruit gekregen omdat ze de zaak aan het licht heeft gebracht.' Amanda haalde haar schouders op. Ze was niet altijd in staat om het politiekorps van Atlanta naar haar hand te zetten.

'Vind je het wel zo'n goed idee om Will op Lola af te sturen als je bedenkt hoe kwaad hij was omdat die baby in de steek was gelaten?'

De oude Amanda was weer helemaal terug – de Amanda die zich geen vragen liet stellen. 'We hebben twee vermiste vrouwen en een seriemoordenaar die maar al te goed raad met hen weet. Er moet schot in deze zaak komen voor alles tussen onze vingers door glipt. De tijd dringt, Faith. Misschien loert hij op dit moment alweer op zijn volgende slachtoffer.'

'Ik zou vandaag met Rick Sigler gaan praten – de ambulancebroeder die Anna heeft geholpen.'

'Ik heb een uur geleden iemand naar Siglers huis gestuurd. Zijn vrouw was ook thuis. Hij hield bij hoog en bij laag vol dat hij geen Jake Berman kende. Hij wilde nauwelijks toegeven dat hij daar die avond was geweest.'

Een slechtere manier om de man te ondervragen kon Faith niet bedenken. 'Hij is homo. Zijn vrouw weet van niets.'

'Dat weten ze nooit,' was Amanda's antwoord. 'Hij had in elk geval geen zin in een gesprek, en op dit moment hebben we niet genoeg om hem naar het bureau te slepen.'

'Ik betwijfel of hij een van onze verdachten is.'

'Wat mij betreft is iedereen verdacht. Ik heb het sectierapport gelezen. Ik heb gezien wat er met Anna is gebeurd. Onze dader houdt van experimenteren en daar blijft hij mee doorgaan tot wij hem tegenhouden.'

Faith had zichzelf de laatste paar uur met adrenaline op de been gehouden, en nu ze Amanda's woorden hoorde, kreeg ze een nieuwe stoot. 'Zal ik die Sigler in de gaten houden?'

'Leo Donnelly staat al voor zijn huis geparkeerd. Ik heb zo'n vaag vermoeden dat je niet de hele nacht met hem in één auto wilt zitten.'

'Nee, liever niet,' beaamde Faith, en dat was niet alleen omdat Leo een kettingroker was. De kans was groot dat hij het Faith aanrekende dat hij op Amanda's zwarte lijst stond. En dan zou hij nog gelijk hebben ook.

'Er moet iemand naar Michigan om de dossiers over de familie van Pauline Seward te pakken te krijgen. Dat gerechtelijk bevel wordt versneld afgehandeld, maar kennelijk staat er daar niets op de computer wat ouder is dan vijftien jaar. We moeten iemand uit haar verleden vinden – de ouders, en hopelijk de broer, als dat niet onze geheimzinnige meneer Berman blijkt te zijn. Om voor de hand liggende redenen kan ik Will er niet naartoe sturen om de dossiers door te nemen.'

Faith legde de insulinepen op het werkblad. 'Ik ga wel.'

'Heb je dat diabetesgedoe onder controle?' Blijkbaar sprak Faiths gezicht boekdelen. 'Ik stuur wel een agent die in staat is om zijn werk naar behoren te doen.' Met een handgebaar wuifde ze Faiths bezwaren al bij voorbaat weg. 'Laten we maar vanuit die invalshoek verdergaan tot we weer vastlopen, oké?'

'Sorry van dit alles.' Faith had zich in het afgelopen kwartier al vaker verontschuldigd dan in haar hele voorbije leven.

Amanda schudde haar hoofd ten teken dat ze geen zin had om zich verder in de stompzinnigheid van de situatie te verdiepen. 'De portier heeft om een advocaat gevraagd. We hebben morgen allereerst een gesprek met hem.'

'Heb je hem gearresteerd?'

'In voorlopige hechtenis genomen. Hij is een buitenlandse ingezetene. Volgens de Patriot Act mogen we hem vierentwintig uur vasthouden om uit te zoeken wat zijn immigrantenstatus is. Hopelijk mogen we zijn appartement binnenstebuiten keren en vinden we iets concreters waarmee we hem klein kunnen krijgen.'

Faith had zich nog nooit geroepen gevoeld om de loop van het recht ter discussie te stellen.

'Wat weten we van Anna's buren?' vroeg Amanda.

'Het is een heel rustig gebouw. Het appartement onder het penthouse staat al maanden leeg. Als er boven een atoombom was afgegaan, zou niemand het gemerkt hebben.'

'En die dooie?'

'Een drugsdealer. Overdosis heroïne.'

'Heeft Anna's werkgever haar niet gemist?'

Faith gaf haar het kleine beetje informatie dat ze had kunnen achterhalen. 'Ze werkt voor een advocatenkantoor, Bandle and Brinks.'

'Jezus christus, ook dat nog. Ken je dat bedrijf?' Amanda gaf Faith geen tijd om te antwoorden. 'Het is gespecialiseerd in rechtszaken tegen de lokale overheid: misstanden bij de politie, belabberd maatschappelijk werk – als er maar iets is waarop ze je kunnen pakken slaan ze toe en procederen ze je hele budget naar de verdommenis. Je wilt niet weten hoe vaak ze de staat hebben aangeklaagd en hun zaak hebben gewonnen.'

'Ze wilden geen vragen beantwoorden. En zonder gerechtelijk bevel weigeren ze haar dossiers aan ons over te dragen.'

'Oftewel, het zijn echte advocaten.' Amanda liep de kamer op en neer. 'Eerst gaan wij tweeën met Anna praten, dan gaan we naar haar huis en keren het ondersteboven voor dat advocatenbureau er lucht van krijgt.'

'Wanneer is het verhoor van de portier?'

'Morgenochtend klokslag acht uur. Denk je dat je dat kunt inpassen in je drukke schema?'

'Zeker weten.'

Alsof ze haar moeder was keek Amanda Faith weer hoofdschuddend aan, met ergernis en lichte afkeer in haar blik. 'Deze keer is de vader zeker ook niet in beeld?'

'Ik ben iets te oud om weer iets nieuws aan te gaan.'

'Gefeliciteerd,' zei Amanda terwijl ze de deur opende. Het was jammer dat ze 'idioot' mompelde toen ze de gang op liep, anders was het nog aardig geweest ook.

Pas toen Amanda de kamer uit was, besefte Faith dat ze al een hele tijd haar adem had ingehouden. Ze slaakte een diepe zucht en voor het eerst sinds het begin van dat diabetesgedoe stak ze bij de eerste poging de naald in haar huid. Het deed niet meer zo'n pijn, of misschien was ze zo geschokt dat ze niets meer voelde.

Faith staarde naar de muur en probeerde zich op het onderzoek te concentreren. Ze sloot haar ogen en zag de sectiefoto's van Jacquelyn Zabel weer voor zich, het hol waarin Jacquelyn en Anna Lindsey gevangen hadden gezeten. In gedachten ging ze de gruwelijke dingen na die de vrouwen hadden moeten ondergaan – de foltering, de pijn. Opnieuw legde ze haar handen op haar buik. Stel dat het kind dat in haar groeide een meisje was. Op wat voor wereld zette Faith haar? Een oord waar jonge meisjes door hun vaders werden gemolesteerd, waar tijdschriften hun voorhielden dat ze nooit volmaakt genoeg konden zijn, waar sadisten je in een oogwenk uit je dagelijks bestaan en bij je kind wegrukten, zodat je de rest van je leven in een hel op aarde sleet.

Er trok een huivering door haar lichaam. Ze stond op en liep de kamer uit.

De agenten voor Anna's kamer deden een stapje opzij. Bij binnenkomst voelde Faith een plotselinge kou en ze sloeg haar armen over elkaar. Anna lag in bed, met Balthazar in de holte van haar knokige arm. Haar schouder stak naar voren, en het bot drukte tegen de huid, zoals Faith had gezien bij de meisjes op de video's op Pauline McGhees computer.

'Agent Mitchell is zojuist de kamer binnen gekomen,' zei Amanda tegen de vrouw. 'Ze probeert de man te vinden die je dit heeft aangedaan.'

Het wit van Anna's ogen was troebel, alsof ze aan staar leed. Met lege blik keek ze naar de deur. Faith wist dat er geen gedragscode bestond voor dit soort situaties. Ze had vaker met verkrachtings- en mishandelingszaken te maken gehad, maar nooit met zoiets als dit. Ze zou zelf haar strategie moeten aanpassen. Je maakte geen kletspraatje. Je vroeg ook niet hoe het ging, want het antwoord was duidelijk.

'Ik weet dat dit een moeilijke tijd voor u is,' zei Faith. 'We willen u alleen maar een paar vragen stellen.'

Amanda nam het woord. 'Mevrouw Lindsey heeft me zojuist verteld dat ze net een grote zaak had afgerond en een paar weken vrij had genomen om met haar kind door te brengen.'

'Was er verder nog iemand die wist dat u vrij had genomen?' vroeg Faith.

'Ik heb een briefje bij de portier achtergelaten. Mensen op het werk waren op de hoogte: mijn secretaresse, mijn collega's. Met de mensen in het pand waar ik woon heb ik geen contact.'

Faith had het gevoel dat er een hoge muur rond Anna Lindsey was opgetrokken. Er ging zoiets kouds van de vrouw uit dat het onmogelijk leek om contact met haar te krijgen. Ze hield zich bij de vragen waarop ze het antwoord moest weten. 'Kunt u ons vertellen wat er gebeurde toen u werd ontvoerd?'

Anna likte over haar droge lippen en sloot heel even haar ogen. Toen ze het woord nam, was haar stem niet veel meer dan een schor gefluister. 'Ik was thuis en kleedde Balthazar aan voor een wandelingetje in het park. Dat is het laatste wat ik me herinner.'

Faith wist dat een taserschot tot enig geheugenverlies kon leiden. 'Wat zag u toen u wakker werd?'

'Niets. Daarna heb ik nooit meer iets gezien.'

'Kunt u zich geluiden of andere waarnemingen herinneren?'

'Nee.'

'Hebt u uw aanvaller herkend?'

Anna schudde haar hoofd. 'Nee. Ik kan me helemaal niets meer herinneren.'

Faith wachtte een paar tellen om haar irritatie in goede banen te leiden. 'Ik ga een lijstje met namen opnoemen. U moet het zeggen als er namen bij zijn die u kent.' Anna knikte, en haar hand gleed over het laken op zoek naar de mond van haar zoontje. Hij begon aan haar vinger te zuigen en zachte sabbelgeluidjes te maken.

'Pauline McGhee.'

Anna schudde haar hoofd.

'Olivia Tanner.'

Weer schudde ze haar hoofd.

'Jacquelyn, of Jackie, Zabel.'

Ze schudde haar hoofd.

Faith had Jackie tot het laatst bewaard. De twee vrouwen hadden samen in dat hol gezeten. Dat was het enige wat ze zeker wisten. 'We hebben uw vingerafdruk op het rijbewijs van Jackie Zabel aangetroffen.'

Anna's droge lippen gingen weer uiteen. 'Nee,' zei ze gedecideerd. 'Die ken ik niet.'

Met opgetrokken wenkbrauwen keek Amanda Faith even aan. Was dit traumatische amnesie? Of iets anders?

'Hebt u weleens van thinspo gehoord?' vroeg Faith.

Anna verstijfde. 'Nee,' zei ze, maar nu sneller en met stemverheffing.

Faith wachtte weer een paar tellen om de vrouw te laten nadenken. 'Op de plaats waar u werd vastgehouden hebben we een paar schriften gevonden. Ze stonden volgeschreven met telkens hetzelfde zinnetje: "Ik ontken mezelf niet." Zegt dat u iets?'

Weer schudde ze haar hoofd.

Het kostte Faith moeite om het niet op een smeken te zetten. 'Kunt u ons ook maar iets over uw belager vertellen? Hebt u iets aan hem geroken, olie of benzine bijvoorbeeld? Reukwater? Hebt u gezichtsbeharing gevoeld of een ander fysiek...'

'Nee,' fluisterde Anna. Ze betastte het lijfje van haar kind en toen ze zijn handje had gevonden pakte ze het vast. 'Ik kan u niets vertellen. Ik herinner me geen enkel detail. Niets.'

Faith deed haar mond al open, maar Amanda was haar voor. 'U bent hier veilig, mevrouw Lindsey,' zei ze. 'Vanaf het moment dat u werd binnengebracht staan er twee gewapende bewakers voor uw deur. Niemand kan u iets doen.'

Anna keerde haar hoofd naar de baby toe en maakte sussende geluidjes. 'Ik ben nergens bang voor.'

Faith stond verbaasd van haar stellige toon. Maar als je had overleefd wat Anna had doorstaan, geloofde je misschien dat je alles aankon.

'We denken dat hij nog twee vrouwen gevangenhoudt,' zei Amanda. 'En dat hij hetzelfde met hen doet wat hij met u heeft gedaan.' Ze deed een laatste poging. 'Een van de vrouwen heeft ook een kind, mevrouw Lindsey. Hij heet Felix. Hij is zes en hij wil naar zijn moeder. Waar ze ook is, ik weet zeker dat ze op dit moment aan hem denkt en dat ze hem weer in haar armen wil houden.'

'Ik hoop voor haar dat ze sterk is,' mompelde Anna. 'Ik kan het wel blijven zeggen,' voegde ze er op luide toon aan toe, 'maar ik herinner me niets. Ik weet niet wie het gedaan heeft of waar hij me naartoe heeft gebracht of waarom hij het gedaan heeft. Ik weet alleen dat het nu voorbij is en dat ik het graag wil afsluiten.'

Faith voelde dat Amanda al even geïrriteerd was als zij.

'Ik moet nu rusten,' zei Anna.

'We willen wel wachten,' stelde Faith voor. 'Dan komen we over een paar uur terug.'

'Nee.' Er verscheen een harde trek op haar gezicht. 'Ik weet wat mijn wettelijke verplichtingen zijn. Ik onderteken een verklaring of zet een kruisje, of wat blinde mensen ook doen in zo'n geval, maar als u weer met me wilt praten, kunt u het beste via mijn secretaresse een afspraak met me maken, zodra ik weer aan het werk ben.'

'Maar Anna...' drong Faith aan.

Anna keerde haar gezicht naar de baby toe. Door haar blindheid kon ze hen niet zien, maar door haar daden sloot ze zich ook mentaal voor hen af.

Achttien

Sara had eindelijk kans gezien haar appartement schoon te maken. Ze kon zich niet herinneren wanneer het voor het laatst zo mooi was geweest – misschien toen ze het samen met de makelaar had bezocht, nog voor ze er woonde. De Milk Lofts was ooit een zuivelbedrijf geweest, dat de melk kreeg toegeleverd vanuit het uitgestrekte boerenland waar nu het oostelijke deel van de stad lag. Het gebouw teldc vijf verdiepingen, met twee appartementen per verdieping, van elkaar gescheiden door een lange gang met aan weerszijden grote ramcn. Het woongedeelte van Sara's flat had een zogenoemde openplanindeling, waarbij de keuken uitkeek op de gigantische woonkamer. Eén muur had ramen die van de vloer tot aan het plafond reikten. Het was een ramp om ze schoon te houden, maar als de jaloezieën opgetrokken waren, boden ze wel een prachtig uitzicht over downtown Atlanta. Aan de achterkant van het appartement waren drie slaapkamers, elk met een eigen badkamer. Uiteraard sliep Sara in de grootste kamer. In de logeerkamer had nog nooit iemand geslapen. De derde kamer gebruikte ze als werk- en opslagruimte.

Vroeger had Sara zich niet kunnen voorstellen dat ze ooit in een loft zou wonen, maar toen ze naar Atlanta verhuisde wilde ze een nieuw leven beginnen dat voor zover mogelijk radicaal verschilde van haar oude bestaan. In plaats van een leuk huis te kopen in een van de oude, lommerrijke straten van de stad, had ze gekozen voor een ruimte die weinig meer was dan een lege doos. De onroerendgoedmarkt in Atlanta was net ingestort, en Sara beschikte over idioot veel geld dat ze naar believen kon uit-geven. Alles was nieuw toen ze het huis kocht, maar toch had ze de hele woning laten renoveren. Alleen al van het geld dat ze voor de keuken had uitgegeven, had een gezin van drie personen een jaar lang kunnen eten. Voeg daarbij de vorstelijke badkamers en het was gewoonweg gênant dat Sara zo onbekommerd met haar chequeboek had staan wapperen.

In haar vorige leven had ze haar geld altijd zorvuldig beheerd en het nooit ergens aan verkwist, behalve misschien om de vier jaar aan een nieuwe BMW. Na Jeffreys dood beschikte ze over zijn levensverzekering, zijn pensioen, zijn spaargeld en de opbrengst van de verkoop van zijn huis. Sara had het allemaal op de bank gezet, alsof ze door zijn geld uit te geven toegaf dat hij er niet meer was. Ze had zelfs overwogen geen gebruik te maken van de vrijstelling van belasting die de staat haar schonk als weduwe van een vermoorde politieofficier, maar daar had haar accountant bezwaar tegen gemaakt, en eigenlijk was het de moeite van de discussie niet waard geweest.

Dit had tot gevolg dat het geld dat ze elke maand naar Sylacauga, Alabama, stuurde om Jeffreys moeder te helpen uit haar eigen zak kwam, terwijl Jeffreys geld op de plaatselijke bank een schamele rente zat te vergaren. Vaak overwoog Sara om het aan zijn zoon te geven, maar dat zou te ingewikkeld zijn geweest, want die wist niet dat Jeffrey zijn echte vader was. Ze kon niet zomaar zijn leven op z'n kop zetten en de jongen dan een som geld overhandigen die een klein fortuin vertegenwoordigde voor een student zoals hij.

Jeffreys geld bleef dus op de bank, net zoals de brief op Sara's schoorsteenmantel bleef staan. Ze stond bij de haard en betastte de rand van de envelop. Ondertussen vroeg ze zich af waarom ze hem niet weer in haar tas had gestopt of in haar zak had gepropt. Tijdens haar manische schoonmaakbui had ze de envelop alleen maar opgepakt om eronder te stoffen toen ze de schoorsteenmantel onder handen nam.

Aan de andere kant zag ze Jeffreys trouwring liggen.

Ze droeg nog steeds haar eigen trouwring – eveneens van witgoud –, maar Jeffreys universiteitsring, een blok goud met daarop het insigne van Auburn University, was nog belangrijker voor haar. De blauwe steen was bekrast en hij was te groot voor haar vinger, en daarom droeg ze hem aan een lange ketting om haar hals, zoals een soldaat zijn dogtag. Ze droeg hem niet om ermee te pronken. De ring zat weggestopt in haar bloes, vlak bij haar hart, zodat ze hem altijd kon voelen.

Toch pakte ze Jeffreys trouwring op en drukte er een kus op voor ze hem teruglegde. In de loop van de laatste paar dagen leek het wel of haar geest Jeffrey een andere plek had gegeven. Het was alsof ze opnieuw het rouwproces doormaakte, maar nu op enige afstand. In plaats van ziek van ellende wakker te worden, zoals dat al drieënhalf jaar het geval was, voelde ze zich nu alleen maar diepbedroefd. Het was zo triest om zich om te draaien in bed en hem dan niet te vinden. Om hem nooit meer te zien lachen. Om hem nooit meer vast te houden of hem binnen in haar te voelen. Maar ze ging er niet langer aan onderdoor. Het was niet langer zo dat elke beweging of gedachte haar moeite kostte. Dat ze dood wilde. Dat er nergens meer licht gloorde.

Er was nog iets anders. Faith Mitchell had zich die dag gruwelijk misdragen, en toch had Sara het overleefd. Ze was niet ingestort of er kapot van geweest. Ze was niet ontredderd geweest. Ze had zich goed gehouden. Het merkwaardige was dat Sara zich daardoor in zeker opzicht dichter bij Jeffrey voelde. Ze voelde zich sterker, eerder de vrouw op wie hij verliefd was geworden dan de vrouw die zonder hem de vernieling in was gedraaid. Ze sloot haar ogen en bijna kon ze zijn adem in haar nek voelen, zijn lippen zo zacht langs haar huid voelen strijken dat er een tinteling langs haar ruggengraat trok. In haar verbeelding sloeg hij zijn hand om haar middel, en toen ze haar eigen hand ernaartoe bracht, voelde ze tot haar verbazing alleen haar warme huid.

De bel ging en de honden kwamen in beweging. Sara maande ze tot kalmte, liep naar de intercom en drukte op de knop om de pizzabezorger binnen te laten. Billy en Bob, haar twee windhonden, hadden zich al snel over Betty, het hondje van Will Trent, ontfermd. Toen Sara eerder die dag aan het poetsen was, waren ze alle drie op een kluitje op de bank gaan liggen, om af en toe even op te kijken als ze de kamer binnen kwam of haar een verstoorde blik toe te werpen als ze te veel lawaai maakte. Zelfs de stofzuiger had ze niet van hun plaats kunnen krijgen.

Sara deed de deur alvast open voor Armando, die minstens twee keer per week met pizza langskwam. Ze deed alsof het de gewoonste zaak van de wereld was dat ze elkaar bij de voornaam noemden, en gewoonlijk gaf ze de bezorger een veel te grote fooi om maar niet te hoeven aanhoren dat hij haar vaker zag dan zijn eigen kinderen.

'Hoe gaat-ie?' vroeg hij, terwijl pizza en geld van eigenaar wisselden.

'Prima,' zei Sara, maar in gedachten was ze in het appartement, bij dat moment voor de bel had geklonken. Ze had zich al zo lang niet meer kunnen herinneren hoe het voelde om bij Jeffrey te zijn. Ze wilde dat gevoel vasthouden, in haar bed kruipen en terugkeren naar dat heerlijke oord.

'Prettige avond, Sara.' Armando wilde al weggaan, maar bleef toen staan. 'Trouwens, er hangt daarbeneden een vreemde vent rond.'

Sara woonde midden in een grote stad, dus zo ongebruikelijk was dat niet. 'Gewoon vreemd, of vreemd in de zin van meteen de politie bellen?'

'Volgens mij ís hij van de politie. Je zou het niet zeggen, maar ik heb zijn penning gezien.'

'Bedankt,' zei ze. Hij gaf haar een knikje en liep naar de lift. Sara legde de pizzadoos op het aanrecht en liep naar de andere kant van de woonkamer. Ze schoof het raam open en leunde naar buiten. Ja hoor, vijf verdiepingen lager zag ze een vlek die verdacht veel op Will Trent leek.

'Hallo!' riep ze. Hij reageerde niet, en Sara bleef een tijdje naar hem kijken terwijl hij heen en weer liep. Ze vroeg zich af of hij haar gehoord had en probeerde het nog eens, maar nu harder, als een voetbalmoeder langs de lijn. 'Hallo!'

Eindelijk keek Will op. 'Vijfde verdieping!' liet ze hem weten.

Ze zag hem het gebouw binnen gaan. Onderweg kwam hij Armando tegen, die net naar buiten liep, nog even naar Sara zwaaide en 'tot ziens' of iets van die strekking riep. Sara sloot het raam en hoopte van harte dat Will het niet had gehoord of in elk geval het fatsoen kon opbrengen om te doen alsof hij het niet had gehoord. Ze liet haar blik door het appartement gaan om te controleren of er niets was wat schrikbarend uit de toon viel. Midden in de woonkamer stonden twee banken, de ene vol honden en de andere vol kussens. Sara schudde de kussens snel op en wierp ze weer op de bank in een naar ze hoopte kunstig geheel.

Ze had twee uur lang flink de handen uit de mouwen gestoken, en nu was de keuken blinkend schoon, zelfs het koperen spatscherm achter het fornuis – een prachtding, tot je ontdekte dat er twee verschillende soorten reinigingsmiddelen voor nodig waren om het schoon te houden. Toen Sara langs de flatscreen-tv aan de muur liep, bleef ze als aan de grond genageld staan. Ze was vergeten het scherm af te stoffen. Ze trok de mouw van haar bloesje over haar hand en probeerde er snel wat van te maken.

Tegen de tijd dat ze haar deur opendeed kwam Will net de lift uit. Ook al had Sara de man nog maar een paar keer ontmoet, toch viel het haar op dat hij er vreselijk uitzag, alsof hij al weken niet had geslapen. Haar blik viel op zijn linkerhand. Zijn knokkels lagen helemaal open, en ze vermoedde dat hij zijn vuist bij herhaling op iemands mond had geramd.

Soms was Jeffrey ook met dergelijke wondjes thuisgekomen. Als Sara ernaar vroeg, wat ze altijd deed, kreeg ze een of ander leugentje te horen. Dat nam ze dan maar voor lief, en zo verdrong ze de akelige gedachte dat hij de grenzen van de wet had overschreden. Op die manier maakte ze zichzelf wijs dat haar man in alle opzichten een goed mens was. Ergens wilde ze ook graag geloven dat Will Trent een goed mens was, en daarom was ze bereid elk verhaal te slikken dat hij haar opdiste. 'Wat is er met je hand?' vroeg ze.

'Ik heb iemand in elkaar geslagen. De portier van Anna's appartementengebouw.'

Sara stond versteld van zijn eerlijkheid, en het duurde even voor ze reageerde. 'Waarom?'

Weer leek hij haar de waarheid te vertellen. 'Ik ging helemaal door het lint.'

'Heb je nu problemen met je chef?'

'Niet echt.'

Ze besefte dat ze hem al die tijd op de gang had laten staan en ze deed een stap opzij, zodat hij erlangs kon. 'Die baby mag heel blij zijn dat je hem gevonden hebt. Hij had het volgens mij geen dag meer volgehouden.'

'Dat is een makkelijk excuus.' Hij keek de kamer rond en krabde afwezig over zijn arm. 'Ik heb nog nooit eerder een verdachte geslagen. Ik heb er weleens mee gedreigd, maar ik heb het nooit echt gedaan.'

'Mijn moeder zei altijd dat er een heel dun lijntje tussen nooit en altijd loopt.' Hij keek haar beduusd aan. 'Als je eenmaal iets slechts hebt gedaan,' legde Sara uit, 'is het de volgende keer een stuk makkelijker, en de daaropvolgende keer is het nog makkelijker, en voor je het weet doe je het de hele tijd en heb je geen last meer van je geweten.'

Voor haar gevoel staarde hij haar wel een volle minuut aan.

Sara haalde haar schouders op. 'Het is aan jou. Als je het niet prettig vindt om over dat lijntje te stappen, moet je het niet meer doen. Zorg dat het nooit gemakkelijk wordt.'

In zijn ogen vermengde verbazing zich met opluchting, maar in plaats van op haar woorden in te gaan, zei hij: 'Hopelijk is Betty niet al te lastig geweest.'

'Ze heeft het uitstekend gedaan. Ze is helemaal niet zenuwachtig of zo.'

'Nee,' beaamde Will. 'Het was anders niet mijn bedoeling om je zomaar met haar op te schepen.'

'Het was geen enkele moeite,' verzekerde Sara hem, hoewel ze moest toegeven dat Faith Mitchell het bij het juiste eind had gehad toen ze die ochtend Sara's motieven in twijfel had getrokken. Ze had aangeboden om op de hond te passen omdat ze meer over de zaak wilde weten.

Ze wilde iets bijdragen aan het onderzoek. Ze wilde zich weer nuttig voelen.

Will stond daar maar in het midden van de kamer. Zijn driedelig pak was verkreukeld en het vest slobberde om zijn lijf, alsof hij recent kilo's was afgevallen. Nog nooit had ze iemand er zo verloren bij zien staan.

'Ga zitten,' zei ze.

Hij leek te twijfelen, maar uiteindelijk nam hij plaats op de bank tegenover de honden. Hij zat niet zoals de meeste mannen dat deden – met hun benen uit elkaar en hun armen uitgespreid over de rugleuning van de bank. Ondanks zijn forse gestalte scheen hij zijn best te doen om zo weinig mogelijk ruimte in beslag te nemen.

'Heb je al gegeten vanavond?' vroeg Sara.

Hij schudde zijn hoofd, waarop ze de pizzadoos op de salontafel zette. De honden keken buitengewoon geïnteresseerd toe, en om ze in toom te houden nam Sara naast ze op de bank plaats. Ze wachtte tot Will een stuk pizza pakte, maar hij bleef stilletjes tegenover haar zitten, met zijn handen op zijn knieën.

'Is dat de ring van je man?' vroeg hij.

Geschrokken keek Sara naar de ring die op het gewreven mahoniehout lag. Aan de andere kant van de schoorsteenmantel lag de envelop, en heel even was ze bang dat Will zou raden wat erin zat.

'Sorry,' zei hij. 'Ik moet mijn neus ook niet overal in steken.'

'Die is inderdaad van hem.' Sara was zich ervan bewust dat ze met haar duim de bijpassende ring aan haar vinger ronddraaide. Dat deed ze altijd als ze gespannen was.

'Enne...' Hij bracht zijn hand naar zijn borst.

Sara imiteerde het gebaar en voelde zich plotseling naakt toen ze Jeffreys universiteitsring onder haar dunne bloesje voelde. 'Dat is iets anders,' zei ze, zonder er verder op in te gaan.

Will knikte. Hij keek nog steeds de kamer rond. 'Ik ben in een vuilnisbak in een keuken gevonden.' Het kwam er verbazend abrupt uit. 'Tenminste, zo staat het in mijn dossier,' legde hij uit.

375

Sara wist niet wat ze daarop moest zeggen, en al helemaal niet toen hij begon te lachen, alsof hij een ongepast grapje in de kerk had gemaakt. 'Sorry, ik snap niet waarom ik dat zei.' Hij nam een stuk pizza uit de doos en ving de druipende kaas op in zijn hand.

'Geeft niet,' zei ze. Ze legde haar hand op Bobs kop toen de snuit van de windhond in de richting van de salontafel schoof. Ze kon Wills woorden niet eens bevatten. Hij had net zo goed kunnen vertellen dat hij op de maan was geboren.

'Hoe oud was je toen?' vroeg ze.

Hij wachtte tot zijn mond leeg was. 'Vijf maanden,' zei hij. Hij hapte weer in de pizza en ze keek hoe zijn kaak tijdens het kauwen op en neer bewoog. In gedachten zag Sara Will Trent voor zich toen hij vijf maanden oud was. Hij probeerde net zelfstandig te zitten en hij kon al geluiden herkennen.

Weer nam hij een hap en kauwde die aandachtig weg. 'Mijn moeder had me erin gestopt.'

'In de vuilnisbak?'

Hij knikte. 'Iemand drong haar huis binnen – een man. Ze wist dat hij haar ging vermoorden, en mij hoogstwaarschijnlijk ook. Ze verstopte me in de vuilnisbak onder het aanrecht, en hij heeft me niet gevonden. Ik zal wel muisstil zijn geweest.' Hij schonk haar een scheef grijnslachje. 'Vandaag ben ik in Anna's appartement geweest en ik heb in elke vuilnisbak gekeken. Ik moest steeds denken aan wat jij vanochtend zei: dat de moordenaar die vuilniszakken in de vrouwen had gestopt bij wijze van boodschap, omdat hij de wereld duidelijk wilde maken dat ze vuilnis waren, zonder enige waarde.'

'Kennelijk wilde je moeder je beschermen. Het was geen boodschap die ze de wereld in stuurde.'

'Ja,' zei Will. 'Dat weet ik.'

'Is die...' Het maalde in haar hoofd en ze slaagde er niet in om een vraag te formuleren.

'Of de vent gepakt is die haar heeft vermoord?' maakte Will haar zin af. Weer wierp hij een blik door de kamer.

'Is de vent gepakt die jouw man heeft vermoord?'

Hij had een vraag gesteld waarop hij geen antwoord verwachtte. Hij wilde ermee benadrukken dat het niet belangrijk was, iets wat Sara zelf ook had ervaren vanaf het moment dat ze hoorde dat de man die Jeffrey had vermoord niet meer leefde. 'Dat is het enige wat een politieman interesseert,' zei ze. 'Of de dader gepakt is.'

'Oog om oog.' Hij wees naar de pizza. 'Mag ik nog...'

Inmiddels had hij het ding al half op. 'Ga je gang.'

'Ik heb een lange dag achter de rug.'

Sara moest lachen om het understatement, en hij kon er zelf ook om lachen.

Ze wees naar zijn hand. 'Zal ik daar maar iets aan doen?'

Hij keek even naar de wondjes, alsof hij nu pas doorhad dat er iets mis was. 'Wat kun je eraan doen?'

'Het kan niet meer gehecht worden, daarvoor is het te laat.' Ze stond op om haar verbanddoos uit de keuken te halen. 'Ik kan het schoonmaken. Je moet wel antibiotica slikken om infectie tegen te gaan.'

'En hondsdolheid?'

'Hondsdolheid?' Ze bond haar haar op met een elastiekje dat ze uit de keukenla had gepakt en sloeg het koordje van haar leesbril om de kraag van haar blouse. 'Een mensenmond is niet al te schoon, maar het komt zelden voor...'

'Van ratten, bedoel ik,' zei Will. 'Er zaten een paar ratten in het hol waar Anna en Jackie gevangen werden gehouden.' Weer krabde hij over zijn arm, en nu snapte ze waarom. 'Je kunt van ratten toch hondsdolheid krijgen?'

Sara verstarde. Ze stak haar arm omhoog om een roestvrijstalen kom uit de kast te pakken. 'Hebben ze je gebeten?'

'Nee, ze zijn langs mijn armen omhooggerend.'

'Er zijn rátten langs je armen omhooggerend?'

'Het waren er maar twee. Misschien drie.'

'Twee of drie rátten zijn langs je armen omhooggerend?'

'Het werkt buitengewoon kalmerend zoals je alles wat ik zeg net iets luider herhaalt.'

Ze moest lachen om zijn opmerking. 'Vertoonden ze af-

377

wijkend gedrag? Wilden ze je aanvallen?' vroeg ze.
'Niet echt, nee. Ze wilden alleen naar buiten. Ik geloof dat ze even bang voor mij waren als ik voor hen.' Hij haalde zijn schouders op. 'Eentje bleef er trouwens beneden. Hij zat de hele tijd naar me te koekeloeren en hield alles in de gaten wat ik deed. Maar hij bleef bij me uit de buurt.'
Ze zette haar leesbril op en ging naast hem zitten. 'Rol je mouwen eens op.'
Hij trok zijn jasje uit en rolde zijn linkermouw op, hoewel hij over zijn rechterarm had zitten krabben. Sara besloot er niets van te zeggen. Ze bekeek de schrammen op zijn onderarm. Die waren niet diep genoeg om te bloeden. Waarschijnlijk was het in zijn herinnering een stuk erger dan in werkelijkheid. 'Volgens mij is er niets aan de hand.'
'Weet je dat zeker? Zou het niet kunnen dat ik daarom over de rooie ging vandaag?'
Ze zag dat hij het nog half meende ook. 'Zeg maar tegen Faith dat ze me moet bellen zodra je begint te schuimbekken.'
'Je moet niet raar opkijken als je morgen van haar hoort.'
Sara zette de roestvrijstalen kom op haar schoot en legde zijn linkerhand eroverheen. 'Dit kan een beetje prikken,' waarschuwde ze voor ze de peroxide over de open wondjes goot. Will gaf geen krimp en daarom pakte ze het meteen wat grondiger aan.
'En je vader?' vroeg ze, in een poging hem af te leiden van wat ze aan het doen was, en eerlijk gezegd was haar nieuwsgierigheid nu ook gewekt. 'Wat weet je van je vader?'
'Er waren verzachtende omstandigheden,' was het enige wat hij over de man kwijt wilde. 'Wees maar niet bang, weeshuizen zijn minder erg dan Dickens ons wil doen geloven. Kom jij uit een groot gezin?' vroeg hij, om van onderwerp te veranderen.
'Ik heb alleen een jongere zus.'
'Pete zei dat je vader loodgieter is.'
'Inderdaad. Mijn zus heeft een tijdlang bij hem in het

bedrijf gewerkt, maar nu is ze zendeling.'

'Mooi. Dus jullie zorgen allebei voor anderen.'

Sara wilde nog iets vragen of zeggen waardoor hij zich wat meer zou openstellen, maar ze kon niks bedenken. Ze had geen idee waarover ze het moest hebben tegenover iemand die geen familie had. Ze kon moeilijk verhalen over onderlinge rivaliteit of ouderlijke bezorgdheid met hem uitwisselen. Ook Will leek niet te weten wat hij verder moest zeggen, of anders koos hij gewoon voor stilte. In elk geval deed hij zijn mond pas weer open toen ze de kapotte huid probeerde af te dekken met pleisters die ze kruiselings over zijn knokkels plakte.

'Je bent een goede dokter,' zei hij.

'En dan heb je me nog niet eens splinters zien verwijderen.'

Hij keek naar zijn hand en boog zijn vingers.

'Je bent links,' constateerde Sara.

'Is dat erg?'

'Hopelijk niet.' Ze toonde hem haar eigen linkerhand, waarmee ze zijn wondjes had schoongemaakt. 'Volgens mijn moeder ben je dan slimmer dan anderen.' Ze begon de rommel op te ruimen. 'Over mijn moeder gesproken: ik heb haar gebeld over die vraag van je – je weet wel, over de apostel die de plaats van Judas innam. Hij heette Mattheus.' Ze lachte en bij wijze van grap zei ze: 'Als je iemand vindt die Mattheus of Matthias heet, heb je waarschijnlijk jullie moordenaar te pakken.'

Will moest ook lachen. 'Ik zal een opsporingsbericht doen uitgaan.'

'Hij is het laatst gezien in een lang gewaad en met sandalen aan zijn voeten.'

Nog steeds glimlachend schudde hij zijn hoofd. 'Daar moet je geen grapjes over maken. Het is de beste aanwijzing die ik vandaag heb gehoord.'

'Vertelt Anna niks?'

'Ik heb Faith niet meer gesproken sinds...' Hij zwaaide met zijn gewonde hand. 'Ze had vast gebeld als er iets was.'

379

'Ze is heel anders dan ik eerst dacht,' zei Sara. 'Anna, bedoel ik. Ik weet dat het vreemd klinkt, maar ze is heel emotieloos. Gevoelloos.'

'Ze heeft veel meegemaakt.'

'Ik weet wat je bedoelt, maar er zit meer achter.' Sara schudde haar hoofd. 'Of misschien is het mijn ego. Artsen zijn het niet gewend om als een soort bediende te worden toegesproken.'

'Wat heeft ze tegen je gezegd?'

'Toen ik de baby, Balthazar, bij haar bracht – ik weet het niet, maar het was raar. Ik verwachtte geen medaille of zo, maar een bedankje had er op z'n minst af gekund. Het enige wat ze zei was dat ik wel weer mocht vertrekken.'

Will rolde zijn mouw naar beneden. 'Geen van deze vrouwen is echt sympathiek.'

'Faith zei dat ze allemaal iets met anorexia hebben.'

'Dat zou kunnen,' beaamde Will. 'Ik weet er niet veel van. Zijn anorexialijders over het algemeen akelige mensen?'

'Nee, natuurlijk niet. Iedereen is weer anders. Faith vroeg daar vanmiddag ook al naar. Ik zei dat je zeer gedreven moest zijn om jezelf zo uit te hongeren, maar dat wil nog niet zeggen dat ze niet aardig zijn.' Sara dacht even na. 'De moordenaar heeft deze vrouwen waarschijnlijk niet uitgekozen omdat ze aan anorexia lijden. Hij heeft ze uitgekozen omdat het nare mensen zijn.'

'Als het is omdat ze nare mensen zijn, dan zou hij ze moeten kennen. Hij zou contact met hen moeten hebben.'

'Zijn er nog meer overeenkomsten behalve die anorexia?'

'Ze zijn allemaal ongehuwd. Twee van hen hebben een kind. Een van hen heeft een hekel aan kinderen, terwijl de ander graag een kind wilde, maar misschien ook weer niet. Bankier, jurist, makelaar en binnenhuisarchitect,' voegde hij eraan toe.

'Wat voor soort jurist?'

'Bedrijfsjurist.'

'Dus geen gedwongen verkopen van onroerend goed?'

Hij schudde zijn hoofd. 'De bankier verstrekte ook geen hypotheken. Ze was verantwoordelijk voor community relations – geldinzamelingen, zorgen dat de president van de bank met zijn kop in de krant kwam, omringd door kinderen met kanker. Dat soort dingen.'

'Ze zitten niet in een praatgroep?'

'Er is wel een chatroom, maar daar komen we zonder wachtwoord niet in.' Hij wreef in zijn ogen. 'We draaien gewoon in kringetjes rond.'

'Je ziet er moe uit. Misschien helpt het als je eens een nacht goed slaapt.'

'Ja, ik moet maar weer eens opstappen.' Hij maakte echter geen aanstalten, maar bleef zitten en keek haar aan.

Sara had het gevoel dat alle geluid werd weggezogen en dat het benauwd werd in de kamer, zo erg dat ze amper kon ademen. Ze was zich er scherp van bewust dat de gouden ring rond haar vinger tegen haar huid drukte en ook besefte ze dat haar dijbeen langs dat van hem streek.

Will was degene die de betovering verbrak door zijn jasje van de rugleuning van de bank te pakken. 'Ik moet echt gaan,' zei hij. Hij stond op en trok het jasje aan. 'Ik moet nog een prostituee zien te vinden.'

Sara was ervan overtuigd dat ze hem verkeerd had verstaan. 'Sorry?'

Hij grinnikte. 'Een getuige die Lola heet. Zij was degene die voor de baby heeft gezorgd en ze heeft ons getipt over Anna's appartement. Ik ben de hele middag naar haar op zoek geweest. Nu het avond is zal ze wel uit haar hol kruipen, denk ik.'

Sara bleef op de bank zitten in de veronderstelling dat ze maar het beste wat afstand kon bewaren om geen verkeerde signalen af te geven. 'Ik pak wel even een stuk pizza voor je in.'

'Dank je, maar dat is niet nodig.' Hij liep naar de andere bank, trok Betty uit de hondenkluwen en drukte haar tegen zijn borst. 'Bedankt voor het gesprek.' Hij zweeg even. 'Over wat ik gezegd heb...' Weer zweeg hij. 'Misschien kun je dat maar beter vergeten, oké?'

Wanhopig zocht Sara naar iets wat niet al te luchthartig

klonk – of erger nog: uitnodigend. 'Uiteraard. Geen probleem.'

Hij schonk haar weer een glimlach en liep de deur uit.

Achterovergeleund op de bank liet Sara haar adem sissend ontsnappen, en ze vroeg zich af wat er zo-even in godsnaam gebeurd was. Ze ging hun hele gesprek weer na om te zien of ze Will misschien een teken had gegeven, een onbedoeld signaal. Of misschien stelde het niets voor. Misschien las ze te veel in de blik die hij haar had geschonken toen ze samen op de bank zaten. Wat het er ook niet beter op maakte, was dat Sara nog geen drie minuten voor Wills komst onkuise gedachten over haar man had gekoesterd. Nogmaals nam ze in gedachten het gesprek door om te ontdekken hoe dat ongemakkelijke moment ontstaan was en óf er eigenlijk wel een ongemakkelijk moment was geweest.

Pas toen ze weer voor zich zag hoe ze zijn hand boven de kom had gehouden om de wondjes op zijn knokkels schoon te maken, besefte ze dat Will Trent niet langer zijn trouwring droeg.

Negentien

Will vroeg zich af hoeveel mannen ter wereld er op dat moment in hun auto rondreden op zoek naar een prostituee. Misschien honderdduizenden, als het er geen miljoenen waren. Hij keek even naar Betty, en bedacht dat hij waarschijnlijk de enige was die dat deed met een chihuahua op de passagiersstoel.

Althans, dat hoopte hij.

Will keek naar zijn handen op het stuur, naar de pleisters die zijn kapotte huid bedekten. Hij kon zich niet herinneren wanneer hij voor het laatst serieus had gevochten. Dat moest nog in het kindertehuis zijn geweest. Er was daar een pestkop die zijn leven had vergald. Will had het eindeloos lang over zijn kant laten gaan, tot er op een dag iets bij hem was geknapt. Uiteindelijk had het Tony Campano zijn voortanden gekost zodat hij net een Halloween-pompoen leek.

Weer boog Will zijn vingers. Sara had er het beste van proberen te maken, maar de pleisters wilden niet blijven zitten. Will probeerde zich alle keren te herinneren dat hij als kind bij een dokter was geweest. Hij had een litteken op zijn lichaam voor zo ongeveer elk bezoek, en daar maakte hij nu gebruik van om zijn geheugen op te frissen. Zo kon hij zich de naam herinneren van elke pleegouder en groepsleider die zo vriendelijk was geweest om een bot bij hem te breken, hem een brandwond te bezorgen of zijn huid open te rijten.

Hij raakte de tel kwijt, of misschien kon hij zijn gedachten nergens bij bepalen omdat hij telkens weer het beeld van Sara Linton voor zich zag toen ze in de deuropening van haar appartement had gestaan. Hij wist dat ze lang haar had, maar ze droeg het altijd opgestoken. Deze keer had ze het los, en haar zachte krullen vielen als een waterval over haar schouders. Ze droeg een spijkerbroek en een katoenen blouse met lange mouwen, waarin alles wat zo prachtig aan haar was extra voordelig uitkwam. Ze liep op sokken, en haar schoenen lagen uitgeschopt bij de deur. Ook rook ze lekker, niet naar parfum, maar gewoon schoon, warm en mooi. Toen ze met zijn hand bezig was, had het niet veel gescheeld of hij had zich voorovergebogen om aan haar haren te ruiken.

Will moest denken aan een gluurder die hij een paar jaar daarvoor in Butts County had betrapt. De man was vrouwen gevolgd naar het parkeerterrein van het plaatselijke winkelcentrum, waar hij ze geld had aangeboden om aan hun haar te mogen ruiken. Will kon zich nog steeds het nieuwsitem herinneren, en hoe zenuwachtig de plaatselijke hulpsheriff was geweest toen de camera op hem werd gericht. Het enige wat de man aan de verslaggever kon melden was: 'Hij heeft een probleem. Een probleem met haar.'

Will had een probleem met Sara Linton.

Terwijl hij voor een stoplicht stond te wachten stak hij zijn hand naar Betty uit en krabbelde over haar kin. Het was de chihuahua aardig gelukt om bij Sara's honden in het gevlij te komen, maar Will was niet zo dom om te denken dat hij zelf ook maar de geringste kans maakte. Hij snapte ook wel dat hij niet het soort man was waarop Sara Linton viel. In de eerste plaats woonde ze in een paleis. Een paar jaar daarvoor had Will zijn eigen huis verbouwd, en hij wist heel goed hoeveel geld ze had neergeteld voor al die mooie spullen die hij zich nooit zou kunnen veroorloven. Alleen al de apparaten in haar keuken moesten zo'n vijftigduizend dollar hebben gekost, dubbel zoveel als hij aan zijn hele huis had besteed.

Ten tweede was ze slim. Ze liep er niet mee te koop, maar ze was wel arts. Je ging geen medicijnen studeren als je dom was, anders was Will zelf wel dokter geworden.

Sara zou vast meteen doorhebben dat hij analfabeet was, en alleen daarom al was hij blij dat hij haar niet meer zou treffen.

Anna ging snel vooruit. Het zou niet lang meer duren voor ze uit het ziekenhuis werd ontslagen. De baby maakte het goed. Er was geen enkele reden waarom Will Sara Linton ooit nog zou zien, tenzij hij toevallig in het Grady Hospital moest zijn als zij dienst had.

Als hij werd neergeschoten bijvoorbeeld. Die middag had hij gedacht dat Amanda dat van plan was toen ze hem had meegenomen naar het trappenhuis. 'Ik heb er lang op gewacht, maar eindelijk heb je ballen gekregen,' was het enige wat ze had gezegd. Niet het soort opmerking dat je van je meerdere zou verwachten nadat je een man bijna bewusteloos had geslagen. Iedereen verzon excuses voor hem, iedereen probeerde hem in te dekken, en Will leek de enige te zijn die vond dat hij iets verkeerds had gedaan.

Hij trok op toen het licht op groen sprong en koerste op een havelozer deel van de stad af. Er bleven niet veel plaatsen meer over waar hij Lola nog zou kunnen vinden. Dat zat hem dwars, en niet alleen omdat Amanda had gezegd dat hij zich de volgende ochtend niet op het werk hoefde te vertonen als hij de hoer niet had opgespoord. Lola moest hebben geweten dat er een baby was. In elk geval was ze op de hoogte geweest van de drugs en van wat er allemaal speelde in het penthouse van Anna Lindsey. Misschien had ze nog iets anders gezien, iets wat ze niet wilde vertellen omdat ze daarmee haar leven op het spel zette. Of misschien was ze gewoon een van die kille, gevoelloze mensen wie het niet uitmaakte of een kind langzaam doodging. Inmiddels zou het gerucht wel de ronde hebben gedaan dat Will het soort smeris was dat mensen in elkaar sloeg. Misschien was Lola bang voor hem. Jezus, er was een moment geweest daar op die gang dat Will bang voor zichzelf was geweest.

Hij had zich verdoofd gevoeld toen hij bij Sara's appartement aankwam, alsof zijn hart niet meer klopte in zijn borst. Hij dacht aan alle mannen die hun vuist naar hem hadden geheven toen hij klein was. Aan al het geweld dat hij had gezien. Aan alle pijn die hij had geleden. Hij was al even slecht als de anderen nu hij die portier tegen de grond had geslagen.

Voor een deel had hij Sara Linton over het incident verteld omdat hij de teleurstelling in haar ogen had willen zien, in één oogopslag had willen weten dat ze hem nooit een blik waardig zou keuren. Wat ze hem geschonken had, was... begrip. Ze had erkend dat hij een fout had gemaakt, maar ze was er niet van uitgegaan dat het iets over zijn karakter zei. Wie dacht er nou zo? Niet het soort mens dat Will kende. Niet het soort vrouw dat Will ooit zou begrijpen.

Sara had gelijk toen ze zei dat het de tweede keer altijd gemakkelijker was om iets slechts te doen. Will zag het voortdurend op zijn werk: recidivisten die er één keer mee waren weggekomen en hadden besloten om de gok te wagen en het nog een keer te proberen. Misschien zat het in de mens om de grenzen te willen oprekken. Een derde van alle mensen die waren gepakt omdat ze onder invloed achter het stuur hadden gezeten, werd ook een tweede keer gearresteerd. Meer dan de helft van alle geweldplegers was al eens veroordeeld geweest. Onder veroordeelde verkrachters was de kans op herhaling het grootst.

Heel lang geleden was Will tot de conclusie gekomen dat hij eigenlijk alleen invloed op zichzelf kon uitoefenen. Hij was geen slachtoffer. Hij was niet de speelbal van zijn driften. Hij kon zelf kiezen of hij een goed mens wilde zijn. Dat had Sara ook gezegd. Uit haar mond had het zo gemakkelijk geklonken.

En opeens waren ze door zijn toedoen in die rare toestand beland daar op de bank, toen hij haar als een maniakale moordenaar had zitten aanstaren.

'Idioot.' Hij wreef in zijn ogen en had er alles voor overgehad als hij de herinnering had kunnen wegwrijven. Het had geen zin om aan Sara Linton te blijven denken. Het leidde uiteindelijk toch tot niets.

Een eind verderop zag Will een groepje vrouwen op het trottoir rondhangen. Ze waren gekleed in allerlei aan de fantasie ontsproten uitmonsteringen: schoolmeisjes, strippers, een transseksueel die sprekend op de moeder uit *Leave It To Beaver* leek. Will draaide zijn raampje naar beneden, waarop ze zwijgend met elkaar overlegden wie naar hem toe zou gaan. Hij reed in een Porsche 911 die hij zelf vanaf de grond had opgebouwd. Hij had er bijna tien jaar over gedaan om de auto weer rijklaar te maken. Nu leek het zo ongeveer tien jaar te duren voor de hoeren iemand op hem af stuurden.

Na een tijdje kwam een van de schoolmeisjes aanslenteren. Ze stak haar hoofd door het raampje en trok het razendsnel weer terug. 'Hmm,' zei ze. 'Vergeet het maar. Ik neuk geen honden.'

Will hield haar een twintigdollarbiljet voor. 'Ik ben op zoek naar Lola.'

Ze trok haar lip op en graaide het geld zo snel weg dat Will zijn vingertoppen voelde branden. 'Ja, die bitch wil je hondje vast wel neuken. Die zit op Eighteenth, ze zwerft ergens bij het postkantoor rond.'

'Bedankt.'

Maar het meisje liep alweer met haar neus in de lucht naar haar groepje terug.

Will draaide het raampje omhoog en keerde op de weg. In zijn achteruitkijkspiegel kon hij de meiden nog zien. Het schoolmeisje had het briefje van twintig inmiddels aan haar beschermer overgedragen, die op zijn beurt zou zorgen dat het bij haar pooier terechtkwam. Will wist van Angie dat de meiden het geld zelden mochten houden. De pooier zorgde dat ze eten, kleren en een dak boven hun hoofd hadden. Het enige wat zij hoefden te doen was avond aan avond hun leven en gezondheid op het spel te zetten door elke klant die bij hen stopte voldoende geld af te troggelen. Het was moderne slavernij, en dat terwijl de meeste pooiers ironisch genoeg zwart waren.

Will sloeg Eighteenth Street in en minderde vaart. Hij stopte bij een personenwagen die onder een straatlantaarn stond geparkeerd. Er zat een man achter het stuur, met zijn hoofd naar achteren. Will wachtte een paar minuten, tot er een ander hoofd uit de schoot van de man opdook. Het portier ging open en de vrouw wilde uitstappen, maar

de man haalde naar haar uit en greep haar bij haar haar.
'Shit,' mompelde Will en met één sprong was hij zijn auto al uit. Nadat hij hem met de afstandsbediening had afgesloten, liep hij op een drafje naar de andere wagen en rukte het portier open.

'Wat de fuck!' riep de man uit, terwijl hij nog steeds de vrouw bij haar haren vasthield.

'Hallo, schat,' zei Lola, en ze stak haar hand naar Will uit, die hem zonder een moment te twijfelen vastgreep. Ze stapte uit, waarbij ze haar pruik in de hand van de man achterliet. Vloekend smeet hij het ding op straat en scheurde zo snel bij de stoeprand weg dat het portier met een klap dichtsloeg.

'We moeten even praten,' zei Will tegen Lola.

Ze bukte zich om haar pruik te pakken, en in het licht van de straatlantaarn kon hij recht bij haar naar binnen kijken. 'Ik ben hier aan het werk.'

'Als je nog eens hulp nodig hebt...' was Wills reactie.

'Angie heeft me geholpen, jij niet.' Ze gaf een ruk aan haar rokje. 'Kijk je weleens naar het nieuws? De politie heeft genoeg coke in dat penthouse gevonden om de hele wereld aan het zingen te krijgen. Ik ben godsamme een held.'

'Met Balthazar komt het weer goed. Met die baby.'

'Baltha-wat?' Ze trok haar neus op. 'Jezus, dat kind had geen schijn van kans.'

'Je hebt voor hem gezorgd. Dan heeft hij toch iets voor je betekend.'

'Tja, nou ja.' Ze schoof de pruik weer op haar hoofd en probeerde hem recht te trekken. 'Ik heb zelf twee kinderen, moet je weten. Die heb ik gekregen terwijl ik in de bak zat. Ik mocht ze nog een tijdje bij me houden voor de staat ze afpakte.' Haar armen waren magere stokjes, en weer moest Will aan de thinspo-video's denken die hij op Paulines computer had gezien. Die meisjes hongerden zichzelf uit omdat ze dun wilden zijn. Lola leed honger omdat ze geen geld had om eten te kopen.

'Kom eens hier,' zei hij, en hij trok de pruik recht.

'Bedankt.' Ze liep de straat weer op, in de richting van haar groepje. Het was de gebruikelijke mengeling van

schoolmeisjes en sletjes, maar in dit geval waren het oudere, hardere vrouwen. Hoe hoger het nummer van de straat, hoe ruiger het er gewoonlijk aan toeging. Het zou niet lang meer duren of Lola en haar club zaten op Twenty-first, een straat die zo van alle hoop verstoken was dat de meldkamer van het plaatselijke politiebureau er regelmatig een ambulance naartoe stuurde om vrouwen op te pikken die in de loop van de nacht waren gestorven.
'Ik kan je arresteren wegens het hinderen van een misdaadonderzoek.'
Ze liep door. 'Wie weet hoe leuk het is in de bak. Het kan hier buiten flink koud worden 's nachts.'
'Wist Angie van die baby af?'
Ze bleef staan.
'Vertel het nou maar, Lola.'
Langzaam draaide ze zich om. Ze keek hem onderzoekend aan, niet omdat ze het goede antwoord wilde geven, maar omdat ze het antwoord wilde geven dat hij wilde horen. 'Nee.'
'Je liegt.'
Haar gezicht vertoonde geen enkele emotie. 'Is het echt oké met hem? Met die baby?'
'Hij is weer bij zijn moeder. Volgens mij houdt hij er niks aan over.'
Ze rommelde in haar tas en haalde een pakje sigaretten en lucifers tevoorschijn. Hij wachtte tot ze een sigaret had opgestoken en een hijs had genomen. 'Ik was op een feestje. Daar was een vent die ik kende, en die vertelde me dat er een drugshol in een of ander chic appartementengebouw zat. Met de portier heb je niks te stellen. Die laat iedereen door. Het was over het algemeen eersteklas spul. Je weet wel, mensen hebben een fijne plek nodig voor een paar uurtjes, zonder dat er vragen worden gesteld. Ze gaan naar binnen en houden een feestje, en de volgende dag komt de schoonmaakster en ruimt alles weer op. Die rijkelui van wie de appartementen zijn komen terug van Palm Beach of weet ik veel en hebben geen weet van wat er gebeurd is.' Ze plukte een stukje tabak van haar tong. 'Maar deze keer ging het mis. Simkov, de portier, kreeg

het aan de stok met iemand in het gebouw. Hij werd ontslagen, maar mocht er nog twee weken blijven werken. Toen begon hij allerlei gespuis binnen te laten.'

'Zoals jij?'

Ze hief haar kin.

'Wat vroeg hij ervoor?'

'Dat moet je aan de jongens vragen. Ik kom er alleen om te neuken.'

'Wie zijn die jongens?'

Ze blies een lange rookpluim uit.

Will liet het erbij, want hij begreep ook wel dat hij niet te veel druk op haar moest uitoefenen. 'Kende je de vrouw van wie dat appartement was?'

'Ik heb haar nooit ontmoet, nooit gezien, en ik heb nog nooit van haar gehoord.'

'Dus je komt daar binnen, Simkov laat je naar boven gaan en dan?'

'Eerst was het leuk. Vroeger zaten we meestal op een van de lagere verdiepingen. Dit was het penthouse. Daar zijn de klanten veel beter. Goed spul ook. Coke, heroïne. Een paar dagen later kwamen ze al met crack aanzetten. Toen met speed. Vanaf dat moment ging het bergafwaarts.'

Will zag het vernielde appartement weer voor zich. 'Dat is dan snel gegaan.'

'Tja. Drugsverslaafden staan er niet om bekend dat ze zichzelf zo goed in de hand hebben.' Ze gniffelde toen ze eraan terugdacht. 'Er braken wat knokpartijtjes uit. Een paar van die hoertjes begonnen zich ermee te bemoeien. Toen gingen de trannies los...' Ze maakte een nonchalant gebaar, zo van 'Wat had je anders verwacht?'

'En de baby?'

'Toen ik daar kwam lag dat jochie in de kinderkamer. Heb jij kinderen?'

Hij schudde zijn hoofd.

'Verstandig, hoor. Angie is niet bepaald een moedertype.'

Will deed er het zwijgen toe, want ze wisten allebei dat dat een waarheid als een koe was. 'Wat heb je gedaan toen je de baby vond?' vroeg Will.

'Dat appartement was geen goeie plek voor hem. Ik zag het al helemaal gebeuren. Er kwam het verkeerde soort op af. Simkov liet iedereen binnen. Ik heb het kind toen een eindje verderop in de gang ondergebracht.'

'In het afvalhok.'

Ze grijnsde. 'Die lui op dat feestje gingen echt hun troep niet opruimen.'

'Heb je hem te eten gegeven?'

'Ja,' zei ze. 'Ik heb hem gegeven wat ik in de kastjes vond, en ik heb hem verschoond. Dat deed ik ook met mijn eigen kinderen, snap je? Zoals ik al zei, mag je ze eerst een tijdje houden voor ze je worden afgenomen. Toen heb ik alles geleerd over voedingen en dat soort shit. Ik heb goed voor hem gezorgd, hoor.'

'Waarom heb je hem dan in de steek gelaten?' vroeg Will. 'Je bent op straat opgepakt.'

'Mijn pooier wist niks van dat alles af. Ik deed het stiekem, gewoon voor de lol. Hij spoorde me op en zei dat ik weer aan het werk moest, en dat deed ik dus.'

'Hoe kwam je boven om voor de baby te zorgen?'

Ze maakte een rukgebaar met haar hand. 'Ik trok Simkov af. Het is geen kwaaie vent.'

'Waarom heb je me die avond dat je me belde niet verteld dat er een baby bij betrokken was?'

'Ik dacht dat ik wel weer voor hem kon zorgen zodra ik de bak uit was,' bekende ze. 'Het was toch goed wat ik deed? Ik bedoel, ik verzorgde hem goed, gaf hem eten en verschoonde zijn luiertjes. Het is een schattig jochie. Je hebt hem toch gezien? Dan weet je zelf hoe schattig hij is.'

Dat schattige jochie was uitgedroogd en op sterven na dood geweest toen Will hem had gezien. 'Waar ken je Simkov van?'

Ze haalde haar schouders op. 'Otik is een vaste klant, je weet wel.' Ze gebaarde naar de straat. 'Ik heb hem hier op Millionaire's Row ontmoet.'

'Op mij maakt hij niet zo'n betrouwbare indruk.'

'Hij heeft me gematst door me naar boven te laten gaan. Ik heb er goed aan verdiend. Ik heb gezorgd dat het kind veilig was. Wat wil je nog meer van me?'

'Wist Angie van die baby af?'

Ze hoestte, een geluid dat van diep uit haar borst kwam. Toen ze op het trottoir spuwde, draaide Wills maag zich om. 'Dat zul je haar moeten vragen.'

Lola slingerde haar tas over haar schouder en vertrok naar haar groepje.

Terwijl hij naar de auto liep, haalde Will zijn mobiel tevoorschijn. Het ding gaf bijna de geest, maar het lukte hem nog net om een telefoontje te plegen.

'Hallo?' zei Faith.

Will had geen zin om het over de gebeurtenissen van die middag te hebben en hij bood haar ook geen kans erover te beginnen. 'Ik heb met Lola gesproken.' Hij gaf een samenvatting van wat de prostituee hem had verteld. 'Simkov liet haar binnen, zodat ze een paar centen kon verdienen. Ik weet zeker dat hij er zelf ook een deel afroomde.'

'Misschien kunnen we dat gebruiken,' antwoordde Faith. 'Van Amanda moet ik morgen met Simkov gaan praten. Benieuwd of zijn verhaal hierop aansluit.'

'Wat heb je over hem gevonden?'

'Niet veel. Hij woont op de begane grond van het appartementengebouw. Hij hoort van acht tot zes achter de balie te zitten, maar de laatste tijd zijn daar wat problemen mee geweest.'

'Dat zal dan wel de reden zijn dat hij binnenkort op straat staat.'

'Hij heeft geen strafblad. Zijn bankrekening ziet er goed uit, wat niet verwonderlijk is, want hij hoeft geen huur te betalen.' Faith zweeg even en hij hoorde haar door haar notitieboekje bladeren. 'We hebben wat porno in zijn appartement aangetroffen, maar niks minderjarigs of kinky. Zijn telefoon is ook schoon.'

'Zo te horen heeft hij iedereen binnengelaten, zolang er maar werd betaald. Heb je nog iets uit Anna Lindsey losgekregen?'

Faith vertelde hem over het gesprek met de vrouw, dat niets had opgeleverd. 'Ik snap niet waarom ze niet wil praten. Misschien is ze bang.'

'Misschien denkt ze dat het gewoon weggaat zolang ze er maar niet aan denkt en er niet over praat.'

'Tja, als jc daarin gelooft, moet je wel over de emotionele rijpheid van een zesjarige beschikken.'

Will probeerde haar woorden niet persoonlijk op te vatten.

'We hebben het logboek van het appartementengebouw ingekeken,' vervolgde Faith. 'Er is iemand van het kabelbedrijf langs geweest en verder zijn er wat bezorgers binnengelaten. Ik heb met iedereen gesproken, ook met de onderhoudsman. Die tekenen altijd af bij het weggaan. Niemand heeft een strafblad en ze hebben allemaal een kloppend alibi.'

Will stapte in zijn auto. 'En de buren?'

'Niemand schijnt iets te weten, en dat soort rijkelui praat niet graag met de politie.'

Will kende het type. Ze wilden nergens bij betrokken raken en hun naam uit de krant houden. 'Waren erbij die Anna kenden?'

'Hetzelfde verhaal als bij de anderen: niemand die haar kende mocht haar.'

'Hoe zit het met het lab?'

'Morgen krijgen we de uitslagen.'

'En de computers?'

'Niets, en het gerechtelijk bevel voor de bank is nog niet binnen, zodat we geen toegang hebben tot Olivia Tanners mobiel, BlackBerry of de computer op haar werk.'

'Onze dader pakt dit een stuk slimmer aan dan wij.'

'Vertel mij wat,' beaamde Faith. 'Zo langzamerhand lijkt elk spoor dood te lopen.'

Ze zwegen allebei. Will probeerde iets te bedenken om de stilte mee te verbreken, maar Faith was hem voor.

'Amanda en ik gaan morgenochtend om acht uur de portier verhoren, en daarna heb ik een afspraak die ik niet kan afzeggen. Daarvoor moet ik naar Snellville.'

Will had geen idee wat iemand in Snellville te zoeken kon hebben.

'Dat gaat ongeveer een uur duren. Hopelijk weten we tegen die tijd iets meer over de identiteit van Jake Berman.

Ook moeten we met Rick Sigler gaan praten. Die ontglipt me steeds.'

'Hij is blank, begin veertig.'

'Dat benadrukte Amanda ook al. Ze heeft vandaag iemand op Sigler af gestuurd. Hij was thuis, samen met zijn vrouw.' Will kreunde. 'En, ontkende hij dat hij ook maar op die plek is geweest?'

'Dat schijnt hij wel geprobeerd te hebben. Hij wilde zelfs niet toegeven dat hij in het gezelschap van Jake Berman was, waardoor het dus steeds meer op een romantisch afspraakje gaat lijken.' Faith slaakte een zucht. 'Amanda heeft een mannetje op Sigler gezet, maar zijn achtergrond is schoon. Geen schuilnamen, geen dubbele adressen, en verder is hij geboren en getogen in Georgia. Hij heeft van zijn vierde tot zijn achttiende in Conyers op school gezeten. Niets wijst erop dat hij ooit in Michigan is geweest, laat staan dat hij er gewoond heeft.'

'De enige reden waarom we zo op dat broergedoe zijn gefixeerd is dat Pauline McGhee tegen haar zoontje heeft gezegd dat hij moest uitkijken voor zijn oom.'

'Dat is waar, maar wat hebben we verder voor aanknopingspunten? Als we nog eens tegen een muur op lopen, houden we er allebei een hersenschudding aan over.'

Will zweeg even. 'Wat is dat voor afspraak?'

'Dat is privé.'

'Oké.'

Geen van beiden wist kennelijk nog iets te zeggen. Waarom vond Will het zo gemakkelijk om tegenover Sara Linton zijn hart uit te storten, terwijl hij amper in staat was om een normaal gesprek te voeren met de overige vrouwen in zijn leven, en al helemaal niet met zijn naaste collega?

'Ik zal jou mijn geheim vertellen als jij dat van jou vertelt,' bood Faith aan.

Will moest lachen. 'Ik denk dat we weer van voren af aan moeten beginnen. Met de zaak, bedoel ik.'

Dat was ze met hem eens. 'Als je wilt weten of je iets over het hoofd hebt gezien, kun je maar het beste op je schreden terugkeren.'

'Dat doen we wanneer je terug bent van die afspraak. We gaan naar de Coldfields, maken een babbeltje met Rick Sigler op zijn werk zodat hij niet over zijn toeren raakt waar zijn vrouw bij is, en dan lopen we alle getuigen nog eens na – iedereen die ook maar in de verste verte bij de zaak betrokken is geweest. Collega's, onderhoudslieden die binnen zijn geweest, helpdesks, iedereen met wie ze contact hebben gehad.'

'Het kan in elk geval geen kwaad,' vond Faith. Weer bleef het even stil. En weer was zij degene die het woord nam. 'Gaat het wel?'

Will was bij zijn huis aangekomen. Hij zette de auto in de parkeerstand en op hetzelfde moment wenste hij dat hij door de bliksem werd getroffen en op slag dood was. Angies auto blokkeerde de oprit.

'Will?'

'Ja hoor,' zei hij. 'Tot morgen dan maar.'

Hij verbrak de verbinding en stopte het telefoontje in zijn zak. In de voorkamer brandde licht, maar Angie had het kennelijk te veel moeite gevonden om de verandalamp aan te doen. Hij had contanten en creditcards op zak. Hij zou in een hotel kunnen overnachten. Er moest ergens een plek zijn waar honden geen bezwaar waren, en anders smokkelde hij Betty wel onder zijn jasje naar binnen.

Op de stoel naast hem kwam Betty overeind en rekte zich uit. De verandalamp ging aan.

Mompelend pakte Will de hond op. Hij stapte uit, sloot zijn auto af en liep de oprit op. Hij maakte het hek naar de achtertuin open en zette Betty op het gras, waarna hij een paar minuten buiten bleef staan om met zichzelf te overleggen. Uiteindelijk kwam hij tot de conclusie dat hij dom bezig was, en schoorvoetend ging hij naar binnen.

Angie lag op de bank, met haar voeten opgetrokken onder zich. Haar lange donkere haar hing los, zoals hij het het liefst zag, en ze droeg een strakke zwarte jurk waarin elke welving van haar lichaam goed uitkwam. Sara was beeldschoon, maar Angie was sexy. Ze droeg donkere oogmake-up en haar lippen waren bloedrood. Hij vroeg zich af of ze zich voor de gelegenheid extra had uitgesloofd.

Waarschijnlijk wel. Ze voelde altijd feilloos aan wanneer Will afstand van haar nam. Wat dat betreft was ze als een haai die bloed rook.

Angie begroette hem met dezelfde woorden als de prostituee. 'Hallo, schat.'

'Hallo.'

Ze stond op van de bank, rekte zich uit als een kat en liep naar hem toe. 'Goeie dag gehad?' vroeg ze, waarna ze haar armen om zijn hals sloeg. Will wendde zijn hoofd af. Zij draaide het weer naar zich toe en kuste hem op zijn lippen.

'Niet doen,' zei Will.

Weer kuste ze hem, want ze had zich nog nooit iets laten verbieden.

Will bleef zo onbewogen mogelijk staan, en na een tijdje liet ze haar armen zakken.

'Wat is er met je hand gebeurd?'

'Ik heb iemand geslagen.'

Ze lachte, alsof hij een grapje maakte. 'Echt waar?'

'Ja.' Hij legde zijn hand op de rugleuning van de bank. Een van de pleisters krulde om.

'Dus je hebt iemand geslagen.' Ze geloofde hem. 'Waren er getuigen bij?'

'Niemand die zijn mond opendoet.'

'Goed gedaan, schat.' Ze stond nu heel dichtbij, vlak achter hem. 'Ik wil wedden dat Faith in haar broek pieste.' Haar hand gleed langs zijn arm naar beneden en bleef rusten op zijn pols. Opeens veranderde ze van toon. 'Waar is je ring?'

'In mijn zak.' Will had hem afgedaan voor hij naar Sara's appartement ging. Op dat moment had hij zichzelf wijsgemaakt dat hij dat deed omdat zijn vingers opgezwollen waren en de ring te strak zat.

Angies hand verdween in zijn broekzak. Will sloot zijn ogen. De hele dag trok aan hem voorbij. Niet alleen de dag, maar de laatste acht maanden. Angie was de enige vrouw met wie hij ooit naar bed was geweest, en zijn lichaam was eenzaam geweest, had gesmacht naar dat van haar.

Met haar vingers raakte ze hem door de dunne stof van

zijn broekzak heen aan. Hij reageerde onmiddellijk en toen hij haar adem in zijn oor voelde, moest hij de bank vastgrijpen om overeind te blijven staan. Ze nam zijn oor tussen haar tanden. 'Heb je me gemist?'

Hij slikte en kreeg er geen woord uit toen ze haar borsten, haar hele lichaam tegen zijn rug drukte. Hij boog zijn hoofd naar achteren en Angie kuste zijn hals, maar hij dacht niet aan haar toen ze haar vingers om hem heen sloeg. Hij dacht aan Sara, aan haar lange, slanke vingers waarmee ze zijn hand had verzorgd toen ze samen op de bank zaten. Aan de geur van haar haar, want hij had zich heel even voorovergebogen om er zo voorzichtig mogelijk aan te ruiken. Ze rook naar alles wat goed, genadig en vriendelijk was. Ze rook naar alles waarnaar hij ooit had verlangd, en wat hij nooit zou kunnen bezitten.

'Hé!' Angie was gestopt. 'Waar zit je met je gedachten?'

Met enige moeite trok Will de rits van zijn broek dicht. Hij duwde Angie opzij en liep naar de andere kant van de kamer.

'Ben je ongesteld of zo?' vroeg ze.

'Wist jij van die baby?'

Ze zette haar hand in haar zij. 'Welke baby?'

'Het maakt me niet uit wat je zegt, zolang het maar de waarheid is. Ik moet de waarheid weten.'

'Krijg ik slaag als ik het niet zeg?'

'Dan haat ik je,' zei hij, en ze wisten allebei dat hij het meende. 'Die baby, dat had jij of ik kunnen zijn. Jezus, die baby, dat wás ik.'

Haar toon was scherp en defensief. 'Heeft zijn mammie hem in de vuilnisbak achtergelaten?'

'Anders had hij de hoer moeten spelen voor speed.'

Ze perste haar lippen op elkaar, maar bleef hem aankijken. 'Touché,' zei ze ten slotte, want dat was precies wat Diedre Polaski met haar dochtertje had gedaan.

Will herhaalde zijn vraag, de enige vraag die er nog toe deed: 'Wist je dat er een baby in dat penthouse was?'

'Lola zorgde ervoor.'

'Wat?'

'Ze is niet zo slecht. Ze heeft ervoor gezorgd dat hem niks overkwam. Als ze niet was opgepakt...'

'Wacht eens even.' Hij stak zijn handen op om haar het zwijgen op te leggen. 'Denk je echt dat die hoer voor dat kind heeft gezorgd?'

'Er is toch niks met hem? Nou dan. Ik heb een paar keer naar het Grady gebeld. Moeder en kind zijn weer herenigd.'

'Heb jij gebeld?' Hij kon zijn oren niet geloven. 'Jezus christus, Angie. Het was een kleine baby. Als we nog langer hadden gewacht, was hij dood geweest.'

'Maar jullie hebben niet langer gewacht en hij is niet dood.'

'Angie...'

'Voor baby's wordt altijd gezorgd, Will. Wie zorgt er voor mensen zoals Lola?'

'Jij maakt je druk om een of andere crackhoer terwijl er een baby tussen het huisvuil ligt dood te hongeren?' Hij gaf haar de kans niet om te antwoorden. 'Ik heb het gehad. Ik heb het helemaal gehad.'

'Wat moet dat nou weer voorstellen?'

'Het betekent dat ik er genoeg van heb. Het betekent dat het koordje van onze jojo zojuist geknapt is.'

'Fuck you.'

'Het is afgelopen met dat heen-en-weergedoe. Ik laat me niet meer verneuken, je hoeft nooit meer midden in de nacht bij me weg te lopen om een maand of een jaar later terug te komen en zogenaamd mijn wonden te likken.'

'Zo klinkt het wel heel romantisch.'

Hij deed de voordeur open. 'Je gaat nu mijn huis en mijn leven uit.' Ze verroerde zich niet, en daarom liep hij naar haar toe en begon haar in de richting van de deur te duwen.

'Waar ben jij mee bezig?' Ze duwde terug en toen hij geen stap zette, gaf ze hem een klap. 'Blijf van me af, godverdomme.'

Hij tilde haar van achteren op, maar met haar voet schopte ze de deur dicht.

'Eruit!' zei hij, en terwijl hij haar vasthield probeerde hij met zijn andere hand de deurknop te pakken. Voor Angie rechercheur werd, had ze als straatagent gewerkt, en ze wist hoe ze hem onderuit moest halen. Haar voet schoot uit, ze raakte hem in zijn knieholte en Will viel. Hij bleef haar vasthouden en sleurde haar mee in zijn val, zodat ze als een stel razende honden op de vloer lagen te worstelen.

'Ophouden!' gilde ze. Ze schopte hem, beukte op hem in, gebruikte elk deel van haar lichaam om hem pijn te doen. Will draaide haar op haar buik en drukte haar plat tegen de houten vloer. Hij greep haar beide handen vast en kneep ze samen, zodat ze zich niet kon verzetten. Voor hij het besefte stak hij zijn hand naar beneden en trok haar slipje kapot. Ze sloeg haar nagels in de rug van zijn hand toen hij zijn vingers bij haar naar binnen liet glijden.

'Klootzak!' beet ze hem toe, maar ze was zo vochtig dat Will zijn vingers nauwelijks in en uit voelde gaan. Hij zocht de juiste plek op en weer vloekte ze het uit en drukte haar gezicht tegen het hout. Bij hem kwam ze nooit klaar. Dat hoorde bij haar machtsspel. Ze perste altijd het laatste druppeltje leven uit Will, maar ze stond hem nooit toe om hetzelfde bij haar te doen.

'Ophouden!' beval ze, maar nu bewoog ze tegen zijn hand in en spande zich bij elke beweging. Hij trok de rits van zijn broek naar beneden en drong bij haar binnen. Ze probeerde zich dicht te klemmen om hem tegen te houden, maar hij duwde nog harder en dwong haar om zich te openen. Ze kreunde en hij voelde haar ontspannen terwijl ze hem steeds dieper naar binnen zoog. Hij trok haar op haar knieën overeind en neukte haar zo hard mogelijk terwijl hij haar met zijn vingers tot op de rand bracht. Weer begon ze te kreunen, een diepe keelklank die hij nog nooit had gehoord. Will ramde zich in haar. Het kon hem niet schelen als haar hele lichaam straks bont en blauw was, het kon hem niet schelen als hij haar kapotmaakte. Toen ze eindelijk klaarkwam, klemde ze hem zo stevig vast dat het bijna pijn deed om in haar te zijn. Zijn eigen ontlading was zo hevig dat hij zich boven op haar liet storten, uitgeput, hijgend, en terwijl alles aan hem pijn deed.

Will ging op zijn rug liggen. Angies haar zat in een warrige bos rond haar gezicht. Haar make-up was uitgelopen. Ze hijgde al even hard als hij.

'Jezus christus,' mompelde ze. 'Jezus christus.' Ze wilde zijn gezicht aanraken, maar hij sloeg haar hand weg. Het leken uren, zoals ze daar hijgend op de vloer bleven liggen. Will probeerde wroeging te voelen, of woede, maar hij was alleen maar uitgeput. Hij was er ziek van, hij was er doodziek van dat Angie hem altijd weer tot het uiterste dreef. Weer dacht hij aan wat Sara had gezegd: *Leer van je fouten.*

Angie Polaski leek zo langzamerhand de grootste fout die Will in zijn hele ellendige leven gemaakt had.

'Jezus.' Ze lag nog steeds te hijgen. Ze draaide zich op haar zij en schoof haar hand onder zijn overhemd. De hand voelde warm en plakkerig tegen zijn huid. 'Wie het ook is,' zei Angie, 'bedank haar maar namens mij.'

Hij staarde naar het plafond, want hij kon haar niet aankijken.

'Ik heb nu al drieëntwintig jaar seks met je, schat, maar zoals nu heb je me nog nooit geneukt.' Haar vingers hadden de rand onder aan zijn ribben gevonden, waar de huid samentrok omdat er ooit een sigaret op was uitgedrukt. 'Hoe heet ze?'

Will zei nog steeds niets.

'Zeg eens hoe ze heet,' fluisterde Angie.

Wills keel deed pijn toen hij probeerde te slikken. 'Er is niemand.'

Ze liet een diepe, veelbetekenende lach horen. 'Is het een verpleegster of een agente?' Weer lachte ze. 'Een hoer?'

Will zei niets. Hij probeerde Sara uit zijn hoofd te zetten, wilde nu niet aan haar denken, want hij wist wat er kwam. Will had één punt gescoord, dus moest Angie er tien scoren.

Hij kromp in elkaar toen Angie een gevoelige zenuw onder zijn beschadigde huid raakte.

'Is ze normaal?' vroeg ze.

Normaal. Dat woord hadden ze in het tehuis gebruikt

voor kinderen die niet zo waren als zij – kinderen met familie, kinderen met een eigen leven, kinderen die niet door hun ouders werden geslagen, als hoer werden verkocht of als vuilnis behandeld.

Angie bleef met haar vinger rondjes om de brandplek draaien. 'Weet ze van je probleem?'

Weer probeerde Will te slikken. Zijn keel kriebelde. Hij was misselijk.

'Weet ze hoe dom je bent?'

Hij voelde zich gevangen onder haar vinger, die nu op het ronde litteken drukte waar de brandende sigaret zijn vlees had weggeschroeid. Net toen hij dacht dat hij het niet langer uithield, stopte ze, bracht haar mond naar zijn oor en schoof haar vingers onder de mouw van zijn overhemd. Ze vond het lange litteken waar het scheermes zijn arm had opengehaald.

'Ik weet nog hoe het bloedde,' zei ze. 'En hoe je hand beefde, hoe het scheermes je huid opensneed. Weet je nog?'

Hij sloot zijn ogen, en de tranen drupten over zijn wangen. Natuurlijk wist hij het nog. Als hij zich concentreerde, voelde hij nog steeds de punt van het scherpe metalen blad langs zijn bot schrapen, want hij wist dat hij het scheermes heel diep in zijn arm moest drukken, diep genoeg om het bloedvat te raken en er zeker van te zijn dat het op de juiste manier was gebeurd.

'Weet je nog dat ik je vasthield?' vroeg ze, en hij voelde haar armen weer om zich heen, ook al hield ze hem nu niet vast. Hij voelde weer hoe ze haar lichaam als een deken om hem heen had gewikkeld. 'Het bloedde verschrikkelijk.'

Het bloed was op haar armen gedropen, op haar benen, op haar voeten.

Ze had hem zo stevig vastgeklemd dat hij geen adem meer kreeg, en hij had onbeschrijflijk veel van haar gehouden, want hij wist dat zij begreep waarom hij het deed, waarom hij de waanzin om zich heen een halt toe moest roepen. Elk litteken op zijn lichaam, elke brandplek, elke botbreuk – Angie kende ze allemaal, even goed als ze zichzelf kende. Elk geheim dat Will had, koesterde Angie ergens diep in haar binnenste. En ze verdedigde het met haar leven.

Ze wás zijn leven.

Zijn mond was nog steeds droog, en hij stikte bijna. 'Hoe lang nog?'

Ze legde haar hand op zijn buik. Ze wist dat ze hem terug had, ze wist dat ze maar met haar vingers hoefde te knippen. 'Hoezo hoe lang nog, schat?'

'Hoe lang moet ik nog van je houden?'

Ze antwoordde niet onmiddellijk, en hij wilde de vraag net herhalen toen ze vroeg: 'Is dat niet de tekst van een of ander liedje?'

Hij draaide zijn gezicht naar haar toe, zocht in haar ogen naar iets, iets vriendelijks wat hij er nog nooit in had ontdekt. 'Zeg maar hoe lang, dan kan ik de dagen gaan tellen, zodat ik weet wanneer dit eindelijk voorbij is.'

Angie streek met haar hand langs de zijkant van zijn gezicht.

'Vijf jaar? Tien jaar?' Zijn keel snoerde dicht, alsof iemand hem glas had gevoerd. 'Zeg het nou maar, Angie. Hoe lang duurt het nog tot ik niet meer van je hoef te houden?'

Ze boog zich voorover en legde haar mond weer op zijn oor. 'Dat duurt eeuwig.'

Ze duwde zichzelf overeind, streek haar rok glad en zocht haar schoenen en slipje op. Will bleef liggen terwijl ze de deur opende en vertrok zonder ook maar één keer om te kijken. Hij nam het haar niet kwalijk. Angie keek nooit om. Ze wist wat er achter haar lag, zoals ze ook altijd wist wat er voor haar lag.

Will stond niet op toen hij haar voetstappen op de trap van de veranda hoorde of haar auto hoorde starten op de oprit. Hij stond niet op toen hij Betty aan het hondenluikje hoorde krabben, dat hij vergeten was voor haar open te doen. Niets kon Will nog in beweging brengen. Hij bleef de hele nacht op de vloer liggen, tot het zonlicht door de ramen stroomde en hij wist dat het tijd was om weer naar zijn werk te gaan.

DAG VIER

Twintig

Pauline had honger, maar daar wist ze wel raad mee. Ze begreep waar de pijn in haar maag en ingewanden vandaan kwam, waarom haar buik schokte van de krampen, graaide naar alles wat als voedsel kon dienen. Ze kende het gevoel maar al te goed, en ze wist er wel raad mee. De dorst was iets anders. Daar kon ze niet omheen. Ze had nog nooit zo lang niets gedronken. Ze was wanhopig, tot alles bereid. Ze had zelfs op de vloer geplast en geprobeerd het op te drinken, maar de dorst werd er alleen maar erger door en uiteindelijk had ze op haar knieen zitten huilen als een wolf.

Dat niet meer. Ze mocht niet in dat duistere oord blijven hangen. Ze mocht zich er niet weer door laten raken, zich erdoor laten omhullen zodat ze zich alleen nog tot een balletje wilde oprollen, hunkerend naar Felix.

Felix. Hij was de reden waarom ze hieruit moest komen, waarom ze wilde vechten, wilde verhinderen dat die klootzak haar van haar jongetje scheidde.

Pauline lag op haar zij, met haar armen vastgebonden aan haar middel en haar voeten naar voren uitgestrekt, en zo trok ze haar bovenlijf op en spande haar nek om rechtop te blijven. In die houding bleef ze even zitten, zwetend, met al haar spieren aangespannen en terwijl de blinddoek over haar huid wreef, en toen richtte ze zich op haar doel. De boeien om haar polsen rinkelden van de inspanning, en voor ze zichzelf kon tegenhouden wierp ze haar hoofd naar achteren en sloeg ermee tegen de muur.

Pijn schoot door haar nek. Ze zag sterretjes – letterlijk sterretjes – voor haar ogen zweven. Hijgend liet ze zich op haar rug vallen. Ze probeerde niet te hyperventileren, dwong zichzelf om bij bewustzijn te blijven.

'Wat ben jij aan het doen?' vroeg de andere vrouw. Die trut lag al twaalf uur als een lijk op haar rug, zonder te reageren en volkomen onverschillig, en nu stelde ze opeens vragen?

'Bek houden,' snauwde Pauline. Hier had ze geen tijd voor. Ze draaide zich opnieuw op haar zij, zodat haar lichaam evenwijdig was aan de muur, en schoof weer een paar centimeter naar beneden. Ze hield haar adem in, kneep haar ogen dicht en voor de tweede keer sloeg ze met haar hoofd tegen de muur.

'Kut!' schreeuwde ze toen haar hoofd bijna ontplofte van de pijn. Weer viel ze op haar rug. Er zat bloed op haar voorhoofd, het glibberde onder de blinddoek en kwam in haar ogen. Ze kon het niet wegknipperen, kon het niet afvegen. Het was alsof er een spin over haar oogleden kroop en in haar oogbollen drong.

'Nee,' zei Pauline. Ze was opeens als een gek aan het hallucineren – er kropen spinnen over haar gezicht, ze groeven zich in in haar huid, legden eitjes in haar ogen. 'Nee!'

Met een ruk ging ze zitten, zo plotseling dat alles begon te tollen. Hijgend boog ze haar hoofd naar haar knieën en raakte met haar borst haar bovenbenen aan. Ze moest zichzelf in bedwang houden. Ze mocht niet toegeven aan de dorst. Ze mocht haar brein niet weer laten verweken tot ze niet meer wist waar ze was.

'Wat ben je aan het doen?' fluisterde de onbekende met doodsbange stem.

'Laat me met rust.'

'Straks hoort hij je nog. Straks komt hij naar beneden.'

'Hij komt niet naar beneden,' bitste Pauline. Om het te bewijzen begon ze te schreeuwen. 'Kom dan naar beneden, gore klootzak!' Haar keel was zo rauw dat ze hoestte van inspanning, maar ze bleef schreeuwen. 'Ik probeer te ontsnappen! Hou me dan tegen, slappe teringlijer!'

Ze wachtten eindeloos lang. Pauline telde de seconden. Er klonken geen voetstappen op de trap. Er ging geen licht aan. Er werd geen deur opengedaan.

'Hoe weet je dat?' vroeg de onbekende. 'Hoe weet je wat hij doet?'

'Hij wacht tot een van ons kapotgaat,' antwoordde Pauline. 'En denk maar niet dat ik dat ben.'

De vrouw stelde nog een vraag, maar Pauline luisterde al niet meer en ging weer evenwijdig aan de muur liggen. Ze zette zich schrap om er nogmaals tegenaan te beuken, maar ze kon het niet. Ze kon zichzelf geen pijn meer doen. Niet nu. Straks. Ze zou een paar minuten rusten en het dan nog eens doen.

Ze draaide zich op haar rug en de tranen stroomden over haar gezicht. Ze hield haar mond gesloten, want die vrouw mocht niet weten dat ze huilde. De onbekende had haar gesnik gehoord, ze had Pauline in haar eigen pis horen rondschuiven. De voorstelling was afgelopen. Er werden geen kaartjes meer verkocht.

'Hoe heet je?' vroeg de onbekende.

'Dat gaat je geen fuck aan,' blafte Pauline. Ze had geen behoefte aan vriendschap. Ze wilde hier weg, op wat voor manier dan ook, en als dat betekende dat ze over het lijk van die ander de vrijheid kon bereiken, dan zou ze dat doen. 'Gewoon bek houden.'

'Vertel nou wat je aan het doen bent, misschien kan ik je helpen.'

'Je kunt me niet helpen. Begrepen?' Pauline draaide haar hoofd naar de onbekende toe, ook al was het pikdonker om hen heen. 'Nou moet je eens goed luisteren, trut. Er komt er hier maar eentje levend uit, en dat ben jij niet. Heb je me begrepen? Wie achteraan loopt, stapt in de stront. Is dat duidelijk?'

De ander zweeg. Pauline liet zich op haar rug rollen, keek het donker in en zette zich weer schrap voor de muur.

De vrouw kon alleen nog maar fluisteren. 'Jij bent toch Atlanta Thin?'

Paulines keel kneep dicht, alsof er een strop omheen was geslagen. 'Wat?'

'"Wie achteraan loopt, stapt in de stront",' herhaalde ze Paulines woorden. 'Dat zeg jij altijd.'

Pauline beet op haar lip.

'Ik ben Mia-Three.'

'Mia' was spreektaal voor 'boulimia'. 'Ik weet niet waar je het over hebt,' zei Pauline met klem, ook al had ze de schuilnaam herkend.

'Heb je die e-mail op je werk laten lezen?' vroeg Mia.

Pauline deed haar mond open, al was het alleen maar om even te ademen. Ze probeerde zich de andere dingen te herinneren die ze op de pro-anawebsite had verteld, de wanhopige gedachten die door haar hoofd spookten en die op de een of andere manier hun weg naar het toetsenbord hadden gevonden. Het was net zoiets als braken, maar in plaats van je maag maakte je je hoofd leeg. Als je anderen vertelde wat voor vreselijke gedachten je koesterde en wist dat zij dezelfde gedachten hadden, werd het op de een of andere manier gemakkelijker om 's ochtends je bed uit te komen.

En nu was de onbekende niet langer onbekend.

'Heb je ze die e-mail laten lezen?' vroeg Mia nog eens.

Pauline slikte, ook al had ze alleen nog maar stof in haar keel. Het was niet te geloven: ze lag als een varken vastgebonden op de vloer, en die vrouw wilde het over haar werk hebben. Werk deed er allang niet meer toe. Niets deed er meer toe. Die e-mail was iets uit een ander leven, een leven waarin Pauline een baan had die ze wilde houden, een hypotheek, een auto die ze moest afbetalen. Ze lagen hier beneden te wachten tot ze verkracht, gemarteld en vermoord werden, en dat mens maakte zich druk om een stom mailtje?

'Ik heb Michael, mijn broer, niet kunnen bellen,' zei Mia. 'Misschien is hij naar me op zoek.'

'Hij vindt je echt niet,' zei Pauline. 'Niet hier.'

'Waar zijn we eigenlijk?'

'Geen idee,' antwoordde ze, en dat was de waarheid. 'Ik kwam bij in de kofferbak van een auto. Ik was geboeid. Ik weet niet hoe lang ik daar heb gelegen. De kofferbak ging open en ik begon te schreeuwen. Toen heeft hij die taser weer op me afgeschoten.' Ze sloot haar ogen. 'De volgende keer dat ik bijkwam, lag ik hier.'

'Ik was in mijn achtertuin,' vertelde Mia. 'Ik hoorde iets, een kat dacht ik...' Haar stem stierf weg. 'Ik lag ook in een kofferbak toen ik bijkwam. Ik weet niet hoe lang hij me daar heeft laten liggen. Voor mijn gevoel was het dagen. Ik probeerde de uren te tellen, maar...' Ze zweeg een tijd, en Pauline wist niet wat ze ervan moest denken. Uiteindelijk vroeg Mia: 'Denk je dat hij ons zo heeft gevonden – via die chatroom?'

'Waarschijnlijk wel,' loog Pauline. Ze wist maar al te goed hoe hij hen had gevonden, en het was niet via die stomme chatroom. Het kwam door Pauline dat ze nu hier lagen – door Paulines grote mond zaten ze nu in de problemen. Ze was niet van plan Mia te vertellen wat ze wist. Dan kwamen er nog meer vragen, en die vragen gingen vergezeld van verwijten die Pauline niet zou kunnen hanteren.

Niet nu. Niet nu haar hoofd vol watten leek te zitten en het bloed dat langs haar ogen droop aan miljoenen harige spinnenpootjes deed denken.

Pauline hapte naar adem en ze moest alles op alles zetten om niet weer gek te worden. Ze dacht aan Felix, aan hoe hij rook als ze hem waste met de nieuwe zeep die ze tijdens haar lunchpauze aan Colony Square had gekocht.

'Het ligt nog steeds in de kluis, hè?' vroeg Mia. 'Als ze dat mailtje in de kluis vinden weten ze dat jij tegen de stoffeerder hebt gezegd dat hij de lift moest opmeten.'

'Wat maakt dat nou uit, trut? Snap je dan niet waar we zijn, wat er met ons gaat gebeuren? En stel dat ze dat mailtje vinden. Schrale troost, hoor. "Ze is dood, maar ze heeft toch al die tijd gelijk gehad."'

'Dat is dan meer erkenning dan je tijdens je leven hebt gehad.'

Heel even zwegen ze, beiden gedompeld in zelfmedelijden. Pauline probeerde zich het weinige te herinneren dat ze over Mia wist. De vrouw meldde zich niet vaak op de chat, maar als ze iets schreef, was het meestal raak. Net als Pauline en een paar andere leden hield Mia niet van jankerds, en tegen geouwehoer kon ze al helemaal niet.

'We laten ons echt niet doodhongeren,' zei Mia. 'Ik kan

negentien dagen zonder eten voor ik instort.'

Pauline was onder de indruk. 'Ik hou het ongeveer even lang vol,' loog ze. Haar maximum lag op twaalf dagen, en toen was ze in het ziekenhuis opgenomen en vetgemest als een kerstkalkoen.

'Het probleem is water,' zei Mia.

'Ja,' beaamde Pauline. 'Hoe lang kun je...'

'Ik heb nooit geprobeerd niet te drinken,' onderbrak Mia haar. 'In water zitten geen calorieën.'

'Vier dagen,' zei Pauline. 'Ik heb ergens gelezen dat je het maar vier dagen volhoudt.'

'Wij houden het langer vol.' Dat was geen wishful thinking. Als Mia negentien dagen zonder eten kon, dan kon ze vast en zeker ook langer dan Pauline zonder water. Dat was het probleem. Ze hield het langer vol dan Pauline. Nog nooit was er iemand geweest die het langer volhield dan Pauline.

De vraag kon niet uitblijven. 'Waarom heeft hij ons nog niet geneukt?'

Pauline drukte haar hoofd tegen de koele betonnen vloer en probeerde de aanzwellende paniek te bezweren. Het neuken was het probleem niet. Het waren de andere dingen – de spelletjes, het gesar, de trucjes... de vuilniszakken.

'Eerst put hij ons uit,' veronderstelde Mia. 'Hij wil er zeker van zijn dat we niet terugvechten.' Mia's boeien rinkelden toen ze zich bewoog. Haar stem klonk nu dichterbij en Pauline vermoedde dat ze zich op haar zij had gedraaid. 'Wat was je aan het doen? Daarnet, bedoel ik. Waarom sloeg je met je hoofd tegen de muur?'

'Als ik door de gipsplaat heen kan beuken, kom ik er misschien uit. In de bouw staan de balken standaard veertig centimeter uit elkaar.'

'Is je taille maar veertig centimeter breed?' vroeg Mia vol ontzag.

'Nee, sukkel. Ik kan me toch op mijn zij draaien en naar buiten schuiven?'

Mia lachte om haar eigen stommiteit, maar toen maakte ze een opmerking waardoor Pauline zichzelf al even achterlijk vond. 'Waarom gebruik je je voeten niet?'

Ze zwegen allebei, maar Pauline voelde iets in zich op-
wellen. Ondanks haar verkrampende maag weergalmde
er gelach in haar oren, eerlijk, bulderend gelach bij de ge
dachte aan hoe stom ze was geweest. 'O god,' verzuchtte Mia. Ze moest ook al lachen. 'Wat
ben jij een idioot.'

Pauline wurmde haar lichaam heen en weer en gebruikte haar schouder als spil. Ze trok haar voeten op, klemde
ze tegen elkaar zodat de boeien haar niet hinderden, en
schopte. Bij de eerste poging zat er al een gat in de gipsplaat.

'Stomme koe,' mompelde ze tegen zichzelf. Ze schoof
weer met haar gezicht naar de opening toe, en met haar
tanden trok ze de kapotte stukken gips weg. Het stof zat
vol gif, maar dat interesseerde haar niet. Ze ging liever
dood met haar hoofd vijftien centimeter uit dat gat dan
dat ze gevangenzat en lijdzaam wachtte tot die klootzak
haar kwam halen.

'Is het gelukt?' vroeg Mia. 'Heb je...'

'Bek houden,' zei Pauline, en nu beet ze in het isolatieschuim. Hij had de muren geluiddicht gemaakt. Dat was
te verwachten. Geen probleem. Ze nam het spul gewoon
tussen haar tanden en scheurde de ene brok na de andere
weg, hoewel ze smachtte naar wat frisse lucht op haar gezicht.

'Kut!' schreeuwde ze opeens. Ze draaide zich een stukje
om, zodat ze met haar middel voor het gat lag, en stak
haar vingers naar binnen, maar die kwamen nauwelijks
voorbij de gipsplaat. Ze trok het isolatieschuim los tot ze
iets voelde wat op een soort rooster leek. Ze welfde haar
rug en stak haar handen zo diep mogelijk naar binnen.
Haar vingers streken over gekruist draad. 'Godverdomme!'

'Wat is er?

'Kippengaas.' Hij had de muren met kippengaas bekleed
om te voorkomen dat ze uitbraken.

Pauline draaide zich weer om en ramde haar voeten
tegen het gaas. De zolen van haar schoenen raakten iets

hards. In plaats van dat het gaas meegaf, vloog ze door de tegenkracht een eind over de vloer. Ze schoof weer terug om het nogmaals te proberen, draaide zich op haar buik en legde haar bezwete handpalmen op het beton. Ze trok haar voeten naar achteren en schopte met alle kracht die ze in zich had. Weer stuitte ze op iets hards en haar lichaam gleed bij de muur weg.

'O, jezus,' hijgde ze, terwijl ze zich op haar rug liet vallen. Nu kwamen de tranen, spinnenpootjes die haar gezichtsveld binnendrongen. 'Wat moet ik doen?'

'Kun je er met je handen bij?'

'Nee,' huilde Pauline. Met elke ademtocht sijpelde haar hoop weg. Haar handen zaten te strak aan de riem vast. Het kippengaas was aan de achterkant van de balken bevestigd. Ze kon er op geen enkele manier bij.

Haar lichaam schokte, zo hevig snikte ze. Ze had hem al jaren niet gezien, maar ze wist nog steeds hoe hij dacht. Het souterrain was zijn uitvalsbasis, een met zorg klaargemaakte gevangenis waar hij ze net zo lang uithongerde tot hij alles met hen kon doen. Maar dat was nog niet het ergste. Ergens had hij een hol, een donkere plek in de aarde, dat hij liefdevol met zijn eigen handen had uitgegraven. Het souterrain moest hen breken. Het hol zou hen vernietigen. De hufter had overal aan gedacht.

Alweer.

Mia was inmiddels naar haar toe geschoven. Haar stem klonk heel dichtbij, bijna alsof ze boven op Pauline lag. 'Stil,' beval Mia, en ze duwde Pauline aan de kant. 'We doen het met onze mond.'

'Wat?'

'Het is toch heel dun metaal? Kippengaas?'

'Ja, maar...'

'Als je het maar lang genoeg heen en weer beweegt, breekt het vanzelf.'

Pauline schudde haar hoofd. Dit was krankzinnig.

'Er hoeft maar één stukje te breken,' zei Mia, alsof het allemaal heel logisch was. 'Je pakt het vast met je mond en beweegt het steeds maar heen en weer. Uiteindelijk breekt het en dan kunnen we het kapottrappen. Of we

breken het stukje voor stukje af met onze mond.'
'We kunnen toch niet...'
'Kap eens met dat "we kunnen niet", stomme trut.'
Mia's voet was geketend, maar ze slaagde erin Pauline een
trap tegen haar scheenbeen te verkopen.
'Au! Jezus...'
'Begin maar te tellen,' beval Mia, die nu naar het gat in
de muur schoof. 'Als je bij tweehonderd bent aangekomen,
ben jij aan de beurt.'
Pauline deed het echt niet, ze peinsde er niet over om
zich door die bitch de les te laten lezen. Op dat moment
hoorde ze iets – tanden op metaal. Malend en draaiend.
Tweehonderd seconden. Hun huid zou openscheuren.
Hun tandvlees zou aan flarden gaan. En dan moesten ze
nog maar afwachten of het hielp.
Pauline draaide zich om en ging op haar knieën zitten.
Ze begon te tellen.

Eenentwintig

Faith had zichzelf nooit als een ochtendmens beschouwd, maar toen Jeremy klein was had ze zich aangewend om vroeg naar haar werk te gaan. Je was per definitie een ochtendmens als je een hongerig jongetje moest voeden, aankleden en nog eens goed controleren voor je hem om uiterlijk dertien minuten over zeven naar de bushalte stuurde. Als Jeremy er niet was geweest, was ze misschien een echte nachtuil geworden, zo'n type dat lang na middernacht het bed in rolt. Faith ging meestal om een uur of tien naar bed, ook toen Jeremy al een puber was en zijn bed niet uit te branden was.

Ook Will was altijd vroeg op het werk, om redenen die hij zelf het beste kende. Toen Faith haar Mini de parkeergarage onder City Hall East in reed zag ze dat zijn Porsche al op zijn vaste plek stond. Ze parkeerde de auto en bleef nog even zitten om de bestuurdersstoel te verstellen, zodat ze weer gelijktijdig bij het stuur en de pedalen kon zonder door het ene gespiest te worden terwijl ze met gestrekte benen bij het andere probeerde te komen. Na ettelijke minuten had ze de juiste combinatie gevonden, en even overwoog ze om de stoel met bouten te laten vastzetten. Als Will nog eens in haar auto wilde rijden, moest hij dat maar doen met zijn knieën om zijn oren.

Er werd op het raampje getikt. Faith keek geschrokken op en zag Sam Lawson staan, met een beker koffie in zijn hand.

Faith opende het portier en wurmde zich naar buiten. Ze had het gevoel dat ze van de ene op de andere dag zo'n tien kilo was aangekomen. Het was die ochtend een ramp geweest om iets te vinden wat haar nog paste. Ze sleepte voldoende vocht met zich mee om een aquarium bij Sea World te vullen. Gelukkig was de roes waarin Sam Lawson haar had gestort hooguit een eendagsvirus geweest. Ze had geen zin in een gesprek, en al helemaal niet nu ze zich moest concentreren op de dag die voor haar lag.

'Hé, schatje,' zei Sam, en zoals gewoonlijk nam hij haar met zijn roofzuchtige blik van top tot teen op.

Faith graaide haar tas van de achterbank. 'Da's lang geleden.'

Met een vage schouderbeweging gaf hij aan dat hij slechts het slachtoffer van de omstandigheden was. 'Alsjeblieft.' Hij reikte haar de koffie aan. 'Cafeïnevrij.'

Faith had die ochtend geprobeerd wat koffie te drinken. Alleen al bij de geur was ze als een haas naar de wc gerend. 'Sorry.' Haar misselijkheid bedwingend negeerde ze de haar toegestoken beker en stapte weg.

Sam wierp het bekertje in een afvalbak en kwam naast haar lopen. 'Ochtendziek?'

Faith keek om zich heen, bang dat anderen het zouden horen. 'Ik heb het alleen nog maar aan mijn baas verteld.' Ze probeerde zich te herinneren wanneer je het meestal aan anderen vertelde. Er moest een bepaald aantal weken verstreken zijn voor je zeker wist dat het een blijvertje was. Zo langzamerhand zat Faith daar al aardig in de buurt. Binnenkort moest ze het aan iedereen gaan vertellen. Zou ze hen allemaal bij elkaar roepen, haar moeder en Jeremy te eten vragen en haar broer aan de speakerphone zien te krijgen, of zou ze een anoniem verzamelbericht de wereld in sturen en dan snel een vlucht naar de Caraïben boeken om daar een paar weken onder te duiken tot de bui was overgedreven?

Sam knipte met zijn vingers voor haar gezicht. 'Hé, ben je er nog?'

'Nauwelijks.' Ze staken gelijktijdig hun hand uit naar de knop van de deur die toegang gaf tot het gebouw. Faith liet Sam opendoen. 'Ik heb heel veel aan mijn kop,' zei ze.

'Wat gisteravond betreft...'

'Dat is trouwens alweer twee avonden geleden.'

Hij grijnsde. 'Ja, maar ik moest er gisteravond pas aan denken.'

Met een zucht drukte Faith op de knop van de lift.

'Kom eens hier.' Hij trok haar de nis tegenover de lift in. Zonder te kijken wist Faith dat er een verkoopautomaat met drie rijen suikerbroodjes stond.

Sam streek haar haar achter haar oor, en Faith week terug. Zo vroeg op de ochtend was ze nog niet aan dat soort intimiteit toe. Eigenlijk wist ze niet of ze er ooit wel aan toe was. Automatisch keek ze op om te zien of er geen bewakingscamera op hen gericht stond.

'Ik heb me laatst als een idioot gedragen. Het spijt me.'

Ze hoorde de liftdeuren open- en weer dichtgaan. 'Geeft niet.'

'Ja, het geeft wel.' Hij boog zich voorover om haar te kussen, maar ze week nog verder terug.

'Sam, ik moet aan het werk.' Ze vertelde hem niet wat ze op dat moment dacht, namelijk dat ze midden in een zaak zat waarbij één vrouw was gestorven, een andere was gemarteld en twee werden vermist. 'Dit is niet het goede moment.'

'Het is nooit het goede moment,' zei hij. Dat had hij jaren geleden, toen ze een relatie hadden, ook vaak tegen haar gezegd. 'Ik wil het nog eens met je proberen.'

'En Gretchen dan?'

Hij haalde zijn schouders op. 'Een geval van risicospreiding.'

Kreunend duwde Faith hem weg. Ze liep terug naar de lift en drukte op de knop. 'Ik ben zwanger,' zei ze toen Sam bleef staan.

'Dat weet ik.'

'Niet dat ik je hart wil breken, maar die baby is niet van jou.'

'Dat maakt niet uit.'

Ze keerde zich naar hem toe. 'Probeer je nu geesten te bezweren omdat je vrouw een abortus heeft gehad?'

'Ik probeer weer deel van je leven te worden, Faith. En ik weet dat dat alleen op jouw voorwaarden kan.'

Het was een dubieus compliment en Faith trapte er niet in. 'Als ik me goed herinner was een van de problemen die we hadden, behalve dan dat jij aan de drank en ik bij de politie was en dat mijn moeder je voor de baarlijke duivel aanzag, dat je het helemaal niet leuk vond dat ik een zoon had.'

'Ik was jaloers omdat je hem zoveel aandacht schonk.'

Precies hetzelfde had ze hem destijds verweten. Dat hij het nu zelf toegaf, was op z'n minst verbluffend.

'Ik ben volwassen geworden,' zei hij.

De lift ging open. Faith keek of er niemand in stond en hield de deur toen met haar hand tegen. 'Ik heb nu geen tijd voor dit gesprek. Ik moet aan het werk.' Ze stapte in en liet de deur los.

'Jake Berman woont in Coweta County.'

Het kostte Faith bijna een hand toen ze de deur tegenhield. 'Wat?'

Hij haalde zijn notitieboekje uit zijn zak en al pratend begon hij te schrijven. 'Ik heb hem via zijn kerk opgespoord. Hij is diaken en geeft les aan de zondagsschool. Ze hebben een prachtige website waar hij met foto en al op staat. Lammetjes en regenbogen. Evangelisch.'

Faith kon het zo snel niet verwerken. 'Waarom heb je hem opgespoord?'

'Ik was benieuwd of ik sneller was dan jij.'

Dit ging helemaal verkeerd, en Faith probeerde de schade nog enigszins te beperken. 'Hoor eens, Sam, we weten helemaal niet of hij iets op zijn kerfstok heeft.'

'Dan ben jij zeker nooit op het herentoilet in de Mall of Georgia geweest?'

'Sam...'

'Ik heb hem niet gesproken,' onderbrak hij haar. 'Ik wilde alleen weten of ik hem zou kunnen opsporen. Ik ben het zat dat Rockdale me voortdurend bij mijn kloten heeft. Ik heb veel liever dat jij het doet.'

Faith liet ook die opmerking passeren. 'Geef me één ochtend, dan ga ik eerst met hem praten.'

'Ik zei toch dat ik niet op een verhaal uit ben.' Hij grijnsde al zijn tanden bloot. 'Het was een oefening in vertrouwen, Faith.'

417

Ze kneep haar ogen samen.

'Ik wilde zien of ik jouw werk kon doen.' Hij scheurde het blaadje uit en knipoogde. 'Karweitje van niks.'

Voor hij van gedachten kon veranderen, graaide Faith het adres uit zijn handen. Terwijl de liftdeuren dichtschoven bleef hij haar aankijken, tot ze opeens haar eigen spiegelbeeld zag dat haar vanaf de achterkant van de deuren aanstaarde. Ze zweette nu alweer, hoewel dat eventueel voor die speciale zwangerschapsgloed kon doorgaan. Haar haar begon te kroezen, want ook al was het nog maar april, de temperatuur kroop geleidelijk aan omhoog.

Ze keek naar het adres dat Sam haar had gegeven. Hij had er een hart omheen getekend, wat ze zowel irritant als aandoenlijk vond. Dat hij niet op een verhaal uit was wat die Jake Berman betrof, geloofde ze niet helemaal. Misschien werkte de *Atlanta Beacon* in het diepste geheim aan een exclusieve serie over gehuwde kerkgangers die homobars bezochten en midden op de weg op verkrachte en gemartelde vrouwen stuitten.

Zou Berman de broer van Pauline zijn? Nu ze een adres had, was Faith er niet langer zo zeker van. Dan zou het toch wel heel toevallig zijn dat Jake Berman contact had gelegd met Rick Sigler en dat beide mannen langs waren gekomen net op het moment dat Anna Lindsey door de auto van de Coldfields werd geschept?

De deuren gingen open en Faith liep haar verdieping op. Nergens in de gang brandde licht, en terwijl ze naar Wills kamer liep, drukte ze de schakelaars een voor een in. Hoewel er ook geen licht onder zijn deur door scheen, klopte ze toch aan, want ze had zijn auto gezien en wist dat hij in het gebouw was.

'Binnen.'

Faith deed de deur open. Hij zat achter zijn bureau met zijn handen samengevouwen voor zijn buik. Alle lampen waren uit.

'Alles oké?' vroeg ze.

'Hoe staat het ervoor?' was zijn tegenvraag.

Faith sloot de deur en pakte de klapstoel. Ze keek naar de rug van Wills hand en zag een paar nieuwe schrammen naast de wondjes die hij had opgelopen toen hij Simkovs gezicht had verbouwd. Zonder er iets over te zeggen begon ze over hun zaak. 'Ik heb het adres van Jake Berman. Hij woont in Coweta. Dat is toch zo'n drie kwartier rijden hiervandaan?'

'Als het verkeer meezit.' Hij stak zijn hand naar het adres uit. Ze las het voor hem op. 'Lester Street 1935.' Hij hield zijn hand nog steeds uitgestoken. Om de een of andere reden bleef Faith naar zijn vingers staren.

'Godverdomme, Faith, ik ben niet achterlijk of zo,' snauwde hij. 'Ik kan nog wel een adres lezen.'

Zijn toon was zo scherp dat haar nekharen ervan overeind gingen staan. Will gebruikte zelden grove taal, en ze had hem nog nooit 'godverdomme' horen zeggen. 'Wat is er met je?' vroeg ze.

'Er is niks met me. Ik moet gewoon dat adres hebben. Dat verhoor van Simkov moet iemand anders maar doen. Ik ga die Berman wel opzoeken en dan zien we elkaar weer na jouw afspraak.' Hij maakte een ongeduldig gebaar. 'Geef me dat adres nou.'

Faith sloeg haar armen over elkaar. Ze ging nog liever dood dan dat ze hem dat stukje papier gaf. 'Ik weet niet wat er met jou aan de hand is, maar het wordt de hoogste tijd dat je je kop uit het zand trekt en er met mij over praat, voor we echt een probleem hebben.'

'Faith, ik heb maar twee ballen. Als je er ook een wilt, moet je met Amanda of Angie gaan praten.'

Angie. Bij die naam leek alle strijdlust uit hem weg te vloeien. Nog steeds met haar armen over elkaar leunde Faith achterover op haar stoel en nam hem aandachtig op. Will keek uit het raam en ze kon de vage streep van het litteken zien dat over de zijkant van zijn gezicht liep. Ze wilde weten hoe hij eraan gekomen was, hoe zijn huid van zijn kaak was geschraapt, maar net als al die andere zaken was ook het litteken iets wat onbesproken bleef.

Faith legde het velletje papier op zijn bureau en schoof het naar hem toe.

Will wierp er een vluchtige blik op. 'Er staat een hart omheen.'

419

'Dat heeft Sam erop getekend.'

Will vouwde het papier op en stopte het in zijn vestzak. 'Heb je iets met hem?'

Faith nam het woord 'tussendoortje' liever niet in haar mond. 'Het ligt wat ingewikkeld,' zei ze schouderophalend.

Hij knikte – het soort knikje dat ze altijd uitwisselden als het om iets persoonlijks ging dat verder niet bespreekbaar was.

Faith had schoon genoeg van het hele gedoe. Hoe moest het over een maand, als het steeds zichtbaarder werd? Of over een jaar, als ze tijdens het werk in elkaar stortte omdat ze haar insuline verkeerd had berekend? Ze zag het al helemaal voor zich: Will die smoesjes voor haar verzon om haar gewichtstoename te verklaren, of die haar simpelweg overeind hielp en zei dat ze moest uitkijken waar ze liep. Hij kon als geen ander doen alsof er geen brand was terwijl hij als een gek rondrende op zoek naar bluswater.

Verslagen stak ze haar handen in de lucht. 'Ik ben zwanger.'

Zijn wenkbrauwen schoten omhoog.

'Victor is de vader. Ik heb ook diabetes. Daarom ben ik laatst flauwgevallen, daar in die garage.'

Hij was te verbluft om er een woord uit te krijgen.

'Ik had het je eerder moeten vertellen. Daarom heb ik ook die geheime afspraak in Snellville. Ik ga naar een dokter die me moet helpen met dat diabetesgedoe.'

'Kun je niet bij Sara terecht?'

'Ze heeft me naar een specialist verwezen.'

'Dat betekent dus dat het ernstig is.'

'Het is een hele opgaaf,' zei Faith. 'Door die diabetes wordt het nog moeilijker. Er valt trouwens wel mee te leven. Dat zei Sara tenminste,' voegde ze eraan toe.

'Zal ik met je meegaan naar die afspraak?'

Faith zag Will al in de wachtkamer van Delia Wallace' praktijk zitten met haar tasje op zijn schoot. 'Nee, bedankt. Dit moet ik in mijn eentje doen.'

'Weet Victor...'

Ze schudde haar hoofd. 'Victor weet het niet. Niemand weet het, behalve jij en Amanda, en ik heb het haar alleen verteld omdat ze me betrapte toen ik insuline spoot.'

'Moet je jezelf injecties geven?'

'Ja.'

Ze kon zijn hersenen bijna zien malen terwijl hij verwoede pogingen deed om de vragen te formuleren die bij hem opkwamen.

'Als je liever een andere collega als partner hebt...' zei Faith.

'Waarom zou ik een andere collega als partner willen hebben?'

'Omdat het een probleem is, Will. Ik weet niet hoe groot, maar mijn bloedsuikergehalte schiet alle kanten op, ik word emotioneel, en als ik je kop er niet af bijt, barst ik wel in tranen uit, en ik heb geen idee hoe ik met dit alles erbij mijn werk moet doen.'

'Je vindt vast wel een manier,' zei hij, redelijk als altijd.

'Dat heb ik ook gedaan. Met mijn probleem, bedoel ik.'

Hij wist zich altijd zo goed aan te passen. Wat er ook gebeurde, ongeacht hoe erg het was, hij knikte slechts en ging over tot de orde van de dag. Faith ging er maar van uit dat hij dat in het weeshuis had geleerd. Of misschien had Angie Polaski het er bij hem in geslagen. Als overlevingsmechanisme was het zeer aanbevelenswaardig. Als basis voor een relatie was het verdomd irritant.

En Faith kon er helemaal niets mee.

Will ging rechtop zitten en paste zijn gebruikelijke truc toe door met een grapje de spanning te verbreken. 'Als ik ook nog iets in te brengen heb, heb ik liever dat je mijn kop eraf bijt dan dat je in tranen uitbarst.'

'Die zit.'

'Ik moet je mijn excuses nog aanbieden.' Opeens was hij weer ernstig. 'Voor wat ik met Simkov heb gedaan. Ik heb nog nooit iemand zo te pakken gehad. Nog nooit.' Hij keek haar recht in haar ogen. 'Ik beloof je dat het nooit weer zal gebeuren.'

'Dank je,' was het enige wat Faith erop te zeggen had. Uiteraard kon het niet door de beugel wat Will had gedaan, maar ze kon hem moeilijk allerlei verwijten naar het hoofd slingeren als hij al zo overduidelijk zelf door het stof ging.

Nu was het Faiths beurt om de stemming te verlichten. 'Laten we maar eens tijdje geen *good cop, bad cop* meer spelen.'

'Ja, *stupid cop, bitchy cop* gaat ons stukken beter af.' Hij stak zijn hand in zijn vestzak en gaf haar het briefje met de gegevens van Jake Berman terug. 'We zullen Coweta maar eens bellen en vragen of zij Berman in de gaten willen houden om te zien of hij degene is die we zoeken.'

Het duurde even voor de radertjes in Faiths hoofd de andere kant op draaiden. Ze keek naar Sams blokletterschrift en naar het stomme hart dat hij rond het adres had getekend. 'Ik snap niet hoe Sam die vent in vijf minuten kan opsporen terwijl onze hele data-afdeling hem na twee dagen nog niet heeft gevonden.'

Faith pakte haar mobiel. Om de gebruikelijke kanalen te omzeilen belde ze Caroline, Amanda's secretaresse. De vrouw woonde praktisch in het gebouw, en ze nam meteen op. Faith gaf Bermans adres aan haar door en vroeg of ze de GBI-agent die verantwoordelijk was voor Coweta County wilde laten nagaan of dit de Jake Berman was naar wie ze op zoek waren.

'Moet hij de man oppakken?' vroeg Caroline.

Faith dacht even na en vond dat ze een dergelijke beslissing niet in haar eentje kon nemen. 'Moet Berman opgepakt worden?' vroeg ze aan Will.

Hij haalde zijn schouders op. 'Is het de bedoeling dat hij het doorheeft?' vroeg hij.

'Als er een smeris bij hem aanklopt heeft hij het sowieso door.'

Weer haalde Will zijn schouders op. 'Zeg dat hij Bermans identiteit op afstand moet natrekken. Als hij het blijkt te zijn, gaan we eropaf en nemen hem mee. Geef die agent het nummer van mijn mobiel maar. Dan gaan we ernaartoe zodra jij met Simkov hebt gebabbeld.'

Faith gaf dit door aan Caroline en beëindigde het gesprek. Will draaide zijn computerscherm naar haar toe.

'Ik heb een mailtje van Amanda gekregen.'

Faith trok de muis en het toetsenbord naar zich toe. Ze veranderde de kleurinstelling om te voorkomen dat haar netvliezen spontaan ontploften en klikte het bestand aan. Al lezend vatte ze het bericht voor Will samen. 'Het lab is er niet in geslaagd de computers te kraken. Je komt alleen met een wachtwoord op die anorexiachatroom, en die heeft een of andere prachtcode. Het gerechtelijk bevel voor de bank van Olivia Tanner wordt vanmiddag verwacht, dus dan kunnen we bij haar telefoon- en computergegevens.' Ze scrolde naar beneden. 'Hmm.' Ze las even in stilte en zei toen: 'Oké, dit is misschien iets om de portier op aan te spreken. Op de kruk van de nooduitgang bij het penthouse is een gedeeltelijke vingerafdruk aangetroffen – van een rechterduim.'

Will wist dat Faith het grootste deel van de vorige middag bezig was geweest om het appartementengebouw van Anna Lindsey volledig uit te kammen. 'Hoe kom je bij die trap?'

'Via de hal of via het dak,' zei ze, terwijl ze de volgende passage las. 'Op de brandtrap aan de achterkant van het gebouw is een tweede afdruk gevonden die correspondeerde met die op de deur. Die wordt naar de politie van Michigan gestuurd voor vergelijkend onderzoek. Als de broer van Pauline een strafblad heeft, moet er een treffer zijn. Als we een naam hebben, zijn we al een heel eind opgeschoten.'

'We moeten ook eens kijken naar parkeerbonnen die daar in de buurt zijn uitgeschreven. Je kunt niet zomaar overal parkeren in Buckhead. Je wordt al snel gepakt.'

'Goed idee.' Faith opende haar eigen e-mailprogramma om het verzoek te versturen. 'Ik breid het uit tot parkeerbonnen in de buurt van alle plekken waar onze slachtoffers het laatst zijn gezien.'

'Son of Sam is ook dankzij een parkeerbon gepakt.'

Faith roffelde over de toetsen. 'Je moet niet zoveel tv-kijken.'

'Wat moet ik 's avonds anders doen?'

Ze wierp een blik op de nieuwe schrammen op zijn handen.

'Hoe heeft hij Anna Lindsey trouwens uit dat gebouw gekregen?' vroeg Will zich af. 'Hij kon haar niet zomaar over zijn schouder slingeren en langs de brandtrap mee naar beneden nemen.'

Faith verzond het mailtje en gaf toen antwoord. 'Op de uitgang naar de trap zat een beveiligingsinstallatie. Als iemand die deur had geopend, zou er een alarm zijn afgegaan. Zou hij haar met de lift mee naar beneden hebben genomen en via de hal zijn vertrokken?'

'Dat moet je aan Simkov vragen.'

'De portier zit niet vierentwintig uur per dag op zijn post,' benadrukte Faith. 'De moordenaar heeft misschien gewacht tot Simkov uitklokte en heeft haar toen met de lift naar beneden gebracht. Simkov moest eigenlijk ook na zijn werk een oogje in het zeil houden, maar hij had niet echt hart voor de zaak.'

'Was er geen andere portier die het van hem overnam?'

'Ze zijn al een halfjaar bezig om iemand voor die baan te vinden,' zei ze. 'Blijkbaar is het moeilijk om iemand te krijgen die acht uur per dag op zijn krent achter een balie wil zitten – daarom hebben ze ook zoveel geslikt van Simkov. Hij was bereid om dubbele diensten te draaien, voor zover dat iets voorstelde.'

'En de banden van de bewakingscamera's?'

'Die worden om de twee dagen opnieuw gebruikt. Behalve die van gisteren,' voegde ze eraan toe, 'want die schijnen onvindbaar te zijn.' Amanda had ervoor gezorgd dat de band was vernietigd waarop Will Simkov met zijn gezicht tegen de balie sloeg.

Will bloosde van schaamte. Niettemin vroeg hij: 'Heb je nog iets in Simkovs appartement gevonden?'

'We hebben alles binnenstebuiten gekeerd,' zei ze. 'Hij rijdt in een oude Monte Carlo die zo lek is als een mandje, en we hebben nergens bonnetjes van opslagruimtes kunnen vinden.'

'Hij kan onmogelijk Paulines broer zijn.'

'We zijn daar zo op gefixeerd geweest dat we verder niks hebben gezien.'

'Oké, dan laten we dat van die broer even buiten beschouwing. Wat weten we van Simkov?'

'Slim is hij niet. Niet dat hij dom is, maar onze moordenaar is op vrouwen uit die hij wil veroveren. Waarmee ik niet wil zeggen dat de dader een genie is, maar hij is wel een jager. Simkov is een trieste zak die porno onder zijn matras bewaart en zich laat pijpen door de eerste de beste hoer die een leeg appartement in wil.'

'En jij hebt nooit in daderprofielen geloofd!'

'Dat is zo, maar we vangen overal bot. Laten we het nog eens over de dader hebben,' zei Faith, iets wat Will meestal voorstelde. 'Wie is onze moordenaar?'

'Hij is slim,' moest Will toegeven. 'Waarschijnlijk werkt hij voor een bazige vrouw of zijn er bazige vrouwen in zijn leven.'

'Dan hebben we het over zo ongeveer elke man die tegenwoordig op aarde rondloopt.'

'Vertel mij wat.'

Faith vatte dat maar als grapje op, en glimlachte. 'Wat voor werk doet hij?'

'Iets heel onopvallends. Hij heeft variabele werktijden. Het kost veel tijd om die vrouwen in de gaten te houden en hun gewoontes te leren kennen. Dan moet hij wel een baan hebben waarbij hij zelf zijn werktijden kan indelen.'

'Dan kom ik nog één keer met diezelfde saaie, stomme vraag: hoe zit het met de vrouwen? Wat hebben ze gemeen?'

'Die anorexia/boulimia-ellende.'

'De chatroom.' Die mogelijkheid schoot ze meteen zelf weer af. 'Maar zelfs het FBI komt er niet achter op welke naam de site staat. Niemand heeft tot nu toe Paulines wachtwoord kunnen kraken. Hoe heeft de dader dat dan wel gekund?'

'Misschien heeft hij de site zelf in het leven geroepen om slachtoffers te vinden.'

'Hoe kwam hij dan achter hun echte identiteit? Op internet is iedereen lang, slank en blond. En meestal geil en niet ouder dan twaalf.'

Hij zat weer eens aan zijn trouwring te draaien en ondertussen staarde hij uit het raam. Faith kon haar ogen niet van de schrammen op zijn hand afhouden. De lijkschouwer zou het verdedigingsletsel hebben genoemd. Will had achter iemand gestaan die haar vingernagels diep in zijn huid had geslagen.

'Hoe was het gisteren bij Sara?' vroeg ze.

'Ik heb alleen Betty opgepikt,' zei Will schouderophalend. 'Ze kan het volgens mij goed met Sara's honden vinden. Ze heeft twee windhonden.'

'Ik heb ze gisterochtend gezien.'

'O ja, dat is ook zo.'

'Sara is aardig,' zei Faith. 'Ik mag haar wel.'

Will knikte.

'Je moet haar eens mee uit vragen.'

Hij lachte en tegelijkertijd schudde hij zijn hoofd. 'Dat lijkt me niet zo'n goed idee.'

'Vanwege Angie?'

Hij staakte het gedraai aan zijn ring. 'Een vrouw zoals Sara Linton...' Ze zag iets opflitsen in zijn ogen wat ze niet helemaal kon plaatsen. Hij zou zich er wel weer van afmaken, dacht Faith, maar hij ging door. 'Faith, er is geen stukje aan mij dat niet is beschadigd.' Zijn stem klonk gesmoord. 'En dan bedoel ik niet alleen wat je kunt zien. Er zijn andere dingen. Slechte dingen.' Weer schudde hij even zijn hoofd, meer in zichzelf dan voor Faith. Ten slotte zei hij: 'Angie weet wie ik ben. Iemand als Sara...' Zijn stem stierf weg. 'Als je Sara Linton echt aardig vindt, dan wil je helemaal niet dat ze me beter leert kennen.'

'Will,' was het enige wat Faith kon zeggen.

Hij lachte geforceerd. 'We moeten hier snel mee ophouden voor een van ons nog melk gaat lekken.' Hij pakte zijn telefoontje. 'Het is bijna acht uur. Amanda zal al wel in de verhoorkamer op je zitten te wachten.'

'Ga je nog kijken?'

'Ik denk dat ik eens met Michigan ga bellen, dan zeur ik ze net zo lang aan hun kop tot ze die vingerafdrukken natrekken die op Anna's nooduitgang zijn gevonden. Bel je me nadat je bij die dokter bent geweest? Als Sam de juiste Jake Berman heeft gevonden, kunnen we wel even met hem gaan praten.'

426

Faith was haar doktersafspraak helemaal vergeten. 'Als hij de juiste Jake Berman is, moeten we hem meteen oppakken.'

'Ik bel je wel als dat het geval is. En anders ga je naar die afspraak en beginnen we daarna weer bij het begin, zoals we van plan waren.'

Ze somde het lijstje nog één keer op. 'De Coldfields, Rick Sigler, de broer van Olivia Tanner.'

'Daar zijn we nog wel even mee bezig.'

'Weet je wat ik zo irritant vind?' Will schudde zijn hoofd. 'Dat we die rapporten van Rockdale County nog niet binnen hebben.' Ze stak haar handen op, want ze wist dat Rockdale gevoelig lag. 'Als we weer van voren af aan beginnen, hebben we die hard nodig – dan moeten we het rapport hebben van de agent die het eerst op de plek van het ongeluk is geweest, en dat moeten we punt voor punt doornemen. Ik weet dat Galloway heeft gezegd dat die vent in Montana aan het vissen is, maar als hij alles goed genoteerd heeft, hoeven we niet met hem te praten.'

'Waar denk je aan?'

'Ik weet het niet, maar ik vind het raai dat Galloway ze nog niet heeft gefaxt.'

'Hij is niet echt bij de les.'

'Nee, maar tot nu toe heeft hij telkens een reden gehad om iets achter te houden. Dat heb je zelf gezegd. Mensen doen geen domme dingen zonder dat er een logische verklaring voor is.'

'Ik zal wel even naar het bureau daar bellen om te zien of de secretaresse het kan regelen zonder Galloway erbij te betrekken.

'Je moet ook naar die schrammen op je hand laten kijken.'

Hij wierp er een blik op. 'Volgens mij heb jij er al lang genoeg naar gekeken.'

Behalve het gesprek met Anna Lindsey van de vorige dag had Faith nog nooit rechtstreeks met Amanda samengewerkt. Als ze al contact met elkaar hadden, stond er een bureau tussen hen in, waaraan Amanda als een afkeurende schooljuffrouw met haar vingertoppen tegen elkaar zat te luisteren, terwijl Faith aan de andere kant onrustig heen en weer schuivend verslag uitbracht. Daarom vergat Faith weleens dat Amanda zich omhoog had gevochten in een tijd toen vrouwen in uniform hooguit koffie mochten halen en rapporten uittypen. Ze mochten niet eens een wapen dragen, want de leiding was van mening dat ze, als ze moesten kiezen tussen een boef neerschieten en hun mooie nageltjes intact houden ze voor het laatste zouden gaan. Amanda was de eerste vrouwelijke politieofficier geweest die hen op dit punt uit de droom had geholpen. Ze was de bank binnen gegaan om haar salarischeque te verzilveren toen een overvaller had besloten ook snel even wat geld op te nemen. Een van de baliemedewerksters was in paniek geraakt, waarop de overvaller met de kolf van zijn pistool op haar had ingeslagen. Amanda schoot hem één kogel door zijn hart, een zogenoemde K-5, naar de corresponderende cirkel op de schietbaan. Ooit had ze tegen Faith gezegd dat ze na afloop haar nagels had laten doen.

Otik Simkov, de portier van het appartementengebouw van Anna Lindsey, had zijn voordeel kunnen doen met dat verhaal. Of misschien ook niet. De miezerige smeerlap straalde arrogantie uit, ook al zat hij in een veel te klein, feloranje gevangenispak gepropt, met een paar sandalen aan zijn voeten, een outfit die al door duizenden gevangenen vóór hem was gedragen. Zijn gezicht was bont en blauw, maar hij zat kaarsrecht en met vierkante schouders. Toen Faith de verhoorkamer binnen kwam schonk hij haar hetzelfde soort blik als waarmee een boer een koe keurt.

Cal Finney, Simkovs advocaat, keek nadrukkelijk op zijn horloge. Faith had hem talloze malen op tv gezien en kende zijn commercials, die vergezeld gingen van een zeer irritant deuntje. In levenden lijve was hij al even knap als in de studio. Met het horloge om zijn pols had Faith Jeremy's studie kunnen betalen.

'Sorry dat ik aan de late kant ben.' Faith richtte zich tot Amanda, want ze wist dat zij de enige was die ertoe deed.

Ze nam tegenover Finney plaats en ving de blik vol onverholen walging op waarmee Simkov haar aanstaarde. Respect voor vrouwen was de man vreemd, maar misschien zou Amanda daar verandering in brengen.

'Fijn dat u met ons wilt praten, meneer Simkov,' begon Amanda. Ze sprak nog steeds op vriendelijke toon, maar Faith had inmiddels vaak genoeg met haar chef vergaderd om te weten dat Simkov het voor zijn kiezen zou krijgen. Amanda liet haar handen ontspannen op een dossiermap rusten. Als het ging zoals Faith verwachtte, dan zou ze op zeker moment de map en daarmee de poorten van de hel openen.

'We willen u slechts een paar vragen stellen met betrekking tot...'

'Krijg de tering, mens,' blafte Simkov. 'Praat maar met mijn advocaat.'

'Mevrouw Wagner,' zei Finney. 'U bent er ongetwijfeld van op de hoogte dat we vanochtend het politiekorps hebben aangeklaagd wegens geweldpleging.' Hij knipte zijn koffer open en haalde er een stapel papieren uit, die hij met een klap op tafel deponeerde.

Faith voelde het bloed naar haar wangen stijgen, maar Amanda gaf geen krimp. 'Dat begrijp ik, meneer Finney, maar uw cliënt wordt beschuldigd van het verhinderen van de rechtsgang in een buitengewoon gruwelijke zaak. Tijdens zijn dienst is een van de bewoners van het gebouw ontvoerd. Ze is verkracht en gemarteld. Ze heeft het er nauwelijks levend afgebracht. U hebt het ongetwijfeld op het nieuws gezien. Haar kind is aan zijn lot overgelaten en bijna gestorven, weer terwijl de heer Simkov dienst had. Het slachtoffer zal nooit meer kunnen zien. U begrijpt waarom we het enigszins teleurstellend vinden dat uw cliënt niet bepaald mededeelzaam is geweest over wat er zich precies in zijn gebouw heeft afgespeeld.'

'Ik weet van niks,' benadrukte Simkov, met zo'n vet accent dat Faith aan Boris Badenov uit *Rocky and Bullwinkle* moest denken. 'Zorg dat ik hier wegkom,' zei hij tegen de advocaat. 'Waarom zit ik vast? Nog even en ik ben rijk.'

Finney deed alsof hij zijn cliënt niet hoorde. 'Hoe lang gaat dit duren?' vroeg hij aan Amanda.

'Niet lang.' Naar haar glimlach te oordelen was het tegendeel eerder waar.

Finney liet zich niet voor de gek houden. 'U hebt tien minuten. Beperkt u zich tot vragen over de zaak-Anna Lindsey.' Tegen Simkov zei hij: 'Als je nu meewerkt is dat gunstig voor de behandeling van je aanklacht.'

Het verbaasde niemand dat de man een heel andere toon aansloeg zodra hij geld rook. 'Goed. Oké. Kom maar op met die vragen.'

'Vertel eens, meneer Simkov,' ging Amanda verder, 'hoe lang bent u al in ons land?'

Simkov keek zijn advocaat even aan, die met een knikje aangaf dat hij de vraag moest beantwoorden.

'Zevenentwintig jaar.'

'U spreekt zeer goed Engels. Vindt u zelf dat u het vloeiend genoeg spreekt, of zal ik een tolk laten komen om het u wat gemakkelijker te maken?'

'Mijn Engels is uitstekend.' Hij stak zijn borst naar voren. 'Ik lees de hele tijd Amerikaanse boeken en kranten.'

'U komt uit Tsjecho-Slowakije,' zei Amanda. 'Klopt dat?'

'Ik ben Tsjech,' was zijn antwoord, waarmee hij waarschijnlijk wilde aangeven dat zijn land niet langer bestond. 'Waarom stelt u me trouwens vragen? Ik klaag ú aan. U zou mijn vragen moeten beantwoorden.'

'U moet Amerikaans staatsburger zijn om de overheid te kunnen aanklagen.'

Nu liet Finney van zich horen. 'De heer Simkov is wettig ingezetene.'

'U hebt mijn verblijfsvergunning ingenomen,' voegde Simkov eraan toe. 'Die zat in mijn portefeuille. Ik zag dat u die hebt gezien.'

'Inderdaad.' Amanda sloeg de map open, en Faith voelde haar hart opspringen. 'Dank u. Dat bespaart me weer tijd.' Ze schoof haar bril op haar neus en las voor van een blaadje in de map. '"*Green cards* die zijn verstrekt tussen 1979 en 1989, en waarop geen vervaldatum staat, moe-

430

ten binnen honderdtwintig dagen na ontvangst van dit bericht vervangen worden. Wettig ingezetenen met een permanente verblijfsvergunning moeten een aanvraag ter vervanging van hun permanente verblijfsvergunning, oftewel formulier I-90, indienen om hun huidige green card te vervangen, anders vervalt hun status van permanent ingezetene."' Ze legde het blaadje neer. 'Klinkt dat u bekend in de oren, meneer Simkov?'

Finney stak zijn hand uit. 'Laat eens zien.'

Amanda overhandigde hem de brief. 'Meneer Simkov, ik vrees dat de immigratie- en naturalisatiedienst geen aanvraag in de vorm van formulier I-90, waarin u verzoekt om uw status als wettig ingezetene in dit land te vernieuwen, van u heeft ontvangen.'

'Gezeik,' beweerde Simkov, maar zijn blik schoot nerveus in de richting van zijn advocaat.

Amanda gaf Finney een tweede vel papier. 'Dit is een fotokopie van de green card van de heer Simkov. U ziet dat er geen vervaldatum op staat. Hiermee schendt hij de voorwaarden die aan zijn status zijn verbonden. Ik vrees dat we hem aan de immigraticdienst moeten overdragen.'

Ze lachte liefjes. 'Ik heb vanochtend ook een telefoontje van de binnenlandse veiligheidsdienst ontvangen. Ik had werkelijk geen idee dat wapens van Tsjechisch fabricaat in handen van terroristen vielen. Meneer Simkov, klopt het dat u metaalarbeider was voor u naar Amerika kwam?'

'Ik was hoefsmid,' beet hij terug. 'Ik besloeg paarden.'

'Dan beschikt u dus over gespecialiseerde kennis van metaalbewerking.'

Finney vloekte binnensmonds. 'Jullie zijn echt ongelooflijk, weten jullie dat?'

Amanda leunde achterover op haar stoel. 'Van uw commercials kan ik het me niet zo goed herinneren, meneer Finney, maar bent u ook gespecialiseerd in immigratiewetgeving?' Ze liet een vrolijk fluitje horen, een perfecte imitatie van het deuntje waarvan Finneys tv-commercials vergezeld gingen.

'Denkt u echt dat u met politiegeweld wegkomt door gebruik te maken van een formaliteit? Moet u die man nou eens zien.' Finney wees naar zijn cliënt, en Faith begreep wat hij bedoelde. Simkovs neus stond helemaal scheef doordat het kraakbeen was verbrijzeld. Zijn rechteroog was zo gezwollen dat het ooglid slechts op een kiertje open kon. Zelfs zijn oor was beschadigd; een venijnige rij hechtingen doorsneed het oorlelletje dat Will met zijn vuist in tweeën had gereten.

'Uw agent heeft hem helemaal tot moes geslagen,' zei Finney, 'en dat vindt u zomaar goed?' Hij verwachtte geen antwoord. 'Otik Simkov is een communistisch regime ontvlucht en is naar dit land gekomen om zijn leven weer helemaal opnieuw op te bouwen. Vindt u wat u hem nu aandoet in overeenstemming met de grondwet?'

Zoals altijd had Amanda haar antwoord klaar. 'De grondwet is voor onschuldige mensen.'

Finney klapte zijn koffertje dicht. 'Ik beleg een persconferentie.'

'Dan wil ik daar met alle plezier vertellen dat de heer Simkov zich door een hoer liet afzuigen voor hij haar naar boven liet gaan om een stervende baby van zes maanden te eten te geven.' Ze boog zich over de tafel heen. 'Vertelt u eens, meneer Simkov: gaf u haar een paar minuten extra met het kind als ze het ook inslikte?'

Het duurde even voor Finney zich hersteld had. 'Ik ontken niet dat de man een eikel is, maar zelfs eikels hebben rechten.'

Amanda schonk Simkov een ijzige glimlach. 'Alleen als ze Amerikaans staatsburger zijn.'

'Ongelooflijk, Amanda.' De walging droop van Finney af. 'Dit krijg je op een dag op je brood. Dat weet je, hè?'

Amanda was ondertussen in een soort staarwedstrijd met Simkov verwikkeld en had geen aandacht meer voor wat er in de rest van de kamer gebeurde.

Finney richtte zich nu tot Faith. 'Vindt u dat dit kan, agent? Vindt u het goed dat uw collega een getuige in elkaar slaat?'

Dat vond Faith helemaal niet goed, maar dit was niet het moment om eromheen te draaien. 'Ik werk bij het GBI. "Agent" zeg je meestal tegen een politieman op straat.'

432

'Dat slaat alles. Atlanta is het nieuwe Guantánamo Bay.'
Hij wendde zich weer tot Simkov. 'Otik, laat niet met je
sollen. Je hebt ook rechten.'
Simkov staarde Amanda nog steeds aan, alsof hij dacht
dat hij haar op de een of andere manier klein kon krijgen.
Zijn ogen bewogen heen en weer om te peilen hoe lang ze
het nog zou volhouden. Uiteindelijk gaf hij een afgemeten
knikje. 'Oké. Ik laat die aanklacht vallen. Dan zorgt u dat
die andere dingen van tafel gaan.'
Finney wilde er niets van horen. 'Als je advocaat advi-
seer ik je om...'
'U bent niet langer zijn advocaat,' onderbrak Amanda
hem. 'Dat klopt toch, meneer Simkov?'
'Inderdaad,' beaamde hij. Hij sloeg zijn armen over elkaar en keek recht voor zich uit.
Weer vloekte Finney binnensmonds. 'Hier is het laatste
woord nog niet over gezegd.'
'Dat denk ik wel,' zei Amanda. Ze pakte de papiersta-
pel op waarin de aanklacht tegen de politie stond beschreven.
Met een serie verwensingen aan het adres van Amanda
en voor de goede orde ook aan dat van Faith verliet Finney
de kamer.
Amanda smeet de hele papierwinkel in de prullenmand.
Faith luisterde naar het geluid van de dwarrelende blaadjes. Ze was blij dat Will er niet was. Als zij al last van haar
geweten had wat deze kwestie betrof, dan ging Will er
bijna aan onderdoor. Finney had gelijk: het was inderdaad
dankzij een formaliteit dat Will met zijn gewelddadige optreden wegkwam. Als Faith gisteren niet in die gang had
gestaan, had ze er nu misschien heel anders over gedacht.
Ze riep het beeld weer op van Balthazar Lindsey zoals
hij daar in die vuilnisbak had gelegen, op slechts enkele
meters van zijn moeders appartement, en ze kon alleen
nog maar begrip opbrengen voor Wills gedrag.
'Goed,' zei Amanda. 'Zullen we er maar van uitgaan dat
ook boeven eergevoel bezitten, meneer Simkov?'
Simkov knikte goedkeurend. 'U bent een zeer harde
vrouw.'

Amanda leek gevleid door dit waardeoordeel, en Faith zag dat ze het heerlijk vond om weer eens in een verhoorkamer te zitten. Waarschijnlijk was het dodelijk saai, al die beleidsvergaderingen, budgets en flowcharts waar ze zich de hele dag mee bezighield. Geen wonder dat ze bij wijze van tijdverdrijf Will voortdurend zat te terroriseren.

'Vertel eens over dat zwendeltje in die appartementen,' vroeg ze.

Schouderophalend spreidde Simkov zijn handen. 'Die rijkelui zijn altijd op reis. Soms verhuur ik zo'n flat aan iemand. Ze gaan daar naar binnen, doen een beetje van dittum...' Hij maakte een obsceen gebaar. 'Otik krijgt wat geld. De volgende dag komt de schoonmaakster. Iedereen blij.'

Amanda knikte, alsof het allemaal heel vanzelfsprekend was. 'Wat is er in het appartement van Anna Lindsey gebeurd?'

'Waarom spreid ik de zaak niet, bedacht ik. Die eikel van een Regus op 9A, die wist dat er iets aan de hand was. Hij rookt niet. Toen hij terugkwam van een van zijn zakenreisjes zat er een brandgaatje van een sigaret in zijn tapijt. Je kon het nauwelijks zien. Stelde niks voor. Maar Regus maakte er een hele toestand van.'

'En toen bent u ontslagen.'

'Met twee weken opzegtijd en goeie referenties.' Opnieuw haalde hij zijn schouders op. 'Ik heb alweer een ander baantje. Een stel luxe huizen in de buurt van Phipps Plaza. Vierentwintiguursbewaking. Heel chic allemaal. Ik werk daar met iemand samen. Hij overdag, ik 's nachts.'

'Wanneer merkte u dat Anna Lindsey er niet was?'

'Ze komt altijd om zeven uur met de baby naar beneden. Op een dag zie ik haar niet. Ik kijk in mijn postvakje, waar de bewoners berichtjes voor me achterlaten, meestal klachten trouwens – dat ze een raam niet open krijgen, dat ze niet weten hoe de televisie werkt, allemaal dingen die niet bij mijn werk horen, snapt u? Goed, er ligt dus een briefje van mevrouw Lindsey waarin staat dat ze twee weken op vakantie is. Ik ga ervan uit dat ze al weg is. Meestal vertellen ze me waar ze naartoe gaan, maar misschien vindt ze het niet belangrijk, omdat ik toch al vertrokken ben als ze terugkomt.'

Zijn verhaal kwam overeen met wat Anna Lindsey had verteld. 'Communiceerde ze meestal via briefjes met u?' vroeg Amanda.

Hij knikte. 'Ze mag me niet. Volgens haar ben ik slordig.' Vol afkeer trok hij zijn lip op. 'Zij heeft ervoor gezorgd dat ik een uniform aan moest, zodat ik net een aap lijk. Van haar moest ik ook "Ja, mevrouw, nee, mevrouw" tegen haar zeggen, alsof ik een kind ben.'

Dat klopte aardig met hun slachtofferprofiel.

'Hoe ontdekte u dat ze weg was?' vroeg Faith.

'Ik zie haar niet meer naar beneden komen. Meestal gaat ze naar de sportschool, naar de supermarkt, of neemt ze de baby mee uit wandelen. Dan moet ik haar helpen om de kinderwagen de lift in en uit te tillen. Ik denk: die is ervandoor,' zei hij met een achteloos gebaar.

'Dus u ging ervan uit dat mevrouw Lindsey twee weken weg zou blijven,' vervolgde Amanda. 'Dat viel dan mooi samen met het tijdstip waarop uw dienstverband afliep.'

'Kat in 't bakkie,' beaamde hij.

'Wie hebt u gebeld?'

'Die pooier. Die dooie.' Voor het eerst leek Simkov iets aan arrogantie in te boeten. 'Eigenlijk helemaal niet zo'n slechte vent. Hij wordt Freddy genoemd. Zijn echte naam weet ik niet, maar hij heeft me altijd eerlijk behandeld. Niet zoals sommige anderen. Als ik twee uur tegen hem zeg, dan blijft het ook bij twee uur. Hij betaalt voor de schoonmaakster. Dat is alles. Sommigen van die figuren, die worden wat opdringerig – dan proberen ze te pingelen en gaan niet op tijd weg. Maar dan pak ik ze terug. Dan bel ik bijvoorbeeld niet als er een appartement vrij is. Freddy heeft ooit eens een muziekvideo gemaakt daarboven. Ik heb er nog naar gezocht op tv, maar ik heb niks gezien. Misschien kon hij geen agent vinden. Dat is een keiharde business, de muziek.'

'Dat feestje in het huis van Anna Lindsey is anders aardig uit de hand gelopen,' zei Amanda ten overvloede.

'Wat u zegt, uit de hand gelopen,' moest hij erkennen.

'Freddy is een goeie jongen. Ik ga niet boven kijken wat ze aan het doen zijn. Altijd als ik de lift neem is het van: "O, meneer Simkov, wilt u even naar dit of dat komen kijken in mijn appartement?" of: "Wilt u mijn planten water geven?" of: "Wilt u mijn hondje uitlaten?" Dat is mijn werk helemaal niet, maar op die manier zetten ze je voor het blok, en wat moet je dan zeggen? "Rot op"? Nee, dat zeg je niet. En daarom blijf ik achter de balie zitten en zeg dat ik niks kan doen omdat ik de balie in de gaten moet houden in plaats van puppy's uitlaten. Snapt u?'

'Het was een puinhoop in dat appartement,' zei Amanda. 'Ik kan maar moeilijk geloven dat dat in één week gebeurd is.'

'Ach, dat soort lui,' zei hij schouderophalend. 'Ze hebben nergens geen respect voor. Ze schijten als honden in een hoek. Het verbaast me niks. Stomme beesten zijn het, allemaal, en ze doen alles om een naald in hun arm te kunnen steken.'

'En de baby?' vroeg Amanda.

'Die hoer – Lola. Ik dacht dat ze naar boven ging voor een klant. Freddy was er ook. Lola heeft een zwak voor hem. Ik wist niet dat hij dood was. Of dat ze het huis van mevrouw Lindsey aan barrels hadden geslagen. Echt niet.'

'Hoe vaak ging Lola naar boven?'

'Dat hou ik niet bij. Paar keer per dag. Ik dacht dat ze af en toe een lijntje deed.' Ter verduidelijking wreef hij met zijn hand onder zijn neus en snoof. 'Ze is de beroerdste niet. Een goed mens dat door slechte omstandigheden in de goot is beland.'

Simkov leek niet te beseffen dat hij een van die slechte omstandigheden was. 'Hebt u de afgelopen twee weken nog iets ongewoons in het gebouw gezien?' vroeg Faith.

Hij keurde haar amper een blik waardig. 'Waarom stelt die meid me vragen?' wilde hij van Amanda weten.

Faith was wel vaker afgekat, maar ze wist dat de man kort gehouden moest worden. 'Zal ik mijn collega erbij roepen, zodat hij een babbeltje met u kan maken?'

Hij snoof, alsof het hem niet uitmaakte om nog eens in elkaar te worden geslagen, maar niettemin beantwoordde hij Faiths vraag. 'Wat bedoel je met ongewoon? Het is Buckhead. Daar is alles ongewoon.'

Het penthouse had Anna Lindsey waarschijnlijk zo'n slordige drie miljoen dollar gekost. Het was nou ook weer niet zo dat ze in een getto woonde. 'Hebt u hier onbekenden zien rondhangen?' drong Faith aan.

Hij maakte een geringschattend gebaar. 'Het stikt hier van de onbekenden. Dit is een grote stad.'

Faith dacht aan hun moordenaar. Hij moest toegang tot het gebouw hebben gehad om Anna met de taser te kunnen uitschakelen en haar uit het appartement te kunnen ontvoeren. Het was duidelijk dat Simkov het haar niet gemakkelijk ging maken, en daarom probeerde ze hem te overbluffen. 'Je weet waarover ik het heb, Otik. Hou eens op met dat gelul, anders laat ik mijn collega weer los op dat smerige smoel van je.'

Weer haalde hij zijn schouders op, maar het gebaar was nu net iets anders. Faith zweeg tot hij uiteindelijk het woord nam. 'Soms ga ik een sigaretje roken achter het gebouw.'

De brandtrap die naar het dak voerde, was aan de achterkant. 'Wat heb je gezien?'

'Een auto,' zei hij. 'Zilverkleurig, vierdeurs.'

Faith probeerde rustig te blijven. Zowel de Coldfields als de mensen uit Tennessee hadden een witte personenwagen zien wegscheuren van de plek van het ongeluk. Het had geschemerd. Misschien hadden ze de zilverkleurige wagen voor een witte aangezien. 'Heb je een nummerbord gezien?'

Hij schudde zijn hoofd. 'Ik zag dat de trap naar de nooduitgang niet was afgesloten. Toen ben ik naar het dak gegaan.'

'Via die trap?'

'Met de lift. Ik kan die trap niet op. Het zijn tweeëntwintig verdiepingen. Ik heb een slechte knie.'

'Wat heb je op het dak gezien?'

'Er lag daar een blikje. Dat had iemand als asbak gebruikt. Het zat vol peuken.'

'Waar lag het?'

'Op de rand van het dak, vlak bij de trap.'

'Wat heb je ermee gedaan?'

'Ik heb het naar beneden geschopt,' zei hij, weer met dat bekende schoudergebaar. 'Ik zag het op de grond terechtkomen. Het knalde kapot als...' Hij drukte zijn handen tegen elkaar en zwaaide ze toen uiteen. 'Sensationeel.'

Faith was aan de achterkant van het gebouw geweest en ze had het van onderen tot boven doorzocht. 'We hebben geen sigarettenpeuken of een blikje achter het gebouw gevonden.'

'Dat zeg ik. De volgende dag was alles weg. Iemand had het opgeruimd.'

'En die zilverkleurige auto?'

'Die was ook weg.'

'Weet je zeker dat je geen verdachte figuren in de buurt van het gebouw hebt zien rondhangen?'

Hij blies zijn adem uit. 'Nee, mens. Dat zei ik toch. Alleen dat *root beer*.'

'Hoezo root beer?'

'Dat blikje. Dat was Doc Peterson's Root Beer.'

Hetzelfde dat ze in het souterrain achter het huis van Olivia Tanner hadden gevonden.

Tweeëntwintig

Op weg naar het huis van Jake Berman in Coweta County vroeg Will zich af hoe woedend Faith zou zijn als ze ontdekte dat hij haar een kunstje had geflikt. Hij wist niet wat ze erger zou vinden: de regelrechte leugen die hij haar over de telefoon had verteld, namelijk dat Sam de verkeerde Jake Berman te pakken had, of dat Will in zijn eentje naar het zuiden was afgereisd om met de man te gaan praten. Ze zou die doktersafspraak zonder meer hebben laten schieten als hij haar had verteld dat de echte Jake Berman gezond en wel aan Lester Drive woonde. Ze had beslist mee gewild, en dan was het enige excuus waar Will mee aan kon komen dat ze zwanger was en aan suikerziekte leed, en daarmee genoeg op haar bordje had zonder zichzelf ook nog in gevaar te brengen door een getuige te verhoren die weleens hun verdachte kon zijn.

Reken maar dat Faith dat geslikt zou hebben. Als een bord oude brandnetels.

Will had aan Caroline, Amanda's secretaresse, gevraagd om Jake Berman na te trekken op het adres aan Lester Drive. Die informatie was van wezenlijk belang, want nu was het een koud kunstje geweest om bij Bermans gegevens te komen. De hypotheek stond op naam van zijn vrouw, evenals alle creditcards en de rekeningen voor de kabel en de nutsbedrijven. Lydia Berman was lerares. Jake Berman had de laatste werkloosheidsuitkering ontvangen waar hij recht op had, maar hij had nog steeds geen werk. Anderhalf jaar daarvoor had hij zich failliet laten verklaren en was met een schuld van een slordige half miljoen

439

dollar blijven zitten. Misschien was hij simpelweg zo moeilijk te vinden geweest omdat hij zijn schuldeisers probeerde te ontlopen. Voeg daar nog bij dat Berman een paar maanden eerder wegens schennispleging was opgepakt en het was heel begrijpelijk dat hij zich een tijdje gedeisd wilde houden.

Aan de andere kant zou het ook allemaal kloppen als hij hun verdachte was.

De Porsche was geen fijne wagen om lange afstanden mee af te leggen, en tegen de tijd dat Will bij Lester Drive was aangekomen, verging hij van de rugpijn. Het was ongewoon druk op de snelweg geweest, en een geschaarde truck met aanhanger had het verkeer bijna een uur lang opgehouden. Om zich niet door zijn gedachten te laten meeslepen had Will tegen de tijd dat hij Coweta County bereikte zo ongeveer elk radiostation beluisterd dat binnen zijn bereik viel.

Hij bracht zijn auto tot stilstand naast een Chevy Caprice die aan het begin van Lester Drive stond geparkeerd. Uit de kofferbak stak een grasmaaier. De man achter het stuur droeg een overall, en om zijn hals hing een dikke gouden ketting. Will herkende Nick Shelton, de GBI-agent voor district 23.

'Hoe gaat-ie?' vroeg Nick, en hij zette de bluegrass die uit zijn radio schetterde wat zachter. Will had de agent een paar keer ontmoet. Hij was zo overduidelijk een plattelandsjongen dat het graan bijna uit zijn oren groeide, maar hij was ook een betrouwbare rechercheur die zijn vak uitstekend verstond.

'Is Berman nog thuis?' vroeg Will.

'Tenzij hij door de achterdeur naar buiten is geglipt,' antwoordde Nick. 'Wees maar niet bang. Op mij kwam hij behoorlijk lui over.'

'Heb je met hem gesproken?'

'Ik heb me voorgedaan als hovenier die op zoek was naar werk.' Nick overhandigde Will een visitekaartje. 'Ik zei dat het honderd dollar per maand kostte, waarop hij zei dat hij heel goed zijn eigen gazon kon onderhouden.' Hij lachte snuivend. 'En dat voor een vent die om tien uur 's ochtends nog in zijn pyjama rondloopt.'

Will keek naar het kaartje, waarop een grasmaaier en wat bloemen stonden afgebeeld. 'Mooi,' zei hij. 'Dat nepnummer komt goed van pas bij de dames.' Weer grinnikte Nick. 'Ik heb die Jakey eens even bekeken terwijl hij me een lesje gaf over concurrerend prijsbeleid. Hem moet je hebben, dat weet ik zeker.'

'Ben je binnen geweest?'

'Zo dom was hij nou ook weer niet,' zei Nick. 'Zal ik nog even blijven?'

Na enig nadenken moest Will toegeven dat Faith gelijk zou hebben gehad als hij haar daartoe de kans had geboden: begeef je nooit zonder ruggensteun in een onbekende situatie. 'Als je het niet erg vindt, graag. Blijf hier nog maar even zitten en zorg dat mijn kop er niet af wordt geschoten.'

Ze lachten net iets te luid, waarschijnlijk omdat Will het niet echt als grapje bedoelde.

Hij draaide zijn raampje omhoog en reed de straat in. Voor de goede orde had Caroline Berman gebeld voor Will het bureau verliet. Ze had gezegd dat ze namens een plaatselijk kabel-tv-bedrijf belde. Berman had haar verzekerd dat hij thuis zou zijn om de monteur binnen te laten voor een algehele onderhoudsbeurt die een ongestoorde ontvangst moest garanderen. Er waren talloze trucs om te zorgen dat iemand thuis was. Die met de kabel werkte altijd het best. Mensen konden heel veel dingen missen, maar ze waren bereid hun leven dagenlang in de wachtstand te zetten tot het kabelbedrijf kwam opdagen.

Will keek naar het nummer op de brievenbus om er zeker van te zijn dat het overeenkwam met het nummer op het briefje dat Faith van Sam Lawson had gekregen. Dankzij MapQuest, dat grote pijlen op de routebeschrijving afdrukte, en enkele bezoekjes aan buurtwinkels was het Will gelukt om na slechts een paar verkeerde afslagen zijn weg te vinden in het plattelandsstadje.

Toch controleerde hij het nummer op de brievenbus wel drie keer voor hij uitstapte. Hij zag het hart dat Sam om het adres had getekend, en weer vroeg hij zich af waarom een man die niet eens de vader van Faiths kind was zoiets deed. Will had de journalist slechts één keer ontmoet, maar hij mocht hem meteen al niet. Victor was geen kwaaie kerel. Will had hem een paar keer aan de telefoon gehad, en hij had ooit naast hem gezeten tijdens een ongelooflijk slaapverwekkende prijsuitreiking waarbij Amanda's hele team aanwezig had moeten zijn, voornamelijk omdat ze bang was dat er anders niemand zou klappen wanneer haar naam werd afgeroepen. Victor had het over sport willen hebben, maar niet over football en honkbal, de enige twee sporten waar Will iets van wist. IJshockey was voor yankees en voetbal voor Europeanen. Hij wist niet meer precies hoe Victor in allebei geïnteresseerd was geraakt, maar het was in elk geval een behoorlijk saai gesprek geweest. Wat Faith ook in de man gezien mocht hebben, Will was blij toen het hem een paar maanden eerder begon op te vallen dat Victors auto niet meer op Faiths oprit stond als hij haar kwam halen voor een dag in de rechtbank.

Eigenlijk kon Will er maar beter het zwijgen toe doen als het over relaties ging. Zijn hele lijf deed nog pijn van zijn treffen met Angie van de vorige avond. Het was geen goed soort pijn – het was het soort pijn waarmee je het liefst in je bed kroop om een week lang te slapen. Will wist uit ervaring dat het er allemaal niet toe deed, want zodra hij zijn ene voet weer voor de andere wilde zetten om de schijn van een normaal leven op te houden, kwam Angie terug en begon alles van voren af aan. Zo ging het nou eenmaal in zijn leven, en niets zou daar ooit verandering in brengen.

De Bermans woonden in een bungalow met een grote lap grond eromheen. Het huis zag er bewoond uit, maar niet op een goede manier. Het gras was te lang en de bloemperken werden door onkruid verstikt. De groene Camry op de oprit was smerig. De banden zaten onder de modder en het vettige laagje vuil op de auto zat er zo te zien al een hele tijd. Achterin zag Will twee kinderstoeltjes, en op de voorruit kleefden de onvermijdelijke chips. Achter de zijraampjes bungelden twee gele, ruitvormige bordjes, waarschijnlijk met de tekst BABY AAN BOORD. Will legde zijn hand op de motorkap. Die voelde koel aan. Hij keek op zijn telefoontje om te zien hoe laat het was. Bijna tien uur. Faith zat nu waarschijnlijk bij de dokter. Will klopte op de deur en wachtte. Weer dacht hij aan Faith, die razend zou zijn, vooral als Will straks oog in oog met de moordenaar bleek te staan. Het zag er trouwens niet naar uit dat hij oog in oog met wie dan ook zou komen te staan. Niemand deed open. Weer klopte Will aan. Toen dat niets opleverde, deed hij een paar stappen naar achteren en keek op naar de ramen. Alle jaloezieën waren open. Hier en daar brandde licht. Misschien was Berman zich aan het douchen. Of misschien wist hij maar al te goed dat de politie hem wilde spreken. Nicks act van uit de klei getrokken tuinman was indrukwekkend, maar hij zat nu alweer een uur in de auto aan het begin van de straat. In een buurt als deze stonden de telefoons waarschijnlijk roodgloeiend.

Will rammelde aan de voordeur, maar die zat op slot. Hij liep om het huis heen en gluurde door de ramen naar binnen. Aan het eind van de gang brandde licht. Net toen hij naar het volgende raam liep hoorde hij een geluid, alsof er een deur werd dichtgeslagen. Wills nekharen gingen overeind staan en zijn hand schoot naar het pistool aan zijn riem. Er was iets aan de hand, en Will was zich er scherp van bewust dat Nick Shelton op dat moment in zijn auto naar de radio zat te luisteren.

Nu klonk het onmiskenbare geluid van een raam dat met een klap dichtsloeg. Will liep op een drafje naar de achterkant van het huis en zag nog net een man door de tuin wegsnellen. Jake Berman droeg een pyjamabroek zonder jasje, maar hij had wel zijn gymschoenen aangetrokken. Met een blik over zijn schouder rende hij langs een ingewikkeld schommeltoestel en vandaar naar een hek van draadgaas dat de tuin scheidde van die van de achterburen.

'Shit,' mompelde Will, en hij stoof achter hem aan. Will was een goede hardloper, maar Berman was snel; zijn armen pompten en van zijn benen was nog slechts een vaag waas te zien.

'Politie!' brulde Will. Hij schatte de hoogte van het hek verkeerd in en zijn voet bleef haken. Hij smakte op de grond, maar krabbelde zo snel mogelijk weer overeind. Berman rende een zijtuin in, langs een buurhuis en in de richting van de straat. Will ging hem achterna, waarbij hij een stuk afsneed en achter Berman aan de straat over joeg.

Met gierende banden bracht Nick Shelton zijn Caprice tot stilstand. Berman ontweek de auto, gaf een klap op de motorkap en koerste op weer een andere tuin af.

'Verdomme!' vloekte Will. 'Politie! Stoppen!'

Berman bleef rennen, maar hij was een sprinter, geen marathonloper. Wills sterke punt was zijn uithoudingsvermogen. Net toen hij een nieuwe stoot energie kreeg, minderde Jake Berman vaart en probeerde het houten hek naar de achtertuin van een van zijn buren te openen. Hij keek achterom, zag Will en zette het weer op een lopen. Maar Berman was zo langzamerhand buiten adem, en Will zag aan zijn steeds trager bewegende benen dat hij het niet lang meer volhield. Toch wilde hij geen enkel risico nemen, en toen hij vlakbij was, dook hij naar voren en haalde Berman onderuit met een zware tackle die bij allebei de lucht uit de longen sloeg.

'Sukkel!' riep Nick Shelton, en hij gaf Berman een trap in zijn zij.

Gezien zijn botsing van de vorige dag met de portier in Anna's appartementengebouw had Will verwacht dat hij de man wat zachtzinniger zou benaderen, maar zijn hart bonkte zo hard in zijn borstkas dat hij er misselijk van werd. Bovendien pompte de adrenaline allerlei slechte gedachten zijn hoofd in.

Weer gaf Nick Berman een schop. 'Nooit weglopen voor de politie, klootzak.'

'Hoe kon ik nou weten dat jullie agenten waren...'

'Bek houden.' Will probeerde hem in de boeien te slaan, maar Berman kronkelde alle kanten op in een poging te ontsnappen. Nick tilde zijn voet alweer op, maar Will ramde zijn knie zo hard in Bermans rug dat hij zijn ribben voelde buigen. 'Ophouden.'

'Ik heb helemaal niks gedaan!'

'Rende je daarom weg?'

'Ik ging hardlopen,' riep hij uit. 'Rond deze tijd ga ik altijd hardlopen.'

'In je pyjamabroek?' vroeg Nick.

'Sodemieter op.'

'Liegen tegen de politie is een ernstig misdrijf.' Will stond op en trok Berman met een ruk overeind. 'Voor vijf jaar de bak in. En er zijn daar zat herentoiletten.' Berman verbleekte. Enkele buren waren naar buiten gekomen en stonden in een groepje bij elkaar. Ze keken niet blij, en veel steun kon Berman ook niet van hen verwachten, concludeerde Will.

'Niks aan de hand,' riep Berman hun toe. 'Gewoon een misverstand.'

'Mooi misverstand, sukkel, als je denkt dat je voor de politie op de loop kunt gaan,' zei Nick.

Will deed geen moeite om de schijn op te houden. Hij rukte Bermans handen omhoog en liet hem voorovergebogen de straat oversteken.

'Wacht maar tot mijn advocaat dit hoort.'

'Moet je hem ook vertellen dat je als een bang schoolmeisje bent weggelopen,' zei Nick.

Will duwde Berman voor zich uit, waarbij hij de handen van de man zo hoog hield dat hij krom moest lopen. 'Wil jij dit even melden?' vroeg hij aan Nick.

'Zal ik de cavalerie erbij roepen?'

'Stuur maar een patrouillewagen met zwaailicht en loeiende sirenes op zijn huis af, zodat de hele buurt het weet.'

Nick salueerde en liep naar zijn auto.

'Jullie vergissen je,' zei Berman.

'Jij hebt je anders lelijk vergist toen je wegvluchtte van de plaats van een misdrijf.'

'Wat?' Oprecht verbaasd draaide hij zich om. 'Wat voor misdrijf?'

'Op Route 316.'

Hij keek nog steeds beduusd. 'Gaat het daarover?'

Of de man gaf een toneelstukje weg dat een Oscar waardig was, of hij wist echt van niks. 'Vier dagen geleden ben

je getuige geweest van een ongeluk op Route 316. Een vrouw werd door een auto geschept. Je hebt met mijn collega gepraat.'
'Ik heb dat meisje niet in de steek gelaten. De ambulance was er. Ik heb die agente in het ziekenhuis alles verteld wat ik heb gezien.'
'Je hebt een vals adres en telefoonnummer opgegeven.'
'Ik wilde alleen maar...' Hij wierp een blik om zich heen, en Will vroeg zich af of hij er weer vandoor wilde gaan. 'Haal me hier weg,' smeekte Berman. 'Neem me nou maar mee naar het politiebureau, oké? Neem me mee naar het bureau, laat me even bellen en dan komen we er wel uit.'
Met zijn hand op zijn schouder voor het geval de man het er nog een keer op waagde, liet Will hem omdraaien. Bij elke stap die hij zette voelde hij zich nijdiger worden. Berman ging steeds meer op een zielig, schichtig aftreksel van een menselijk wezen lijken. Ze hadden twee dagen verspild door naar deze sukkel te zoeken, en nu had Will ook nog door de halve buurt achter die gek aan moeten jagen.
Berman keek achterom. 'Waarom doet u die boeien niet af, zodat ik kan...'
Will draaide Berman met zo'n vaart rond dat hij hem moest opvangen omdat hij anders plat op zijn gezicht zou vallen. De naaste buurvrouw stond in haar deuropening naar hen te kijken. Evenals de overige vrouwen leek ze het bepaald niet erg te vinden dat hij geboeid werd afgevoerd.
'Hebben ze de pest aan je omdat je homo bent of omdat je op je vrouw parasiteert?' vroeg Will.
Weer draaide Berman zich om. 'Waar de fuck haalt u...'
Deze keer duwde Will hem zo hard de andere kant op dat hij zijn evenwicht verloor. 'Het is tien uur en je loopt nog steeds in je pyjama rond.' Hij voerde Berman in looppas door het hoge gras in zijn tuin. 'Heb je geen grasmaaier?'
'We kunnen ons geen tuinman veroorloven.'
'Waar zijn je kinderen?'
'In het kinderdagverblijf.' Hij probeerde zich om te draaien. 'Wat gaat u dat trouwens aan?'
Opnieuw gaf Will hem een duw en hij dreef hem de

oprit op. Hij had redenen te over om de schurft aan de man te hebben, maar wat hem vooral stak was dat hij een vrouw en kinderen had die waarschijnlijk heel veel om hem gaven, terwijl hij het niet eens opbracht om het gras te maaien of de auto te wassen.

'Waar brengen jullie me naartoe?' wilde Berman weten.

'Ik wil naar het politiebureau, zei ik.'

Will duwde hem zwijgend de oprit op en trok zijn armen omhoog telkens als hij zijn pas vertraagde of zich probeerde om te draaien.

'Als ik in hechtenis ben genomen, moeten jullie me naar het bureau brengen.'

Onder aanhoudend protest van Berman liepen ze naar de achterkant van het huis. De man was gewend dat er naar hem geluisterd werd, en hij leek het vervelender te vinden dat hij genegeerd werd dan dat hij hard werd aangepakt, en daarom zweeg Will toen hij hem naar de patio dirigeerde.

Hij voelde aan de achterdeur, maar die zat op slot. Hij keek naar Berman, wiens zelfingenomen smoel erop duidde dat hij als winnaar uit de strijd meende te komen. Will zag dat het raam waardoor de man naar buiten was geglipt, was dichtgeslagen. Hij schoof het weer open, waarbij de goedkope veren knerpten.

'Wees maar niet bang,' zei Berman. 'Ik wacht wel op je.'

Will vroeg zich af waar Nick Shelton bleef. Waarschijnlijk was hij ergens aan de voorkant van het huis en dacht hij dat hij Will maar het beste een tijdje alleen kon laten met de verdachte.

'Oké,' mompelde Will. Hij maakte een van de boeien los en ketende Berman vast aan het barbecuerooster. Toen hees hij zich omhoog en wurmde zich door het open raam naar binnen. Het volgende moment stond hij in de keuken, die helemaal met ganzen was versierd: ganzen op de behangrand, ganzen op de handdoeken, ganzen op het kleed onder de keukentafel.

Hij keek uit het raam. Berman stond zijn pyjamabroek glad te strijken, alsof hij hem bij Macy's aan het passen was.

447

Will liep snel het huis door, maar hij trof slechts aan wat hij al verwacht had: een kinderkamer met stapelbedden, een grote ouderslaapkamer annex badkamer, een keuken, een zitkamer en een studeerkamer met één boek op de planken. Will kon de titel niet lezen, maar hij herkende de foto van Donald Trump op het omslag en vermoedde dat je eruit kon leren hoe je snel rijk moest worden. Blijkbaar had Jake Berman het advies van de man niet opgevolgd. Hoewel, in aanmerking genomen dat hij geen werk meer had en zijn faillissement had aangevraagd, had hij het misschien toch gedaan.

Een souterrain ontbrak, en de garage was leeg, op drie dozen na die de hele inhoud van Jake Bermans oude kantoor leken te bevatten: een nietmachine, een mooie pennenset, stapels papieren vol tabellen en diagrammen. Will opende de glazen schuifpui naar de patio en trof Berman zittend bij het barbecuerooster aan, met zijn arm slap over zijn hoofd.

'U hebt het recht niet om mijn huis te doorzoeken.'

'Je bent je woning ontvlucht. Meer heb ik niet nodig.'

Berman leek zijn verklaring te accepteren, en zelfs Will vond het aannemelijk klinken, ook al wist hij dat het hoogst onwettig was.

Will trok een stoel bij de eethoek vandaan en ging zitten. Het was nog steeds kil, en het zweet van de achtervolging droogde op in de kou.

'Het is niet eerlijk,' zei Berman. 'Ik wil het nummer van uw pasje, uw naam en...'

'Wil je de echte of zal ik ook maar iets verzinnen, net als jij hebt gedaan?'

Berman was zo verstandig om hier geen antwoord op te geven.

'Waarom ging je ervandoor, Jake? Waar wou je naartoe in je pyjamabroek?'

'Nergens,' bromde hij. 'Ik heb er gewoon even geen zin in. Ik krijg momenteel veel voor mijn kiezen.'

'Zeg het maar: je vertelt me wat er die avond gebeurd is, of je gaat de bak in, in je pyjamabroek.' Om zijn dreigement kracht bij te zetten voegde Will eraan toe: 'En dan heb ik het niet over de Coweta Country Club. Ik neem je regelrecht mee naar de gevangenis van Atlanta, en je krijgt geen tijd om je om te kleden.' Hij wees naar Bermans borst, die van paniek en woede op- en neerging. Kennelijk besteedde de man veel tijd aan zijn lichaam. Hij had een getraind lijf, met strakke buikspieren en brede, krachtige schouders. 'Je zult zien dat al die pull-ups in de sportschool niet voor niets zijn geweest.'

'Gaat het daarover? Bent u ook zo'n stomme homohater?'

'Het maakt mij niet uit wie je pijpt op het toilet.' Dat klopte, hoewel Will zijn toon scherp hield om het tegenovergestelde te suggereren. Iedereen had zo zijn frustraties en bij Berman was dat zijn seksuele geaardheid. Op dat moment was die van Will het feit dat de leugenachtige lul die aan de Grillmaster 2000 vastzat zijn vrouw besodemieterde en van haar verwachtte dat ze het allemaal pikte en ook nog de brave echtgenote speelde. De oprah-eske ironie ontging Will niet.

'De jongens daar zijn gek op vers vlees.'

'Fuck you.'

'Reken maar dat ze dat doen. Ze neuken je op plekken waarvan je niet eens wist dat het kon.'

'Rot op.'

Will liet hem een paar tellen in zijn sop gaarkoken en probeerde zijn eigen emoties weer onder controle te krijgen. Hij bedacht hoeveel tijd ze hadden verspild door naar deze trieste idioot te zoeken terwijl ze echte aanwijzingen hadden kunnen opvolgen. Hij somde het lijstje voor Berman op. 'Verzet bij arrestatie, liegen tegen de politie, verspillen van politietijd, belemmeren van een onderzoek. Daar kun je tien jaar voor krijgen, Jake, en alleen als de rechter je lief vindt, wat ik betwijfel, gezien je strafblad en de arrogante hufterigheid die je uitstraalt.'

Berman leek eindelijk te beseffen dat hij in de problemen zat. 'Ik heb kinderen.' Zijn stem kreeg iets smekends. 'Zoontjes.'

'Ja, over hen heb ik gelezen in je arrestatierapport van toen je werd opgepakt in de Mall of Georgia.'

Berman keek naar de betonnen patio. 'Wat wilt u?'

'Ik wil de waarheid.'

'Ik weet niet meer wat de waarheid is.'

Blijkbaar vond hij zichzelf weer erg zielig. Het liefst had Will hem een schop in zijn gezicht gegeven, maar hij wist dat hij daarmee niets bereikte. 'Je moet goed begrijpen dat ik niet je therapeut ben, Jake. Het kan me niet schelen of je in gewetensnood verkeert, of je kinderen hebt of je vrouw belazert...'

'Ik hou van haar!' zei hij, en voor het eerst toonde hij een emotie die niet op zelfmedelijden was gebaseerd. 'Ik hou van mijn vrouw.'

Will haalde wat druk van de ketel, al was het alleen maar om zijn eigen drift te temperen. Hij kon kwaad worden, maar hij kon ook proberen de man informatie te ontlokken. Slechts een van de twee rechtvaardigde zijn aanwezigheid op die plek.

'Vroeger was ik iemand,' zei Berman. 'Ik had een baan. Ik ging elke dag naar mijn werk.' Hij keek op naar het huis. 'Ik woonde in een mooi huis. Ik reed in een Mercedes.'

'Werkte je in de bouw?' vroeg Will, ook al wist hij dat allang van Bermans belastingaanslagen, die Caroline had opgediept.

'In de hoogbouw,' antwoordde hij. 'Opeens ging de markt onderuit. Het enige wat ik nog had waren de kleren aan mijn lijf.'

'Heb je daarom alles op naam van je vrouw gezet?'

Hij knikte traag. 'Ik zat aan de grond. Een jaar geleden zijn we vanuit Montgomery hiernaartoe verhuisd. Het had een nieuw begin moeten zijn, maar...' Hij haalde zijn schouders op, alsof het zinloos was om verder te gaan.

Will had al gehoord dat hij een behoorlijk zwaar accent had. 'Kom je daar oorspronkelijk vandaan, uit Alabama?'

'Daar heb ik mijn vrouw leren kennen. We studeerden allebei aan Alabama.' Hij bedoelde de universiteit. 'Lydia heeft Engels als hoofdvak gedaan. Het was meer een soort hobby, tot ik mijn baan kwijtraakte. Nu geeft ze les en ik vang de kinderen op.' Hij richtte zijn blik op de speeltoestellen, op de schommels die zachtjes bewogen in de wind. 'Vroeger was ik veel op pad,' zei hij. 'Zo kon ik het afreageren. Ik ging overal naartoe en deed wat ik moest doen, en dan kwam ik thuis bij mijn vrouw en ging naar de kerk, en zo is het bijna tien jaar lang goed gegaan.'

'Een halfjaar geleden ben je gearresteerd.'

'Ik heb Lydia wijsgemaakt dat het een vergissing was. Al die nichten uit Atlanta die het winkelcentrum lopen af te schuimen en hetero's proberen te versieren. De politie was de boel aan het schoonvegen. Ze dachten dat ik er ook zo eentje was omdat... Ik weet niet meer wat ik haar verteld heb. Omdat mijn haar goed geknipt was. Ze wilde me maar al te graag geloven.'

Will bedacht dat niemand het hem kon verwijten als zijn sympathie in dit geval bij de vrouw lag die voorgelogen en bedrogen werd. 'Vertel eens wat er op 316 is gebeurd.'

'We zagen het ongeluk, mensen op de weg. Ik had behulpzamer moeten zijn. Die andere man – ik weet niet eens hoe hij heet. Hij had een medische opleiding gehad. Hij probeerde de vrouw te helpen die door die auto was aangereden. En ik stond daar maar op de weg en probeerde een smoes te verzinnen waarmee ik thuis kon komen. Ik denk niet dat mijn vrouw me nog eens geloofd zou hebben, wat ik haar ook vertelde.'

'Hoe heb je hem ontmoet?'

'Ik zat in een bar naar een wedstrijd te kijken toen ik hem de bioscoop in zag gaan. Hij zag er goed uit, en hij was alleen. Ik wist meteen waarom hij daar was.' Hij slaakte een diepe zucht. 'Ik ben hem gevolgd naar het toilet. We besloten ergens naartoe te gaan waar we wat meer privacy hadden.'

Jake Berman was geen groentje en Will vroeg hem maar niet waarom hij zestig kilometer van huis in een bar naar een wedstrijd zat te kijken. Coweta mocht dan een gat zijn, maar Will was langs minstens drie sportcafés gereden toen hij van de snelweg af kwam, en in het centrum had hij er nog meer gezien.

'Je weet ongetwijfeld hoe gevaarlijk het is om zomaar bij een onbekende in de auto te stappen,' zei Will.

'Ik voelde me eenzaam,' gaf de man toe. 'Ik wilde graag bij iemand zijn. Snapt u, ik wilde mezelf kunnen zijn bij iemand anders. Hij zei dat we zijn auto wel konden nemen om ergens in het bos een plek op te zoeken waar we langer samen konden zijn dan een paar minuten op het toilet.' Hij lachte bitter. 'Ik word niet echt opgewonden van pislucht, wat u ook denkt.' Hij keek Will recht in zijn ogen. 'Wordt u er niet misselijk van als ik dat allemaal vertel?'

'Nee,' antwoordde Will naar waarheid. Hoe vaak had hij getuigen niet horen vertellen over losse contacten en achteloze seks? Het maakte echt niet uit of het mannen, vrouwen of allebei tegelijk betrof. Het ging altijd om dezelfde gevoelens, en Will had slechts één doel voor ogen: aan de informatie zien te komen die hij nodig had om de zaak op te lossen.

Blijkbaar wist Jake dat Will hem strak zou houden. 'We reden over de weg,' zei hij, 'en die vent met wie ik was...'

'Rick.'

'Rick. Oké.' Hij keek alsof hij de naam van de man liever niet had geweten. 'Rick zat achter het stuur. Zijn broek stond open.' Weer werd Jake rood. 'Hij duwde me weg en zei dat hij iets had gezien, vóór ons op de weg. Hij minderde vaart en er bleek een ernstig ongeluk te zijn gebeurd.' Hij zweeg even om zijn woorden en de blaam die hem trof te wegen. 'Ik zei dat hij door moest rijden, maar hij zei dat hij op de ambulance werkte en dat hij niet zomaar langs een ongeluk kon rijden. Dat zal wel een soort beroepscode zijn of zo.' Weer zweeg hij, en Will vermoedde dat hij zichzelf moest dwingen om het gebeurde naar boven te halen.

'Doe maar rustig aan,' zei hij.

Jake knikte en opnieuw bleef het een paar tellen stil. 'Rick stapte uit en ik bleef zitten. Midden op de weg stond een bejaard echtpaar. De man greep naar zijn borst. Ik zat daar in die auto voor me uit te staren alsof ik naar een film keek. Die oudere vrouw pakte een telefoontje – om de ambulance te bellen, denk ik. Het was heel raar, want ze hield de hele tijd haar hand voor haar mond, zo.' Hij sloeg zijn hand voor zijn eigen mond, net zoals Judith Coldfield dat deed als ze lachte. 'Het was alsof ze een geheim vertelde, maar er was niemand die het hoorde, dus...' Hij haalde zijn schouders op.

'Ben je nog uitgestapt?'

'Ja,' zei hij. 'Uiteindelijk kwam ik in actie. Ik hoorde de ambulance aankomen en liep naar de oude baas. Heette hij niet Henry?' Will knikte. 'Ja, Henry dus. Hij was er slecht aan toe. Volgens mij waren ze allebei in shock. Niet normaal zoals de handen van die Judith beefden. Die andere man, Rick, was met de naakte vrouw bezig. Ik heb haar niet goed gezien. Het was ook moeilijk, snapt u? Het was moeilijk om naar haar te kijken, bedoel ik. Ik weet nog dat hun zoon arriveerde en dat hij alleen maar naar haar stond te staren, zo van: "O jezus."'

'Wacht eens even,' zei Will. 'Was de zoon van Judith Coldfield er ook?'

'Ja.'

Will nam in gedachten zijn gesprek met de Coldfields weer door, en hij vroeg zich af waarom Tom zo'n belangrijk detail had verzwegen. De man had voldoende gelegenheid gehad om zijn mond open te doen, zelfs in aanwezigheid van zijn dominante moeder. 'Hoe laat was die zoon daar?'

'Zo'n vijf minuten voor de ambulance.'

Hoe belachelijk het ook klonk, toch herhaalde Will alles wat Berman zei, want er mocht geen misverstand over bestaan. 'Tom Coldfield was nog voor de ambulance op de plek van het ongeluk?'

'Hij was er nog voor de politie. Die kwamen pas opdagen toen de ambulances alweer waren vertrokken. Er was niemand. Het was beestachtig. We hebben daar zo'n twintig minuten staan wachten terwijl dat meisje op de weg lag te creperen, en er kwam maar geen hulp.'

Will voelde een stukje van de puzzel op zijn plaats vallen – niet het stukje dat hij nodig had voor de zaak, maar het verklaarde wel waarom Max Galloway zo openlijk had geweigerd om informatie met hen te delen. De rechercheur moest hebben geweten dat de ambulance het slachtoffer had afgevoerd vóór de politie ter plekke was. Faith had al die tijd gelijk gehad. Er was een reden voor dat Rockdale het rapport van de agent die het eerst op de plaats van het ongeluk was gearriveerd niet had gefaxt, namelijk dat ze zichzelf wilden indekken. Slechte aanrijtijden van de politie waren hoofdnieuws op de plaatselijke radiostations. Wat Will betrof was dit de druppel die de emmer deed overlopen. Hij zou er persoonlijk voor zorgen dat Galloway nog voor het einde van de dag zijn penning kwijt was. Wie kon zeggen wat er verder allemaal aan bewijsmateriaal was weggemoffeld, of nog erger: in gevaar was gebracht?

'Hé,' zei Berman. 'Wilt u dit nog horen of hoe zit dat?'

Will besefte dat hij te diep in gedachten verzonken was geweest. Hij pakte de draad van het verhaal weer op. 'Dus Tom Coldfield verscheen op het toneel,' zei hij. 'En daarna kwamen de ambulances?'

'Eerst kwam er maar één. Daar werd die vrouw in gelegd, die vrouw die door de auto was aangereden. Henry zei dat hij wel kon wachten, want hij wilde bij zijn vrouw blijven, en er was in de ambulance niet voldoende plaats voor iedereen. Ze hebben er nog een soort woordenwisseling over gehad, maar Rick zei "Ga nu maar", want hij wist hoe slecht het met die vrouw gesteld was. Hij gaf mij de sleutels van zijn auto en reed zelf met de ambulance mee, zodat hij haar kon blijven helpen.'

'Hoe lang duurde het voor de tweede ambulance arriveerde?'

'Die kwam een minuut of tien, vijftien later.'

Will maakte in gedachten een rekensommetje. Inmiddels waren er in het verhaal bijna drie kwartier verstreken, en de politie was nog steeds niet ter plekke. 'En toen?'

'Ze namen Henry en Judith mee. De zoon reed achter hen aan, en ik bleef in mijn eentje achter.'

'En de politie was er nog steeds niet?'

'Vlak nadat de laatste ambulance was vertrokken, hoorde ik de sirenes. De auto stond er nog – de auto van de Coldfields. De plaats delict, zo heet het toch?' Hij keek weer naar de speeltoestellen in de tuin, alsof hij zijn kinderen in de zon zag spelen. 'Ik overwoog om met Ricks auto terug te rijden naar de bioscoop. Ze kenden me immers toch niet? Ik bedoel, u zou op geen enkele manier mijn identiteit hebben kunnen achterhalen als ik niet naar het ziekenhuis was gegaan en mijn naam had opgegeven.'

Will haalde zijn schouders op, maar het klopte wel. Als Jake Berman zijn echte naam niet had genoemd, zou Will daar nu niet hebben gezeten.

'Ik stapte dus in de auto en reed terug naar de bioscoop.'

'In de richting van de politieauto's?'

'Die kwamen van de andere kant.'

'Wat bracht je op andere gedachten?'

Hij maakte een hulpeloos gebaar en de tranen sprongen in zijn ogen. 'Ik was het zat om voortdurend op de loop te zijn. Om altijd maar voor alles op de loop te zijn.' Hij bracht zijn vrije hand naar zijn ogen. 'Rick had gezegd dat ze naar het Grady werd gebracht, dus ik reed de snelweg op en ging daarnaartoe.'

Kennelijk was zijn moed kort daarna vervlogen, maar dat hield Will voor zich.

'Hoe gaat het met die oude man?' vroeg Berman.

'Hij maakt het goed.'

'Ik heb op het nieuws gehoord dat die vrouw het ook heeft gered.'

'Ze is aan de beterende hand,' antwoordde Will. 'Maar wat er met haar is gebeurd, zal ze altijd met zich meedragen. Zij kan er niet voor op de loop gaan.'

Berman veegde met de rug van zijn hand zijn tranen af. 'Een goede les voor mij, hè?' Zijn zelfmedelijden was terug. 'Niet dat het u iets uitmaakt, trouwens.'

'Weet je wat me helemaal niet aanstaat aan jou?'

'Laat horen.'

'Je belazert je vrouw. Het maakt me niet uit met wie – het is gewoon bedrog. Als je liever met iemand anders bent, kies dan voor die ander, maar laat je vrouw gaan. Zij heeft ook recht op een leven. Ze heeft recht op iemand die echt van haar houdt, die haar begrijpt, en die bij haar wil zijn.'

Bedroefd schudde de man zijn hoofd. 'U snapt het niet.'

Will had het gevoel dat lesjes allang niet meer aan

455

Jake Berman besteed waren. Hij stond op en maakte de handboei los van de grill. 'En kijk uit bij wie je in de auto stapt.'

'Dat heb ik gehad. Ik meen het. Dat nooit meer.'

Hij klonk zo zeker van zichzelf dat Will hem bijna geloofde.

Pas toen Will de wijk uit was waar Jake Berman woonde, verschenen er weer voldoende streepjes op het schermpje van zijn telefoon om te kunnen bellen. De ontvangst was nog steeds matig en hij moest aan de kant van de weg gaan staan om verbinding te krijgen. Hij toetste het nummer van Faiths mobiel in en hoorde het apparaat overgaan. Hij kreeg haar voicemail en verbrak de verbinding. Will keek op het klokje. Het was kwart over tien. Waarschijnlijk was ze nog bij die dokter in Snellville.

Tom Coldfield had niet verteld dat hij op de plaats van het ongeluk was geweest – de zoveelste die tegen hem had gelogen. Will werd doodziek van al dat gelieg. Hij klapte zijn telefoon open en belde naar inlichtingen. Hij liet zich doorverbinden naar de verkeerstoren op Charlie Brown Airport, waar hij van de telefonist te horen kreeg dat Tom even naar buiten was gegaan om een sigaret te roken. Net toen Will een bericht wilde achterlaten, bood de telefonist aan om hem Coldfields mobiele nummer te geven. Een paar minuten later had hij Tom Coldfield aan de lijn, die boven het lawaai van een straalmotor probeerde uit te komen.

'Ik ben blij dat u belt, agent Trent.' Tom schreeuwde bijna. 'Ik heb vandaag al een bericht voor uw collega ingesproken, maar ik heb nog niets van haar gehoord.'

Will stopte zijn vinger in zijn oor, alsof dat hielp tegen het lawaai van een opstijgend vliegtuig aan de andere kant van de stad. 'Is u misschien iets te binnen geschoten?'

'Nee, dat niet,' zei Tom. Het gebrul stierf weg, en zijn stem klonk weer normaal. 'Mijn ouwelui en ik zaten gisteravond te praten, en toen vroegen we ons af of het onderzoek al vorderde.'

Weer klonk het oorverdovende geraas van een straalmotor. Will wachtte tot het voorbij was, maar eigenlijk was het gekkenwerk. 'Wanneer bent u klaar met uw werk?'

'Over een minuut of tien, maar dan moet ik de kinderen oppikken bij mijn moeder.'

Dat waren dan twee vliegen in één klap, bedacht Will. 'Kunnen we bij uw ouders thuis afspreken?'

Tom wachtte tot er weer een vliegtuig was opgestegen. 'Ja, hoor. Ik doe er hooguit drie kwartier over. Is er iets?'

Will keek naar het klokje op het dashboard. 'Tot over drie kwartier dan maar.'

Hij verbrak de verbinding voor Tom nog meer vragen kon stellen. Helaas was hij in de gauwigheid ook vergeten om naar het adres van de Coldfields te vragen. Het kon echter niet zo moeilijk zijn om het seniorencomplex te vinden. Clairmont Road liep van de ene kant van DeKalb County naar de andere, maar er was maar één gebied waar veel ouderen woonden, en dat was in de buurt van het Atlanta Veterans' Administration Hospital. Will schakelde, trok op en reed in de richting van de snelweg.

Onder het rijden vroeg hij zich af of hij Amanda moest bellen om haar te vertellen dat Max Galloway hen weer had verneukt, maar dan zou ze vragen waar Faith was, en Will voelde er niets voor om hun chef eraan te herinneren dat Faith gezondheidsproblemen had. Amanda had een gruwelijke hekel aan zwakte, in welke vorm dan ook, en wat Wills eigen handicap betrof was ze genadeloos. Het was niet te voorspellen hoeveel gif ze over Faith zou uitstorten vanwege haar suikerziekte. Will was niet van plan haar van nog meer argumenten te voorzien.

Hij zou natuurlijk Caroline kunnen bellen. Die kon de informatie dan aan Amanda doorspelen. Hij hield het telefoontje in de kom van zijn hand en terwijl hij het nummer van Amanda's secretaresse intoetste, hoopte hij van harte dat het niet uit elkaar zou vallen.

Caroline had haar nummerweergave meestal aanstaan. 'Hallo, Will.'

'Zou je nog iets voor me willen doen?'

'Tuurlijk.'

'Judith Coldfield heeft 911 gebeld. Twee ambulances wa-

457

ren eerder ter plekke dan de politie van Rockdale.'

'Dat klopt dus niet.'

'Nee,' beaamde Will. Het klopte inderdaad niet. Het feit dat Max Galloway had gelogen betekende dat Will moest afgaan op wat de Coldfields zich nog van het gebeurde herinnerden in plaats van een politieman te spreken die als eerste op het toneel was verschenen en alles op professionele wijze had vastgelegd. 'Zou je het tijdsverloop voor me willen natrekken? Amanda wil vast weten waarom het zo lang heeft geduurd.'

'Je weet dat ik Rockdale moet bellen voor de aanrijtijden,' zei Caroline.

'Probeer ook de gegevens van Judith Coldfields mobiele telefoon te pakken te krijgen.' Als Will hen op een leugen kon betrappen, zou dat een nieuw wapen in handen van Amanda zijn. 'Heb je haar nummer?'

'Vier-nul-vier...'

'Wacht even.' Will bedacht dat het handig was als hij zelf ook over Judiths nummer beschikte. Met zijn vingertoppen aan het stuur haalde hij de digitale recorder uit zijn zak en zette het apparaatje aan. 'Zeg het maar.'

Caroline las het nummer van Judith Coldfields mobiel op. Will klikte de recorder uit en bracht het telefoontje weer naar zijn oor om haar te bedanken. Vroeger had hij een systeem gehad waarmee hij persoonlijke informatie van getuigen en verdachten had bijgehouden, maar Faith had geleidelijk aan al het papierwerk van hem overgenomen, en zonder haar voelde Will zich verloren. Bij hun volgende zaak zou hij het anders aanpakken. Hij vond het niet prettig om zo afhankelijk van haar te zijn, vooral niet nu ze zwanger was. Wanneer de baby kwam was ze waarschijnlijk minstens een week uitgeschakeld.

Will probeerde Judith op haar mobiel te bereiken, maar kwam niet verder dan haar voicemail. Hij sprak een bericht in, belde Faith nog eens en liet haar weten dat hij op weg was naar het huis van de Coldfields. Hopelijk belde ze terug en gaf ze hem het adres aan Clairmont Road. Hij wilde Caroline niet nog eens bellen, want dan zou ze zich afvragen waarom een GBI-agent dat soort zaken niet ergens had genoteerd. Bovendien begon zijn mobiel nu klik-geluidjes te maken. Het werd de hoogste tijd om er iets aan te doen. Voorzichtig legde Will het telefoontje op de passagiersstoel. Het werd nu nog maar met één touwtje en een in ontbinding verkerend stuk duct-tape bij elkaar gehouden.

Met de radio zachtjes op de achtergrond reed Will de stad binnen. In plaats van de Downtown Connector te nemen, voegde hij in op de I-85. Het verkeer op de afrit naar Clairmont zat nog vaster dan gewoonlijk, en daarom nam hij de lange weg, reed om Peachtree-DeKalb Airport heen en vervolgens door wijken met zoveel uiteenlopende culturen dat zelfs Faith sommige uithangborden niet had kunnen lezen.

Nadat hij zich door nog meer verkeer heen had geworsteld zat hij eindelijk in de goede wijk. In het besef dat hij dit het beste methodisch kon aanpakken, reed hij ter hoogte van het Atlanta Veterans' Administration Hospital de poort door van het eerste wooncomplex dat hij tegenkwam. De bewaker was beleefd, maar de Coldfields stonden niet op zijn lijst met bewoners. Bij het volgende oord ving Will weer bot, maar bij het derde complex – het mooiste van alle drie – was het meteen raak.

'Henry en Judith.' De man bij de poort glimlachte, alsof het oude vrienden van hem betrof. 'Volgens mij zit Hank op de golfbaan, maar Judith is vast wel thuis.'

Will wachtte tot de bewaker telefonisch toestemming had gevraagd om hem binnen te laten. Hij liet zijn blik over het goed onderhouden terrein gaan en voelde een steek van jaloezie. Will had geen kinderen en hoegenaamd geen familie. Hij dacht vaak met enige bezorgdheid aan zijn oude dag, en sinds zijn allereerste salaris had hij er geld voor opzijgelegd. Will hield niet van risico's en was nauwelijks iets kwijtgeraakt op de aandelenmarkt. Het grootste deel van zijn zuurverdiende centen had hij in obligaties en effecten gestoken. Zijn schrikbeeld was dat hij als eenzame oude man zou eindigen in een of ander triest, door de overheid gedreven verzorgingshuis. De Coldfields genoten het soort pensionering waarvan Will droomde: een vriendelijke bewaker bij de poort, mooie tuinen, een seniorencentrum waar je kon kaarten of sjoelen.

Maar zoals dat nou eenmaal ging kreeg Angie vast een verschrikkelijke, slopende ziekte die net lang genoeg duurde om zijn hele oudedagsvoorziening op te slurpen voor ze stierf.

'Rijd maar door, jongeman!' De bewaker lachte en onder zijn borstelige grijze snor verscheen een rij kaarsrechte witte tanden. 'Meteen na de poort links, dan weer links, dan rechts en dan ben je op Taylor Drive. Ze wonen op nummer 1693.'

'Bedankt!' Will had alleen de straatnaam en het nummer meegekregen. De man had met een gebaar aangegeven welke kant hij het eerst op moest, dus reed hij de poort door en stuurde de auto in die richting. Daarna was het gissen.

'Shit,' mompelde Will. Hij hield zich aan de maximumsnelheid van vijftien kilometer per uur en zo sukkelde hij om de plas heen die in het midden van het terrein lag. De huizen hadden slechts één verdieping en ze zagen er allemaal hetzelfde uit: verweerde shingles, een garage waar één auto in paste en een bonte verscheidenheid aan betonnen eenden en konijnen op de gladgeschoren gazons.

Hier en daar liepen wat ouderen, en als ze naar hem zwaaiden, zwaaide hij terug om de indruk te wekken dat hij wist waar hij moest zijn. Wat niet het geval was. Hij stopte de auto voor een oudere dame in een lila sportpak. Ze had skistokken in haar handen alsof ze aan nordic walking deed.

'Goedemorgen,' zei Will. 'Ik ben op zoek naar Taylor Drive nummer 1693.'

'O, Henry en Judith!' riep de wandelaarster uit. 'Bent u hun zoon?'

Hij schudde zijn hoofd. 'Nee, mevrouw. Ik ben gewoon een bekende,' zei hij om haar geen schrik aan te jagen.

'Wat hebt u een mooie auto.'

'Dank u, mevrouw.'

'Ik wil wedden dat ik daar nooit in zou passen,' zei ze.

'En als ik er al in kwam, zou ik er niet meer uit kunnen!'
Uit beleefdheid lachte Will met haar mee, en meteen
schrapte hij dit wooncomplex van zijn lijstje met plaatsen
waar hij zijn oude dag wilde doorbrengen.
'Werkt u met Judith in het opvanghuis voor daklozen?'
vroeg ze.
Will had niet meer zoveel vragen op zich afgevuurd gekregen sinds hij op de GBI-academie les had gehad in ver-
hoortechnieken. 'Inderdaad,' loog hij.
'Dit heb ik in hun tweedehandswinkeltje gekocht,' zei
ze, en ze wees naar het sportpak. 'Ziet er als nieuw uit,
vindt u niet?'
'Het is prachtig,' verzekerde Will haar, hoewel een dergelijke kleur in de hele natuur niet te vinden was.
'Zeg maar tegen Judith dat ik nog wat prulletjes voor
haar heb als ze de pick-up langs stuurt.' Ze schonk hem
een veelbetekenende blik. 'Op mijn leeftijd heb je niet
meer zoveel nodig.'
'Wat u zegt, mevrouw.'
'Nietwaar?' Ze gaf een tevreden knikje. 'U gaat hier naar
rechts.' Met zijn blik volgde Will de boog van haar hand.
'En dan is Taylor Drive aan uw linkerkant.'
'Dank u wel.' Hij wilde al wegrijden, maar ze hield hem
tegen. 'Weet u, de volgende keer kunt u beter meteen na
de poort rechts afslaan, dan links, dan meteen weer links,
en dan...'
'Dank u wel,' zei Will nogmaals en langzaam trok hij
op. Als hij hier nog één keer iemand moest aanspreken,
zouden zijn hersens ontploffen. In de hoop dat hij de
goede richting aanhield, reed hij stapvoets verder in zijn
Porsche. Zijn telefoon ging en toen hij zag dat het Faith
was, sprongen de tranen van opluchting hem bijna in de
ogen.
Voorzichtig opende hij het kapotte telefoontje en drukte
het tegen zijn oor. 'Hoe ging je afspraak bij de dokter?'
'Goed,' antwoordde ze. 'Hoor eens, ik heb net met Tom
Coldfield gesproken...'
'Heb je soms met hem afgesproken? Ik ook al.'
'Jake Berman moet maar even wachten.'

Will begon het benauwd te krijgen. 'Ik heb al met Jake Berman gesproken.'

Ze was stil – veel te stil.

'Faith, het spijt me. Ik vond het alleen beter als ik...' Will wist niet hoe hij zijn zin moest afmaken. Het telefoontje gleed bijna uit zijn handen, wat een knetterende ruis op de lijn veroorzaakte. Hij wachtte tot die voorbij was. 'Het spijt me,' zei hij nogmaals.

Het duurde tergend lang voor ze toesloeg. Toen ze eindelijk weer iets zei, was haar toon afgemeten, alsof haar woorden in haar keel bleven steken. 'Ik behandel jou ook niet anders omdat je een afwijking hebt.'

Nu vergiste ze zich, maar hij besefte dat dit niet het juiste moment was om haar erop te wijzen. 'Berman heeft me verteld dat Tom Coldfield ook op de plaats van het ongeluk is geweest.' Ze begon nog steeds niet tegen hem te schreeuwen, en daarom vervolgde hij zijn verhaal. 'Ik denk dat Judith hem gebeld heeft omdat Henry een hartaanval kreeg. Tom is met zijn eigen auto achter hen aan naar het ziekenhuis gereden. De politie kwam pas opdagen nadat iedereen al vertrokken was.'

Ze leek met zichzelf te overleggen of ze tegen hem tekeer moest gaan of zich als een ware agent moest gedragen. Zoals gewoonlijk trok de agent in haar aan het langste eind. 'Dus daarom zat Galloway met ons te kloten. Hij probeerde Rockdale County uit de stront te houden.' Meteen sneed ze het volgende probleem aan. 'En Tom Coldfield heeft ons dus niet verteld dat hij op die plek is geweest.'

Weer stoorde de lijn, en Will wachtte even. 'Dat weet ik.'

'Hij is midden dertig, zo ongeveer van mijn leeftijd. Die broer van Pauline was toch ouder?'

Will besprak dit liever persoonlijk met haar dan via zijn kapotte telefoontje. 'Waar ben je nu?'

'Ik sta voor het huis van de Coldfields.'

'Mooi.' Het verbaasde hem dat ze er al zo snel was. 'Ik zit om de hoek. Ik ben binnen twee minuten bij je.'

Will verbrak de verbinding en liet het telefoontje op de

stoel naast zich ploffen. Weer was er een draadje tussen de twee kleppen losgeschoten. Dit draadje was rood, en dat voorspelde niet veel goeds. Hij wierp een blik in zijn achteruitkijkspiegel. De wandelaarster kwam op hem af stevenen. Ze naderde zo snel dat Will vlug naar de vijfentwintig kilometer optrok om aan haar te ontsnappen.

De straatnaamborden waren groter dan normaal, met helderwitte letters op een zwarte achtergrond, een vreselijke combinatie voor Will. Zodra het mogelijk was keerde hij, zonder ook maar een letter op het bord te hebben gelezen. Faiths Mini sprong er ongetwijfeld uit tussen alle Cadillacs en Buicks waar die gepensioneerden zo verzot op schenen te zijn.

Toen Will bij het eind van de straat was aangekomen, had hij nog steeds geen Mini gezien. Hij sloeg de volgende straat in en reed bijna tegen de wandelaarster op. Met een gebaar gaf ze aan dat hij zijn raampje naar beneden moest draaien.

Will trok een allervriendelijkst gezicht. 'Ja, mevrouw?'

'Daar is het,' zei ze, en ze wees naar de bungalow op de hoek. Op het gazon stond een beeldje van een jockey, met een pasgeschilderd wit gezicht. Twee grote kartonnen dozen stonden naast de brievenbus, elk met zwarte viltstift gemarkeerd. 'Die zult u wel niet meenemen in dat kleine autootje.'

'Nee, mevrouw.'

'Judith zei dat haar zoon later vandaag met de pick-up langs zou komen.' Ze keek naar de lucht. 'Dan moet hij niet te lang wachten.'

'Ik denk dat hij zo komt,' zei Will tegen de wandelaarster. Deze keer leek ze minder zin in een praatje te hebben. Ze zwaaide even naar hem en vervolgde haar wandeling.

Will keek naar de dozen die voor het huis van Judith en Henry Coldfield stonden, en hij moest denken aan de rommel die Jacquelyn Zabel voor het huis van haar moeder had gezet. De kartonnen dozen en zwarte vuilniszakken die Jackie op de stoep had gedeponeerd waren overigens niet voor de vuilniswagen bestemd. Charlie Reed had gezegd dat hij een vrachtwagen van Goodwill had weggestuurd net voor Will en Faith arriveerden. Had hij ook echt Goodwill bedoeld, of gebruikte hij die naam als een verzamelnaam voor allerlei liefdadigheidsinstellingen, zoals een pleister een Band-Aid werd genoemd en een papieren zakdoekje een Kleenex?

Al die tijd hadden ze naar iets tastbaars gezocht dat de vrouwen met elkaar verbond. Was Will er zojuist bij toeval op gestuit?

De voordeur ging open en Judith kwam naar buiten. Ze had een grote doos in haar handen en liep heel behoedzaam de twee traptreden van de veranda af. Will stapte uit en snelde naar haar toe. Hij kon nog net op tijd de doos opvangen voor ze die uit haar handen liet vallen.

'O, dank u wel,' zei ze. Ze was buiten adem en had vuurrode wangen. 'Ik ben de hele ochtend al bezig om deze spullen naar buiten te slepen, en aan Henry heb je ook niks.' Ze liep naar de stoep. 'Zet hem hier maar neer, bij de andere. Tom pikt het zaakje later op.'

Will zette de doos op de grond. 'Hoe lang bent u al vrijwilligster in het opvanghuis?'

'O...' Terwijl ze terugliep naar het huis, dacht ze erover na. 'Ik weet het niet. Sinds we hier zijn komen wonen. Dat moet dan alweer een paar jaar zijn. Lieve hemel, wat vliegt de tijd.'

'Toen we laatst in het opvanghuis waren, hebben Faith en ik een brochure gezien. Er stond een sponsorlijst met allemaal bedrijven in.'

'Die willen waar voor hun geld. Ze doen niet aan liefdadigheid omdat het zo hoort – nee, het is hun om de public relations te doen.'

'Er stond ook een banklogo bij.' Nog steeds kon hij zich de afbeelding aan de onderkant van de brochure herinneren, van een hert met vier takken aan zijn gewei.

'O, ja. Dat is van Buckhead Holdings. Die schenken het meeste geld, maar onder ons gezegd en gezwegen is het nog lang niet genoeg.'

Will voelde een zweetdruppeltje langs zijn rug glijden. Olivia Tanner stond aan het hoofd van community relations bij Buckhead Holdings. 'En advocatenkantoren?' vroeg hij. 'Zijn er ook bij die pro-Deowerk voor het tehuis doen?'

Judith opende de voordeur. 'Er zijn een paar firma's die ons helpen. Het tehuis is alleen voor vrouwen bestemd, moet u weten. Veel van die vrouwen hebben hulp nodig bij het invullen van echtscheidingsformulieren of aanvragen voor een straatverbod. Sommigen liggen overhoop met de wet. Het is allemaal erg droevig.'

'Bandle and Brinks?' Will noemde de naam van het advocatenkantoor waarvoor Anna Lindsey werkte.

'Ja,' zei Judith met een glimlach. 'Die helpen ons regelmatig.'

'Kent u een zekere Anna Lindsey?'

Ze schudde haar hoofd en liep het huis in. 'Heeft ze in het tehuis gezeten? Tot mijn schande moet ik bekennen dat het er zoveel zijn dat ik vaak geen tijd heb om een praatje met ze te maken.'

Will volgde haar naar binnen en keek om zich heen. De indeling was precies zoals hij op straat al had vermoed. Er was een grote woonkamer die uitkeek op een binnenveranda en op de plas. De keuken was aan de kant van de garage, en de slaapkamers bevonden zich aan de andere kant van het huis. Alle deuren die op de gang uitkwamen zaten dicht. Will keek verbijsterd om zich heen. Het leek wel of er in het huis een paasei was ontploft. Alles was versierd. Elk oppervlak werd in beslag genomen door konijntjes in pastelkleurige pakjes. De vloer was bezaaid met mandjes gevuld met plastic eitjes die op een bedje van zijdezacht groen gras lagen.

'Pasen,' zei Will.

Judith begon te stralen. 'Het is mijn op een na favoriete feest.'

Will trok zijn das wat losser, want hij bleef maar zweten. 'Waarom?'

'De opstanding. De wedergeboorte van Christus. Het reinigen van al onze zonden. Vergeving is een machtig geschenk, dat alles anders maakt. Dat zie ik elke dag in het opvangtehuis. Die arme, geknakte vrouwen. Ze snakken

naar verlossing. Ze beseffen alleen niet dat het niet iets is wat je zomaar krijgt. Vergeving moet verdiend worden.'
'En verdienen ze het allemaal?'
'Gezien uw beroep denk ik dat u het antwoord daarop beter weet dan ik.'
'Sommige vrouwen zijn het niet waard?'
Haar glimlach verdween. 'Mensen denken vaak dat we er sinds de Bijbelse tijden op vooruit zijn gegaan, maar we leven nog steeds in een maatschappij waarin vrouwen verschoppelingen zijn, vindt u niet?'
'Een soort vuil?'
'Dat is wat hard, maar we maken allemaal zelf een keus.'
Weer rolde er een zweetdruppel langs Wills rug naar beneden. 'Hebt u altijd van Pasen gehouden?'
Ze trok de strik om de hals van een van de konijntjes recht. 'Ik denk dat het gedeeltelijk komt doordat Henry alleen met Pasen en Kerstmis vrij kreeg van zijn werk. Het was altijd een heel bijzondere periode voor ons. Vindt u het niet heerlijk om bij uw gezin te zijn?'
'Is Henry thuis?' vroeg Will.
'Op dit moment niet.' Ze draaide haar horloge om. 'Hij is altijd aan de late kant. Hij verliest de tijd heel gemakkelijk uit het oog. We zouden naar het buurthuis gaan nadat Tom de kinderen had opgehaald.'
'Werkt Henry ook in het tehuis?'
'O, nee.' Met een lachje liep ze de keuken in. 'Henry geniet van zijn pensionering, daar heeft hij het veel te druk mee. Maar Tom wil altijd wel helpen. Hoe hij ook loopt te klagen, toch is het een goeie jongen.'
Will herinnerde zich dat Tom een grasmaaier aan het repareren was toen ze hem in de tweedehandswinkel hadden aangetroffen. 'Werkt hij meestal in de winkel?'
'Hemeltje, nee, hij vindt het vreselijk in de winkel.'
'Wat doet hij eigenlijk?'
Ze pakte een spons en wreef het keukenblad schoon. 'Van alles en nog wat.'
'Zoals?'
Ze hield op met poetsen. 'Als een vrouw juridische bij-

stand nodig heeft, zoekt hij een advocaat, of als een van de kinderen knoeit, pakt hij een dweil.' Ze glimlachte vol trots. 'Het is een goede jongen, zoals ik al zei.'

'Zo te horen wel, ja,' beaamde Will. 'Wat doet hij verder nog?'

'O, van alles.' Ze zweeg even en dacht na. 'Hij regelt het ophalen van de spullen die mensen schenken. Hij is heel goed met de telefoon. Als hij denkt dat hij iemand aan de lijn heeft die nog wel meer zou kunnen missen, rijdt hij er met de pick-up naartoe om het vrachtje op te halen, en negen van de tien keer komt hij terug met een mooie cheque. Volgens mij vindt hij het leuk om op pad te zijn en met mensen te praten. Op het vliegveld zit hij de hele dag naar stipjes op een scherm te turen. Wilt u trouwens iets drinken? Gekoeld water? Iets fris?'

'Nee, dank u,' zei Will. 'En Jacquelyn Zabel? Hebt u die naam weleens gehoord?'

'Die komt me bekend voor, maar ik zou niet weten waarvan. Het is een heel ongebruikelijke naam.'

'En Pauline McGhee? Of misschien Pauline Seward?'

Ze glimlachte en sloeg haar hand voor haar mond. 'Nee.'

Met moeite hield Will zich in. De belangrijkste regel bij een ondervraging was dat je rustig bleef, want het was moeilijk te zien of iemand nerveus was als je zelf gespannen was. Judith was wat stil geworden na zijn laatste vraag, en daarom stelde hij hem nogmaals. 'Pauline McGhee of Pauline Seward?'

Ze schudde haar hoofd. 'Nee.'

'Hoe vaak haalt Tom spullen bij mensen op?'

Judiths stem kreeg nu iets gemaakt vrolijks. 'O, dat weet ik eigenlijk niet. Ik moet hier ergens mijn kalender hebben liggen. Meestal kruis ik de datums aan.' Ze trok een van de keukenladen open en rommelde erin rond. Ze was zichtbaar nerveus, en Will wist dat ze de la alleen maar had opengetrokken om hem niet te hoeven aankijken. Ondertussen kletste ze maar door. 'Tom heeft altijd tijd voor iedereen. Hij is ook heel erg betrokken bij het jeugdwerk van zijn kerk, en één keer per maand staat de hele familie daar in de gaarkeuken.'

Nu dwaalde ze af, maar Will kwam meteen weer ter zake. 'Gaat hij altijd in zijn eentje spullen ophalen?' 'Behalve wanneer het om een bank of een ander groot ding gaat.' Ze schoof de la dicht en opende een andere. 'Ik heb geen idee waar ik die kalender heb gelaten. Jarenlang heb ik ernaar uitgezien dat ik mijn man thuis zou hebben, en nu word ik helemaal gek van hem, want hij legt alles overal maar neer.'

Will vroeg zich af waar Faith bleef en wierp een blik door het voorste raam. 'Zijn de kinderen hier?'

Ze trok een derde la open. 'Die liggen achter in het huis een slaapje te doen.'

'Ik heb met Tom afgesproken dat ik hem hier zou ontmoeten. Waarom heeft hij ons niet verteld dat hij op de plek van het ongeluk was nadat uw auto Anna Lindsey had geschept?'

'Wat?' Heel even keek ze verbaasd, maar toen zei ze: 'Nou, ik had Tom namelijk gebeld om naar Henry toe te komen. Ik dacht dat hij een hartaanval kreeg, en Tom zou er natuurlijk bij willen zijn, want...'

'Maar Tom heeft ons niet verteld dat hij erbij was,' herhaalde Will. 'En u ook niet.'

'Het kwam niet...' Ze gaf een achteloos zwaaitje. 'Hij wilde bij zijn vader zijn.'

'Die ontvoerde vrouwen waren altijd heel voorzichtig. Ze zouden nooit zomaar voor iedereen opendoen. Het moest iemand zijn die ze vertrouwden. Iemand die ze verwachtten.'

Judith zocht niet langer naar de kalender. Op haar gezicht stond haarscherp te lezen wat ze dacht: er was iets verschrikkelijks aan de hand.

'Waar is uw zoon, mevrouw Coldfield?' vroeg Will.

Haar ogen vulden zich met tranen. 'Waarom vraagt u toch steeds naar Tom?'

'Ik zou hem hier treffen.'

Nu begon ze te fluisteren. 'Hij zei dat hij naar huis moest. Ik snap niet...'

Op dat moment drong het tot Will door – iets wat Faith voor de telefoon had gezegd. Ze had al met Tom Coldfield gesproken. Ze was er nog niet omdat Tom haar naar het verkeerde huis had gestuurd. Dodelijke ernst nam bezit van Wills stem. 'Mevrouw Coldfield, ik moet weten waar Tom op dit moment is.' Ze bracht haar hand naar haar mond en de tranen stroomden uit haar ogen. Aan de muur hing een telefoon. Will graaide de hoorn van de haak. Hij toetste het nummer van Faiths mobiel in, maar zijn vinger stokte nog voor het laatste cijfer. Hij voelde een verzengende pijn in zijn rug, de ergste spierkramp die hij ooit had gehad. Will greep naar zijn schouder, zocht met zijn vingers naar een knoop, maar het enige wat hij voelde was koud, scherp metaal. Toen hij zijn blik neersloeg zag hij de bloederige punt van een enorm mes uit zijn borst steken.

Drieëntwintig

Faith stond voor het huis van Thomas Coldfield geparkeerd. Met haar mobiel tegen haar oor luisterde ze naar het overgaan van Wills telefoontje. Hij had gezegd dat hij twee minuten bij haar vandaan was, maar dit ging meer in de richting van tien minuten. De voicemail nam het over. Will was waarschijnlijk verdwaald en omdat hij te eigenwijs was om om hulp te vragen reed hij nu rondjes op zoek naar haar auto. Als Faith in een betere bui was geweest, zou ze uitstappen en hem gaan zoeken, maar ze was bang dat ze vreselijke dingen tegen haar collega zou zeggen zodra ze hem te pakken had.

Telkens als ze bedacht dat Will tegen haar had gelogen, dat hij achter haar rug met Jake Berman was gaan praten, klemde ze het stuur vast om maar geen gat in het dashboard te slaan. Zo kon het niet doorgaan – niet nu Faith een blok aan het been was geworden. Als hij vond dat ze het veldwerk niet aankon, dan was er geen enkele reden om nog samen te werken. Ze kon al die krankzinnige shit van Will heel goed hebben, maar hij moest haar wel vertrouwen, anders werkte het niet. Alsof er met Will niks mis was. Zo wist hij bijvoorbeeld niet eens het verschil tussen iets verbijsterend simpels als links en rechts.

Faith keek weer op haar horloge. Ze gaf Will nog vijf minuten, dan ging ze het huis in.

De dokter had geen goed nieuws voor haar gehad, ook al had Faith daar dom genoeg wel op gerekend. Vanaf het moment dat ze die afspraak met Delia Wallace had gemaakt, was haar gezondheid met sprongen vooruitgegaan.

Die ochtend was ze niet badend in het zweet wakker geworden. Haar bloedsuikergehalte was aan de hoge kant, maar niet schrikbarend. Haar geest was scherp en gericht. En toen had Delia Wallace alle hoop met één klap de bodem in geslagen.

Sara had in het ziekenhuis een of andere test laten afnemen, die een beeld gaf van Faiths bloedsuikergehalte over de laatste paar weken. De uitslag was niet goed geweest. Faith moest een afspraak maken met een diëtist. Dokter Wallace had gezegd dat ze elke maaltijd en elk tussendoortje zorgvuldig moest plannen, van minuut tot minuut tot op de dag dat ze stierf – en haar dood zou weleens zeer vroegtijdig kunnen zijn, want haar bloedsuikergehalte was zo onvoorspelbaar dat de arts Faith had geadviseerd om een paar weken vrij te nemen en zich te verdiepen in alles wat er bij een diabeticus aan zorg en onderhoud kwam kijken.

Ze vond het altijd heerlijk als artsen dergelijke dingen zeiden, alsof je maar met je vingers hoefde te knippen en je had twee weken vrij. Faith zou naar Hawaï of Fiji kunnen gaan. Ze zou Oprah Winfrey kunnen bellen om haar te vragen hoe haar privékok heette.

Gelukkig was er ook goed nieuws. Faith had haar baby gezien. Nou ja, niet echt gezien – het kind was nog niet veel meer dan een stipje –, maar ze had het hartje horen kloppen, naar de echo gekeken en gezien hoe dat piepkleine bobbeltje in haar binnenste zachtjes op en neer deinde, en ook al had Delia Wallace beweerd dat het daarvoor nog te vroeg was, toch zou Faith durven zweren dat ze een handje had kunnen onderscheiden.

Opnieuw toetste Faith Wills nummer in. Bijna onmiddellijk kreeg ze zijn voicemail, en ze vroeg zich af of zijn telefoontje eindelijk de geest had gegeven. Waarom hij geen nieuwe mobiel kocht was haar een raadsel. Misschien had hij een of andere emotionele band met het ding.

Hoe het ook zij, door hem was ze nu aan de late kant. Ze opende het autoportier en stapte uit. Tom Coldfield woonde op slechts tien minuten rijden van de plek waar zijn ouders dat akelige ongeluk hadden gehad. Zijn huis was ver van de bewoonde wereld verwijderd, met maar één ander huis net binnen loopafstand. De woning zelf had de doos-achtige uitstraling van veel moderne kleinsteedse archi-tectuur. Faith gaf de voorkeur aan haar eigen huisje, met zijn aflopende vloeren en de afzichtelijke neplambrisering in de woonkamer.

Elk jaar wanneer ze belasting terugkreeg nam ze zich voor om iets aan die lambrisering te laten doen, en elk jaar had Jeremy op wonderbaarlijke wijze dringend het een of ander nodig rond de tijd dat de cheque binnenkwam. Eén keer dacht ze dat ze er goed af was gekomen, maar toen had die deugniet zijn arm gebroken omdat hij zo nodig aan zijn vriendjes moest bewijzen dat hij met zijn skateboard van het dak op een in het bos gevonden matras durfde te springen.

Ze legde haar hand op haar buik. Nu zou de lambrise-ring er tot haar dood blijven zitten.

Terwijl Faith naar de voordeur liep, zocht ze in haar tas naar haar politiepasje. Ze droeg schoenen met hoge hak-ken en had een van haar mooiste jurken aangetrokken, want om de een of andere reden had ze het die ochtend belangrijk gevonden om een respectabele indruk op Delia Wallace te maken – een dwaze inval, aangezien ze de hele tijd dat ze bij de arts was een dun papieren hemd had ge-dragen.

Faith draaide zich om en keek naar de verlaten weg. Nog steeds geen teken van haar collega. Ze snapte niet waar hij bleef. Over de telefoon had Tom tegen haar gezegd dat hij Will al had verteld hoe hij bij zijn huis moest komen. Ook al had Will problemen met links en rechts, hij kon de weg altijd goed vinden. Hij had er allang moeten zijn. Bovendien had hij in elk geval de telefoon moeten beant-woorden. Misschien had Angie weer gebeld. Zoals Faith op dat moment over Will dacht, hoopte ze maar dat zijn vrouw zich weer eens van haar lieflijkste kant liet zien.

Faith drukte op de bel. In aanmerking genomen dat ze al bijna een kwartier op de oprit had gestaan, duurde het wel erg lang voor er werd opengedaan.

'Hallo.' De vrouw in de deuropening was mager, hoekig

en verre van knap. Ze schonk Faith een opgelaten, geforceerd lachje. Haar blonde haar hing slap over haar voorhoofd en groeide bij de wortels alweer donker uit. Ze had dat afgematte dat je vaak zag bij moeders van kleine kinderen.

'Ik ben Faith Mitchell van het GBI,' zei Faith, en ze hield de vrouw haar pasje voor.

'Darla Coldfield.' De vrouw sprak met een amechtige fluisterstem, die een teer gestel deed vermoeden. Ze plukte aan het kraagje van haar paarse blouse. Faith zag dat de rand versleten was en dat de draden uit de opengepulkte zoom staken.

'Ik heb hier met Tom afgesproken.'

'Hij kan elk moment thuiskomen.' De vrouw leek te beseffen dat ze de deuropening blokkeerde en deed een stap opzij. 'Wilt u niet binnenkomen?'

Faith liep de hal in, die zwart-wit betegeld was. Ze zag dat de tegels helemaal naar de achterkant van het huis doorliepen, tot in de keuken en de woonkamer. Zelfs de eetkamer en de studeerkamer aan weerszijden van de voordeur waren betegeld.

Toch weerhield dat haar er niet van om op weg naar de woonkamer en terwijl haar voetstappen weergalmden in haar oren een paar obligate opmerkingen over het mooie huis te maken. Het meubilair was mannelijker dan Faith had kunnen vermoeden. Ze zag een bruinleren bank met een bijpassende leunstoel. Het kleed op de vloer was zwart, en er was geen vuiltje of pluisje op te bekennen. Nergens lag speelgoed, wat vreemd was, aangezien de Coldfields twee kinderen hadden. Misschien mochten die niet in deze kamer komen. Faith vroeg zich af waar ze zich meestal ophielden. Het gedeelte van het huis dat ze had gezien was warm en onaangenaam, ook al was het buiten koel. Faith had het gevoel dat het zweet haar elk moment kon uitbreken. Zonlicht stroomde door de ramen naar binnen, en toch brandden alle lampen.

'Hebt u zin in thee?' vroeg Darla.

Faith keek weer op haar horloge en vroeg zich voor de zoveelste keer af waar Will bleef. 'Alstublieft.'

473

'Met suiker?'

Faith wachtte net iets te lang voor ze antwoordde. 'Zonder suiker. Woont u hier al lang?'

'Acht jaar.'

De woning zag er even bewoond uit als een leeg pakhuis. 'U hebt twee kinderen, hè?'

'Een jongen en een meisje.' Ze glimlachte wat onzeker.

'Hebt u een partner?

De aard van het gesprek in aanmerking genomen was het een vreemde vraag. 'Ik heb een zoon.'

Weer glimlachte ze, en nu bracht ze haar hand naar haar mond. Waarschijnlijk had ze dat gebaar van haar schoonmoeder overgenomen. 'Nee, ik bedoel iemand met wie u samenwerkt.'

'Ja.' Faith keek naar de familiefoto's op de schoorsteenmantel. Ze hoorden bij dezelfde serie als de foto die Judith Coldfield hun in het opvanghuis had laten zien. 'Zou u Tom willen bellen om te vragen waar hij blijft?'

Haar glimlach haperde. 'O nee. Ik wil hem niet storen.'

'Dit is een politieaangelegenheid, dus u zult hem wel degelijk moeten storen.'

Darla perste haar lippen op elkaar. Faith kon haar gezichtsuitdrukking niet peilen. Met lege blik keek de vrouw haar aan. 'Mijn man houdt er niet van om te worden opgejaagd.'

'En ik hou er niet van om te moeten wachten.'

Weer schonk Darla haar dat slappe lachje. 'Ik zal thee voor u zetten.'

'Vindt u het goed als ik even van uw toilet gebruikmaak?' vroeg Faith toen de vrouw de kamer uit wilde lopen.

Met haar handen samengevouwen voor haar borst draaide Darla zich weer om. Haar gezicht was nog steeds uitdrukkingsloos. 'De gang door en dan rechts.'

'Dank u.' Faith volgde haar aanwijzingen op en terwijl haar hakken als die van een tamboer-majoor over de tegels klikten liep ze langs een provisiekast en langs een deur die vermoedelijk naar de kelder voerde. Ze kreeg de rillingen van Darla Coldfield, ook al wist ze niet goed waarom. Misschien kwam het doordat Faith intuïtief een hekel had aan vrouwen die zich voortdurend naar hun echtgenoot richtten.

Bij de badkamer aangekomen liep ze rechtstreeks naar het fonteintje en spetterde koud water tegen haar gezicht. Het licht was er al even fel als elders in het huis. Faith drukte op de schakelaars, maar er gebeurde niets. Ze tikte ze aan en vervolgens weer uit. De lampen bleven branden. Ze keek omhoog. De gloeilampen waren elk wel honderd watt.

Faith knipperde een paar keer met haar ogen, want het was niet buitengewoon slim geweest om rechtstreeks in de brandende lampen te kijken. Ze greep de knop van de linnenkast vast om overeind te blijven staan tot het duizelige gevoel was weggetrokken. Misschien moest ze hier maar op Will blijven wachten in plaats van met een kop thee bij Darla Coldfield op de bank te gaan zitten en een poging te doen om over koetjes en kalfjes te babbelen.

De badkamer was mooi, ook al was hij sober ingericht. Het was een L-vormig vertrek, en de linnenkast vulde de ruimte tussen de bovenkant en de onderkant van de L. Faith vermoedde dat het aangrenzende vertrek de waskamer was, want aan de andere kant van de scheidingswand hoorde ze het zachte gerommel van een droger.

Nieuwsgierig als ze was maakte Faith de deur van de kast open. De scharnieren knerpten traag en ze bleef staan, in de verwachting dat Darla Coldfield elk moment kon verschijnen om haar op haar onbehoorlijke gedrag te wijzen. Toen dat niet gebeurde, gluurde Faith naar binnen. De kast was dieper dan ze had gedacht, maar de planken waren smal. Er lagen stapels keurig gevouwen handdoeken en een lakenset bedrukt met raceauto's, die waarschijnlijk van een van de kinderen was.

Waar waren die kinderen trouwens? Misschien speelden ze buiten. Faith sloot de kastdeur en keek door het raampje. De achtertuin was leeg – er was niet eens een schommel of een boomhut. Misschien deden de kinderen een dutje voor hun opa en oma op bezoek kwamen. Faith had Jeremy nooit laten slapen als haar ouders langskwamen. Ze vond het juist fijn als haar vader en moeder hem zo afmatten dat hij van vermoeidheid de volgende ochtend uitsliep.

Met een lange, steunende zucht liet Faith zich op het toilet naast het fonteintje zakken. Ze voelde zich nog steeds licht in haar hoofd, waarschijnlijk doordat het zo warm was. Of door haar bloedsuikergehalte. Dat was aan de hoge kant geweest tijdens haar bezoek aan de dokter.

Ze zette haar tas op haar schoot en zocht naar haar meetapparaatje. Aan de muur in de spreekkamer van de arts had een enorme vitrine gehangen met een heleboel verschillende bloedsuikermeetapparaten. De meeste waren goedkoop of gratis, want het echte geld werd verdiend met de gespecialiseerde strips die erbij hoorden. Elke producent gebruikte een ander soort strip, dus als je eenmaal een apparaat had gekocht, zat je er voor je leven aan vast. Tenzij je het op de vloer van het toilet stuk liet vallen.

'Shit,' zei Faith. Het apparaat was uit haar hand geglipt en naar de muur gestuiterd, en ze boog zich voorover om het op te rapen. Er kwam een vaag, resonerend geluid uit.

Faith pakte het apparaatje en vroeg zich af in hoeverre ze het beschadigd had. Het schermpje stond nog op nul, in afwachting van een strip. Ze schudde de meter heen en weer, hield hem tegen haar oor en probeerde het geluid weer op te vangen. Ze boog zich nogmaals voorover en herhaalde de beweging waarbij het apparaat dat geluid had gemaakt. Nu hoorde ze het opnieuw, maar het leek eerder op het luide, opgewonden geluid van een speelplaats.

En het kwam niet uit het meetapparaat.

Zou het een kat zijn? Een dier dat vastzat in het verwarmingssysteem? Jeremy's woestijnratje was ooit met kerst in de wasdroger aan zijn eind gekomen, en Faith had het apparaat aan een van de buren verkocht om de bloederige troep niet te hoeven opruimen. Maar wat dit ook was, het was iets levends en het was blijkbaar van plan om in leven te blijven. Voor de derde keer boog ze zich voorover, en nu legde ze haar oor tegen het verwarmingsrooster bij de wc-pot.

Deze keer was het geluid duidelijker, maar nog steeds

gedempt. Faith ging op haar knieën zitten, en weer drukte ze haar oor tegen het rooster. Ze probeerde te bedenken wat voor dier een dergelijk geluid produceerde. Het leken wel woorden.

Help.

Het was geen dier. Het was een vrouw die om hulp riep. Faiths hand verdween in haar tas. Ze haalde de fluwelen zak tevoorschijn waarin ze haar Glock bewaarde als ze die niet op haar heup droeg. Haar handen waren klam van het zweet.

Opeens werd er luid op de deur geklopt. Darla. 'Gaat het wel goed daar, agent Mitchell?'

'Niks aan de hand, hoor,' loog Faith. Ze deed haar best om zo normaal mogelijk te klinken. Nu had ze haar mobieltje te pakken en ze probeerde het beven van haar handen te negeren. 'Is Tom er al?'

'Ja.' De vrouw zweeg. Alleen dat ene woord dat in de lucht bleef hangen.

'Darla?' Er kwam geen antwoord. 'Darla, mijn collega is op weg hiernaartoe. Hij kan elk moment hier zijn.' Faiths hart ging zo hevig tekeer dat haar borst er pijn van deed. 'Darla?'

Weer werd er op de deur gebonsd, nu nog feller. Faith liet het telefoontje vallen en klemde het pistool met beide handen vast, klaar om te schieten op ongeacht wie er de badkamer binnen kwam. De Glock was niet voorzien van de gebruikelijke veiligheidspal. De enige manier om het wapen af te schieten was door de trekker helemaal over te halen. Faith richtte op het midden van de deur, klaar om haar vinger zo hard mogelijk naar achteren te trekken.

Er gebeurde niets. Er kwam niemand binnen. De kruk werd niet omgedraaid. Vlug zocht ze op de vloer naar haar mobieltje. Het lag achter de wc. Met haar pistool op de deur gericht stak Faith haar hand uit en griste het telefoontje van de vloer.

De deur bleef dicht.

Faiths handen zweetten nu zo hevig dat haar vingers steeds weggleden. Ze vloekte zachtjes toen ze het verkeerde nummer intoetste. Net toen ze een nieuwe poging deed

477

hoorde ze achter zich de kastdeur knerpend opengaan. Ze draaide zich razendsnel om en richtte haar wapen recht op Darla's borst. Met één blik nam Faith alles in zich op: de verborgen deur in de kastwand, de wasmachine aan de andere kant, de taser in Darla's handen.

Faith dook opzij en zonder te richten haalde ze de trekker over. De haakjes van de taser zoefden langs en de dunne metalen draden glinsterden in het felle licht toen ze tegen de muur ketsten.

Daar stond Darla, met de leeggeschoten taser in haar bevende handen. Boven haar linkerschouder was een brok gips uit de wand geschoten.

'Verroer je niet,' waarschuwde Faith, en met het wapen op Darla's borst gericht tastte ze naar de deurkruk. 'Ik meen het. Verroer je niet.'

'Het spijt me,' fluisterde de vrouw.

'Waar is Tom?' Er kwam geen antwoord. 'Waar is Tom, godverdomme?' riep Faith.

Darla schudde slechts haar hoofd.

Faith wierp de deur open en met het pistool nog steeds op Darla gericht liep ze achterwaarts het vertrek uit.

'Het spijt me vreselijk,' herhaalde de vrouw.

Twee sterke armen werden van achteren om Faith heen geslagen – het was een man, zijn lichaam voelde hard en zijn kracht was tastbaar. Tom, dat kon niet anders. Hij tilde haar van de vloer en zonder nadenken haalde Faith de trekker van de Glock weer over en schoot in het plafond. Darla stond nog steeds in de kast, en nu vuurde Faith doelbewust, want ze wilde dat de kogel die de vrouw trof traceerbaar was naar haar wapen. Ze miste. Darla dook opzij en trok de verborgen deur achter zich dicht.

Terwijl Tom haar achterwaarts de gang op sleepte, bleef Faith maar schieten. Hij klemde zijn hand als een bankschroef om haar pols, en de pijn was zo fel dat ze ervan overtuigd was dat haar botten waren geknapt. Ze hield het pistool zo lang mogelijk vast, maar tegen zijn kracht kon ze niet op. Ze liet het wapen vallen, begon zo hard mogelijk te schoppen en graaide om zich heen naar alles wat ze maar te pakken kon krijgen: de rand van de deur, de muur, de kruk van de kelderdeur. Ze worstelde zo lang en zo hevig dat elke spier in haar lichaam het uitschreeuwde van de pijn.

'Vecht dan,' gromde Tom. Hij hield zijn lippen zo dicht tegen Faiths oor aan dat het was alsof hij binnen in haar hoofd zat. Ze voelde zijn lichaam reageren op de worsteling, voelde de lust die haar angst in hem opwekte. Woede laaide in haar op en wakkerde haar vastberadenheid aan. Anna Lindsey. Jacquelyn Zabel. Pauline McGhee. Olivia Tanner. Ze weigerde om zijn volgende slachtoffer te worden. Ze weigerde om in het mortuarium te eindigen. Ze weigerde om haar zoon in de steek te laten. Ze weigerde om haar baby te verliezen.

Ze wrong zich rond, krabde Tom in zijn gezicht en sloeg haar nagels in zijn ogen. Met haar hele lichaam – haar handen, haar voeten, haar tanden – viel ze hem aan. Ze weigerde zich over te geven. Als het moest vermoordde ze hem met haar blote handen.

'Laat me eruit!' riep iemand vanuit de kelder. De kreet overviel Faith. Gedurende een fractie van een seconde staakte ze haar geworstel. Tom bleef ook roerloos staan. De deur schudde heen en weer. 'Laat me eruit, godverdomme!'

Faith kwam weer bij haar positieven. Opnieuw begon ze te schoppen en om zich heen te maaien, zette ze alles in om zich te bevrijden. Tom had haar nog steeds vast en met zijn machtige handen hield hij haar lichaam in een klem. Degene die achter de kelderdeur stond beukte erop los in een poging erdoorheen te breken. Faith sperde haar mond open en schreeuwde zo hard als ze kon. 'Help! Help me!'

'Doe het dan!' riep Tom, maar hij had het niet tegen Faith.

Darla stond aan het einde van de gang. In haar hand had ze de herladen taser. Faith zag haar Glock voor de voeten van de vrouw liggen.

'Doe het dan!' beval Tom, wiens stem nauwelijks boven het gebonk op de deur uit kwam. 'Schiet haar neer!'

Faith kon alleen nog aan de baby in haar buik denken,

479

aan de kleine vingertjes, aan het tere hartje dat op- en neerging tegen het vliesdunne borstje. Ze werd helemaal slap, ontspande elke spier in haar lichaam. Tom had niet verwacht dat ze de strijd zou staken en hij struikelde onder haar volle gewicht. Ze smakten samen op de vloer. Faith krabbelde over de tegels en stak haar hand al uit naar het wapen, maar hij rukte haar weer naar zich toe, als een vis aan een lijn.

De deur versplinterde en de stukken hout vlogen door de gang. Een vrouw rende gillend naar buiten. Haar handen zaten vast bij haar middel en haar voeten waren geketend, maar met een bijna laserachtige precisie ramde ze haar lichaam tegen Tom aan.

In een onbewaakt moment greep Faith de Glock, draaide zich om en richtte op de woelende lichamen op de vloer.

'Klootzak!' krijste Pauline McGhee. Ze knielde neer op Toms borst en boog zich over hem heen. Haar handen waren vastgeketend aan een riem om haar middel, maar het lukte haar om haar vingers om zijn hals te slaan. 'Sterf dan!' riep ze, en het bloed sproeide uit haar kapotgereten mond. Haar lippen hingen aan flarden en ze keek wild uit haar ogen. Uit alle macht drukte ze op Toms keel.

'Stoppen,' zei Faith met stokkende adem. Ze voelde een diepe, brandende pijn in haar buik, alsof er iets gescheurd was. Niettemin hield ze haar pistool op Paulines borst gericht. Het magazijn van de Glock zat nog minstens halfvol, en als het moest zou ze het wapen gebruiken. 'Van hem af,' beval ze.

Tom verzette zich en zijn handen graaiden naar die van Pauline. Pauline drukte nog harder, en met haar knieën als spil wierp ze zich met haar volle gewicht op zijn keel.

'Maak hem dood,' zei Darla. Ze lag opgerold bij de deur van de badkamer, met de taser naast zich op de vloer. 'Alsjeblieft... maak hem dood.'

'Stoppen,' waarschuwde Faith, en terwijl ze het trillen van haar hand probeerde te bedwingen klemde ze het wapen vast.

'Laat haar,' smeekte Darla. 'Alstublieft, laat haar haar gang gaan.'

Kreunend wankelde Faith overeind. Haar buikspieren trokken samen. Ze zette het wapen op Paulines hoofd en probeerde zo overtuigend en krachtig mogelijk te klinken. 'Nu stoppen, godsklere, of ik haal de trekker over.' Pauline keek op. Hun blikken boorden zich in elkaar en Faith dwong haar gezicht in een vastberaden plooi, ook al zou ze zich het liefst op haar knieën laten vallen om te bidden dat het leven in haar niet ophield.

'Laat hem los, nu,' gebood ze.

Pauline nam er alle tijd voor, alsof ze hoopte dat ze door één tel langer te drukken haar doel zou bereiken. Met haar handen nog steeds samengeklemd liet ze zich op de vloer zakken. Tom rolde van haar weg, en hij hoestte zo hevig dat zijn hele lijf in een kramp schoot.

'Bel een ambulance,' zei Faith, maar niemand verroerde zich. Haar gedachten tuimelden over elkaar heen, en er trok telkens een waas voor haar ogen. Ze moest Amanda bellen. Ze moest Will zien te vinden. Waar zat hij? Waarom was hij er niet?

'Wat is er met jou aan de hand?' vroeg Pauline, met een vuile blik op Faith.

Faiths hoofd tolde. Ze liet zich tegen de muur zakken om te voorkomen dat ze flauwviel. Er droop iets vochtigs tussen haar benen. Weer trok er een kramp door haar buik, bijna alsof ze weeën had. 'Bel een ambulance,' herhaalde ze.

'Vuil...' mompelde Tom Coldfield. 'Vuil, dat zijn jullie allemaal.'

'Bek houden,' beet Pauline hem toe.

'"Drijf nu deze van mij uit naar buiten",' klonk het schor, '"en grendel de deur achter haar toe..."'

'Bek houden!' herhaalde Pauline met opeengeklemde kaken.

Een schrapend geluid ontsnapte aan Toms keel. Hij lachte. '"O, Absalom, ik ben opgestaan."'

Moeizaam ging Pauline op haar knieën zitten. 'Jij gaat rechtstreeks naar de hel, zieke smeerlap.'

'Niet doen,' waarschuwde Faith, en weer richtte ze haar wapen. 'Haal een telefoon.' Ze wierp een blik over haar

schouder naar Darla. 'Haal mijn mobiel uit de badkamer.'
Met een ruk draaide Faith haar hoofd weer om en ze zag
dat Pauline zich over Tom heen boog.

'Niet doen,' herhaalde ze.

Met de groteske grijns van een Halloween-lantaarn keek
Pauline op Tom Coldfield neer. In plaats van haar handen
opnieuw om zijn hals te slaan, spuwde ze hem in zijn gezicht. 'In Georgia geldt de doodstraf, eikel. Waarom denk
je dat ik anders hiernaartoe ben verhuisd?'

'Wacht eens even,' zei Faith. 'Ken je hem dan?'

In de ogen van de vrouw vlamde onversneden haat op.

'Natuurlijk ken ik hem, stomme trut. Hij is mijn broer.'

Vierentwintig

Will lag op zijn zij op de vloer van de keuken van Judith Coldfield en keek hoe ze met haar handen voor haar gezicht stond te snikken. Zijn neus kriebelde. Raar dat hij daar last van had terwijl er een keukenmes uit zijn rug stak. Tenminste, hij dacht dat het een keukenmes was. Telkens als hij zich wilde omdraaien om ernaar te kijken, verloor hij bijna het bewustzijn van de pijn.

Het bloeden viel mee. Het werd pas echt gevaarlijk als het mes bewoog, als het wegschoof van de ader of de slagader die het blokkeerde, waarop het bloed in alle hevigheid zou gaan stromen. Alleen al bij de gedachte aan hoe het eruitzag, hoe het metalen lemmet tussen spier en pees drong, werd hij licht in zijn hoofd. Kletsnat van het zweet begon hij te rillen van de kou. Vreemd genoeg was het aanspannen van zijn hals nog het moeilijkst. De spieren stonden zo strak dat zijn hoofd bonkte bij elke hartslag. Als hij zich ook maar even ontspande, was de pijn zo hevig dat hij de smaak van braaksel in zijn mond kreeg. Will had nooit geweten hoeveel delen van zijn lichaam met zijn schouder waren verbonden.

'Het is een goede jongen,' sprak Judith gesmoord van achter haar handen. 'U weet niet half hoe goed hij is.'

'Nou, vertel eens. Vertel eens waarom u hem zo goed vindt.'

Ze schrok van zijn vraag. Eindelijk keek ze naar hem en ze leek te beseffen dat hij in levensgevaar verkeerde. 'Doet het pijn?'

'Het doet behoorlijk pijn,' moest Will toegeven. 'Ik wil

mijn collega bellen. Ik wil weten of alles in orde is met haar.'

'Tom zou haar nooit iets doen.'

Alleen al het feit dat ze zich genoodzaakt voelde om dat te zeggen joeg Will de stuipen op het lijf. Faith was een prima agent. Ze kon zich heel goed zelf redden, behalve op momenten waarop ze dat niet kon. Een paar dagen eerder was ze flauwgevallen, was ze zomaar op de grond gevallen in de parkeergarage van het gerechtsgebouw. Stel dat ze weer flauwviel? Stel dat ze flauwviel en dat ze als ze na een tijdje weer bijkwam in een nieuw hol lag, in een nieuwe martelkamer die door Tom Coldfield was uitgegraven?

Met de rug van haar hand veegde Judith haar tranen af. 'Ik weet niet wat ik moet doen...'

Will had niet het idee dat ze hem om raad vroeg. 'Pauline Seward is twintig jaar geleden uit Ann Arbor, Michigan, vertrokken. Ze was toen zeventien jaar oud.'

Judith wendde haar blik af.

Hij waagde de gok. 'Volgens het rapport dat is opgesteld toen ze vermist werd is ze van huis weggelopen omdat ze door haar broer werd misbruikt.'

'Dat is niet waar. Pauline was alleen maar... Dat heeft ze verzonnen.'

'Ik heb het rapport gelezen,' loog Will. 'Ik heb gezien wat hij met haar gedaan heeft.'

'Hij heeft niets gedaan,' zei Judith met klem. 'Pauline heeft zichzelf alles aangedaan.'

'Heeft ze zichzelf verwond?'

'Ze heeft zichzelf verwond. Ze heeft allerlei verhalen verzonnen. Vanaf haar geboorte heeft ze al moeilijkheden veroorzaakt.'

Will had het kunnen weten. 'Pauline is uw dochter.'

Judith knikte en de afkeer stond op haar gezicht geschreven.

'Wat waren dat voor moeilijkheden?'

'Ze weigerde te eten,' zei Judith. 'Ze hongerde zichzelf uit. We zijn met haar van de ene dokter naar de andere gegaan. Elke cent die we hadden hebben we uitgegeven om

hulp voor haar te zoeken, en als dank is ze naar de politie gegaan en heeft ze vreselijke verhalen over Tom opgehangen. Echt vreselijke dingen.'
'Dat hij haar pijn deed?'
Ze aarzelde en gaf toen een bijna onmerkbaar knikje. 'Tom is altijd de goedheid zelve geweest. Pauline was gewoon te...' Ze schudde haar hoofd, niet in staat het in woorden uit te drukken. 'Ze verzon allerlei dingen over hem. Verschrikkelijke dingen. Ik wist dat het niet waar kon zijn.' Judith ging er maar over door. 'Als klein kind vertelde ze al leugens. Ze zocht altijd naar manieren om mensen te kwetsen. Om Tom te kwetsen.'
'Hij heet niet echt Tom, hè?'
Haar blik was op een punt ergens achter zijn schouder gericht, waarschijnlijk op het heft van het mes. 'Tom is zijn tweede naam. Zijn eerste is...'
'Matthias?' raadde hij. Weer knikte ze, en heel even dacht Will aan Sara Linton. Toentertijd had ze een grapje gemaakt, maar ze had gelijk gehad. *Als je iemand vindt die Mattheus of Matthias heet, heb je waarschijnlijk jullie moordenaar te pakken.*
'Na het verraad van Judas moesten de apostelen iemand kiezen die hen zou helpen om het verhaal van Jezus' opstanding te verspreiden.' Eindelijk keek ze hem aan. 'Ze kozen Mattheus. Hij was een heilige man. Een ware discipel van de Heer.'
Will knipperde het zweet uit zijn ogen. 'Elk van de vermiste of dode vrouwen is op de een of andere manier met uw opvanghuis verbonden,' zei hij. 'Jackie schonk de spullen van haar moeder. De bank waar Olivia Tanner werkte sponsorde uw liefdadigheidswerk. Het advocatenkantoor van Anna Lindsey deed pro-Deowerk. Tom moet ze daar allemaal hebben ontmoet.'
'Dat weet u helemaal niet.'
'Vertel dan maar hoe het wel zit.'
Judith liet haar blik over zijn rug gaan en hij zag de wanhoop in haar ogen. 'Pauline,' begon ze. 'Die zou misschien...'
'Pauline wordt vermist, mevrouw Coldfield. Ze is twee

485

dagen geleden vanaf een parkeerplaats ontvoerd. Haar zoontje van zes is in de auto achtergebleven.'

'Heeft ze een kind?' Geschrokken liet Judith haar mond openvallen.

'Hij heet Felix. Uw kleinzoon.'

Ze legde haar hand op haar borst. 'De artsen zeiden dat ze niet... Ik snap het niet. Hoe kan zij een kind hebben gekregen? Er werd altijd gezegd dat ze niet in staat zou zijn om...' Vol ongeloof bleef ze haar hoofd maar schudden.

'Had uw dochter een eetstoornis?'

'We hebben geprobeerd hulp voor haar te zoeken, maar uiteindelijk...' Ze trok een gezicht alsof het allemaal geen zin had. 'Tom plaagde haar met haar gewicht, maar jongere broers plagen hun oudere zussen altijd. Hij heeft het nooit kwaad bedoeld. Hij heeft nooit...' Ze zweeg en probeerde een gesmoorde snik in te houden. Er verscheen een barst in haar façade, want nu moest ze de mogelijkheid onder ogen zien dat haar zoon wellicht het monster was dat Will beschreef. Maar al snel herstelde ze zich en schudde haar hoofd. 'Nee, ik geloof u niet. Tom zou nooit iemand pijn doen.'

Will begon over zijn hele lichaam te rillen. Nog steeds verloor hij niet veel bloed, maar zijn geest kon de pijn niet langer dan een minuut achtereen negeren. Dan viel zijn hoofd naar beneden of schudde hij het zweet uit zijn ogen, en meteen trok er een helse pijn door hem heen. Het donker bleef lonken, als hij alles liet gaan zou dat een heerlijke verlossing zijn. Even sloot Will zijn ogen, een paar tellen maar, en toen nog iets langer. Met een ruk dwong hij zichzelf om wakker te blijven en hij kreunde het uit van de verzengende pijn.

'U hebt hulp nodig,' zei Judith. 'Ik moet hulp voor u halen.' Ze maakte echter geen aanstalten om de daad bij het woord te voegen. Toen de telefoon weer begon te rinkelen, staarde ze slechts naar het toestel aan de muur.

'Vertel eens over dat hol.'

'Daar weet ik niets van.'

'Vond uw zoon het vroeger leuk om holen te graven?'

'Mijn zoon gaat trouw naar de kerk. Hij houdt van zijn

gezin. Hij vindt het heerlijk om mensen te helpen.'
'Vertel eens over het getal 11.'
'Wat is daarmee?'
'Tom schijnt iets met dat getal te hebben. Is dat vanwege zijn naam?'
'Hij vindt het gewoon een mooi getal.'
'Judas heeft Jezus verraden. Er waren elf apostelen tot Mattheus erbij kwam.'
'Ik ken de Bijbel heus wel.'
'Heeft Pauline u verraden? Was u niet compleet tot uw zoon kwam?'
'Dat zegt me allemaal niks.'
'Tom is bezeten van het getal 11,' zei Will. 'Hij heeft de elfde rib van Anna Lindsey verwijderd. Hij heeft elf vuilniszakken in haar vagina gepropt.'
'Stop!' riep ze uit. 'Ik wil niets meer horen!'
'Hij heeft hen met stroomdraad bewerkt. Hij heeft hen gemarteld en verkracht.'
'Hij probeerde hen te redden!' krijste ze.
De woorden weergalmden door het kleine vertrek als een flipperbal die tegen metaal ketste.
Ontzet sloeg Judith haar hand voor haar mond.
'U wist het,' zei Will.
'Ik wist van niets.'
'U moet het op het nieuws hebben gezien. De namen van een paar vrouwen zijn vrijgegeven. U moet ze hebben herkend van uw werk in het opvanghuis. U hebt Anna Lindsey op de weg zien liggen nadat Henry haar had geraakt met de auto. U hebt Tom gebeld zodat hij haar weg kon halen, maar er waren te veel mensen.'
'Nee.'
'Judith, je wist...'
'Ik ken mijn zoon,' hield ze vol. 'Als hij iets met die vrouwen heeft gedaan, was het alleen omdat hij ze wilde helpen.'
'Judith...'
Ze stond op, en Will zag dat ze razend was. 'Ik luister niet langer naar uw leugens over mijn zoon. Ik heb hem gezoogd toen hij een baby was. Ik heb hem vastgehou-

487

den...' Ze wiegde haar armen heen en weer. 'Ik heb hem tegen mijn borst gedrukt en hem beloofd dat ik hem zou beschermen.'

'Heb je dat dan niet met Pauline gedaan?'

Alle emotie trok weg uit haar gezicht. 'Als Tom niet komt, zal ik het zelf moeten doen.' Ze pakte een mes van het hakblok. 'Het maakt me niet uit of ik de rest van mijn leven in de gevangenis doorbreng. Ik sta niet toe dat u mijn zoon kapotmaakt.'

'Weet je zeker dat je dat kunt?' vroeg Will. 'Iemand een mes in de rug steken is niet hetzelfde als hem neersteken terwijl je oog in oog met hem staat.'

'Ik zorg dat u hem niets kunt doen.' Ze klemde het mes onhandig in beide vuisten. 'Ik sta het niet toe.'

'Leg dat mes neer.'

'Dacht u dat u me kunt vertellen wat ik moet doen?'

'Mijn chef staat achter je en heeft een pistool op je hoofd gericht.'

Ze hapte naar adem. Het geluid stokte in haar keel toen ze zich razendsnel omdraaide en Amanda aan de andere kant van het raam zag staan. Zonder enige waarschuwing hief Judith het mes en stortte zich op Will. Het raam knalde uit elkaar. Judith viel vlak voor Will op de vloer neer, met het mes nog in haar hand. Aan de achterkant van haar blouse verscheen een volmaakt ronde bloedvlek.

Will hoorde dat de deur werd opengebroken. Mensen kwamen binnenrennen, zware voetstappen klonken op de vloer en op blaffende toon werden er bevelen geroepen. Will hield het niet langer. Hij liet zijn hoofd zakken en de pijn drong tot in de kern van zijn lichaam door. Vaag zag hij de hoge hakken van Amanda naderen. Ze knielde voor hem neer. Haar lippen bewogen, maar Will hoorde niet wat ze zei. Hij wilde naar Faith vragen, naar haar baby, maar het was te verleidelijk om zich aan het donker over te geven.

DRIE DAGEN LATER

Vijfentwintig

Het was pijnlijk om naar Pauline McGhee te kijken, zelfs nu ze haar kind op schoot had. Haar mond was aan flarden gereten door het metaaldraad dat ze kapot had gebeten, en als ze iets wilde zeggen, mompelde ze tussen opeengeperste lippen door. Ragfijne hechtingen hielden de huid bij elkaar, waardoor ze net een personage uit *Frankenstein* leek. Toch was het moeilijk om sympathie voor haar op te brengen, misschien omdat ze Faith voortdurend met 'bitch' aansprak en dat met een grotere regelmaat dan Faith ooit uit de mond van een man had gehoord.

'Bitch,' klonk het weer, 'ik weet niet wat ik je moet vertellen. Ik heb mijn familie al twintig jaar niet gezien.'

Will zat naast Faith en schoof onrustig heen en weer. Zijn arm zat strak in een mitella tegen zijn borst, en hij leed zichtbaar pijn, maar hij had per se bij de ondervraging aanwezig willen zijn. Faith snapte maar al te goed dat hij antwoorden wilde horen. Helaas werd het snel duidelijk dat ze die niet van Pauline hoefden te verwachten.

'Tom heeft in de loop van dertig jaar in zestien verschillende steden gewoond,' zei Will. 'In twaalf van die steden zijn we op zaken gestuit – ontvoerde vrouwen die nooit zijn teruggevonden. Altijd betrof het een paar. Twee vrouwen tegelijk.'

'Jezus, alsof ik niet weet wat een paar is.'

Will wilde weer iets zeggen, maar Faith gaf hem onder de tafel een duwtje tegen zijn knie. Hun gebruikelijke tactiek werkte niet. Pauline McGhee was een vechtersbaas, bereid om over alles en iedereen heen te walsen om haar eigen hachje te redden. Ze had Olivia Tanner bewusteloos geschopt om maar als eerste uit de kelder te kunnen ontsnappen. Ze zou haar eigen broer hebben gewurgd als Faith haar niet had tegengehouden. Met medeleven kwam je bij haar niet ver.

Faith waagde het erop. 'Pauline, hou eens op met dat gezeik. Je weet dat je op elk gewenst moment uit deze kamer kunt vertrekken. Je blijft omdat je daar een reden voor hebt.'

De gewonde vrouw keek naar Felix en streelde zijn haar. Heel even leek ze bijna menselijk. Iets aan het kind bracht een verandering bij haar teweeg, en opeens begreep Faith dat de harde buitenkant haar verdediging vormde tegen de wereld, en dat alleen Felix erin kon doordringen. Zodra ze aan de vergadertafel hadden plaatsgenomen was de jongen in de armen van zijn moeder in slaap gevallen. Telkens bracht hij zijn duim naar zijn mond, en dan trok Pauline hem weer weg, tot ze uiteindelijk toegaf. Faith snapte waarom ze haar zoontje geen moment uit het oog wilde verliezen, maar dit was niet bepaald het soort situatie waar je een kind mee naartoe nam.

'Was je echt van plan me neer te schieten?' wilde Pauline weten.

'Wat?' vroeg Faith, hoewel ze heel goed wist waarop de vrouw doelde.

'Daar op die gang,' zei ze. 'Ik zou hem vermoord hebben. Ik wilde hem vermoorden.'

'Ik ben politieofficier,' antwoordde Faith. 'Het is mijn taak om levens te beschermen.'

'Ook dát leven?' vroeg Pauline vol ongeloof. 'Je weet wat die klootzak heeft gedaan.' Ze hief haar kin in de richting van Will. 'Luister maar naar je collega. Mijn broer heeft minstens vierentwintig vrouwen vermoord. Vind je echt dat hij een proces verdient?' Ze drukte haar lippen op de bovenkant van Felix' hoofd. 'Je had me mijn gang moeten laten gaan. Dan had ik hem als een vuile hond afgemaakt.'

Faith antwoordde niet, vooral omdat er niets te zeggen viel. Tom Coldfield weigerde te praten. Hij schepte niet op over zijn misdaden en was evenmin bereid om in ruil voor zijn leven te vertellen waar de lichamen begraven lagen. Hij had zich ermee verzoend dat hij in de bak zou verdwijnen en waarschijnlijk naar de dodencel zou gaan. Het enige waarom hij had gevraagd waren brood, water en zijn bijbel, een boek waarvan de kantlijnen zo volgekrabbeld waren dat het amper meer leesbaar was.

Toch had Faith al een paar nachten liggen woelen en draaien in haar bed, en dan beleefde ze telkens opnieuw die paar seconden in de gang. Soms liet ze Pauline haar broer vermoorden. Soms moest ze uiteindelijk de vrouw neerschieten. Geen van beide scenario's bezorgde haar een prettig gevoel, en ze had zich erbij neergelegd dat dergelijke emoties slechts door de tijd geheeld konden worden. Wat wel hielp was dat de zaak niet langer onder de verantwoordelijkheid van Faith en Will viel. De misdaden van Matthias Thomas Coldfield besloegen verschillende staten en daarom handelde het FBI het probleem verder af. Faith had Pauline alleen mogen ondervragen omdat verondersteld werd dat de vrouwen een band hadden. Dat was dus niet het geval.

Of misschien toch wel.

'Hoe ver ben je al heen?' vroeg Pauline.

'Tien weken,' antwoordde Faith. Ze had op de rand van de waanzin gebalanceerd toen de ambulance bij het huis van Tom Coldfield arriveerde. Ze kon alleen nog aan haar baby denken, en of het kind niet in gevaar verkeerde. Zelfs toen de hartslag uit de foetale monitor had geroffeld, was Faith blijven snikken en ze had het ambulancepersoneel gesmeekt om haar naar het ziekenhuis te brengen. Ze was ervan overtuigd geweest dat ze zich allemaal vergisten, dat er iets verschrikkelijks was gebeurd. Merkwaardig genoeg was Sara Linton de enige geweest die haar van het tegendeel had kunnen overtuigen.

Het positieve van de zaak was dat haar familie nu dankzij de verpleegkundigen in het Grady wist dat ze zwanger was, want die hadden Faith gedurende haar hele verblijf op de spoedafdeling 'die hysterische zwangere smeris' genoemd.

Pauline streek Felix' haar naar achteren. 'Ik was moddervet toen ik zwanger van hem was. Walgelijk gewoon.'

'Tja, makkelijk is het niet,' gaf Faith toe. 'Maar het is het wel waard.'

'Dat wel.' Liefkozend ging ze met haar verscheurde lippen over het hoofd van haar zoontje. 'Hij is het enige goede aan me.'

Faith had vaak hetzelfde over Jeremy gezegd, maar nu ze tegenover Pauline McGhee zat besefte ze hoe ze geboft had. Faith had haar moeder, die ondanks al haar fouten van haar hield. Ze had Zeke, ook al was hij naar Duitsland vertrokken om maar zo ver mogelijk bij haar uit de buurt te zijn. Ze had Will en hoe je het ook wendde of keerde, ze had Amanda. Pauline had niemand – alleen een kleine jongen die haar niet kon missen.

'Toen ik Felix kreeg,' zei Pauline, 'moest ik onwillekeurig aan haar denken. Aan Judith. Hoe was het mogelijk dat ze zo'n hekel aan me had?' Ze keek Faith aan, alsof ze van haar antwoord verwachtte.

'Ik weet het niet,' zei Faith. 'Ik kan me niet voorstellen dat je een hekel aan je eigen kind hebt. Aan welk kind dan ook.'

'Nou ja, sommige kinderen zijn gewoon etters, maar je eigen kind...'

Pauline zweeg zo lang dat Faith zich afvroeg of ze weer helemaal opnieuw konden beginnen.

Nu nam Will het woord. 'We moeten weten waarom dit alles gebeurd is, Pauline. Ik moet het weten.'

Ze staarde weer uit het raam, met haar zoontje tegen haar borst gedrukt. Toen ze het woord nam, was haar stem zo zacht dat Faith moeite had om haar te verstaan. 'Mijn oom heeft me verkracht.'

Faith en Will zwegen om haar alle ruimte te geven.

'De eerste keer was ik drie, toen vier, en toen bijna vijf,' bekende Pauline. 'Uiteindelijk vertelde ik aan mijn grootmoeder wat er aan de hand was. Ik dacht dat die bitch me zou redden, maar ze verdraaide het hele verhaal, alsof ik een of ander duivels kind was.' Ze vertrok haar lippen tot een bittere grijns. 'Mijn moeder geloofde

hen, niet mij. Zoals altijd koos ze hun kant.'
'Wat gebeurde er toen?'
'We zijn verhuisd. We verhuisden altijd als het verkeerd
ging. Mijn vader vroeg overplaatsing aan, we verkochten
het huis, en dan begonnen we van voren af aan. Een nieuwe stad, een nieuwe school, en dezelfde klotetoestand.'
'Wanneer begon het fout te gaan met Tom?'
'Ik was vijftien.' Pauline haalde haar schouders op. 'Ik
had een vriendin, Alexandra McGhee – zo ben ik aan mijn
nieuwe naam gekomen. We hebben een paar jaar in Oregon gewoond voor we naar Ann Arbor verhuisden. Daar is
de ellende met Tom pas echt begonnen – toen werd het pas
echt erg.' Op doffe toon vertelde ze haar verhaal, alsof ze
uit de tweede hand verslag uitbracht van een doodgewoon
voorval in plaats van de gruwelijkste momenten uit haar
leven te onthullen. 'Hij was bezeten van me. Het leek wel
of hij verliefd op me was. Hij volgde me overal, rook aan
mijn kleren, probeerde mijn haren aan te raken en...'
Met moeite verborg Faith haar walging, en haar maag
draaide zich om bij het beeld dat de woorden van de vrouw
opriepen.
'Opeens kwam Alex niet langer,' vervolgde Pauline. 'We
waren beste vriendinnen. Ik wilde weten of ik iets gezegd
had, of ik iets gedaan had...' Haar stem stierf weg. 'Tom
deed haar pijn. Ik weet niet hoe. Tenminste, in het begin
wist ik niet hoe. Maar ik kwam er al snel genoeg achter.'
'Wat was er aan de hand?'
'Ze schreef overal hetzelfde zinnetje op, telkens weer.
Op haar boeken, op haar schoenzolen, op de rug van haar
hand.'
'"Ik ontken mezelf niet",' raadde Will.
Pauline knikte. 'Het was een oefening die een van de
artsen in het ziekenhuis me had opgegeven. Ik moest dat
zinnetje opschrijven om mezelf ervan te overtuigen dat
ik moest stoppen met dat gevreet en gekots, alsof het allemaal verdween als je zo'n stom zinnetje duizend keer
opschreef.'
'Wist je dat Tom Alex dwong om dat zinnetje op te
schrijven?'

'Ze leek op me,' vertelde Pauline. 'Daarom was hij zo gek op haar. Ze was een soort surrogaat voor mij – ze had dezelfde kleur haar, was even lang en ze woog ongeveer evenveel als ik, alleen leek ze dikker.'

Dezelfde eigenschappen waardoor Tom zich tot zijn recentste slachtoffers aangetrokken had gevoeld: ze leken allemaal op zijn zus.

'Ik vroeg hem ernaar,' zei Pauline. 'Ik vroeg waarom ze dat zinnetje moest opschrijven. Woest dat ik was. Ik ging tegen hem tekeer en toen sloeg hij me. Niet gewoon een klap, maar met zijn volle vuist. En toen ik op de grond lag, sloeg hij me helemaal verrot.'

'Wat gebeurde er daarna?' vroeg Faith.

Met lege blik keek Pauline uit het raam, alsof ze alleen in het vertrek was. 'Alex en ik waren in het bos. Daar gingen we na school vaak naartoe om een sigaretje te roken. De dag dat Tom me zo geslagen had, sprak ik daar met haar af. Eerst wilde ze niets zeggen, maar toen brak er iets in haar. Uiteindelijk vertelde ze dat Tom haar had meegenomen naar de kelder van ons huis en dat hij daar allemaal dingen met haar had gedaan. Slechte dingen.' Ze sloot haar ogen. 'Alex pikte het omdat Tom had gezegd dat hij het anders met mij ging doen. Ze beschermde me.'

Ze opende haar ogen en keek Faith verrassend fel aan. 'Alex en ik overlegden wat we moesten doen. Ik zei dat het geen zin had om het aan mijn ouders te vertellen, dat er toch niks zou veranderen. Dus besloten we om naar de politie te gaan. Er was daar een agent die ik kende. Maar Tom was ons geloof ik gevolgd naar het bos. Hij hield ons altijd in de gaten. Hij had een babyfoon op mijn kamer verstopt. Zo luisterde hij ons af en dan...' Ze haalde haar schouders op, maar Faith hoefde er niet naar te raden wat Tom deed terwijl hij naar de gesprekken van zijn zus en haar vriendin zat te luisteren.

'Hoe dan ook,' vervolgde Pauline. 'Tom zocht ons dus op in het bos. Hij sloeg me met een steen tegen mijn achterhoofd. Ik weet niet wat hij met Alex heeft gedaan. Ik heb haar toen een tijd niet gezien. Volgens mij zette hij haar onder druk, probeerde hij haar klein te krijgen. Dat was het moeilijkst van alles. Was ze dood? Sloeg hij haar? Martelde hij haar? Of misschien had hij haar laten gaan en hield ze zich stil omdat ze bang voor hem was.' Ze slikte. 'Maar dat was het niet.'

'Wat was het dan wel?'

'Hij hield haar weer vast in de kelder. Hij bereidde haar voor op het allerergste.'

'Hoorde niemand haar dan?'

Pauline schudde haar hoofd. 'Mijn vader was er nooit en mijn moeder...' Ze bleef haar hoofd maar schudden. Faith was ervan overtuigd dat ze er nooit echt achter zouden komen wat Judith Coldfield wist over het sadistische gedrag van haar zoon.

'Ik weet niet hoe lang het heeft geduurd,' zei Pauline, 'maar uiteindelijk belandde Alex op dezelfde plek als ik.'

'Welke plek?' wilde Faith weten.

'Onder de grond,' zei ze. 'Het was er donker. We waren geblinddoekt. Hij had watjes in onze oren gestopt, maar we konden elkaar nog steeds horen. We waren vastgebonden. Toch wisten we dat we onder de grond zaten. Je proeft het, snap je? Je krijgt een vochtige, smerige smaak in je mond. Hij had een hol gegraven. Daar moet hij weken over hebben gedaan. Hij plande altijd alles, wilde alles tot in het kleinste detail regelen.'

'Bleef Tom voortdurend bij jullie?'

'Eerst niet. Volgens mij werkte hij nog steeds aan zijn alibi. Hij liet ons daar gewoon een paar dagen alleen – vastgebonden zodat we ons niet konden verroeren, niets konden zien, nauwelijks iets konden horen. In het begin schreeuwden we het uit, maar...' Ze maakte een gebaar alsof ze de herinnering van zich af wilde schudden. 'Hij bracht ons water, maar geen eten. Er ging ongeveer een week voorbij. Ik redde het wel – ik had wel langer zonder eten gedaan. Maar Alex was een heel ander verhaal. Ze stortte volledig in. Ze huilde de hele tijd en smeekte me om haar te helpen, hoe dan ook. Wanneer Tom kwam smeekte ik hem om haar haar mond te laten houden, zodat ik haar niet meer hoefde te horen.' Weer zweeg ze, in gedachten verzonken. 'En op een dag veranderde er iets en ging hij met ons aan de gang.'

'Wat deed hij?'
'Eerst praatte hij alleen maar. Hij was helemaal in de Bijbel – allemaal onzin die mijn moeder hem had aangepraat, dat hij in de plaats was gekomen van Judas, die Jezus had verraden. Ze zei altijd dat ik haar verraden had, dat ze me op de wereld had gezet opdat ik een goed kind zou worden, maar dat ik rot bleek te zijn, en dat haar familie nu een hekel aan haar had vanwege mijn leugens.' Faith citeerde de laatste zin die ze uit de mond van Tom Coldfield had opgevangen. '"O, Absalom, ik ben opgestaan".'

Pauline huiverde, alsof de woorden door haar heen sneden. 'Dat is uit de Bijbel. Amnon verkrachtte zijn eigen zuster, en toen hij klaar met haar was, verstootte hij haar omdat ze een hoer was.' Haar verscheurde lippen vertrokken tot iets wat voor een glimlach moest doorgaan. 'Absalom was de broer van Amnon. Hij doodde hem omdat hij hun zuster had verkracht.' Ze lachte bitter. 'Jammer dat ik maar één broer had.'

'Is Tom altijd van godsdienst bezeten geweest?'
'Niet van godsdienst in de gewone zin. Niet van normale godsdienst. Hij verdraaide de Bijbel al naargelang het hem uitkwam. Daarom hield hij Alex en mij ook onder de grond gevangen: om ons een kans te geven om net als Jezus herboren te worden.' Ze keek Faith aan. 'Wat een krankzinnige lulkoek, hè? Hij kon er uren over doorgaan. Dan vertelde hij ons hoe slecht we waren en zei hij dat hij ons zou verlossen. Soms raakte hij me aan, maar ik kon niet zien...' Opnieuw huiverde ze, en haar hele lichaam schokte. Felix bewoog, waarop ze hem weer in slaap suste.

Faiths hart bonkte in haar borst. Ze dacht aan haar eigen worsteling met Tom, aan zijn hete adem in haar oor toen hij 'Vecht dan' had gezegd.

'Wat deed Tom daarna, nadat hij die verhalen tegen jou en Alex had afgestoken?' vroeg Will.

'Wat dacht je?' vroeg ze sarcastisch. 'Hij had geen idee wat hij deed, maar hij wist wel dat hij het lekker vond om ons pijn te doen.' Ze slikte en haar ogen vulden zich met tranen. 'Voor ons was het de eerste keer – voor ons allebei. We waren nog maar vijftien. In die tijd gingen meiden nog niet met iedereen naar bed. Niet dat we heilige boontjes waren of zo, maar sletten waren we ook niet.'

'Deed hij verder nog iets?'

'Hij hongerde ons uit. Het was niet zo erg als wat hij met die andere vrouwen heeft gedaan, maar het was erg genoeg.'

'En die vuilniszakken?'

Ze gaf een kort knikje. 'In zijn ogen waren we vuil. Niks dan vuil.'

Dat had Tom ook op de gang gezegd. 'Miste niemand jou of Alex toen Tom jullie in dat hol gevangenhield?'

'Ze dachten dat we waren weggelopen. Dat doen meisjes toch? Die lopen gewoon van huis weg en als de ouders zeggen dat zulke meiden slecht zijn, dat ze altijd liegen en niet te vertrouwen zijn, dan maakt het niet zoveel uit, toch?' Ze gaf hun geen tijd om te antwoorden. 'Ik wil wedden dat Tom met een paal in zijn broek tegen de politie stond te liegen toen hij zei dat hij geen idee had waar we waren.'

'Hoe oud was Tom toen dit gebeurde?'

'Drie jaar jonger dan ik.'

'Dus twaalf,' zei Will.

'Nee,' verbeterde Pauline hem. 'Hij was nog niet jarig geweest. Hij was nog maar elf toen het gebeurde. Een maand later werd hij twaalf. Mijn moeder organiseerde een feestje. Dat monstertje was op borgtocht vrij en zij organiseerde gewoon een verjaardagsfeestje voor hem.'

'Hoe zijn jullie uit dat hol ontsnapt?'

'Hij liet ons gaan. Hij zei dat hij ons zou vermoorden als we het vertelden, maar Alex heeft het toch aan haar ouders verteld, en die geloofden haar.' Ze lachte snuivend. 'Reken maar dat die haar geloofden.'

'Wat is er toen met Tom gebeurd?'

'Hij werd gearresteerd. De politie belde en mijn moeder bracht hem naar het bureau. Ze kwamen hem niet eens halen. Ze kwamen hem niet eens thuis arresteren. Ze belden gewoon op en zeiden dat hij op het bureau moest komen.' Ze zweeg en probeerde rustig te worden. 'Tom kreeg een psychiatrisch onderzoek. Eerst zou hij naar een gevangenis voor volwassenen worden gestuurd, maar hij was nog maar een jongen en de psychiaters protesteerden en zeiden dat hij hulp nodig had. Als hij wilde kon Tom zich jonger voordoen – veel jonger dan hij in werkelijkheid was. Dan keek hij heel onnozel, alsof hij niet snapte waarom ze al die lelijke dingen over hem zeiden.'

'Wat besloot de rechter?'

'Er werd een of andere diagnose gesteld. Ik weet het niet. Waarschijnlijk dat hij psychopaat was.'

'We hebben zijn dossiers van de luchtmacht. Wist je dat hij in dienst is geweest?' Pauline schudde haar hoofd. 'Zes jaar,' zei Faith. 'In plaats van voor de krijgsraad te verschijnen is hij ontslagen.'

'Wat wil dat zeggen?'

'Als je tussen de regels door leest, zou je kunnen constateren dat de luchtmacht zijn afwijking niet wilde – of kon – behandelen. Daarom kreeg hij eervol ontslag aangeboden en dat heeft hij geaccepteerd.' De militaire dossiers van Tom Coldfield waren in het soort overheidstaal opgesteld dat alleen een oude rot kon ontcijferen. Faiths broer Zeke had als arts alle sleutelwoorden herkend. Het onthullendst was nog wel het feit dat Tom niet was opgeroepen om in Irak te dienen, zelfs niet op het hoogtepunt van de oorlog, toen er bijna geen voorwaarden meer aan dienstneming werden gesteld.

'Wat is er in Oregon met Tom gebeurd?' vroeg Will.

Pauline antwoordde op afgemeten toon. 'Hij zou daar opgenomen worden, maar mijn moeder heeft toen een babbeltje met de rechter gemaakt en gezegd dat we familie in het oosten hadden. Ze vroeg of we hem daarnaartoe mochten brengen, zodat hij kon worden behandeld in de buurt van mensen die om hem gaven. De rechter vond het goed. Volgens mij waren ze allang blij dat ze van ons af waren. Net als de luchtmacht. Wat niet weet, wat niet deert.'

'Heeft je moeder hem laten behandelen?'

'Jezus, nee.' Ze lachte. 'Mijn moeder deed godverdomme

weer precies hetzelfde. Ze zei dat Alex en ik hadden gelogen, dat we waren weggelopen, dat een vreemde ons te pakken had gehad en dat we het op Tom probeerden te schuiven omdat we de pest aan hem hadden en op medelijden uit waren.'

Faith voelde zich misselijk worden en ze vroeg zich af hoe een moeder zo blind kon zijn voor het leed van haar kind.

'Hebben jullie toen je naam in Coldfield veranderd?' vroeg Will.

'Na wat er met Tom was gebeurd veranderden we onze naam in Seward. Dat was niet zo simpel. Er waren bankrekeningen, en we moesten allerlei documenten indienen om het wettig te maken. Mijn vader begon vragen te stellen. Hij was er helemaal niet blij mee, want nu moest hij iets dóen, snap je? Hij moest naar de rechtbank, kopieën opvragen van geboortebewijzen, formulieren invullen. Ze waren net bezig om alles in Seward te veranderen toen ik wegliep. Ik denk dat ze het weer in Coldfield hebben veranderd toen ze uit Michigan vertrokken. Het was nou ook weer niet zo dat Oregon bijhield wat er met Tom gebeurde. Wat die lui betrof was zijn dossier gesloten.'

'Heb je ooit nog iets van Alex McGhee gehoord?'

'Die heeft zelfmoord gepleegd.' Pauline klonk zo kil dat de rillingen over Faiths rug liepen. 'Ze kon het waarschijnlijk niet meer aan. Zo zijn sommige vrouwen nou eenmaal.'

'Weet je zeker dat je vader niet wist wat er aan de hand was?' vroeg Will.

'Hij wilde het niet weten,' antwoordde Pauline, maar het was te laat om de waarheid te achterhalen. Henry Coldfield had een zware hartaanval gekregen toen hij hoorde wat er met zijn vrouw en zoon was gebeurd. Op weg naar het ziekenhuis was hij gestorven.

Will bleef aandringen. 'Je vader heeft dus nooit gemerkt...'

'Hij was altijd op reis. Hij bleef weken weg, soms wel een maand. En als hij al thuis was, was hij eigenlijk nog steeds niet thuis. Dan was hij met zijn vliegtuig aan het vliegen

501

of aan het jagen of golfen, of weet ik veel wat hij allemaal uitspookte.' Pauline klonk steeds bozer. 'Ze hadden een soort afspraak. Zij regelde de gang van zaken thuis, vroeg hem nooit om haar ergens mee te helpen, en hij kon zijn gang gaan zolang hij zijn salaris aan haar overdroeg en geen vragen stelde. Mooi leventje, hè?'

'Heeft je vader je ooit iets aangedaan?'

'Nee. Hij was er nooit. We zagen hem met Kerstmis en met Pasen. Dat was het wel zo ongeveer.'

'Waarom met Pasen?'

'Weet ik veel. Dat was voor mijn moeder iets heel speciaals. Dan verfde ze eieren, hing linten op en dat soort zaken. Ze vertelde Tom over zijn geboorte, zei dat hij heel bijzonder was, dat ze heel graag een zoon had willen hebben en dat hij haar leven compleet had gemaakt.'

'Ben je daarom met Pasen weggelopen?'

'Ik ben weggelopen omdat Tom weer een hol aan het graven was in de achtertuin.'

Faith zweeg even, zodat Pauline haar gedachten kon ordenen. 'Dat was in Ann Arbor?'

Pauline knikte, en er verscheen een afwezige blik in haar ogen. 'Ik herkende hem niet, weet je dat?'

'Toen hij je ontvoerde?'

'Het ging allemaal zo snel. Ik was zo verdomd blij toen ik Felix zag. Ik dacht dat ik hem kwijt was. En toen drong het tot me door dat Tom daar stond, maar op dat moment was het te laat.'

'Herkende je hem?'

'Ik vóelde hem. Ik kan het niet beschrijven. Ik wist gewoon met elke vezel in mijn lichaam dat hij het was.' Even sloot ze haar ogen. 'Toen ik bijkwam in die kelder, voelde ik hem nog steeds. Ik weet niet wat hij met me gedaan heeft terwijl ik buiten westen was. Ik weet niet wat hij gedaan heeft.'

Bij de gedachte moest Faith een huivering onderdrukken. 'Hoe heeft hij je gevonden?'

'Ik denk dat hij altijd geweten heeft waar ik was. Hij kan heel goed mensen opsporen, ze in de gaten houden, hun gewoonten bestuderen. Ik zal het hem ook wel niet zo moeilijk hebben gemaakt doordat ik Alex' naam gebruikte.' Ze liet een vreugdeloos lachje horen. 'Ongeveer anderhalf jaar geleden belde hij naar mijn werk. Dat is toch niet te geloven? Hoe groot is de kans dat ik dat telefoontje aannam en dat Tom aan de andere kant van de lijn zat?'

'Wist je dat hij het was?'

'Jezus, nee. Dan zou ik Felix gepakt hebben en ervandoor zijn gegaan.'

'Wat wilde hij?'

'Zoals ik al zei: het was een soort wervingspraatje.' Vol ongeloof schudde ze haar hoofd. 'Hij vertelde over het opvanghuis, dat ze donaties accepteerden en blanco kwitanties uitschreven. We hebben heel veel rijke cliënten en die geven hun meubels aan liefdadigheidsinstellingen om het van de belasting te kunnen aftrekken. Dan voelen ze zich niet zo schuldig als ze een zithoek van vijftigduizend dollar wegdoen om er eentje van tachtigduizend te kopen.'

De bedragen waren zo hoog dat het Faith duizelde. 'Dus je besloot om je cliënten naar het opvanghuis te verwijzen?'

'Ik was kwaad op Goodwill. Die geven je altijd een bepaalde periode waarin ze langskomen, bijvoorbeeld tussen tien en twaalf. Wie kan daar nou op wachten? Mijn cliënten zijn stuk voor stuk miljonair. Die kunnen niet zomaar de hele ochtend thuis blijven zitten tot er een of andere dakloze sukkel komt opdagen. Tom zei dat het opvanghuis altijd een afspraak maakte en precies op tijd kwam. En dat deden ze ook. Ze waren vriendelijk en schoon, en geloof me, dat zegt heel wat. Ik heb ze aan iedereen aanbevolen.' Ze besefte wat ze had gezegd. 'Aan iedereen.'

'Dus ook aan de vrouwen van je internetgroep?'

Ze zweeg.

Faith vertelde wat ze de laatste paar dagen hadden ontdekt. 'Het kantoor van Anna Lindsey heeft het opvanghuis het laatste halfjaar juridisch advies gegeven. De bank van Olivia Tanner was vorig jaar een van de grootste donoren. Jackie Zabel belde het opvanghuis om te vragen of ze de spullen van haar moeder wilden afhalen. Ze hadden allemaal over het opvanghuis gehoord.'

'Ik wist... Ik wist het niet.'

Het was nog steeds niet gelukt om tot de chatroom door te dringen. De site was te professioneel opgezet, en het kraken van de wachtwoorden had voor het FBI geen prioriteit meer nu de dader in de bak zat. Toch wilde Faith het weten. Ze moest het uit Paulines eigen mond horen. 'Jij hebt een bericht over het opvanghuis geplaatst, hè?'

Pauline zweeg nog steeds.

'Vertel het nou maar,' zei Faith, en om de een of andere reden sloeg haar verzoek aan.

'Ja. Ik heb dat bericht geplaatst.'

Pas na enige tijd merkte Faith dat ze haar adem had ingehouden. Nu blies ze langzaam uit. 'Hoe wist Tom dat ze allemaal een eetstoornis hadden?'

Pauline keek op, en de kleur keerde terug in haar wangen. 'Hoe wisten jullie dat?'

Daar dacht Faith even over na. Ze wisten het omdat ze het leven van de vrouwen hadden nagetrokken, even systematisch als Tom Coldfield dat had gedaan. Hij was hen gevolgd, had hen bespied tijdens hun intiemste momenten. En niemand van hen had het doorgehad.

'Hoe gaat het met die andere vrouw?' vroeg Pauline.

'Met wie ik opgesloten heb gezeten?'

'Goed.' Het ging zo goed met Olivia Tanner dat ze weigerde met de politie te praten.

'Wat een taaie bitch.'

'Net als jij,' zei Faith. 'Misschien helpt het als je met haar gaat praten.'

'Ik hoef geen hulp.'

Faith ging er maar niet tegen in.

'Ik wist dat Tom me uiteindelijk zou vinden,' zei Pauline. 'Ik trainde mezelf voortdurend. Ik zorgde dat ik het zonder eten kon stellen, dat ik het zou volhouden. Toen het om mij en Alex ging,' legde ze uit, 'had hij het altijd voorzien op degene die het hardst schreeuwde, die het eerst de strijd opgaf. Ik zorgde ervoor dat ik dat niet was. Zo heb ik mezelf geholpen.'

'Heeft je vader nooit gevraagd waarom je moeder jullie naam wilde veranderen en wilde verhuizen?' vroeg Will.

'Ze zei dat het was om Tom een nieuwe start te geven – om ons allemaal een nieuwe start te geven.' Met datzelfde vreugdeloze lachje richtte ze zich nu tot Faith. 'Het gaat altijd om de jongens, niet? Moeders en hun zonen. De dochters kunnen de klere krijgen. Ze houden eigenlijk alleen van hun zonen.'

Faith legde haar hand op haar buik. Het gebaar was de afgelopen dagen een automatisme geworden. Ze had steeds gedacht dat het kind dat in haar groeide een jongen was, een tweede Jeremy die tekeningen zou maken en liedjes voor haar zou zingen. Een kleuter die vol trots tegen zijn vriendjes zou zeggen dat zijn mama bij de politie werkte. Een jongeman met respect voor vrouwen. Een volwassene die dankzij zijn alleenstaande moeder wist hoe moeilijk het was om tot het andere geslacht te behoren.

Nu hoopte Faith dat ze een dochter zou krijgen. Elke vrouw die ze in de loop van deze zaak hadden leren kennen, had lang voordat Tom Coldfield haar te pakken kreeg al een manier ontdekt om haar zelfhaat te botvieren. Ze waren het gewend om hun lichaam alles te ontzeggen, van voedsel tot warmte en vriendschap. Faith wilde haar kind laten zien dat het anders kon. Ze wilde een meisje dat de kans zou krijgen om van zichzelf te houden. Ze wilde dat meisje zien uitgroeien tot een sterke vrouw, die wist wat ze waard was in de wereld. En ze zou proberen te verhoeden dat een van haar kinderen ooit met een bitter en beschadigd figuur als Pauline McGhee in aanraking kwam.

'Judith ligt in het ziekenhuis,' zei Will. 'De kogel heeft haar hart net gemist.'

De vrouw sperde haar neusgaten open. Tranen vulden haar ogen, en Faith vroeg zich af of ze ergens, diep in haar hart, toch nog verlangde naar een band met haar moeder.

'Als je wilt, kan ik je wel bij Judith brengen,' bood Faith aan.

Ze lachte snuivend en veegde nijdig haar tranen af. 'Waag het niet, bitch. Ze is er nooit voor me geweest. Denk maar niet dat ik er nu voor haar ben.' Ze schoof haar zoontje iets hoger op haar schouder. 'Tijd om hem naar huis te brengen.'

Will deed nog één poging. 'Als je alleen maar...'

'Als ik alleen maar wat?'

Een antwoord had hij niet. Pauline stond op en liep naar de deur, en met Felix op haar arm tastte ze naar de kruk.

'Het FBI neemt ongetwijfeld nog contact met je op,' zei Faith.

'Het FBI kan me de kont kussen.' Met enige moeite kreeg ze de deur open. 'En dat geldt ook voor jullie.'

Faith keek haar na toen ze de gang door liep. Ze legde Felix op haar andere schouder en koerste op de lift af. 'God,' zei ze zachtjes, 'het is moeilijk om medelijden met haar te hebben.'

'Je hebt het goed aangepakt,' zei Will.

Faith zag zichzelf weer in de gang staan, daar in het huis van Tom Coldfield, met haar pistool op Paulines hoofd gericht terwijl Tom zich op de vloer probeerde los te worstelen. Ze waren er niet op getraind om verdachten vleugellam te schieten. Ze waren erop getraind om snel een serie kogels over het midden van de borst af te vuren.

Tenzij je Amanda Wagner heette. Dan loste je één schot dat voldoende schade aanrichtte om iemand uit te schakelen zonder hem van het leven te beroven.

'Als je het over kon doen, zou je Tom dan door Pauline laten afmaken?' vroeg Will.

'Ik weet het niet,' moest Faith bekennen. 'Ik handelde op de automatische piloot. Ik deed waarvoor ik getraind ben.'

'Als je bedenkt wat Pauline allemaal heeft meegemaakt...' Will zweeg. 'Erg aardig is ze niet.'

'Het is een gevoelloos kreng.'

'Dan verbaast het me dat ik niet verliefd op haar ben geworden.'

Faith moest lachen. Ze had Angie in het ziekenhuis gezien toen Will uit de operatiekamer werd gereden. 'Hoe is met mevrouw Trent?'

'Ze is nu aan het uitzoeken of ik mijn levensverzekeringspolissen wel betaald heb.' Hij pakte zijn telefoontje. 'Ik heb gezegd dat ik tegen drieën thuis zou zijn.'

Faith zei maar niets over zijn nieuwe mobiel of over zijn

behoedzame blik. Ze ging ervan uit dat Angie Polaski weer terug was in Wills leven. Er zat niet anders op dan erin te berusten, net zoals je een irritante schoonzus verdroeg of de weerzinwekkend hoerige dochter van je chef. Will schoof zijn stoel naar achteren. 'Dan ga ik nu maar.'

'Zal ik je naar huis brengen?'

'Ik loop wel.'

Hij woonde slechts een paar straten verderop, maar nog geen drie dagen daarvoor had hij een operatie ondergaan. Will kapte Faith af toen ze wilde protesteren.

'Je bent een goede agent, Faith, en ik ben blij dat ik je als collega heb.'

Ze had nog nooit zoiets verbluffends uit zijn mond gehoord. 'Meen je dat?'

Hij boog zich voorover en kuste haar op haar hoofd. Voor ze kon reageren zei hij: 'Als je Angie ooit op die manier boven op mij ziet liggen, dan waarschuw je niet, hè? Dan haal je gewoon de trekker over.'

Epiloog

Sara deed een stap naar achteren toen haar patiënt uit de traumakamer werd gereden. De man was frontaal tegen een motorrijder op gebotst die dacht dat rood alleen voor auto's gold. De motorrijder was dood, maar dankzij zijn veiligheidsgordel maakte het andere slachtoffer een redelijke kans. Sara verbaasde zich voortdurend over al die mensen die ze in het Grady onder ogen kreeg omdat ze een veiligheidsgordel een overbodig artikel vonden. Het waren er bijna evenveel als het aantal doden dat ze had gezien tijdens haar jaren als lijkschouwer in Grant County.

Mary kwam de kamer binnen om de rommel op te ruimen voor de volgende patiënt werd binnengebracht. 'Goed werk,' zei ze.

Sara glimlachte. In het Grady kwamen alleen de allerergste gevallen binnen, en ze hoorde die woorden lang niet vaak genoeg.

'Hoe gaat het met die hysterische zwangere smeris? Met Mitchell?'

'Ze heet Faith,' zei Sara. 'Goed, geloof ik.' Ze had niet meer met Faith gesproken sinds de agent twee weken eerder met een helikopter naar Spoed was gebracht. Telkens als Sara de telefoon pakte om te informeren hoe het met haar ging, was er iets wat haar weerhield. Faith had zelf trouwens ook niet gebeld. Waarschijnlijk geneerde ze zich omdat Sara haar tijdens een dergelijk dieptepunt had meegemaakt. Faith Mitchell had liggen snikken als een kind toen ze dacht dat ze haar baby'tje kwijt was, en dat terwijl ze kort daarvoor niet eens wist of ze het wilde houden.

'Heb je nog steeds dienst?' vroeg Mary.

Sara wierp een blik op de klok. Haar dienst zat er al twintig minuten op. 'Zal ik je helpen?' vroeg ze, en ze wees naar alle troep die ze een paar minuten eerder op de vloer had gegooid terwijl ze bezig was om het leven van haar patiënt te redden.

'Ga nu maar,' zei Mary. 'Je bent hier al de hele nacht.'

'Dat geldt ook voor jou,' was Sara's antwoord, maar ze liet het zich geen twee keer zeggen en vertrok.

Ze liep de gang door naar de artsenkamer, waarbij ze telkens opzijstapte om brancards langs te laten. De patiënten zaten als haringen in een ton opeengepakt, en Sara dook snel onder de balie van de verpleegsterspost door om een stuk af te snijden. Op de tv boven de balie stond CNN aan, en ze zag dat de zaak-Tom Coldfield nog steeds volop in de belangstelling stond.

Het verhaal was hoofdnieuws en daarom had Sara het des te opmerkelijker gevonden dat er niet meer mensen naar voren waren gekomen om hun versie van de gebeurtenissen te vertellen. Niet dat ze van Anna Lindsey had verwacht dat ze munt uit haar ellende wilde slaan, maar het feit dat de twee andere vrouwen die het hadden overleefd evenmin iets loslieten was verbazend in een tijdperk waarin bij het minste of geringste met film- en tv-rechten werd gezwaaid. Uit de nieuwsverslagen had Sara opgemaakt dat er meer achter het verhaal schuilging dan het FBI prijsgaf, maar ze kon niemand vinden die haar het fijne van de zaak wilde vertellen.

Niet dat ze haar best niet had gedaan om achter de waarheid te komen. Faith was niet in staat geweest ook maar iets los te laten toen ze op Spoed werd binnengebracht, maar Will Trent had ook een nacht ter observatie in het ziekenhuis doorgebracht. Het keukenmes had alle grote slagaders gemist, maar de pezen waren een ander verhaal. Pas na maanden fysiotherapie zou Will motorisch weer de oude zijn. Toch was Sara de volgende ochtend zijn kamer binnen gelopen met de overduidelijke bedoeling om informatie uit hem los te krijgen. Hij had zich opeens heel anders gedragen, trok steeds het laken omhoog en stopte het uiteindelijk met een merkwaardig preuts gebaar onder zijn kin, alsof Sara nog nooit een blote mannenborst had gezien.

Een paar minuten later was Wills vrouw verschenen, en Sara had onmiddellijk beseft dat het gênante voorval van die keer dat ze met Will Trent op haar bank had gezeten niet meer dan een hersenspinsel was geweest. Angie Trent was een schoonheid en op een gevaarlijke manier sexy, zo iemand die mannen tot het uiterste drijft. Toen ze naast haar stond had Sara zichzelf ongeveer even interessant gevonden als het behang op de ziekenhuismuur. Zodra de beleefdheid het toeliet had ze zich verontschuldigd en was ervandoor gegaan. Mannen die op vrouwen als Angie Trent vielen, zagen iemand als Sara meestal niet staan.

De ontdekking had haar opgelucht, hoewel ze ook lichtelijk teleurgesteld was geweest. Ze had het een plezierige gedachte gevonden dat een man zich tot haar aangetrokken voelde. Niet dat ze er daadwerkelijk iets mee wilde doen. Sara zou nooit meer haar hart aan een ander kunnen schenken, niet zoals ze dat aan Jeffrey had gedaan. Ze was wel degelijk tot liefde in staat, maar een dergelijke overgave bracht ze simpelweg niet meer op.

'Hé daar!' Net toen Sara de artsenkamer binnen liep, kwam Krakauer naar buiten. 'Ga je naar huis?'

'Ja,' antwoordde Sara, maar de arts liep de gang al door, met zijn blik recht voor zich uit gericht in een poging de patiënten te negeren die naar hem riepen.

Sara ging naar haar kluisje en draaide aan het slot. Ze pakte haar tas en liet die op de bank achter zich ploffen. De rits stond wijd open. Ze zag de rand van de brief boven haar portefeuille en haar sleutels uit steken.

De Brief. De uitleg. Het excuus. Het verzoek om vergeving. Het afwentelen van schuld.

Wat kon de vrouw die persoonlijk verantwoordelijk was geweest voor de dood van Jeffrey in godsnaam nog te vertellen hebben?

Sara haalde de envelop uit haar tras. Ze wreef er met haar vingers overheen. Er was verder niemand in het vertrek. Ze was alleen met haar gedachten. Alleen met dit smaadschrift. Dit oeverloze gezwets. Deze onvolwassen zelfrechtvaardiging.

Wat viel er nog te zeggen? Lena Adams had voor Jeffrey gewerkt. Ze was een van zijn rechercheurs geweest bij het politiekorps van Grant County. Tien jaar lang had Jeffrey Lena uit de wind gehouden, haar uit de nesten geholpen en haar fouten gladgestreken. Als dank had ze zijn leven op het spel gezet, hem in aanraking gebracht met het soort lieden dat doodde uit tijdverdrijf. Lena had die bom daar niet geplaatst, ze had er zelfs niets van geweten. Er was geen rechtbank die haar voor haar daden zou veroordelen, maar Sara wist – tot in het diepst van haar wezen wist ze het – dat Lena verantwoordelijk was voor Jeffreys dood. Door Lena was hij in contact gekomen met die keiharde huurlingen. Door Lena had Jeffrey het pad gekruist van de mannen die hem hadden vermoord. Zoals gewoonlijk had Jeffrey Lena beschermd, en dat had hij met de dood moeten bekopen.

Daarom was Lena even schuldig als de man die de bom had geplaatst. Schuldiger zelfs, vond Sara, want ze wist dat Lena's geweten inmiddels gesust was. Ze wist dat ze niet aangeklaagd kon worden, dat geen straf haar kon treffen. Er zouden bij Lena geen vingerafdrukken worden afgenomen, ze zou niet vernederd worden terwijl ze werd gefotografeerd en gevisiteerd. Ze zou niet in afzondering worden opgesloten omdat de andere gevangenen de smeris wilden vermoorden die in de bak was beland. Ze zou geen naald in haar arm voelen. Lena Adams zou niet uit het raampje van de executiekamer kijken en dan Sara zien, die zat te wachten tot ze eindelijk stierf als boete voor haar wandaden.

Ze had een koelbloedige moord op haar geweten, maar ze zou er nooit voor gestraft worden.

Sara scheurde een hoekje van de envelop af en schoof haar duim langs de rand om hem te openen. De brief bestond uit gele blocnoteblaadjes, telkens aan één kant beschreven, en elk velletje was genummerd. De inkt was blauw, waarschijnlijk van een balpen.

Jeffrey had ook altijd gele blocnotes gebruikt. Dat doen

de meeste politiemensen. Ze hebben ze in stapels op voorraad en pakken altijd een vers exemplaar wanneer een verdachte een bekentenis op schrift wil stellen. Dan schuiven ze de blocnote over de tafel, halen de dop van een nieuwe pen en kijken toe terwijl de woorden uit de pen op het papier vloeien en de biechteling van verdachte in misdadiger verandert.

Een jury ziet graag een bekentenis op geel blocnotepapier. Daarmee zijn ze vertrouwd; het is minder formeel dan een uitgetypte verklaring, hoewel er altijd een getypte verklaring achter de hand is. Sara vroeg zich af of er ergens een transcriptie was van de blokletters waarmee de velletjes papier die ze nu in haar handen hield waren beschreven. Want zo waar als Sara daar in de artsenkamer van het Grady stond, was dit een bekentenis.

Zou het trouwens iets uitmaken? Zouden Lena's woorden ook maar iets veranderen? Zouden ze Jeffrey terugbrengen? Zouden ze Sara haar oude leven teruggeven – het leven waarin ze thuishoorde?

Na de afgelopen drieënhalf jaar wist Sara wel beter. Niets zou dat alles terugbrengen, geen enkel pleidooi, geen pil en geen straf. Geen enkel moment was in een lijstje samen te vatten. Geen herinnering zou ooit het grote geluk dat ze had gekend kunnen oproepen. Het enige wat overbleef was leegte, het gapende gat in Sara's leven dat ooit werd gevuld door de enige man ter wereld die ze echt had liefgehad.

Kortom, wat Lena ook te melden had, het zou Sara nooit enige rust brengen. Hooguit zou die wetenschap het wat gemakkelijker maken.

Niettemin ging Sara op de bank zitten en begon de brief te lezen.

Dankbetuiging

Allereerst wil ik mijn lezers uit de grond van mijn hart bedanken voor hun niet-aflatende steun. Ik heb vol overtuiging aan Sara's verhaal gewerkt, en ik hoop dat jullie het de moeite waard hebben gevonden. Wat de uitgeefkant van de zaak betreft zijn het weer dezelfde ouwe getrouwen naar wie mijn dank uitgaat: de Kates (respectievelijk M. en E.), Victoria Sanders en iedereen bij Random House in de Verenigde Staten, Groot-Brittannië en Duitsland. Voor mijn vrienden bij De Bezige Bij heb ik buitengewoon veel waardering. Het liefst zou ik jullie in het Nederlands bedanken, maar de enige Nederlandse woorden die ik ken zijn de smerige.

Het Georgia Bureau of Investigation was zo vriendelijk om me een kijkje achter de schermen te gunnen in het gezelschap van enkele agenten en forensisch specialisten. Petje af voor het werk dat jullie doen. Ik ben heel blij dat ik niet in de vuurlinie hoef te staan, zoals ik ook heel blij ben dat jullie de boeven voor ons opsporen. Directeur Vernon Keenan, John Bankhead, Jerrie Gass, speciaal hoofdagent Jesse Maddox, speciaal agent Wes Horner, speciaal agent David Norman, en anderen die hier onvermeld blijven – bedankt voor jullie tijd en geduld, vooral met al die rare vragen die ik heb gesteld.

Sara profiteert nog steeds van de jarenlange medische ervaring van dokter David Harper. Trish Hawkins en Debbie Teague zijn weer zeer behulpzaam geweest bij het bedenken van obstakels voor Will en het verzinnen van manieren om die te omzeilen. Don Taylor, je bent een schat en een echte vriend.

Mijn vader heeft groentesoep voor me gemaakt toen ik te suf was van alle verkoudheidsmiddeltjes om twee zinnen aan elkaar te plakken. D.A. heeft pizza besteld toen mijn vingers te lam waren van het typen.

Voor ik het vergeet: ook nu heb ik me enige vrijheden veroorloofd wat betreft wegen en oriëntatiepunten. Zo berust Route 316 in Georgia puur op fantasie en mag die niet verward worden met Highway 316, die door Dacula loopt. Per slot van rekening is het fictie.